HEYNE

Das Buch

Nur dank einer rechtzeitigen Warnung schaffen es Thomas Pitt und Narraway vom Staatsschutz, eine Katastrophe zu verhindern, als mitten in London zwei Bomben explodieren. Die betroffenen Häuser können rechtzeitig evakuiert werden. Außerdem gelingt es, zwei der Attentäter zu verhaften, der dritte wird erschossen.

Thomas Pitt nimmt die Ermittlungen auf und verhört die festgenommenen Anarchisten. Schon bald hat er den Verdacht, dass hinter dem Anschlag mehr steckt als die Einzeltat irregeleiteter Idealisten. Die Attentäter selbst geben an, sie hätten ein Zeichen gegen die Korruption in der Polizei setzen wollen. Und tatsächlich scheint in der Polizeihauptwache Bow Street nicht alles mit rechten Dingen zuzugehen. Geleitet wird sie von Pitts Feind Wetron, der seinerseits sofort versucht, die Bombenexplosionen für seine Zwecke zu nutzen: Er fordert mehr Macht – natürlich unter dem Vorwand, die Stadt dann besser schützen zu können.

Da macht ausgerechnet Pitts Todfeind Charles Voisey einen teuflischen Vorschlag: Pitt solle sich mit ihm verbünden, um den gemeinsamen Gegner Wetron aus dem Weg zu räumen.

Die Autorin

Anne Perry, 1938 in London geboren und in Neuseeland aufgewachsen, lebt und schreibt in Schottland. Ihre historischen Kriminalromane um Thomas Pitt und seine Ehefrau Charlotte zeichnen ein lebendiges Bild des spätviktorianischen London. Weltweit haben sich die Bücher von Anne Perry bereits über 10 Millionen Mal verkauft.

Bei Heyne sind erschienen: *Die roten Stiefeletten – Das Geheimnis der Miss Bellwood – Feinde der Krone – Die Frau aus Alexandria – Eine Weihnachtsreise – Der Weihnachtsbesuch – Der Weihnachtsgast*

ANNE PERRY

Flammen über Scarborough Street

Ein Inspektor-Pitt-Roman

Aus dem Englischen
von K. Schatzhauser

WILHELM HEYNE VERLAG
MÜNCHEN

Die Originalausgabe LONG SPOON LANE erschien bei
Headline Book Publishing

Umwelthinweis:
Dieses Buch wurde auf chlor-
und säurefreiem Papier gedruckt.

Vollständige deutsche Taschenbuchausgabe 08/07
Copyright © 2005 by Anne Perry
Copyright © der deutschen Ausgabe 2006 by
Wilhelm Heyne Verlag GmbH, München
in der Verlagsgruppe Random House GmbH
Printed in Germany 2006
Umschlagfoto: © agk-images, Kolorierte Lithographie um 1830 von
Thomas Shotter Boys (1830 – 1874)
Umschlaggestaltung: Hauptmann & Kompanie Werbeagentur,
München – Zürich
Satz: C. Schaber Datentechnik, Wels
Druck und Bindung: GGP Media GmbH, Pößneck
ISBN:978-3-453-47074-3

www.heyne.de

Zum Gedenken an meine Mutter

H. Marion Perry
30. Januar 1912 – 19. Januar 2004

in Dankbarkeit

KAPITEL 1

Hart schlugen die Hufe auf das Pflaster, und so rasch bog die Droschke um die Straßenecke, dass Pitt mit Schwung in die Ecke des Sitzes gedrückt wurde. Narraway stieß mit finsterer Miene eine Verwünschung aus. Während der Kutscher sein Pferd zu noch größerer Eile antrieb, setzte sich Pitt wieder gerade hin. Beim Anblick der rasend schnell in Richtung Aldgate und Whitechapel High Street dahinjagenden Droschke drängten andere Kutscher ihre Fahrzeuge scharf an den Straßenrand. Zum Glück war es erst Viertel vor sechs, und so herrschte an diesem Frühsommermorgen kaum Verkehr. Außer einigen Lastfuhrwerken und den Karren vereinzelter Gemüse- und Obsthändler waren lediglich ein Brauereigespann und ein Pferdeomnibus unterwegs.

»Nach rechts!«, rief Narraway dem Kutscher zu. »Durch die Commercial Road! Das ist schneller!«

Wortlos gehorchte der Mann. Auf den Gehwegen sah man ausschließlich Arbeiter, Straßenhändler, Lebensmittellieferanten und Dienstboten. Wenn nur die Droschke die Myrdle Street noch vor sechs Uhr erreichte!

Pitt schlug das Herz bis zum Hals. Eine Ewigkeit schien ihm vergangen zu sein, seit vor einer knappen halben Stunde der Anruf gekommen war. Das Läuten des Telefons hatte ihn aus dem Schlaf gerissen, und er war im Nachthemd nach unten geeilt. Mit hörbarer Anspannung in der Stimme hatte ihm Narraway in aller Eile mitgeteilt: »Ich habe Ihnen eine Droschke geschickt. Wir treffen uns in Cornhill vor dem Gebäude der Börse, an der Nordseite. Umgehend. Anarchisten wollen in der Myrdle Street ein Haus in die Luft jagen.« Dann hatte er aufgelegt, ohne auf eine Antwort zu warten, und Pitt war wieder hinaufgegangen, um Charlotte zu informieren, bevor er sich in größter Hast angekleidet hatte. Sie hatte ihm rasch ein Glas Milch und eine Scheibe Brot aus der Küche geholt. Um Tee zu machen, war die Zeit zu kurz gewesen.

Voll Ungeduld hatte er in der Morgenkühle fünf Minuten auf dem Gehweg vor der Börse gewartet, bis Narraway eintraf, das Droschkenpferd mit rutschenden Hufen zum Stehen kam. Noch bevor Pitt richtig saß, hatte der Kutscher mit seiner langen Peitsche das Tier erneut zu schnellerer Gangart angetrieben.

Jetzt ging es im Galopp in Richtung Myrdle Street. Von Narraway hatte Pitt lediglich erfahren, dass die Mitteilung von einem bevorstehenden Sprengstoffanschlag aus dunklen Quellen in der Unterwelt des East End stammte, dem Reich der bettelnden Pflastermaler, Diebe, Einbrecher, Hehler, Wegelagerer und was sonst an Gesindel nahe dem Themseufer sein Unwesen trieb.

»Warum nur ausgerechnet in der Myrdle Street?«, fragte Pitt. »Und wer sind die Leute eigentlich?«

»Ich ahne es nicht«, gab Narraway zurück, ohne die Straße aus den Augen zu lassen. Die ursprünglich als Reaktion auf die Umtriebe der irischen Fenier in London ins Leben gerufene Staatsschutzabteilung, für die er und Pitt arbeiteten, wurde inzwischen bei jeder Art von Bedrohung für die Sicherheit des Landes herangezogen. Gerade jetzt – im Frühsommer des Jahres 1893 – fürchtete die Öffentlichkeit nichts so sehr wie anarchistische Attentäter. Man wusste, dass in Paris mehrere Sprengstoffanschläge verübt worden waren, und auch in London hatte es bereits ein halbes Dutzend davon gegeben.

Narraway wusste nicht, ob hinter dieser jüngsten Bedrohung Iren standen, die nach wie vor nach Selbstbestimmung strebten, oder Revolutionäre, deren Treiben sich gegen die Regierung, den Thron oder ganz allgemein gegen die Herrschaft von Recht und Gesetz richtete.

Jetzt ging es nach links in die Myrdle Street. Unmittelbar hinter der ersten Querstraße ließ Narraway anhalten. Man sah Polizeibeamte, die in die umliegenden Häuser gingen und deren Bewohner aufforderten, sie schleunigst zu verlassen. Ihnen blieb nicht einmal Zeit, die wichtigsten Dinge von Wert mitzunehmen – ein Mantel oder Umschlagtuch gegen die kühle Morgenluft musste genügen.

Ein etwa zwanzigjähriger Streifenbeamter mahnte eine alte Frau, der die schlohweißen Haare in dünnen Strähnen auf die Schultern fielen, zu größerer Eile. Es fiel Pitt auf, dass sie barfuß über das kalte Pflaster ging. Ihn packte eine ohnmächtige Wut auf die Drahtzieher hinter diesem Anschlag.

Ein kleiner Junge mit verwundert aufgerissenen Augen zerrte einen Mischlingswelpen an einem Strick hinter sich her.

Mit einem Sprung war Narraway aus der Droschke und eilte auf den nächststehenden Beamten zu. Pitt folgte ihm dicht auf den Fersen. Der Polizist fuhr herum und forderte ihn auf umzukehren. Besorgnis und Ärger mischten sich auf seinen Zügen. »Se könn' hier nich weiter, Sir.« Er machte eine abwehrende Bewegung mit den Armen. »Zurück, Sir. In ein'm von den Häusern da kann jeden Augenblick 'ne B...«

»Das ist mir bekannt«, fiel ihm Narraway ins Wort. »Ich bin Victor Narraway, Leiter der Staatsschutzabteilung. Weiß man inzwischen, in welchem?«

Der Beamte deutete eine Ehrenbezeigung an, wobei er nach wie vor eine Hand ausgestreckt hielt, um Menschen an der Rückkehr in ihre Häuser zu hindern. Atemlose Stille lag in der Luft. »Nein, Sir«, gab er zur Antwort. »Nich so richtig. Wir nehm' an, in ein'm von den beid'n da hint'n.« Er deutete mit dem Kopf in Richtung der gegenüberliegenden Straßenseite, wo sich schmale zweistöckige Häuser dicht aneinander drängten. Die Eingangstüren über den von fleißigen Hausfrauen gescheuerten Stufen standen weit offen. Aus einer kam eine Katze heraus. Ein Kind rief ihr etwas zu, und sie eilte ihm rasch entgegen.

»Sind alle Häuser geräumt?«, wollte Narraway wissen.

»Ja, Sir, so weit wir das sag'n könn' ...«

Der Rest seines Satzes ging in einer gewaltigen Explosion unter. Auf einen scharfen Knall folgte ein dumpfes Dröhnen und ein lang hallendes Gepolter. Wie von der Faust eines Riesen wurde ein Teil der Außenmauer eines der Häuser in die Luft gerissen, dann krachten die Trümmer auf die Straße und die Dächer der anderen Häuser, wo sie Ziegel durchschlugen und Schornsteine umrissen. Staub und Flammen erfüllten die Luft. Menschen schrien entsetzt auf. Irgendwo kreischte jemand.

Auch der Streifenbeamte schrie mit weit offenem Mund, ohne dass man in dem allgemeinen Lärm auch nur einen Laut hörte. Er taumelte sonderbar, als ob ihm seine Beine nicht mehr gehorchten, dann sank er, die Arme schwenkend, vornüber. Die Menschen auf der Straße standen wie angewurzelt da und sahen voll Entsetzen zu.

Irgendwo im Inneren eines weiteren Hauses erfolgte noch eine Detonation. Es bebte, wurde in seinen Grundfesten erschüttert; dann wölbten sich seine Mauern nach außen und sanken darauf in sich zusammen. Schließlich schlugen Flammen empor, und schwarzer Rauch stieg zum Himmel.

Wie auf Kommando begannen die Menschen wild durcheinander zu rennen. Kinder weinten, jemand stieß laute Verwünschungen aus, und mehrere Hunde begannen wütend zu bellen. Ein alter Mann fluchte mit immer den gleichen Worten über Gott und die Welt.

Narraways Gesicht war bleich, seine schwarzen Augen wirkten wie Löcher in seinem Gesicht. Auch wenn niemand wirklich geglaubt hatte, die Anschläge verhindern zu können, überkam ihn beim Anblick der über die ganze Straße verteilten Trümmer und der Menschen, die furchtsam und verwirrt hin und her liefen, das Gefühl einer bitteren Niederlage. Inzwischen hatten die

Flammen den Dachstuhl erreicht, und da dessen Balken so trocken wie Zunder waren, griffen sie rasch um sich.

Mittlerweile war eine Feuerspritze eingetroffen. Ohne sich um die von Schweiß bedeckten Pferde zu kümmern, sprangen Männer ab und entrollten eilig die aus Segeltuch gefertigten armdicken Wasserschläuche. Doch es war von vornherein klar, dass ihr Bemühen zum Scheitern verurteilt war.

Pitt fühlte sich sonderbar hilflos. Der Staatsschutz hatte die Aufgabe, solche Vorkommnisse zu verhindern. Nachdem das Entsetzliche eingetreten war, gab es für ihn nichts Sinnvolles zu tun, und auch für tröstende Worte war dies nicht der richtige Zeitpunkt. Niemand wusste, ob nicht noch ein dritter oder gar vierter Sprengsatz detonieren würde. Man musste auf jeden Fall mit dieser Möglichkeit rechnen.

Ein weiterer Polizeibeamter kam im Laufschritt die Straße entlang. Der Helm saß ihm schief auf dem Kopf, und er ruderte wild mit den Armen. »Drüben!«, rief er laut. »Die laufen davon!«

Es dauerte einen Augenblick, bis Pitt begriff, was er meinte.

Narraway, der sofort verstanden hatte, machte auf dem Absatz kehrt und eilte wieder auf die Droschke zu.

Pitt folgte ihm und hatte ihn gerade in dem Augenblick eingeholt, als er hineinsprang und dem Kutscher zurief, zurück in die Fordham Street zu fahren und sich dann ostwärts zu wenden.

Augenblicklich trieb der Mann das Pferd mit einem Schnalzen der langen Peitschenschnur an. Kaum hatten sie die Essex Street überquert, sahen sie eine andere Droschke, die rasch nach Norden durch die New Road in Richtung Whitechapel entschwand.

»Ihnen nach!«, rief Narraway, und der Kutscher befolgte die Anweisung, ohne zu zögern und ohne darauf zu achten, dass er mehrere Karren und Fuhrwerke, die ihm ausweichen mussten, in Bedrängnis brachte.

Bisher war keine Gelegenheit gewesen, sich zu überlegen, wer die Attentäter sein mochten, doch während die Droschke in die Whitechapel Road einbog und am London Hospital vorüberraste, wandte sich Pitt dieser Frage zu. Allem Anschein nach waren die Drohungen der Anarchisten unkoordiniert, und bisher hatte niemand bestimmte Forderungen gestellt. London, die Hauptstadt eines Reiches, das sich über fast alle Weltteile und die dazwischen liegenden Inseln erstreckte, war auch der größte Hafen der Erde. Fortwährend strömten Menschen aus aller Herren Länder ins Land – in jüngster Zeit überwiegend Einwanderer aus Lettland, Litauen, Polen und Russland, die sich der Macht des Zaren zu entziehen versuchten. Andere, die aus Spanien, Italien und insbesondere aus Frankreich kamen, versuchten sozialistisches Gedankengut zu verbreiten.

Narraway beugte sich vor. Er wirkte wie erstarrt. Aufmerksam achtete er darauf, die andere Droschke nicht aus den Augen zu verlieren. Inzwischen lag Whitechapel hinter ihnen; sie hatten die Mile End Road erreicht und fuhren an der Charrington-Brauerei vorüber.

»Das ergibt überhaupt keinen Sinn«, stieß er zwischen den Zähnen hervor.

Die Droschke vor ihnen wandte sich nach links in die Peter Street und sogleich wieder nach rechts, über Willow Place in die Long Spoon Lane. Pitts und Narraways Droschke schoss geradeaus weiter, während die der Verfolgten abgebogen war. Bis der Kutscher gewendet hatte und umgekehrt war, waren zwei weitere Droschken mit Polizeibeamten eingetroffen; die Verfolgten aber schienen spurlos verschwunden zu sein.

Der Ruß und Schmutz von Generationen bedeckte die Reihen zweistöckiger Mietshäuser, die zu beiden Seiten des engen Gässchens Long Spoon Lane aufragten. Es roch nach Fäulnis und Abwässern.

Pitt ließ den Blick nach links und rechts schweifen. Mehrere Türen waren mit Brettern vernagelt. Eine massige Frau stand in einem Hauseingang, die Hände in die Hüften gestemmt, als wolle sie nachsehen, wer sie da in ihren täglichen Verrichtungen störte. In Richtung Westen wurde eine Tür zugeschlagen, doch als zwei Polizeibeamte mit der Schulter gegen sie anrannten, gab sie nicht nach. Sie versuchten es erneut, wieder ergebnislos.

»Wahrscheinlich hat man von innen etwas dagegen gestellt«, sagte Narraway finster. »Zurück!«, gebot er den Männern.

Vermutlich fürchtete er, dass die Anarchisten bewaffnet waren. Das Widersinnige seiner Situation kam Pitt zu Bewusstsein. Vor weniger als zwei Stunden hatte er im Halbschlaf im Bett gelegen, auf dem Kissen neben ihm Charlotte mit der Flut ihrer dunklen Haare. Die frühe Morgensonne hatte einen Lichtspalt zwischen die Vorhänge gezaubert, und Spatzen hatten munter auf den Bäumen vor dem Fenster geschilpt. Ein kalter Schauer überlief ihn, während er den Blick zur schäbigen Mauer des Mietshauses hob, in dem sich zu allem entschlossene Männer verbargen, die mehrere Häuser in die Luft gejagt hatten.

Inzwischen befand sich ein Dutzend Polizeibeamte auf der Straße. Narraway, der anstelle des Wachtmeisters, dem sie unterstanden, das Kommando übernommen hatte, schickte einige von ihnen in benachbarte Gässchen. Voll Beklemmung sah Pitt, dass die zuletzt Eingetroffenen Gewehre trugen. Er begriff, dass es keine andere Möglichkeit gab. Ein Sprengstoffanschlag war ein verabscheuungswürdiges Gewaltverbrechen, und seine Urheber durften nicht mit Gnade rechnen.

Inzwischen herrschte auf der Straße eine seltsame Stille. Mit wehenden Rockschößen kehrte Narraway zurück, das Gesicht so verkniffen, dass seine Lippen nur noch als schmaler Strich zu erkennen waren. »Stehen Sie nicht so stocksteif herum, Pitt. Sie sind Sohn eines Wildhüters – also sagen Sie mir nicht, dass Sie nicht mit einer Schusswaffe umgehen können! Hier!« Er hielt ein Gewehr hoch und stieß es Pitt entgegen. Die Knöchel seiner Hand waren weiß.

Es lag Pitt schon auf der Zunge zu sagen, dass Wildhüter nicht auf Menschen schießen, als ihm aufging, dass das weder zur Sache gehörte noch der Wahrheit entsprach. So mancher Wilderer hatte schon eine Ladung Schrot ins Hinterteil bekommen. Zögernd nahm er erst die Waffe und dann die Patronen entgegen.

Mit einem spöttischen Lächeln über den dürftigen Schutz,

den sie bot, ging er auf der gegenüberliegenden Straßenseite hinter der einzigen Laterne in Stellung. Narraway hielt sich im Schatten der Gebäude auf der anderen Seite, eilte mit raschen Schritten über den schmalen Gehweg und sprach mit den Polizeibeamten, die Deckung suchten, so gut es ging. Außer Narraways Schritten hörte man keinen Laut. Droschken samt Pferden waren aus dem Gefahrenbereich entfernt worden. Alle Menschen, die dort lebten, hatten sich ins Innere der Häuser zurückgezogen.

Die Minuten schleppten sich dahin. Nichts regte sich. Pitt überlegte, ob sich überhaupt Anarchisten in dem Gebäude befanden. Automatisch wanderte sein Blick zu den Dächern empor. Sie waren zu steil, als dass sich jemand darauf hätte halten können, und es gab auch keinerlei Mansarden- oder Dachfenster, aus denen man hätte klettern können.

Narraway kehrte zurück. Er folgte Pitts Blick, und einen Augenblick lang trat ein spöttisches Lächeln auf seine Züge. »Nein, danke«, sagte er trocken. »Falls ich jemanden nach da oben schicken wollte, wären das garantiert nicht Sie. Sie würden bestimmt über Ihre eigenen Rockschöße stolpern. Und bevor Sie mich fragen, ja, ich habe Männer hinter das Haus und an die beiden Seiten geschickt.« Er stellte sich zwischen Pitt und die Mauer.

Pitt lächelte.

Grimmig und mit säuerlicher Miene fuhr Narraway fort: »Ich denke nicht daran, den ganzen Tag zu warten, bis die da herauskommen. Ich habe Stamper gesagt, er soll ein paar alte Fuhrwerke als Kugelfang herbeischaffen. Die sind dafür solide genug. Wir legen sie auf die Seite und gehen dahinter in Deckung. Dann wird das Haus gestürmt.«

Pitt nickte. Er hätte seinen Vorgesetzten gern besser gekannt. Noch traute er ihm nicht so sehr wie früher Micah Drummond oder John Cornwallis, als er Angehöriger der Londoner Stadtpolizei war und auf der Wache in der Bow Street Dienst getan hatte. Er hatte beide Männer geachtet. Er hatte gewusst, dass sie ihre Pflicht erfüllten, und er hatte außer ihren Fähigkeiten auch ihre menschliche Seite gekannt sowie ihre schwachen Stellen.

Aus freien Stücken wäre Pitt nie in den Staatsschutz eingetreten. Durch den Erfolg, den er im Kampf gegen die als Innerer Kreis bekannte mächtige Geheimgesellschaft errungen hatte, war er höheren Orts in Ungnade gefallen, und das hatte ihn seine Stellung als Oberinspektor der Londoner Stadtpolizei gekostet. Nicht nur um seiner Sicherheit willen, sondern auch, damit er weiter seinen Lebensunterhalt verdienen konnte, hatte man ihm eine Stellung in der Staatsschutzabteilung verschafft, wo er für Victor Narraway arbeitete. An seine Stelle in der Bow Street war Harold Wetron getreten, Mitglied des Inneren Kreises und inzwischen auch Leiter dessen, was von dieser Gruppierung geblieben war.

Beim Staatsschutz fühlte er sich unsicher, weil er sich immer wieder wie ein Anfänger vorkam. Für diese Arbeit, bei der nicht nur Geheimhaltung, sondern auch Verschlagenheit nötig war und fast stets politische Hintergründe berücksichtigt werden mussten, hatte er noch viel zu lernen, und um Narraway richtig einzuschätzen, fehlten ihm bislang die Maßstäbe.

Doch zugleich war ihm bewusst, dass er den Kontakt zur Wirklichkeit ziemlich rasch verloren hätte, wenn er in der Bow Street geblieben und weiter befördert worden wäre. Sein Empfinden für die menschlichen Hintergründe von Verbrechen wäre allmählich in dem Maße geschwunden, wie er alle Informationen aus zweiter Hand bekommen hätte. Außerdem hätte er nicht mehr wie früher unmittelbaren Einfluss auf die Vorgehensweise bei der Aufklärung von Verbrechen nehmen können.

Mithin befand er sich mittlerweile in einer besseren Ausgangssituation, auch wenn er jetzt mit Narraway in der Morgenkühle in einer abgelegenen Nebenstraße stand und darauf wartete, dass sie einen Anarchistenstützpunkt stürmten. Eine Festnahme war nie einfach oder angenehm. Hinter jedem Verbrechen stand die Tragödie eines oder mehrerer Menschen.

Pitt stieg der abgestandene Geruch von faulendem Holz und

Abwässern in die Nase. Außerdem merkte er, dass er Hunger hatte. Vor allem aber sehnte er sich nach einer Tasse heißem Tee. Sein Mund war ausgedörrt, und er hatte es satt, bewegungslos an ein und derselben Stelle ausharren zu müssen. Im Schatten war es empfindlich kalt, obwohl Frühsommer war. Das Pflaster des Gehwegs war noch nass vom nächtlichen Tau.

Vom anderen Ende der Straße rumpelte ein alter Karren herbei, den ein zottiges Pferd zog. Vor der Häuserreihe schirrte der Kutscher es aus und führte es in raschem Schritt davon. Bald darauf tauchte ein ähnlicher Karren auf und wurde hinter dem ersten abgestellt. Dann kippte man beide auf die Seite.

»So«, sagte Narraway leise und straffte sich. Sein Gesicht wirkte entschlossen. Das bleiche Licht des Morgens ließ alle Fältchen darauf deutlich hervortreten. Es sah aus, als habe im Laufe seines Lebens jede tiefe Empfindung ihre Spuren in seinem Gesicht zurückgelassen, und doch vermittelte es den Eindruck unbeugsamer Stärke.

Inzwischen befand sich ein halbes Dutzend Polizeibeamte auf der Straße, die meisten davon bewaffnet. Auch auf der Rückseite des Gebäudes sowie an den Enden der Straße waren Polizeibeamte postiert.

Schon näherten sich Männer mit einem Rammbock, um die Tür des Hauses gewaltsam zu öffnen, da zerklirrte im oberen Stockwerk eine Fensterscheibe. Alle erstarrten mitten in der Bewegung. Gleich darauf fielen Schüsse, prallten Kugeln in Schulter- und Kopfhöhe von den Mauern ab. Glücklicherweise schien niemand getroffen worden zu sein.

Die Beamten erwiderten das Feuer. Die Scheiben zweier weiterer Fenster wurden zerstört.

In der Ferne hörte man einen Hund bellen, und von der Mile End Road, die ganz in der Nähe lag, kam das gleichförmige Geräusch des Verkehrs herüber.

Wieder fielen Schüsse.

Pitt zögerte, sein Gewehr zu benutzen. Obwohl er im Lauf der Jahre als Polizeibeamter viele Verbrechen aufgeklärt hatte, war er nie in die Zwangslage gekommen, auf einen Menschen schießen zu müssen. Die bloße Vorstellung, sich dazu genötigt zu sehen, verursachte ihm Unbehagen.

Narraway eilte im Laufschritt dorthin, wo zwei Männer hinter den umgestürzten Karren kauerten. Als eine Kugel unmittelbar oberhalb von Pitts Kopf in die Mauer schlug, hob er mechanisch das Gewehr und feuerte auf das Fenster, aus dem der Schuss gekommen war.

Die Männer mit dem Rammbock hatten die andere Straßenseite erreicht und waren jetzt aus der Schusslinie. Sobald sich hinter den Fenstern ein Schatten regte, feuerte Pitt und lud seine Waffe gleich wieder nach. Trotz allem Abscheu war seine Hand ruhig, und er empfand ein gewisses Hochgefühl.

Ein Stück weiter wurde jetzt ebenfalls geschossen.

Nach einem warnenden Blick zu Pitt eilte Narraway über die Straße zu den Männern mit dem Rammbock. Wieder wurde aus dem obersten Fenster eine Salve abgefeuert. Einige Kugeln prallten von der Mauer ab und sirrten als Querschläger durch die Luft, andere schlugen dumpf in die Planken der Karren ein.

Pitt erwiderte das Feuer, dann schwenkte er den Lauf seines Gewehrs auf ein anderes Fenster, aus dem bisher noch nicht geschossen worden war. Die Sonnenstrahlen brachen sich blitzend in den Scherben der zerbrochenen Scheibe.

Jetzt fielen Schüsse von verschiedenen Stellen: aus dem Haus, von der Straße vor ihm und von ihrem jenseitigen Ende. Ein Polizist sank in sich zusammen und stürzte zu Boden.

Niemand eilte ihm zu Hilfe.

Immer wenn Pitt aufblitzendes Mündungsfeuer oder einen Schatten sah, der sich bewegte, schoss er abwechselnd auf die beiden Fenster.

Nach wie vor kümmerte sich niemand um den Verletzten. Pitt begriff, dass die Männer dazu keine Möglichkeit hatten; sie waren alle viel zu sehr gefährdet.

Mit scharfem Klirren traf eine Kugel auf das Metall des Laternenmasts, hinter dem er stand, sodass ihm der Atem stockte und sich sein Puls beschleunigte. Es kostete ihn Mühe, die Hand ruhig zu halten, als er den nächsten Schuss durch das offene Fenster abgab. Allmählich verbesserte sich seine Treffsicherheit. Er verließ seine Deckung und eilte über die Straße zu dem Beamten, der etwa zwanzig Meter von ihm am Boden lag. Wieder fuhr eine Kugel dicht an ihm vorbei und schlug in die Mauer ein. Er stolperte und ging ganz in der Nähe des Mannes zu Boden. Blut bedeckte die Pflastersteine. Den letzten Meter legte er kriechend zurück.

»Ganz ruhig«, sagte er mit gedämpfter Stimme. »Ich bringe Sie in Sicherheit. Da sehen wir uns die Sache dann genauer an.« Er wusste nicht, ob ihn der etwa zwanzigjährige Mann hören konnte, aus dessen Mund ein Faden Blut lief. Sein Gesicht war bleich, seine Augen waren geschlossen.

Da Pitt nicht aufzustehen wagte, um kein leichtes Ziel zu bieten, konnte er ihn unmöglich wegtragen. Auch bestand die Möglichkeit, dass ihn ein Querschläger von den Kugeln der Polizeibeamten traf, die gerade jetzt ununterbrochen feuerten. So beugte er sich vor, ergriff den Mann bei den Schultern und zog ihn mühsam rückwärts kriechend über das Pflaster, bis sie endlich im Schutz der umgestürzten Wagen waren.

»Jetzt ist alles in Ordnung«, sagte er mehr zu sich selbst. Zu seiner Überraschung öffneten sich die Augen des Mannes ein wenig, und ein zögerndes Lächeln trat auf seine Züge. Mit tiefer Erleichterung merkte Pitt, dass das Blut am Mundwinkel aus einer Schnittwunde auf der Wange stammte. Rasch untersuchte er ihn, so gut es ging, um festzustellen, wo er getroffen worden war, und die Wunde zumindest notdürftig zu verbinden. Dabei redete er leise auf ihn ein. Damit wollte er nicht nur ihn beruhigen, sondern auch sich selbst.

Die Kugel hatte die Schulter getroffen, eine Fleischwunde, blutig, aber keinesfalls lebensgefährlich. Wahrscheinlich war der Mann beim Sturz mit dem Kopf auf das Straßenpflaster geschlagen und hatte dabei für kurze Zeit das Bewusstsein verloren. Ohne seinen Helm wäre die Sache allerdings wohl weit schlimmer gewesen.

Aus einem abgerissenen Ärmel stellte Pitt einen vorläufigen Druckverband her, mit dem er die Blutung zum Stillstand bringen wollte. Dann waren andere da, um zu helfen. Er überließ es ihnen, den Mann in Sicherheit zu bringen, und nahm sein Gewehr wieder zur Hand. Tief gebückt eilte er dorthin, wo es den Männern mit dem Rammbock endlich gelungen war, die Tür zu sprengen, die gerade in diesem Augenblick krachend gegen die Wand flog.

Gleich dahinter lag eine schmale Treppe. Die Polizeibeamten stürmten sie empor, von Narraway gefolgt. Pitt eilte ihnen nach.

Aus dem oberen Stockwerk hörte man einen Schuss, laute Stimmen und Schritte, dann fielen weitere Schüsse, wohl im hinteren Teil des Hauses.

Pitt nahm immer zwei Stufen auf einmal. Im zweiten Stock fand er Narraway in einem großen Raum, der vermutlich dadurch entstanden war, dass man die Mauer zwischen zwei kleineren Zimmern herausgenommen hatte. An der offenen Tür zur Hintertreppe standen drei Polizisten, das Gewehr im Anschlag, und vor ihnen zwei junge Männer, die sich nicht rührten. Einer war schwarzhaarig, und ohne das Blut und die Schwellung auf seinem Gesicht hätte er wohl gut ausgesehen. Der andere war so mager, dass man ihn dürr nennen konnte, seine Augen waren von einem blassen Blaugrün, und seine Haare leuchteten rötlichgolden. Trotz ihrer unübersehbaren Angst bemühten sich beide, trotzig dreinzublicken, als ihnen zwei Polizeibeamte ohne besonderes Zartgefühl Handschellen anlegten.

Mit leichtem Kopfneigen in Richtung der Tür, in der Pitt stand, wies Narraway die Männer an, die Gefangenen fortzubringen. Einer von ihnen funkelte ihn daraufhin wütend an.

Pitt trat beiseite, um sie vorbeizulassen, und sah sich dann im grellen Licht, das durch die zerbrochenen Fenster hereinfiel, ein wenig um. Außer zwei Stühlen enthielt der Raum keine Möbel; in einer Ecke lagen Wolldecken wild auf einem Haufen. Die der Straße zugekehrte Wand wies zahlreiche Einschüsse auf. Mit Ausnahme eines Mannes, der mit dem Kopf in Richtung Fenster reglos am Boden lag, entsprach das Bild, das der Raum bot, genau dem, was Pitt zu sehen erwartet hatte. Das dichte dunkelbraune Haar des jungen Mannes war von Blut verfilzt, und Blut bedeckte auch den Fußboden um seinen Kopf herum.

Pitt trat zu ihm und kniete sich nieder. Der Mann war tot. Eine einzige Kugel hatte ihn getroffen, war hinten in seinen Kopf eingedrungen und an der Stirn wieder ausgetreten. Von der linken Hälfte seines Gesichts war nicht viel zu sehen, doch ließ die rechte annehmen, dass er gut ausgesehen hatte. Auf seinen Zügen lag ein Ausdruck der Überraschung.

Pitt hatte viele Morde aufgeklärt, was letzten Endes sein Beruf gewesen war, aber nur in wenigen Fällen war es so blutig zugegangen wie hier. Das einzige Gute, was sich sagen ließ, war, dass der Tod wohl sofort eingetreten war. Dennoch krampfte sich sein Magen zusammen, und er musste kräftig schlucken. Hoffentlich war das nicht das Werk einer seiner Kugeln!

Narraway sagte leise unmittelbar hinter ihm: »Sehen Sie in seinen Taschen nach. Vielleicht lässt sich feststellen, wer er ist.« Pitt hatte keine Schritte gehört.

Er schob die schmale elegante Hand des Mannes beiseite und sah am Mittelfinger einen aufwändig gestalteten Siegelring, vermutlich aus Gold und mit Sicherheit wertvoll.

Pitt drehte den Ring ein wenig, der sich nahezu mühelos lösen ließ. Ein genauerer Blick zeigte ihm auf der Innenseite den Feingehaltsstempel der Goldschmiedezunft und auf der Außenseite ein Familienwappen.

Narraway hielt ihm auffordernd die Hand hin, und Pitt legte den Ring hinein. Dann beugte er sich erneut über den Toten und machte sich daran, dessen Jackett-Taschen zu durchsuchen. Er fand ein Taschentuch, etwas Kleingeld und ein Stück Papier. Auf ihm schien eine Mitteilung gestanden zu haben, denn man konnte noch die Worte »Lieber Magnus« lesen. Der Rest war abgerissen.

»Lieber Magnus«, sagte Pitt.

Mit gekräuselten Lippen sah Narraway auf den Ring. Sein

Gesicht wirkte müde und zerquält. »Landsborough«, sagte er. Es klang wie eine Antwort.

Pitt war verblüfft. »Kennen Sie ihn?«

Narraway sah ihn nicht an. »Ich bin ihm ein paarmal begegnet. Er war Lord Landsboroughs Sohn – der einzige.« Seinem Gesichtsausdruck ließ sich nicht entnehmen, was er empfand – Kummer, Sorge, dass es zu weiteren Schwierigkeiten kommen könne, oder einfach Widerwillen, weil er den Angehörigen die Nachricht von seinem Tod überbringen musste.

»Könnte es sein, dass man ihn als Geisel genommen hatte?«, fragte Pitt.

»Möglich«, räumte Narraway ein. »Eins aber weiß ich sicher: Ich kann mir nicht vorstellen, dass man ihn durch das Fenster in den Hinterkopf geschossen hat und er so hingefallen ist, wie er jetzt liegt.«

»Niemand hat ihn von der Stelle bewegt«, sagte Pitt, seiner Sache sicher. »Andernfalls wäre da alles voll Blut. Eine solche Wunde …«

»Das sehe ich selbst!« Narraways Stimme war mit einem Mal belegt, er konnte seine innere Bewegung nicht unterdrücken. Die Ursache dafür mochte Mitleid oder auch einfach Abscheu sein. »Natürlich ist er nicht von der Stelle bewegt worden. Warum auch, zum Teufel? Man hat ihn hier in diesem Zimmer erschossen, das liegt auf der Hand. Bleibt die Frage: Wer, und warum? Vielleicht haben Sie Recht, vielleicht war er tatsächlich eine Geisel.

Gott im Himmel, was für eine verfahrene Geschichte! Stehen Sie schon auf, Mann. Wenn der Polizeiarzt ihn holt, werden wir erfahren, ob es Näheres zu sagen gibt. Wir müssen unbedingt die beiden anderen verhören, bevor die Polizei die Sache in die Finger bekommt und man nicht mehr weiß, was oben und was unten ist. Es ist mir zuwider, mich mit den beiden abgeben zu müssen, aber mir bleibt keine Wahl. Die Vorschriften verlangen es nun einmal.«

Abrupt drehte er sich um und ging mit großen Schritten auf

die Tür zu. »Kommen Sie schon! Wir wollen sehen, was es am Hintereingang gibt.«

»Wir haben zwei lebende und einen toten Anarchisten vorgefunden«, sagte Narraway finster zu dem Beamten, der dort stand, »in dem Raum aber haben sich vier Männer aufgehalten, wenn nicht sogar fünf. Also ist zumindest einer von denen entkommen!«

Der Beamte sagte aufsässig, so, als habe ihm Narraway vorgeworfen, den Mörder entkommen zu lassen: »Wir ha'm kein' geseh'n, Sir. Ihr Mann is die Treppe runtergekomm'n un hat geruf'n, wir soll'n ein'n festhalt'n, aber da war keiner zum Festhalt'n.«

»Von uns ist niemand über die Hintertreppe nach unten gegangen«, teilte ihm Narraway knapp mit. Daraufhin verhärteten sich die Züge des Beamten; seine blauen Augen waren wie Stein.

»Wenn Se das sag'n, Sir. Aber 'n anderer is hier nich vorbeigekomm'n. Vielleicht is der vorne runter un zur Haustür raus, wie Se ob'n war'n, Sir?« Er sagte das ohne den geringsten Unterton von Unverschämtheit. Manche Polizeibeamte arbeiteten nicht gern mit dem Staatsschutz zusammen, dem sie Amtshilfe leisten und Tatverdächtige festnehmen sollten, da dieser dazu nicht befugt war.

»Oder er hat das Gebäude verlassen und ist sofort in eins der anderen Häuser gegangen?«, warf Pitt rasch ein. »Wir sollten sie am besten alle durchsuchen.«

»Tun Sie das«, gebot Narraway knapp, »und sehen Sie überall nach: in jedem Zimmer, in Betten, falls dort welche stehen, in Schränken, auch unter Abfall- oder Altkleider-Haufen auf dem Dachboden, sogar, wenn man da nur kriechen kann. Und in Schornsteinen.« Er wandte sich ab und ging die Straße entlang, wobei er den Blick über die anderen Häuser, deren Dächer und Eingangstüren schweifen ließ. Pitt folgte ihm dichtauf.

Eine Viertelstunde später befanden sie sich wieder vor der Tür des Hauses in der Long Spoon Lane. Scharf pfiff der Wind durch die Gasse, und obwohl inzwischen später Vormittag war, wirkte das Licht kalt und grau. Nirgends hatte man einen Anarchisten gefunden, der sich versteckt hielt. Keiner der Polizeibeamten auf der Vorderseite des Hauses wollte einen gesehen oder innerhalb des Hauses verfolgt haben, und angeblich war auch niemand herausgekommen. Trotzdem blieb der Beamte am Hintereingang bei seiner Aussage.

Mit bleichem Gesicht musste Narraway wütend zur Kenntnis nehmen, dass entkommen war, wer auch immer sich in dem Haus aufgehalten hatte, in dem der tote Magnus Landsborough lag.

»Nichts!«, gab der dunkelhaarige junge Mann verächtlich zur Antwort. Mit nach wie vor gefesselten Händen saß er in der Haftzelle der Polizeiwache auf einem harten Holzstuhl. Das kleine Fenster hoch in der Wand war die einzige Lichtquelle. Er hatte seinen Namen als Welling angegeben, mehr zu sagen war er nicht bereit gewesen. Pitt wie Narraway hatten versucht, etwas über seine Mittäter, die Ziele und Hintermänner und darüber zu erfahren, woher das Dynamit oder das Geld für dessen Erwerb gekommen war.

Der hellhäutige Mann mit den rötlich-goldenen Haaren hatte seinen Namen als Carmody angegeben, sich aber ebenfalls geweigert, etwas über die anderen zu sagen. Er befand sich in einer anderen Zelle und war im Augenblick allein.

Narraway lehnte sich gegen die getünchte Wand; sein Gesicht war von Müdigkeit gezeichnet.

»Es hat keinen Sinn, weiter zu fragen«, sagte er mit tonloser Stimme zu Pitt, als gestehe er seine Niederlage ein. »Die Leute schweigen wie das Grab. Entweder kennen sie das Ziel der Unternehmung nicht, oder es gibt keins. Vielleicht war es einfach sinnlose Zerstörungswut.«

»Ich weiß es schon!«, stieß Welling durch die Zähne hervor.

Narraway sah mäßig interessiert zu ihm hin. »Ach, tatsächlich? Man wird Sie zum Tode verurteilen, und ich werde nicht erfahren, warum Sie das getan haben«, fuhr er fort. »Ob Sie es wissen oder nicht, ist letzten Endes unerheblich, weil Sie es uns offensichtlich nicht sagen können oder wollen. Für einen Anarchisten ist das ungewöhnlich.« Er zuckte leicht die Achseln. »Die meisten von Ihnen kämpfen für etwas, und eine große Geste, wie der Gang zum Galgen, ist ziemlich sinnlos, wenn niemand weiß, warum sich jemand so dahin schleppen lässt, wie man eine Kuh ins Schlachthaus treibt.«

Welling erstarrte. Seine Augen waren weit aufgerissen, seine magere Brust hob und senkte sich kaum, während er atmete. »Sie können mich nicht hängen lassen«, sagte er schließlich mit stockender Stimme. »Niemand ist ums Leben gekommen. Ein Polizist ist verletzt worden, aber das können Sie mir nicht anhängen, denn ich habe nicht auf ihn geschossen.«

»Wirklich nicht?«, sagte Narraway so beiläufig, als sei ihm gleichgültig, ob das der Wahrheit entsprach oder nicht.

»Mistkerl!«, stieß Welling voll abgrundtiefer Verachtung hervor. Mit einem Mal war seine gespielte Gefasstheit dahin, und die Wut brach aus ihm heraus. Sein Gesicht war von Schweiß bedeckt, seine Augen weit aufgerissen. »Sie sind auch nicht besser als die Polizei – korrupt bis auf die Knochen!« Seine Stimme bebte. »Nein, ich war es nicht! Aber das ist Ihnen ja sowieso egal, oder? Solange Sie jemanden haben, dem Sie die Schuld in die Schuhe schieben können! Da ist Ihnen jeder recht!«

Zuerst merkte Pitt lediglich, dass Narraway Welling zu einer Antwort provoziert hatte, dann aber ging ihm auf, was der Mann über die Polizei gesagt hatte. Nicht der Vorwurf als solcher erregte seine Aufmerksamkeit, sondern die Leidenschaftlichkeit, mit der Welling ihn hervorgestoßen hatte. Er schien so sehr von der Richtigkeit seiner Worte überzeugt zu sein, dass er ihnen den Vorwurf ins Gesicht schleuderte, auf die Gefahr hin, damit die letzte Hoffnung auf Gnade zu verspielen.

»Es besteht ein großer Unterschied zwischen Unfähigkeit und Korruption«, sagte Pitt. »Natürlich gibt es gelegentlich einen schlechten Polizisten, genauso, wie es auch gelegentlich einen schlechten Arzt gibt oder ...« Er hielt inne. Wellings Gesicht war höhnisch verzogen, sodass es unter den schwarzen Haaren wie eine weiße Maske wirkte.

Narraway mischte sich nicht ein. Er sah von einem zum anderen. Ersichtlich wartete er ab, was als Nächstes gesagt würde.

Pitt atmete langsam ein und aus. Die Stille lastete.

»Sagen Sie bloß nicht, dass Ihnen das was ausmacht!« Die sarkastisch hervorgestoßenen Worte des Anarchisten klangen wie eine Anschuldigung, als sei Pitt dafür nicht intelligent oder anständig genug.

»Ihnen macht es jedenfalls offenkundig nichts aus«, gab er zur Antwort und zwang sich zu einem Lächeln. Das fiel ihm nicht leicht. Er hatte fast sein ganzes Erwachsenenleben bei der Polizei verbracht und Zeit und Arbeitskraft bis zur Erschöpfung eingesetzt, um zu erreichen, dass Gerechtigkeit geschah, zumindest aber tragische Verbrechen aufgeklärt wurden. Wer die Rechtschaffenheit und Ideale der Männer infrage stellte, mit denen er zusammengearbeitet hatte, nahm einem Vierteljahrhundert seines Lebens den Sinn und zerstörte seinen Glauben an die Kraft, die dafür sorgte, dass es eine Zukunft gab. Falls die Polizei nicht integer war, wurde Rache statt Gerechtigkeit geübt und konnte nichts den Bürger vor der Willkür der Mächtigen schützen. Das wäre in der Tat Anarchie. Wenn sich die Dinge so verhielten, würde der selbstgefällige junge Mann vor ihm ebenso viel verlieren wie jeder andere. Er hatte nur deshalb die Möglichkeit, Bomben zu legen, weil sich die übrigen Mitglieder der Gesellschaft an die Gesetze hielten.

Mit aller Verachtung, deren er fähig war, sagte Pitt in scharfem Ton: »Wäre die Polizei größtenteils korrupt, säßen Sie nicht hier und würden verhört. Wir hätten Sie dann nämlich einfach erschossen. Dafür nachträglich eine Rechtfertigung zu finden würde keine große Mühe kosten.« Er hörte, wie unbeherrscht und schroff seine Stimme klang. »Sie sitzen hier in Erwartung Ihres ordentlichen Verfahrens, weil wir uns an die Gesetze halten, die Sie brechen. Der korrupte Heuchler sind Sie. Sie belügen nicht nur uns, sondern auch sich selbst.«

Wütend stieß Welling hervor: »Natürlich könnten Sie uns erschießen!« Dabei beugte er sich ein wenig vor und gab ein unheimliches Gelächter von sich, an dem er fast zu ersticken schien. »Wahrscheinlich werden Sie das auch tun! Genauso, wie Sie Magnus erschossen haben!«

Verständnislos sah ihn Pitt an. Dann ging ihm mit Verblüffung und zunehmendem Entsetzen auf, dass Welling tatsächlich Angst hatte. Sein herausforderndes Verhalten ging nicht auf gespielte Tapferkeit zurück; er glaubte, was er sagte. Er war überzeugt, man werde ihn an Ort und Stelle umbringen.

Pitt sah zu Narraway hin und erkannte auf dessen Zügen einen Augenblick lang das gleiche Erstaunen, das er empfand. Rasch war es vorüber, und man sah den üblichen Missmut, der sich gegen niemanden speziell richtete. Er hob die Brauen. »Magnus Landsborough wurde von hinten erschossen«, sagte er bedächtig. »Er ist vornüber gefallen, mit dem Gesicht zum Fenster.«

»Die Kugel ist nicht von draußen gekommen«, gab Welling zurück. »Einer Ihrer Leute hat ihn von hinten erschossen. Ich habe es schon gesagt: Die Polizei ist verrottet bis ins Mark.«

»Das ist eine Anschuldigung, für die Sie keinerlei Beweise vorgebracht haben«, hielt Pitt ihm entgegen. »Außerdem hat man ihn erst anschließend erschossen – also kann das nicht der Grund dafür gewesen sein, in der Myrdle Street Sprengsätze hochgehen zu lassen. Wieso überhaupt da? Was haben Ihnen die Menschen getan, die dort wohnen? Oder spielt es für Sie keine Rolle, wen es trifft?«

»Natürlich habe ich keinen Beweis für die Korruptheit«, sagte Welling erbittert und richtete sich wieder auf. »Man wird den Mord an Magnus ebenso vertuschen wie alles andere. Und Sie wissen selbst sehr wohl, warum die Myrdle Street.«

»Was meinen Sie mit ›alles andere‹?«, fragte Narraway, der scheinbar gelassen an der Wand lehnte, in Wahrheit aber bis zum Äußersten angespannt war. Obwohl er kleiner als Pitt war und nicht so breitschultrig wie dieser, ging von ihm der Eindruck einer zähen Kraft aus.

Welling überlegte, bevor er antwortete. Er schien das Risiko gegen den Nutzen abzuwägen, den es bedeuten konnte zu sprechen. Als er schließlich den Mund öffnete, machte er nach wie vor den Eindruck unbeherrschter Wut.

»Kommt ganz darauf an, wo man ist und wer man ist«, sagte er. »Für welche Verbrechen man gefasst wird und was dabei übersehen wird – wenn man die richtigen Leute mit ein bisschen Geld schmiert.« Er sah vom einen zum anderen. »Wer an der Spitze einer Erpresserbande steht und einen Teil der Einnahmen auf der Wache abliefert, hat nichts zu befürchten. Wer an bestimmten Stellen ein Geschäft betreibt, wird zufrieden gelassen, wer aber woanders eins hat, von dem wird Schutzgeld erpresst.« Sein ganzer Leib wirkte verkrampft, in seinen Augen lag unverhüllte Wut.

Sofern der schwerwiegende Vorwurf, den er erhob, zutraf, ließe sich das Ausmaß der Konsequenzen nicht einmal von ferne abschätzen.

»Woher wollen Sie das wissen?«, erkundigte sich Narraway und schnitt damit alle Fragen ab, die sich Pitt insgeheim stellte und für die er nicht ohne weiteres Worte fand.

»Woher ich das weiß?«, bellte Welling zurück. »Von den armen Teufeln natürlich, die man bis aufs Blut auspresst. Ich habe gar nicht damit gerechnet, dass Sie mir glauben. Sie wollen die Sache herunterspielen. Aber fragen Sie mal in Smithfield nach, in der Clerkenwell Road und im Süden von Newgate oder Holborn. Da gibt es Dutzende von kleinen Gässchen voller Menschen, die Ihnen alle dasselbe sagen würden. Ich nenne ihre Namen nicht, sonst müssen sie demnächst doppelt so viel zahlen, oder die Polizei findet mit einem Mal Hehlerware bei ihnen.«

Auf Narraways Gesicht lag ungläubige Verblüffung. Pitt wusste nicht, ob sie echt war oder ob er sie vortäuschte, weil er Welling dazu bringen wollte, mehr zu sagen, auf den Tisch zu legen, was er wusste, um seine Anschuldigung zu erhärten.

Doch Welling war viel zu wütend, als dass er seine Zunge im Zaum gehalten hätte, selbst wenn ihm Narraways Absicht klar gewesen sein mochte. »Fragen Sie doch Birdie Waters in der Mile End Road!«, stieß er hervor. »Der sitzt gerade wegen Hehlerei im Gefängnis von Coldbath. Dabei hat er nicht einmal geahnt, dass er die Sachen im Haus hatte. Silber von einem Einbruch in Belgravia.« Hinter der Leidenschaftlichkeit seiner Worte verbarg sich eine heiße Wut. »Nur war Birdie noch nie im Leben in Belgravia.«

»Wollen Sie damit sagen, dass die Polizei die Gegenstände dort hingebracht hat?«, fragte Pitt, bevor Narraway das Wort ergreifen konnte.

»Das ist nur einer von einem Dutzend Fällen«, gab Welling zurück. »Ehrbare Bürger werden bestohlen und auf andere Weise geschädigt, sie werden so in Angst und Schrecken versetzt, dass sie ihr Ansehen und ihr Geschäft verlieren, und die Polizei tut so, als ob sie nichts davon mitbekäme.« Er war so aufgebracht, dass ihm die Tränen in die Augen zu treten drohten. »Die ganze Regierung muss weg, bevor sie das Halseisen so fest anzieht, dass wir keine Kraft mehr haben, dagegen anzukämpfen. Ein klarer Schnitt ist nötig, ein Neubeginn.« Er ruckte heftig mit dem Kopf; seine Hals- und Schultermuskeln waren angespannt wie Taue. »Sie müssen weg, all die habgierigen, verlogenen, verrotteten ...« Mit einem Mal verstummte er und sank in sich zusammen, als habe ihn jeglicher Schwung verlassen. Dann wandte er sich ab. »Aber Sie stehen ja auch im Dienst der Regierung – Polizei«, sagte er hilflos. »Alles, worauf Sie scharf sind, Ihr Geld, Ihre Macht, alles hängt davon ab, dass die Dinge bleiben, wie sie sind. Sie sind Teil der ganzen Geschichte, ob Ihnen das bewusst ist oder nicht. Sie können es sich gar nicht erlauben, sich dem zu entziehen!« Er lachte verächtlich auf. »Wo sollten Sie denn schon hin?« Er reckte das Kinn, seine Augen blitzten, doch lag darin keine Hoffnung.

Pitts Gedanken überschlugen sich. Einige der Straßen, die Welling genannt hatte, lagen im Revier seiner alten Wache Bow Street. Dort taten Männer Dienst, die seine Untergebenen gewesen waren. Jetzt leitete diese Wache Harold Wetron, der es inzwischen zum Hauptkommissar gebracht hatte. Zwar gehörte er, obwohl er hoher Beamter der Stadtpolizei von London war, dem Inneren Kreis an und war sogar dessen Leiter, doch mochte Pitt nicht glauben, dass sich die Dinge unter ihm in kaum einem Jahr so entsetzlich gewandelt haben sollten. Welling musste sich irren.

Der Mann sah ihn aufmerksam an; an seinem Gesicht war abzulesen, dass er sich bereits mit seiner Niederlage abgefunden hatte. Wieder stieß er ein kurzes Lachen aus, als wolle er damit verhindern, dass man seine Verletzlichkeit erkannte. »Sie haben wohl nicht den Mut, das zu glauben?«, fragte er kläglich.

»Warum die Myrdle Street?«, kam Pitt auf die unbeantwortete Frage zurück. »Dort wohnen doch nur einfache Leute.«

Wieder verzog ein hässliches Lächeln Wellings Gesicht. »Polizei.« Er stieß das Wort hasserfüllt hervor.

»Was meinen Sie mit ›Polizei‹?«, fragte Pitt.

»Als wüssten Sie das nicht ganz genau.«

»Ich weiß es nicht. Ich bin beim Staatsschutz.«

Welling schloss die Augen und öffnete sie wieder. »Das Haus in der Mitte gehörte Grover. Er arbeitet für Simbister! In der Cannon Street.«

»Und das lohnt es, die Todesstrafe zu riskieren?«, fragte Narraway kalt.

Trotzig und mit einem Blick voller Hass stieß Welling hervor: »Ja! Wären Sie doch dabei gewesen und hätten Sie gesehen, wie er die Menschen drangsaliert und erniedrigt hat! Ja, das lohnt es!«

Narraway richtete sich auf und löste sich von der Wand.

»Mr Welling. Sie nehmen sich Rechte heraus, die Ihnen nicht zustehen, so, als wären Sie der Richter, die Geschworenen und der Henker in einer Person.«

»Dann unternehmen Sie doch etwas!«, schrie ihn Welling an. »Jemand muss es schließlich tun!«

Ohne auf ihn zu achten, wandte sich Narraway Pitt zu. »Ich werde jetzt Lord Landsborough vom Tod seines Sohnes in Kenntnis setzen. Er muss die Leiche identifizieren.« Seiner ruhigen Stimme war die Anspannung kaum anzumerken. »Gehen Sie noch einmal in die Long Spoon Lane, und sehen Sie sich alles gründlich an. Ich möchte wissen, wer Magnus Landsborough auf dem Gewissen hat und möglichst auch den Grund für die Tat. Dieser Mord scheint mir völlig unverständlich. Allerdings nehme ich an, dass Anarchie ihrem Wesen nach unverständlich ist.«

»Sie haben ihn umgebracht!«, stieß Welling hervor. Jetzt liefen ihm Tränen über das bleiche Gesicht. »Weil er unser Anführer war. Aber wenn Sie einen von uns niedermetzeln, steht der Nächste auf und nimmt seine Stelle ein – können Sie das nicht begreifen? Und zwar immer wieder, so oft es nötig ist. Sie können nicht alle umbringen. Wer würde dann die Arbeit tun? Über wen würden Sie herrschen?« Seine Stimme zitterte vor Leidenschaft und Spott. »Es kann keine Regierung geben, wenn nicht Leute da sind, die Holz hacken und Wasser holen, Menschen, die Befehle entgegennehmen und tun, was man ihnen sagt.«

Ohne ihn anzusehen, sagte Narraway: »Ich würde Mr Welling gern nachweisen können, dass einer seiner eigenen Leute für den Tod ihres Anführers verantwortlich ist.« Und er fügte hinzu: »Wir erschießen niemanden, den wir aus dem Weg haben wollen – solche Leute werden bei uns gehenkt.« Dann wandte er sich um und verließ den Raum. Pitt folgte ihm.

Welling sah ihnen nach, in seinen Augen brannten heiße Tränen der Hilflosigkeit.

Da Narraway zuvor noch Auskünfte einholen musste, konnte er erst um die Mitte des Nachmittags die Stufen des Athenaeum-Clubs in 107 Pall Mall emporgehen, um mit Lord Landsborough zu sprechen. Selbstverständlich war Narraway dort Mitglied, sonst hätte man ihm den Zutritt verwehrt – Staatsschutz hin oder her.

»Sehr wohl, Sir«, sagte der Klubdiener mit so gedämpfter Stimme, dass seine Worte kaum zu hören waren. »Soll ich Seine Lordschaft von Ihrer Anwesenheit unterrichten?«

»Ich brauche einen Raum, wo wir ungestört sind«, wies ihn Narraway an. »Bedauerlicherweise habe ich eine äußerst unangenehme Nachricht für Seine Lordschaft. Vielleicht sorgen Sie dafür, dass ein trinkbarer Kognak und Gläser auf dem Tisch stehen.«

»Sehr wohl, Sir. Tut mir sehr Leid, Sir.« Der Klubdiener führte ihn durch den stillen Korridor in einen Raum. Zwei Minuten später brachte ein weiterer Diener ein silbernes Tablett mit einer Flasche Napoléon und zwei kunstvoll gravierten Kognakschwenkern.

Narraway stand in der Mitte des Aubusson-Teppichs und versuchte seine Gedanken zu sammeln. Hier befand er sich im Herzen des zivilisiertesten Ortes von ganz Europa: in einem Herrenklub, in dem man in allen Lebenslagen Wert auf untadelige Manieren legte und niemand je die Stimme erhob. Wer sich dort über Kunst und Philosophie, Sport oder die Regierungen der Länder der Erde unterhalten wollte, über Forschungsreisen durch das britische Weltreich oder jenseits von dessen Grenzen, über die Weltgeschichte, durfte sich darauf verlassen, geistvolle und kluge Gesprächspartner vorzufinden, die ihre Empfindungen im Zaum zu halten verstanden.

Und jetzt kam er hierher, um einem Mann zu sagen, dass sein Sohn ein knappes Dutzend Kilometer entfernt bei einem Feuergefecht der Polizei mit Anarchisten ums Leben gekommen war.

Unter Umständen wäre Pitt der bessere Mann gewesen, hätte für die Situation mehr Fingerspitzengefühl gehabt. Er war dergleichen gewöhnt. Möglicherweise verfügte er über Worte, mit denen sich die Sache zumindest in würdiger Weise darstellen ließ. Er hatte selbst Kinder. Seine Vorstellungskraft würde seinem Mitleid beredten Ausdruck verleihen. Narraway konnte sich nur darum bemühen. Er hatte keine Frau, keine Kinder und nicht einmal jüngere Geschwister. Durch seine Arbeit war er noch gründlicher, als es das Schicksal für ihn vorgesehen hatte, darauf angewiesen, das Leben auf sich allein gestellt zu bewältigen. Alles spielte sich in seinem Inneren ab. Er hatte einen brillanten Kopf und konnte sich auf seine Instinkte verlassen. Zwar waren ihm auch andere Menschen wichtig – aber nicht übermäßig. Ganz bewusst hatte er sich dafür entschieden, keine Wette auf die Zukunft einzugehen.

Die Tür öffnete sich, und er merkte, dass er nach Luft rang und sein Körper starr wurde. Lord Sheridan Landsborough trat ein und schloss leise die Tür hinter sich. Der hoch gewachsene Mann mit den angenehmen, fein geschnittenen Zügen ging ein wenig gebeugt.

»Mr Narraway?«, sagte er in freundlichem Ton.

Narraway neigte den Kopf bestätigend. »Wollen Sie nicht Platz nehmen?«

»Mein Bester, so klapprig bin ich noch nicht, auch wenn ich die siebzig schon hinter mir habe. Oder ist die Nachricht, die Sie mir bringen, so grausig?« In seinen intelligenten Augen lag bereits ein Schatten.

Narraway spürte, dass ihm eine leichte Röte in die Wangen stieg.

Dem anderen entging das nicht.

»Entschuldigung«, sagte er sogleich. »Natürlich ist sie das. Sie wären bestimmt nicht persönlich gekommen, wenn es sich um etwas Alltägliches gehandelt hätte.« Er setzte sich, aber eher, um Narraway zu Gefallen zu sein, als weil er es für nötig erachtet hätte. »Was ist geschehen?«

Auch Narraway nahm Platz, um nicht auf ihn hinabsehen zu müssen. »Heute Morgen haben Anarchisten in der Gegend von Mile End einen Sprengstoffanschlag verübt«, sagte er ruhig. »Man hat uns davon verständigt, und wir sind noch rechtzeitig gekommen, um die Täter zu verfolgen. In der Long Spoon Lane haben wir sie gestellt und das Haus belagert, in dem sie sich verschanzt hatten. Es ist zu einem kurzen Feuergefecht gekommen. Als wir das Gebäude stürmen konnten, haben wir im Inneren drei Männer vorgefunden, von denen einer tot war. Wir wissen noch nicht, wer ihn erschossen hat, lediglich, dass der Schuss nicht von außen gekommen sein kann, sondern im Raum selbst abgegeben worden sein muss.« Ein Blick auf Landsboroughs Gesicht zeigte ihm, dass diesem klar war, was er als Nächstes sagen würde. »Es tut mir aufrichtig Leid«, fügte er mit ungeheuchelter Betrübnis hinzu. »Der Siegelring wie auch die Aussage eines der Männer, die wir gefasst haben, lässt keinen anderen Schluss zu, als dass es sich bei dem Getöteten um Ihren Sohn Magnus handelt.«

Obwohl Lord Landsborough mehr oder weniger damit gerechnet hatte, wich die Farbe vollständig aus seinem Gesicht, dessen Haut nahezu grau wurde. Er zögerte einen schmerzlichen Augenblick lang, bemüht, beherrscht zu sprechen, und sagte dann: »Ich weiß zu schätzen, dass Sie selbst gekommen sind, um mir das mitzuteilen. Vermutlich wünschen Sie, dass ich ihn identifiziere ...« Er konnte nicht weitersprechen. Seine Kehle war wie zugeschnürt, und es kostete ihn sichtlich Mühe zu atmen.

Narraway fühlte sich gänzlich hilflos. Da hatte er einem Menschen unendlichen Schmerz zugefügt und musste jetzt mit ansehen, wie sich dieser bemühte, würdevoll Haltung zu wahren.

»Es sei denn, Sie hätten einen engen Verwandten, den Sie bitten könnten, das an Ihrer Stelle zu tun«, sagte er im Bewusstsein, dass Lord Landsborough das Anerbieten nicht einmal dann annehmen würde, wenn es einen solchen Menschen gab.

Dessen Versuch zu lächeln misslang. »Nein.« Seine Stimme versagte. »Es gibt sonst niemanden.« Er erwähnte mit keinem Wort, dass er es seiner Gattin nicht abverlangen würde. Ein solcher Gedanke würde ihm erst gar nicht kommen.

Narraway hatte erneut das Bedürfnis, Landsborough um Entschuldigung zu bitten, doch würde er ihn damit lediglich zu höflicher Abwehr nötigen. So nutzte er stattdessen den Augenblick, die unausweichliche schmerzliche Frage zu stellen. Immerhin war es möglich, dass die Anarchisten Magnus tatsächlich als eine Art Geisel festgehalten hatten, auch wenn Narraway das nicht annahm. Welling hatte ihn als ihren Anführer bezeichnet, und er hatte den Eindruck, dass der Mann, auch wenn er weltfremd sein mochte und eine leidenschaftliche, unwissende und einseitige Weltanschauung vertrat, die Wahrheit sagte, soweit sie ihm bekannt war.

»Wie sahen Mr Landsboroughs politische Ideale Ihres Wissens aus, Mylord?«, fragte er daher.

»Was? Ach so.« Landsborough überlegte einen Augenblick. Als er sprach, klang seine Stimme weniger schroff. Fast konnte man glauben, dass er den Tränen nahe war. Mit einem Anflug von Selbstironie sagte er: »Ich bedaure sagen zu müssen, dass er einigen meiner eigenen liberalen Überzeugungen anhing und sie ein wenig zu weit getrieben hat. Sofern Ihre Frage der rücksichtsvolle Versuch ist, festzustellen, ob mir bekannt war, dass er sich der Vorstellung verschrieben hatte, man müsse diese Ziele mit gewalttätigen Mitteln anstreben, lautet die Antwort Nein. Aber möglicherweise hätte ich damit rechnen müssen. Wenn ich klüger gewesen wäre, hätte ich vielleicht etwas unternehmen können, das zu verhindern – allerdings weiß ich nicht so recht, was.«

Unsagbares Mitleid überflutete Narraway. Wäre der Mann ausfällig geworden und hätte er seine Wut gegen die Gesellschaft, das Schicksal oder auch gegen den Staatsschutz hinausgeschrien, hätte er es Narraway damit möglicherweise leichter gemacht, denn dann hätte er sich verteidigen können. Er kannte alle Begründungen und Argumente für die Notwendigkeit dessen, was er tat. Er stand größtenteils voll Überzeugung dahinter und hatte nie einen Gedanken an die Überlegung verschwendet, ob andere das auch taten. Das konnte er sich nicht leisten. Aber die Art, wie der Mann, der ihm da gegenübersaß, die Mitteilung stumm und klaglos aufnahm, traf ihn an einer Stelle, an der er selbst verwundbar war.

»Wir können andere Menschen nicht dazu zwingen, dass sie unsere Überzeugungen teilen«, sagte er ruhig, »und sollten das auch nicht tun. Die Jugend begehrt zu allen Zeiten auf, und ohne sie gäbe es auch nur wenig Veränderung.«

»Danke«, flüsterte Landsborough. Dann räusperte er sich mehrere Male, bis er sich wieder in der Hand hatte. »Magnus war ein leidenschaftlicher Verfechter der Freiheit des Einzelnen, und er sagte, sie werde stärker bedroht, als mir klar sei«, fuhr er fort. »Aber natürlich habe ich den Strom der Meinungen auch öfter kommen und gehen sehen als er. Die jungen Leute sind so ungeduldig.« Er erhob sich mühevoll, wobei er sich auf die Armlehnen des Sessels stützte. In den wenigen Minuten, seit er dort Platz genommen hatte, schien er um zehn Jahre gealtert zu sein.

Narraway, der nicht wusste, was er darauf antworten sollte, folgte ihm wortlos aus dem Raum. Sie ließen sich vom Klubdiener ihre Hüte geben und gingen gemeinsam die Treppe hinab, wo stets eine Droschke zu warten schien. Narraway nannte dem Kutscher die Adresse, und sie fuhren schweigend dem Leichenschauhaus entgegen. Es war nicht so, dass Narraway nicht gewusst hätte, was er sagen sollte; er wollte den anderen nicht in seinem Kummer stören, ihn nicht zu einer höflichen Konversation nötigen.

Zugleich war ihm klar, dass er ihm später weitere Fragen über seinen Sohn würde stellen müssen: Ob er Geldschwierigkeiten gehabt hatte und mit wem er an welchen Orten zusammengetroffen war. Da solche Angaben unter Umständen dazu geeignet waren, ihn auf die Spur weiterer Anarchisten zu führen, konnte er es sich keinesfalls leisten, sie nicht zu stellen, wie schmerzlich sie für den von Gram gebeugten Vater auch sein mochten.

Augenscheinlich war das Leichenschauhaus kein Gebäude, das für die Lebenden gedacht war. Nichts vermochte die Atmosphäre des Todes zu verdrängen, die dort in der Luft hing, nicht einmal der strenge Karbolgeruch. Narraway war damit vertraut, aber Landsborough wohl kaum. Schließlich starben die meisten Menschen zu Hause, und woran auch immer sie leiden mochten, in keinem Krankenzimmer herrschte dieser alles durchdringende Geruch.

Ein Angestellter begrüßte sie mit der berufsmäßigen Maske würdevollen Ernstes. Er wusste, wie er sich in Gegenwart von Menschen zu verhalten hatte, die vom Schmerz überwältigt waren, ohne ihnen zu nahe zu treten. Er führte sie durch einen Gang in einen Raum, wo die Leiche auf einem Tisch lag. Ein Tuch bedeckte sie vollständig, auch den Kopf.

Narraway fiel ein, wie entstellt das Gesicht war, und so trat er rasch zwischen Landsborough und den Tisch. Dann zog er das Tuch so weit beiseite, dass die Hand des Toten sichtbar wurde. Man hatte ihm den Siegelring wieder angesteckt. Sicherlich würde das dem Vater genügen, um die Leiche zu identifizieren.

»Ist er so grässlich zugerichtet?«, fragte Landsborough ein wenig überrascht.

»Ja.« Narraway bedeutete ihm, er möge sich die Hand ansehen.

Landsborough betrachtete sie. »Ja, das ist der Ring meines Sohnes, und ich glaube auch, dass es seine Hand ist. Ich würde aber trotzdem gern das Gesicht sehen.«

»Mylord ...«, versuchte Narraway einzuwenden, überlegte es sich dann aber anders. Es war töricht von ihm – ohne einen Blick auf das Gesicht konnte es keine eindeutige Identifikation geben. Er trat beiseite.

»Danke.« Lord Landsborough trat näher, hob das Laken und sah schweigend hin. Zwar war die eine Gesichtshälfte vollständig zerstört, doch die andere wirkte nahezu friedvoll. Dann ließ er das Laken sinken. »Das ist mein Sohn«, sagte er kaum hörbar. Es klang, als habe er lauter sprechen wollen, sein Körper ihm aber nicht gehorcht. »Möchten Sie noch mehr von mir wissen, Mr Narraway?«

»Leider ja, Sir.« Narraway wandte sich um und ging ihm durch den Gang voraus. Nachdem er dem Angestellten knapp gedankt hatte, trat er in die Wärme der Straße hinaus, über die der Verkehr flutete.

»Irgendwoher müssen die Leute das Geld zum Kauf der Waffen und des Dynamits gehabt haben«, sagte er. »Sofern wir feststellen könnten, wo diese Dinge gekauft worden sind, gäbe uns das unter Umständen die Möglichkeit, die anderen Anarchisten aufzuspüren, bevor sie weitere Häuser in die Luft jagen.« Er sprach ganz bewusst von diesem Zerstörungswerk, ohne darauf zu achten, dass sich Landsboroughs Gesicht dabei vor Schmerz verzog. »Wir müssen sie unbedingt finden«, betonte er, »und in Erfahrung bringen, mit wem Ihr Sohn verkehrt und was er in letzter Zeit getan hat.«

»Das verstehe ich gut«, gab ihm Landsborough Recht und blinzelte ein wenig in die Sonne, als sei ihr Licht greller als zuvor, »kann Ihnen da aber nicht weiterhelfen. Magnus war nur selten zu Hause. Zwar kannte ich seine Überzeugungen – allerdings, wie ich gestehen muss, nicht deren Intensität –, doch nicht die Menschen, mit denen er Umgang hatte.« Er biss sich auf die Lippe. »Und was Geld betrifft: Er konnte über einen gewissen Betrag verfügen, den ich ihm ausgesetzt hatte. Der aber dürfte gerade genügt haben, seine Bedürfnisse an Nahrung und Bekleidung zu befriedigen. Für Waffenkäufe war da sicherlich nichts übrig. Ich habe die Miete für eine Wohnung in der Nähe des Gordon Square für ihn bezahlt – er wollte gern unabhängig sein.«

»Ich verstehe.« Narraway war nicht sicher, ob er dem Mann aufs Wort glauben sollte, doch war ihm klar, dass es im Augenblick zu nichts führen würde, der Sache weiter nachzugehen. »Wir müssen uns die Räume am Gordon Square ansehen, für den Fall, dass sich dort etwas befindet, was uns zu seinen Gesinnungsgenossen führen könnte.«

»Selbstverständlich. Ich werde Ihnen jemanden schicken, der Ihnen die genaue Anschrift und meine Schlüssel zu der Wohnung gibt.« Landsborough straffte sich. »Falls das alles ist, Mr Narraway, würde ich gern nach Hause zurückkehren, um meine Frau zu unterrichten.«

»Selbstverständlich, Sir. Ist es Ihnen recht, wenn ich zur Hauptstraße hinübergehe und Ihnen eine Droschke hole?« Er sagte das fast ohne nachzudenken; es kam ihm ganz natürlich vor.

Landsborough dankte ihm und wartete reglos am Bordstein.

* * *

Pitt kehrte in einer sonderbaren Stimmung in die Long Spoon Lane zurück. Dort standen nach wie vor Polizeibeamte Wache, und einer von ihnen hielt ihn an. Als er merkte, wen er vor sich hatte, nahm er Haltung an.

Pitt konnte ihm nicht verdenken, dass er ihn nicht sogleich

erkannt hatte. Wer ihn sah, hätte in ihm nie den höheren Beamten vermutet. Er war hoch gewachsen und schritt auf die lässige Art eines Landbewohners aus, der es gewohnt ist, in Heide- und Waldgebieten große Entfernungen zurückzulegen. Wie Narraway schon gesagt hatte, war sein Vater Wildhüter auf einem großen Landgut gewesen. Als Junge hatte ihn Pitt gelegentlich durch die Wälder und über die Heide begleitet. Noch jetzt, Jahrzehnte später, neigte er dazu, sich die Taschen voller Dinge zu stopfen, die ihm eines Tages vielleicht nützlich sein konnten. So kam es, dass sich darin nicht nur ein Taschentuch befand, sondern auch Bindfadenreste, Münzen, Siegelwachs, eine Schachtel Zündhölzer, Bleistiftstümpfe und Zettel sowie Büroklammern, Pfeifenreiniger, Schlüssel und Knöpfe, von denen er selbst nicht wusste, wozu sie gehörten – außerdem einige eingewickelte Pfefferminzbonbons.

»Wie geht es Ihrem Kollegen, den man angeschossen hat?«, erkundigte er sich.

»Ganz ord'ntlich, Sir«, versicherte ihm der Mann. »Hat 'n bissch'n geblutet, es is aber nich besonders schlimm. Er hat Glück gehabt. Sicher woll'n Se mit'm Wachtmeister sprech'n?«

»Ja. Außerdem muss ich noch einmal in das Haus und mir den Raum genauer ansehen, in dem man den jungen Mann erschossen hat. Wer war als Erster an der Hintertreppe?«

»Das weiß ich nich, Sir, ich kann es aber rauskrieg'n. Woll'n Se alleine dahin geh'n, oder soll ich jemand hol'n, der Se begleitet?«

»Ich gehe allein.«

»Sehr wohl, Sir.«

Pitt überquerte die gepflasterte Gasse und trat durch die zerschmetterte Tür ins Haus. Bedächtig stieg er die Treppe empor. Erst vor wenigen Stunden war er mit aufgeregt klopfendem Herzen hier gewesen. Noch hallte die Erinnerung an die Schüsse in seinen Ohren. Jetzt wirkte das Haus sonderbar verlassen, als habe sich seit Wochen keine lebende Seele darin aufgehalten. Das hatte weniger mit dem Staub zu tun, der überall lag, und auch nicht mit der abgestandenen Luft, sondern ging auf einen Eindruck zurück, den er dort hatte, ohne ihn sich näher erklären zu können: Es kam ihm vor, als würden die Menschen, die dies Gebäude verlassen hatten, nie dorthin zurückkehren. Nirgendwo sah man persönliche Gegenstände, nichts, das jemandem wichtig oder von Bedeutung war: lediglich eine zerbrochene Flasche, eine Kakaodose ohne Deckel, einige Lumpen, die so verfärbt waren, dass man nichts zu erkennen vermochte.

Im großen Obergeschossraum strömte das Licht durch die Fenster mit den zerbrochenen Scheiben herein. Der Staub und Schmutz, der sie bedeckte, ließ die Reste, die noch im Rahmen saßen, wie Bunt- oder Milchglas erscheinen. Dort, wo Magnus Landsboroughs Kopf gelegen hatte, war das Blut mittlerweile fast vollständig eingetrocknet, und eine Schleifspur zeigte, wo man ihn über den Boden gezogen hatte. Alles andere war genau wie in dem Augenblick, da Pitt den Raum zum ersten Mal betreten hatte. Offenbar waren die Beamten und der Polizeiarzt mit äußerster Behutsamkeit zu Werke gegangen.

Er bückte sich und betrachtete lange und aufmerksam den Fußboden und den Umriss des Körpers, den Fußabdrücke, getrocknete Blutreste und andere Spuren erkennen ließen. Magnus hatte der Länge nach am Boden gelegen. Unter den vielen Dingen in Pitts Jackett-Tasche befand sich auch ein Maßband. Er nahm es heraus und legte es von dort, wo der Kopf gelegen hatte, bis dorthin, wo Magnus' Fußspitzen gewesen waren. Wenn man in Betracht zog, dass er vermutlich nicht ganz gerade ausgestreckt gewesen war, musste er gut einen Meter achtzig groß gewesen sein. Genauer ließ sich das nicht feststellen.

Es konnte nicht der geringste Zweifel bestehen, dass er mit dem Gesicht voran zu Boden gestürzt war, als ihn die Kugel in den Hinterkopf getroffen hatte. Wäre sie von der Straße gekommen, hätte er nie und nimmer so fallen können. Außerdem war sie in den Hinterkopf eingedrungen und auf Höhe des linken Wangenknochens ausgetreten. Die Straße war schmal und lag zwei Stockwerke tiefer als der Raum. Ein dort abgefeuertes Geschoss wäre in einem scharfen Aufwärtswinkel eingedrungen, zum Beispiel am Halsansatz, und in Augenhöhe wieder ausgetreten. Ganz davon abgesehen, hätte Landsborough dabei mit dem Rücken zum Fenster stehen müssen.

War es denkbar, dass Welling die Wahrheit sagte und der erste Polizeibeamte, der die Hintertreppe emporgestürmt war, Magnus Landsborough erschossen hatte? Aber warum? Aus Wut? Aus Angst, er könne bewaffnet sein und ihm daher gefährlich werden? Man hatte neben der Leiche keine Waffe gefunden.

Pitt hörte Schritte. Kurz darauf stand ein uniformierter Wachtmeister in der Tür, der Pitt mit geschäftsmäßiger Miene entgegentrat. Er sah recht jung aus, vermutlich war er Ende zwanzig.

»Linwood, Sir«, sagte er steif. »Sie wollten mit mir sprechen?«

Pitt richtete sich auf. »Ja, Wachtmeister. Waren Sie als Erster in diesem Raum, als wir das Haus gestürmt haben?«

»Ja, Sir.«

»Beschreiben Sie genau, was Sie gesehen haben.«

Linwood sah angestrengt auf den Fußboden. »Hier waren drei Männer drin, Sir. Einer, mit rötlichen Haaren, stand da hinten in der Ecke und hatte ein Gewehr im Arm. Er hat mich zwar direkt angesehen, aber die Waffe nicht auf mich gerichtet. Ich vermute, dass sie nicht mehr geladen war. Die hatten ziemlich viel aus dem Fenster geschossen.«

Der Beschreibung nach konnte das Carmody sein. »Wer noch?«, fragte Pitt.

»Einer mit dichten dunklen Haaren«, sagte Linwood und verzog das Gesicht vor Konzentration. »Er sah ziemlich entsetzt aus. Genau da vorne hat er gestanden.« Er wies auf eine Stelle einen knappen Meter von Pitt entfernt.

»Neben der Leiche am Boden!«, sagte Pitt überrascht.

Linwoods Augen öffneten sich weit. »Ja, Sir. Er hatte eine Waffe, konnte ihn aber unmöglich erschossen haben. Das muss von da drüben gekommen sein.« Er wies auf die Tür am anderen Ende des Raumes, die zur Hintertreppe führte. Über sie hatte die Polizei den Mann verfolgt, der vermutlich entkommen war.

»Weiter?«, fragte Pitt.

»Dann war da noch der Tote am Boden«, gab Linwood zur Antwort.

»Wie hat er dagelegen? Beschreiben Sie es bitte genau!«

»So, wie Sie ihn gefunden haben, Sir. Der Schuss muss tödlich gewesen sein. Er hat dem armen Teufel das Gehirn weggerissen.«

Pitt hob die Brauen. »Arm, sagen Sie?«, fragte er.

Linwood zog die Mundwinkel nach unten. »Mir tut jeder Leid, den die eigenen Leute erschießen, Sir, ganz gleich, was für Überzeugungen er hat. Bei Verrat dreht sich mir der Magen um.«

»Mir auch«, gab ihm Pitt Recht. »Sind Sie sicher, dass das alles war?«

»Ich wüsste nicht, was da noch gewesen sein könnte, Sir.« Linwood hielt Pitts Blick stand. »Ich habe einen Schuss gehört, als ich unten an der Treppe war. Sie können Patterson fragen; er war genau hinter mir, und hinter ihm war Gibbons.«

»Und die beiden Anarchisten haben also an der Stelle gestanden, die Sie mir bezeichnet haben?«

»Ja. Also hat ihn wohl einer von ihnen erschossen, und der andere lügt, um ihn zu decken, oder es war einer, der entkommen ist«, gab Linwood zur Antwort. »Man kann es drehen und wenden, wie man will – es muss einer von ihren eigenen Leuten gewesen sein.«

»Sieht ganz so aus«, stimmte ihm Pitt finster zu. »Einer der Festgenommenen sagt aber, es war die Polizei.«

»Er lügt.«

»Einer in Zivil.«

»Wir waren alle in Uniform, Sir«, sagte Linwood steif. »Die Einzigen in Zivil waren Sie und Ihr Vorgesetzter vom Staatsschutz.«

»Ich glaube nicht, dass der Mann gelogen hat«, sagte Pitt nachdenklich. »Vermutlich war es jemand, den er nicht kannte oder nicht erkannt hat.«

»Trotzdem muss es einer von ihren eigenen Leuten gewesen sein.« Linwoods Züge waren angespannt und seine Stimme schneidend vor Zorn. »Man hat ihn von hinten erschossen.«

»Ich weiß. Sieht ganz so aus, als wären diese Leute noch schlimmer, als wir angenommen haben. Danke, Wachtmeister.«

»Sehr wohl, Sir. Ist das alles?« Linwood tat nur so, als nehme er Haltung an. In seinen Augen waren die Leute vom Staatsschutz keine wirklichen Polizisten.

»Im Augenblick ja«, gab Pitt zur Antwort.

Linwood ging, während Pitt reglos in dem Raum stehen blieb und sich den Ablauf der Ereignisse vorzustellen versuchte. Er war Narraway und den Polizeibeamten die Treppe hinauf gefolgt. Als er im ersten Stock war, hatte er erst den Schuss aus der oberen Etage und dann das Rufen gehört.

Wenige Sekunden später war auch er oben angekommen und hatte gesehen, dass sich alle noch im vorderen Teil des Raumes befanden, und gehört, wie hinten eine Tür zuschlug. Irgendjemand hatte sich soeben davongemacht. Da ihn keiner der Beamten gesehen hatte, musste er den Raum bereits verlassen haben, als der erste von ihnen zur vorderen Tür hereinkam.

Welling und Carmody weigerten sich, Namen zu nennen, beharrten aber darauf, dass ein Polizeibeamter Magnus Landsborough erschossen hatte. Nach dem Eintrittswinkel der Kugel und der Art zu urteilen, wie das Opfer am Boden gelegen hatte, musste der Schuss von der Tür zur Hintertreppe aus abgegeben worden sein, über die der Schütze vermutlich auch verschwunden war. Die beiden Anarchisten hatten geglaubt, es handele sich um einen Polizeibeamten, während die Beamten am Hinterausgang angenommen hatten, es sei einer der Männer vom Staatsschutz, der einen Anarchisten verfolgte. Auf diese Weise war es dem Täter vermutlich gelungen, an ihnen vorbei zu entwischen!

Allmählich schälte sich eine nachvollziehbare Abfolge der Ereignisse heraus.

Waren die Beamten am Hinterausgang nachlässig gewesen und hatten mindestens einen Verdächtigen, wenn nicht gar mehrere, entwischen lassen? Oder waren sie korrupt und hatten dem Entkommen bewusst Vorschub geleistet?

Vor allem aber: Wer war der Mann, der Landsborough durch

die halb geöffnete Tür erschossen hatte, um dann nach unten zu eilen und so zu tun, als gehöre er zur Polizei? Hatte er eine Gelegenheit ergriffen, die sich ihm unerwartet bot, oder hatte er bereits im Haus an der Long Spoon Lane auf die Attentäter gewartet, weil er wusste, dass sie nach dem Anschlag dorthin zurückkehren würden?

Was steckte dahinter? Eine interne Rivalität, bei der eine Gruppe gegen die andere arbeitete? Unterschiedliche Ideale, die aufeinander prallten, ein Kampf um Einflussbereiche? Ein Machtkampf um die Führerschaft innerhalb einer Gruppe? Oder etwas völlig anderes?

Langsam durchquerte Pitt den Raum und verließ ihn durch die Tür zur Hintertreppe, auf demselben Weg, den der Mörder genommen haben musste. Auf der Straße stieß er auf einen weiteren Polizeibeamten, der ihm aber auch nichts weiter sagen konnte.

KAPITEL 2

Leise schloss Pitt die Haustür, zog die Schuhe aus und ging auf die Küche zu, aus der Licht fiel und Gelächter ertönte. Es war fast acht Uhr, und obwohl der Abend mild war, fror es ihn, mehr vor seelischer als vor körperlicher Erschöpfung.

Kaum hatte er die Tür geöffnet, hüllte ihn der wohlige Geruch nach gekochtem Gemüse, noch warmem Gebäck und der Wäsche ein, die auf dem Trockengestell hing. Das blau geränderte Porzellan auf der Anrichte und das frisch gescheuerte helle Holz des Tisches schimmerten im Schein der Gaslampe.

Charlotte, die eine Schürze umgebunden hatte, wandte sich um und lächelte ihm zu. Aus ihrer Hochsteckfrisur stahlen sich einzelne Strähnen hervor.

»Thomas!« Freudig eilte sie auf ihn zu, runzelte aber die Stirn, als sie sein Gesicht sah. »Geht es dir nicht gut?«, fragte sie. »Was hat es mit dem Bombenattentat auf sich?«

»Mir fehlt nichts, ich bin nur müde«, gab er zur Antwort. »Niemand ist durch die Explosionen zu Schaden gekommen. Ein Polizeibeamter ist beim Sturm auf das Gebäude von einer Kugel getroffen worden. Er hat aber zum Glück nur eine Fleischwunde.«

Sie küsste ihn auf die Wange und fragte dann besorgt: »Hast du überhaupt schon gegessen?«

»Nein«, gab er zu, zog sich einen der Stühle herbei und setzte sich. »Seit einem Schinkenbrot um drei Uhr nichts mehr. Aber eigentlich habe ich auch keinen Hunger.«

»Bomb'n!«, stieß Gracie voll Abscheu hervor. »Ich weiß nich, wo das noch hinführ'n soll! Am besten würde man die alle in die Tretmühle unt'n in Coldbath Fields steck'n!« Sie stand am Herd, drehte sich um und betrachtete Pitt missbilligend. Sie war mehr als ein Dienstmädchen, fast wie eine Tochter des Hauses, und sie hing mit unerschütterlicher Treue an ihrem Herrn.

»'n Stück Apfelkuch'n kann Ihn' sicher nich schad'n. Wir ham auch Sahne – fest wie Butter. Da bleibt der Löffel drin steh'n.« Ohne zu warten, ob er das Angebot annahm, eilte sie zur Speisekammer, deren Tür sie weit aufriss.

Charlotte lächelte Pitt zu und nahm Besteck aus der Schublade. Gerade in dem Augenblick kam die elfjährige Jemima die Treppe herunter und durch den Gang gerannt.

»Papa!« Sie stürzte sich Pitt entgegen und schlang freudig erregt die Arme um ihn. »Was war im East End los? Gracie hat gesagt, dass man alle Anarchisten erschießen soll. Stimmt das?«

Er erwiderte ihre Umarmung, ließ sie aber gleich wieder los, als ihr einfiel, was sie sich schuldig war, und sich ein Stückchen von ihm zurückzog.

»Ich dachte, sie hätte gesagt, dass man sie in die Tretmühle schicken soll«, gab er zurück.

»Was ist eine Tretmühle?«, fragte Jemima.

»Eine Maschine, die sich immer um die eigene Achse dreht, ohne einen Zweck zu erfüllen. Trotzdem muss man immer weiterlaufen, weil man sonst umfällt und sich wehtut.«

»Welchen Sinn hat das?«

»Keinen. Es ist eine Strafe.«

»Für Anarchisten?«

Gracie kam mit einem großen Stück Apfelkuchen und einem Krug Sahne zurück und stellte beides auf den Tisch.

»Danke«, sagte Pitt und häufte Sahne auf den Kuchen. Vielleicht hatte er doch Hunger. Auf jeden Fall würde er allen eine Freude machen, wenn er etwas aß. »Für jeden, der im Gefängnis ist«, beantwortete er Jemimas Frage.

»Sind Anarchisten böse?«, fragte sie und setzte sich ihm gegenüber an den Tisch.

»Ja«, antwortete Gracie für Pitt, der mit vollen Backen kaute. »'türlich. Die spreng'n Häuser von Leut'n in de Luft un hau'n alles zu Klump. Se hass'n Mensch'n, die schwer geschuftet und was zustande gebracht ham. Die woll'n alles kaputt mach'n, was nich ihn' selber gehört.« Sie füllte den Teekessel mit Wasser und stellte ihn auf den Herd.

»Warum?«, bohrte Jemima nach. »Das ist doch dumm!«

»Weil sonst niemand auf sie hören würde«, erläuterte Charlotte. »Wo ist eigentlich Daniel?«

»Der macht Hausaufgaben«, sagte Jemima. »Ich bin schon fertig. Und hören die Leute auf die, wenn die was kaputt machen? Wenn ich so was tun würde, müsste ich ohne Essen schlafen gehen.« Sie warf einen sehnsüchtigen Blick auf den Apfelkuchen mit der knusprigen Kruste.

Es kostete Charlotte Mühe, nicht zu lächeln. Pitt erkannte das an ihren Augen und sah beiseite. Die Wärme der Küche löste seine Anspannung; die Gewalttätigkeit zog sich aus seinen Gedanken an irgendeinen finsteren Ort außerhalb der Wände des Hauses zurück. Der Kuchen war noch ein wenig warm, die dickflüssige Sahne war angenehm weich im Mund.

»Unbedingt«, gab Charlotte ihrer Tochter Recht. »Aber wenn du davon überzeugt wärest, dass etwas ungerecht ist, würdest du schrecklich wütend und vielleicht nicht den Mund halten oder tun, was man dir sagt.«

Jemima sah Pitt zweifelnd an. »Haben die deshalb Sachen kaputt gemacht, Papa? Gibt es etwas, was ungerecht ist?«

»Ich weiß nicht«, sagte Pitt. »Aber auf keinen Fall löst man Probleme damit, dass man die Häuser von Leuten in die Luft sprengt.«

»'türlich nich!«, stieß Gracie heftig hervor und reckte sich auf die Zehenspitzen, um die Teedose von ihrem Brett herunterzunehmen. »Dafür ham wir de Polizei, dass se für Ordnung sorgt – un normalerweise tut se das auch. Unrecht geg'n Unrecht nützt nix un gehört sich nich.« Man sah nur ihren schmalen Rücken, während sie den Deckel der Teekanne abnahm. Sie war in den Gassen eines Elendsviertels aufgewachsen und hatte als Kind gestohlen und gebettelt, um zu überleben. Jetzt, da sie zu den achtbaren Menschen gehörte, war niemand gesetzestreuer als sie.

Charlotte, die aus einer vornehmen Familie stammte, sich aber trotz ihrer Erziehung als höhere Tochter in einen einfachen Polizeibeamten verliebt hatte, konnte sich eine etwas liberalere Haltung leisten.

»Gracie hat ganz Recht«, sagte sie freundlich zu Jemima. »Man darf nicht unschuldige Menschen leiden lassen, um auf ein Unrecht hinzuweisen. Das ist auf jeden Fall falsch, ganz gleich, wie wichtig einem die Sache ist. Jetzt geh nach oben und lass deinen Vater in Ruhe essen.«

»Aber Mama ...«, setzte sie an.

»In unserem Hause dulde ich keine Anarchie«, teilte ihr Charlotte mit. »Rauf!«

Das Mädchen zog eine Schnute, umschlang den Vater erneut und gab ihm einen Kuss. Dann verließ sie mit flinken Schritten die Küche.

Gracie wärmte die Kanne an und machte den Tee.

Pitt aß den letzten Bissen seines Apfelkuchens und lehnte sich behaglich zurück, ganz der Helligkeit und Wärme um ihn herum hingegeben.

Am nächsten Morgen verließ er das Haus so früh, dass Charlotte allein frühstücken musste. Während sie am Tisch saß, ging sie die Zeitungen durch. Sie alle berichteten über den Sprengstoffanschlag in der Myrdle Street, wobei der einzige Unterschied im Grad der Empörung bestand. Manche quollen über vor Mitleid mit den Familien, die ihr Heim verloren hatten, und zeigten Bilder von Menschen, die sich verwirrt und ängstlich aneinander drängten. Das Entsetzen auf ihren Gesichtern war unübersehbar.

Andere forderten aufgebracht eine harte Bestrafung der Verbrecher, die solche Untaten begingen. Man übte Kritik an der

Polizei und noch mehr am Staatsschutz. Selbstverständlich gab es Spekulationen über die Frage, wer hinter den Anschlägen stecken mochte, welche Ziele die Täter verfolgt haben könnten, und ob man künftig mit ähnlichen Gräueltaten rechnen musste.

Die Belagerung des Hauses in der Long Spoon Lane wurde ebenso geschildert wie die Festnahme zweier Anarchisten. Auch wurde in äußerst kritischem Ton gefragt, wieso die anderen noch frei herumliefen.

Der Tod Magnus Landsboroughs wurde auf unterschiedliche Weise kommentiert. Die *Times* drückte ihr Mitgefühl für die Familie aus, die mit ihm den einzigen Sohn verloren hatte, verbreitete sich aber im Übrigen in erster Linie über die Verdienste, die sich Lord Landsborough als Vertreter des liberalen Flügels im Oberhaus erworben hatte. Der Frage, was sein Sohn in der Long Spoon Lane gewollt hatte, ging man nicht weiter nach, schloss aber die Möglichkeit nicht aus, dass man ihn dort als Geisel festgehalten hatte.

Andere Blätter waren weniger zurückhaltend. Sie neigten der Ansicht zu, er habe zu den Anarchisten gehört und einfach das Pech gehabt, beim Feuergefecht mit der Polizei als Einziger ums Leben zu kommen. Der verwundete Beamte wurde ebenfalls erwähnt und wegen seines Mutes gelobt.

Sorge bereitete Charlotte, was sie in der letzten Zeitung las, die sie zur Hand nahm. Ihr Herausgeber war der hoch geachtete und einflussreiche Edward Denoon, aus dessen Feder der Leitartikel stammte, bei dessen Lektüre ihr Unbehagen immer mehr zunahm.

Während sich gestern am frühen Morgen die Bewohner der Myrdle Street auf einen weiteren arbeitsreichen Tag vorbereiteten, unterbrach sie die Polizei bei ihrem armseligen Frühstück, um ihnen mitzuteilen, dass Anarchisten im Begriff standen, in ihren Häusern Sprengsätze zu zünden. Alte Männer schlurften auf die Straße hinaus, Frauen, denen verängstigte Kinder am Schürzenzipfel hingen, rafften an Habseligkeiten zusammen, was ihnen angesichts der Eile in die Hände fiel, und flohen ins Freie.

Wenige Minuten später schlugen Flammen aus den heruntergekommenen Häusern. Wie Geschosse flogen Steine und Dachziegel durch die Luft und zerstörten in den umliegenden Straßen Fenster und Dächer. Schwarzer Rauch quoll zum Morgenhimmel, und Entsetzen erfasste Dutzende einfacher Menschen, die mit ansehen mussten, wie ihr Heim und ihr Leben vernichtet wurden, weil Anarchisten nicht bereit waren, sie in dem Frieden leben zu lassen, auf den jeder Bürger Englands ein Anrecht hat.

Die Polizei hat die Täter verfolgt und in einer Wohnung in der Long Spoon Lane gestellt. Als man das Gebäude nach kurzer Belagerung stürmte, wurde bei einem Feuergefecht der zweiundzwanzigjährige Beamte Field aus Mile End getroffen, aber dank dem mutigen Eingreifen seiner Kollegen vor dem Tode bewahrt.

Weniger Glück hatte Lord Sheridan Landsboroughs einziger Sohn Magnus, den man in einem der oberen Räume tot auffand. Noch ist nicht geklärt, ob er eine Geisel der Anarchisten war oder sich aus eigenem Entschluss bei ihnen aufhielt.

Wir müssen uns die Frage stellen, was für Menschen solch ungeheuerliche Taten begehen. Wer sind diese Barbaren, und welchen Zielen glauben sie damit zu dienen? Gewiss kann hinter diesem Terror nur die Absicht stehen, uns im Dienste finsterer Mächte, denen wir uns freiwillig nicht beugen würden, in die Knie zu zwingen. Manch einer fragt sich: Geht diese Art von Gewalttat vom Ausland aus, ist es die erste Welle eines Eroberungsfeldzugs fremder Mächte?

Die Redaktion dieser Zeitung vertritt eine andere Ansicht. Wir leben in Frieden mit allen näheren und ferneren Nachbarländern. Es gibt nicht den geringsten Hinweis darauf, dass eine fremde Nation in diese Machenschaften verwickelt sein könnte. Eher ist zu fürchten, dass dahinter verworrene politische Vorstellungen stehen, Ideale, deren Verfechter bereit sind, alles zu zerstören, was wir in Jahrhunderten mithilfe von Kunst, Wissenschaft, Zivilisation und Erfindungen aufgebaut haben, um das Wohlergehen der Menschen zu fördern. Auf den Resten unserer Gesellschaft wollen sie entsprechend den Vorstellungen, die sie vertreten, ihre eigene errichten. Ob sie sich nun Sozialisten, Anarchisten oder was auch immer nennen – auf jeden Fall handelt es sich um Wilde, um Verbrecher, die man zur Strecke bringen, festnehmen, vor Gericht stellen und hängen muss. So verlangt es das Gesetz, das dazu da ist, uns alle zu schützen, Starke wie Schwache, Reiche wie Arme.

Da diese Wirrköpfe, die es darauf angelegt haben, unser aller Leben zu zerstören, mächtig und ganz offensichtlich bestens bewaffnet sind, müssen wir unsere Polizei, die Soldaten des zivilen Heeres, das zu unserer Verteidigung bereitsteht, ebenfalls gut bewaffnen. Ihre Angehörigen setzen ihr Leben aufs Spiel – manche von ihnen verlieren es dabei –, wenn sie sich zwischen uns und das Chaos aus Gewalttat und Anarchie stellen. Wir können es uns nicht leisten, sie unbewaffnet in diesen Kampf zu schicken, und jeder Versuch, es dennoch zu tun, wäre verwerflich und moralisch durch nichts zu rechtfertigen.

Doch nicht nur angemessene Waffen müssen wir ihnen in die Hand geben, es müssen auch Gesetze erlassen werden, mit deren Hilfe sie Kriminelle aufspüren können, die unseren Untergang betreiben. Das Gesetz verlangt, dass eine Straftat bewiesen wird, und das ist auch richtig so, denn es dient dem Schutz des Schuldlosen. Aber ein Polizeibeamter, den man daran hindert, jemanden festzunehmen, den er verbrecherischer Absichten verdächtigt, oder dessen Wohnung zu durchsuchen, kann nur hilflos warten, bis die Tat geschehen ist, und dann das Opfer rächen. Das aber genügt nicht. Wir haben einen Anspruch darauf, dass Rechtsbrüche verhindert werden, bevor sie solche Folgen zeitigen – es muss unbedingt etwas geschehen.

Charlotte legte die Zeitung aus der Hand und sah unbehaglich vor sich hin. Der Tee in ihrer Tasse war kalt geworden.

Gracie kam vom Lieferanteneingang in die Küche und fragte besorgt: »Was is passiert? Stimmt was nich?« Seit sie vor Jahren ins Haus gekommen war, hatte sie, die weder lesen noch schreiben konnte, mit Charlottes Hilfe auf beiden Gebieten große

Fortschritte gemacht und sich angewöhnt, jeden Tag mindestens zwei Zeitungsartikel zu lesen. Jetzt fragte sie mit einem skeptischen Blick auf Denoons Zeitung und Charlottes Tasse: »Is etwa schon wieder 'ne Bombe hochgegang'n?«

»Nein«, gab Charlotte rasch zur Antwort. »Mich beschäftigt, was der Herausgeber dieser Zeitung schreibt: Er verlangt für die Polizei mehr Schusswaffen und die Möglichkeit, ohne große Umstände Haussuchungen durchzuführen.«

Gracie stellte das Gemüse auf das Abtropfbrett neben dem Waschbecken. »Geg'n Leute, die Bomb'n un Pistol'n ham, kann de Polizei nich mit 'nem Knüppel kämpf'n«, sagte sie nüchtern. Dann verzog sie angestrengt das Gesicht. »Mir wär aber nich wohl, wenn Mr Pitt 'ne Pistole hätt' – un dann noch hier im Haus! So was is gefährlich!«, fuhr sie mit gesenkter Stimme fort. Offenbar war ihr die Vorstellung in tiefster Seele zuwider. »Warum müss'n manche Leute bloß immer Schwierigkeit'n mach'n?«

»Gewöhnlich bringen uns erst Schwierigkeiten dazu, etwas zu ändern«, gab Charlotte zur Antwort. Das stimmte zwar, war aber keine Antwort auf Gracies Frage. »Wenn jemand dort, wo du wohnst, im Schutz der Dunkelheit seinen Unrat ablädt«, fuhr sie fort, »oder spät in der Nacht lärmt, wird sich nur dann etwas ändern, wenn du dich darüber beschwerst.« Sie lächelte, als sie in Gracies Augen Zorn aufflammen sah. Sie hatte das Beispiel ›Unrat‹ mit Bedacht gewählt.

Gracie begriff das und warf ihr ein spitzbübisches Lächeln zu, das aber bald wieder verschwand. Mit ernstem Gesicht sagte sie: »Wenn ich aber hergeh und das dumme Stück erschieß, das das Zeug da draußen rumlieg'n lässt, müsst' ich ins Gefängnis, un das mit Recht. Ich hab ihr ord'ntlich die Meinung gesagt, se aber nich angefasst.« Ein triumphierendes Lächeln trat auf ihre Züge. »Die macht das bestimmt nich noch mal.«

»Das glaube ich gern«, bestätigte Charlotte. »Zwar ist Anarchie der falsche Weg und obendrein lächerlich, ich bin aber nicht sicher, dass die Lösung darin besteht, der Polizei Schusswaffen in die Hand zu geben. Ganz bestimmt jedoch würde man damit, dass man ihr die Vollmacht einräumt, Häuser nicht nur dann zu durchsuchen, wenn ein begründeter Verdacht besteht, eine allgemeine Verärgerung hervorrufen, und die wäre der Sache auf keinen Fall förderlich.«

»Sagt Mr Pitt das?«, fragte Gracie. In ihren Augen lag Zweifel.

»Er war viel zu müde, um etwas zu sagen«, räumte Charlotte ein. »Außerdem hat er diesen Artikel noch gar nicht gelesen. Aber ich bin überzeugt, dass er das sagen wird.«

Lady Vespasia Cumming-Gould saß am Frühstückstisch und las die gleiche Zeitung, ebenfalls von tiefem Kummer erfüllt, der bei ihr allerdings einen gänzlich anderen Grund hatte. Der Name Landsborough war ihr sofort ins Auge gefallen, und süße Erinnerungen aus früherer Zeit drängten sich in den Vordergrund. Sheridan und sie waren einander vor über vierzig Jahren zum ersten Mal begegnet, bei einem Empfang im Buckingham-Palast. Beide waren sie seit zehn oder zwölf Jahren verheiratet, und die immer gleichen gesellschaftlichen Kontakte, der immer gleiche Klatsch und die immer gleichen Ansichten hatten angefangen, sie zu langweilen.

Sein feinsinniger Humor, sein bisweilen rücksichtslos wirkender typisch englischer Sarkasmus hatten ihr zugesagt. Nicht nur war er ausgeglichen, tolerant und von einem beinahe kindlichen Vertrauen in den Anstand der Menschen, er hatte auch selbst früher Idealen angehangen, darunter der Überzeugung, dass der Mensch von Natur aus gut ist. Stets hatte er die feste Zuversicht ausgedrückt, viel Gutes ließe sich bewirken, wenn man dem »Mann auf der Straße« einen größeren Anteil an der Regierung zubilligte und ihm Gelegenheit gebe, mehr über sein eigenes Schicksal zu bestimmen. Hinter seiner stets gut gekleideten, eleganten und bezaubernden Erscheinung verbargen sich mehr Einfühlungsvermögen und Zartgefühl, als den meisten Menschen seiner Umgebung bewusst war. Vespasias Witz, ihr königliches Auftreten und ihre Schönheit hatten in ihm eine Saite zum Klingen gebracht.

Seine Frau Cordelia war eine dunkle Schönheit, ehrgeizig und

Vespasias Ansicht nach kälter als eine Winternacht. Sie hatten einander von Anfang an mit gutem Grund nicht ausstehen können und verbargen diese gegenseitige Abneigung hinter der kühlen Fassade gemessener Höflichkeit. Keine von beiden ließ sich in der Gesellschaft je im geringsten gehen, beide waren stets tadelfrei gekleidet, mit blitzenden Juwelen geschmückt, und bei ihrer Frisur befand sich jedes Haar an seinem Platz. So hinreißend Cordelia sein mochte, nach Vespasia hatten sich an allen Höfen Europas die Köpfe umgedreht und die Herzen gesehnt. Sie war nicht nur klug, sondern auch voll Leidenschaft, und sie besaß den Mut, jedes Wagnis einzugehen.

Sie hatte sich in ihrer Ehe keineswegs unwohl gefühlt, doch war nicht ihr Mann ihre große Liebe gewesen, sondern Mario Corena, ein italienischer Patriot und Held der 1848er Revolution in Rom. Zwar war ihnen aus für beide unüberwindlichen Gründen kein gemeinsames Glück beschieden, doch die Erinnerung an seinen Idealismus und seine mutige Opferbereitschaft sowie eine wunderbare Zeit hoffnungsvoller Liebe war nie verblasst.

Im Vorjahr waren sie einander noch einmal kurz begegnet, als Mario aus freien Stücken sein Leben gegeben hatte, um Charles Voisey in den Arm zu fallen, als dieser den englischen Thron stürzen wollte. Dies Opfer war schrecklich und zugleich herrlich gewesen. Es war Vespasia gelungen, sich an Voisey zu rächen, doch um einen Preis, den sie nie vergessen würde.

Als sie jetzt allein im morgendlichen Sonnenschein ihres Frühstückszimmers las, dass Sheridan Landsborough seinen einzigen Sohn verloren hatte, empfand sie seinetwegen tiefe Trauer. Die Jahre, die seit ihrer letzten Begegnung vergangen waren, schwanden dahin, und selbst Cordelias Abneigung schien nicht mehr wichtig zu sein. Sie musste unbedingt schreiben und ihr Beileid ausdrücken. Da es ihr unpassend erschien, den Brief mit der Post zu schicken, beschloss sie, ihn persönlich zu überbringen.

Sie erhob sich und trat an den Klingelzug neben dem Kamin, um das Mädchen zu rufen. Sie blieb wartend daneben stehen, bis sie hereinkam.

»Legen Sie bitte Trauerkleidung für mich heraus, Gwyneth«, sagte sie, überlegte es sich dann aber anders. »Nein, das ist zu streng: dunkelgrau. Und sagen Sie Charles, dass ich meine Kutsche um zehn Uhr wünsche. Ich möchte Lord und Lady Landsborough mein Beileid übermitteln.«

»Wie betrüblich, Mylady«, antwortete das Mädchen, obwohl sie nicht wusste, worum es ging. »Ist das dunkelgraue Seidenkleid recht? Und der Hut mit der schwarzen Straußenfeder?«

»Ausgezeichnet. Ich werde ein Billett schreiben und komme dann nach oben.«

»Sehr wohl, Mylady.«

Das Mädchen zog sich zurück, und Vespasia ging durch das Vestibül ins Damenzimmer, wo Papier und Schreibgerät auf ihrem Sekretär bereitlagen.

In einer solchen Situation die richtigen Worte zu finden war nie einfach. Für Cordelia wären die förmlichsten Ausdrücke gerade richtig gewesen, aber Sheridan, den sie einst so gut gekannt hatte, würde das als gestelzt und abstoßend empfinden; es wäre schlimmer, als wenn sie nichts geschrieben hätte.

Sie setzte sich in der Kühle des Zimmers an den Sekretär. Grünliches Licht fiel durch die Fenster herein, da das Laub davor das Sonnenlicht dämpfte. Die Zeit der Krokusse und Osterglocken war vorüber, und für die leuchtenden Farben des Sommers war es noch zu früh.

Lieber Sheridan, liebe Cordelia,
gerade habe ich von Eurem herben Verlust erfahren und stelle mir bestürzt vor, wie groß Euer Schmerz sein muss. Wie gern würde ich Euch Beistand und Hilfe anbieten, Euch Worte des Trostes sagen, doch ist mir klar, dass es keine andere Möglichkeit gibt, als den Kummer zu ertragen. Sofern Euch meine treue Freundschaft jetzt oder künftig etwas zu geben vermag, meldet Euch bitte. Ich werde stets zu Eurer Verfügung sein.
In aufrichtiger Trauer
Vespasia Cumming-Gould

Sie faltete den Briefbogen, steckte ihn in einen Umschlag und versiegelte ihn. Weder las sie das Geschriebene noch einmal durch, noch fragte sie sich, ob es elegant oder angemessen formuliert war. Sie hatte geschrieben, was sie empfand, mehr vermochte sie nicht zu tun. Wenn sie erst lange überlegte, was Cordelia in ihre Worte hineinlesen konnte, käme sie nie dazu, den Brief zu übergeben.

Sie ging nach oben, zog das dunkelgraue Seidenkleid an und begutachtete das Ergebnis im Spiegel.

»Sie sehen wunderschön aus, Mylady«, sagte Gwyneth hinter ihr.

Damit hatte sie Recht. Vespasia war hoch gewachsen und nach wie vor schlank. Kühle Farben schmeichelten ihren kräftigen Gesichtszügen und ihrem blassen Teint. Wie immer trug sie eine mehrreihige Perlenkette, die bestens zu ihrem silbrigen Haar passte. Das eng taillierte und an den Hüften glatt fallende bodenlange Jackenkleid war nach der letzten Mode geschnitten; es hatte gebauschte Ärmel und schwang unterhalb der Knie leicht auswärts. Die Jacke hatte die von der herrschenden Mode vorgeschriebenen überbreiten Aufschläge.

Das Mädchen setzte ihr den Hut auf und reichte ihr die grauen Glacéhandschuhe, die weicher waren als Samt. Ein kleines grauseidenes Ridikül enthielt ein Taschentuch, einige Visitenkarten und den Brief.

Vespasia dankte ihr und verließ das Ankleidezimmer gemessenen Schritts. Am Fuß der Treppe wartete bereits der Lakai, der ihr die Haustür öffnete und sie zu ihrer Kutsche geleitete, an deren Schlag Charles bereitstand.

Die Fahrt zum Haus der Familie Landsborough in der Stenhope Street nahe dem Regent's Park dauerte nur eine Viertelstunde. Vespasia stieg ohne Hilfe aus und ging, den Brief in der Hand, zur Haustür. Ihr wurde sogleich geöffnet, und ein älterer Butler sah sie fragend an. Dann erkannte er das Wappen an ihrem Wagenschlag und begrüßte sie höflich mit Namen.

»Guten Morgen«, gab sie zur Antwort. »Vermutlich empfängt

die Familie keine Besuche, doch wollte ich mein Beileidsschreiben persönlich überbringen, statt es mit der Post zu schicken. Hätten Sie die Güte, Lord und Lady Landsborough meines tiefen Mitgefühls zu versichern?«

»Selbstverständlich, Mylady.« Er hielt ihr das Silbertablett hin, und sie legte den Umschlag darauf. »Danke. Es ist sehr gütig von Ihnen, persönlich herzukommen. Möchten Sie nicht einen Augenblick eintreten? Ich werde Lady Landsborough Ihren Brief übergeben. Möglicherweise hat sie den Wunsch, Ihnen sogleich zu danken.« Er tat einen Schritt zurück.

»Ich möchte sie keinesfalls belästigen.« Vespasia blieb auf der Schwelle stehen.

»Davon kann keine Rede sein, Mylady«, gab der Butler zur Antwort. »Sollten Sie allerdings andere Verpflichtungen haben ...«

»Das ist nicht der Fall«, sagte sie aufrichtig. »Ich habe das Haus ausschließlich zu diesem Zweck verlassen.« Nachdem sie das gesagt hatte, wäre es ausgesprochen unhöflich gewesen, die Einladung zurückzuweisen, und so folgte sie dem Mann ins Haus. Die Bilder im Vestibül waren mit schwarzem Krepp verhängt, das Pendel der Standuhr hatte man angehalten und die Spiegel zur Wand gedreht. Man führte sie ins Damenzimmer. Dort brannte kein Feuer, und die Jalousien waren heruntergelassen. Die weißen Blumen auf dem Tisch wirkten im Halbdunkel geisterhaft.

Sie brauchte nur zu warten, bis der Butler zurückkehrte und ihr Cordelias Dank übermittelte; dann konnte sie gehen. Sie wollte sich nicht setzen; es schien ihr unangebracht, weil sie fand, damit erwecke sie den Eindruck, länger bleiben zu wollen. Unter den gegebenen Umständen schien es ihr ungehörig, sich gemütlich niederzulassen.

Sie sah sich beiläufig um und versuchte sich zu erinnern, ob das Zimmer noch so war wie früher, als sie sich häufig als Gast im Hause aufgehalten hatte. Der Bücherschrank mit den Glastüren, in denen sich das Licht brach, sodass man die Titel auf den Buchrücken nicht lesen konnte, hatte schon da gestanden. Das Bild über dem Kamin, eine Szene aus Venedig, kannte sie ebenfalls. Sie hatte es stets für einen echten Canaletto gehalten, aber nie danach fragen mögen. Es erschien ihr unvorstellbar, dass sich Sheridan Landsborough mit etwas Minderwertigem begnügt hätte.

Sie hörte Hufschlag auf der Straße vor dem Haus. Drinnen herrschte völlige Stille, als habe man alle üblichen Tätigkeiten eingestellt.

Die Tür öffnete sich, und Vespasia wandte sich um. Statt des Butlers, den sie erwartet hatte, stand Cordelia dort. Abgesehen davon, dass sich die Zahl der grauen Strähnen in ihren dunklen Haaren vermehrt hatte, wirkte sie kaum verändert, seit sie einander vor zwei, drei Jahren zuletzt begegnet waren. Sie machte nach wie vor einen energischen Eindruck, doch wirkte das Kinn etwas weicher als früher, und nicht einmal das hoch geschlossene Kleid konnte vollständig verbergen, dass die Haut an ihrem Hals faltig geworden war. Ihr Gesicht war bleich, was sicher auf das entsetzliche Ereignis zurückzuführen war. Vespasia fiel auf, wie scharf die dunklen Augen dazu kontrastierten. Selbstverständlich trug sie Volltrauer.

»Es ist sehr freundlich von Ihnen, selbst zu kommen, Vespasia«, sagte sie und stellte damit eine Vertrautheit her, die zwischen ihnen eigentlich nie bestanden hatte. »Zu einer Zeit wie dieser braucht man Freunde.« Sie sah sich um. »Hier ist es kalt. Möchten Sie nicht lieber in den Salon kommen? Er geht auf den Garten, und dort ist es weit angenehmer.« Damit bot sie Vespasia zwar eine Gelegenheit, sich zu verabschieden, doch wäre das nach einer solchen Freundschaftsbekundung einer kalten Zurückweisung gleichgekommen.

»Danke«, nahm Vespasia an.

Die Hausherrin ging ihr durch das Vestibül in einen wärmeren und weit wohnlicheren Raum voraus. Auch dort sah man überall Hinweise auf die im Hause herrschende Trauer, doch war es darin wärmer, und das Sonnenlicht, das durch die halb zugezogenen Vorhänge fiel, malte bunte Muster auf den in Burgunder- und Blautönen gehaltenen Teppich.

Vespasia überlegte, welchen Grund Cordelia haben mochte,

sie zum Bleiben aufzufordern. Weder hatten sie einander je besonders nahe gestanden, noch gehörte Cordelia zu den Frauen, die anderen ihre Freuden oder Sorgen mitteilen.

Sie nahmen auf zwei großen weich gepolsterten Sofas Platz, die einander gegenüberstanden. Cordelia brach das Schweigen.

»Manchmal ist eine Tragödie dieses Ausmaßes nötig, damit man merkt, was mit einem geschieht«, sagte sie gewichtig. »Man sieht mit an, wie allmählich alles dahinschwindet, ohne dass es einem auffällt, weil jeder einzelne Schritt so klein ist.«

Vespasia hatte keine Vorstellung, wovon sie sprach, und so wartete sie geduldig mit dem Ausdruck höflichen Interesses.

»Jeden, der mir vor zehn Jahren gesagt hätte, dass auf Londons Straßen Polizeibeamte und Anarchisten aufeinander schießen würden«, fuhr Cordelia fort, »hätte ich für verrückt erklärt. Ich hätte gesagt, er male die Dinge Schwarz in Schwarz und versetze andere nur deshalb in Angst und Schrecken, weil er undurchsichtige Ziele damit verfolgte.« Sie holte tief Luft. »Jetzt können wir die Augen nicht mehr vor den Tatsachen verschließen. Es gibt in unserer Gesellschaft Geisteskranke, die darauf aus sind, sie zugrunde zu richten, und daher braucht die Polizei unsere rückhaltlose moralische und materielle Unterstützung.«

»In der Tat ist die Arbeit der Polizei schwierig und häufig undankbar«, sagte Vespasia, wobei sie an Pitt dachte, den sie kannte, seit ihr Großneffe George Charlottes Schwester Emily geheiratet hatte. Nachdem George einem Mord zum Opfer gefallen war, hatte Emily erneut geheiratet, was aber der Freundschaft zu Pitt und seiner Frau nicht nur keinen Abbruch getan hatte, sie war im Gegenteil noch enger geworden, und so war sie für Pitt wie Charlotte ›Tante Vespasia‹.

»Und gefährlich ist sie obendrein«, fügte Cordelia hinzu. »Ein junger Beamter ist bei dem Feuergefecht angeschossen worden. Ohne das mutige und entschlossene Handeln seiner Kollegen wäre er auf offener Straße verblutet.«

»Ja.« Auch Vespasia hatte den Bericht gelesen. »Es sieht aber ganz so aus, als ob er durchkäme.«

»Diesmal«, sagte Cordelia. »Aber wie wird das in Zukunft aussehen?« Sie saß hoch aufgerichtet da und machte ein bedenkliches Gesicht. »Wir brauchen mehr Polizeibeamte, und sie müssen besser bewaffnet werden. Wir dürfen die Bewegungsfreiheit der Polizei nicht durch veraltete Gesetze einschränken, die aus friedlicheren Zeiten stammen. Hier in London wimmelt es inzwischen von Ausländern aller Art, Männern mit wirren Vorstellungen von Revolution, Anarchie und sogar Sozialismus. Sie wollen uns ihre verquere Weltanschauung aufzwingen und haben unmissverständlich klar gemacht, dass sie alles, was wir besitzen, zu zerstören gedenken. Sie werden uns so lange in Angst und Schrecken versetzen, bis wir uns ihrem Willen beugen.« In ihren Augen mischten sich Kummer und Wut. »Das aber werde ich nicht zulassen, solange ich atme! Ich werde allen Einfluss, den ich habe, geltend machen, um dafür zu sorgen, dass die Polizei unterstützt wird, damit sie uns und alles, woran wir glauben, beschützen kann.« Sie sah Vespasia aufmerksam an.

Diese empfand ein leichtes Unbehagen. Sie wusste nicht recht, ob es auf etwas zurückging, was Cordelia gesagt hatte, oder mit der peinlichen Situation zusammenhing, die darin bestand, dass es ihr nicht möglich war, die eigentliche Ursache von Cordelias Kummer anzusprechen. Der am Vortag ermordete Magnus war ihr einziges Kind gewesen. Vespasia hatte mehrere Kinder, und sie alle lebten und waren wohlauf. Auch wenn sie sie nur selten sah, da sie verheiratet waren und ihr eigenes Leben führten, stand sie doch in ständiger brieflicher Verbindung mit allen. Es war widersinnig, sich schuldbewusst zu fühlen, weil sie selbst so viel mehr besaß als die aufgebrachte Frau ihr gegenüber. Offenbar versuchte Cordelia mit ihrem Schmerz dadurch fertig zu werden, dass sie ihn in Wut verwandelte und einen Kreuzzug führte, der ihre Energien band und ihrem Kummer möglicherweise die unmittelbare Schärfe nahm. Wenn Vespasia sich selbst gegenüber ehrlich war, hing ihr Schuldbewusstsein eher mit der tiefen Freundschaft zusammen, die sie vor so langer Zeit mit Sheridan Landsborough verbunden hatte.

Cordelia wartete nach wie vor auf eine Reaktion. Zwar war Vespasia alles andere als sicher, dass auch sie den Wunsch hatte, man möge der Polizei mehr Schusswaffen in die Hand geben, doch war das nicht der rechte Augenblick, das zu sagen.

»Sicher werden nach dieser Tragödie viele Menschen entschlossen darauf drängen, die Polizei mit allem zu unterstützen, was uns zur Verfügung steht«, stimmte sie zu.

Cordelia zwang sich zu einem Lächeln. »Dafür müssen wir sorgen«, bekräftigte sie. »Veränderungen sind dringend nötig. Ich hatte bisher kaum Zeit, über Einzelheiten nachzudenken, werde aber mit aller Kraft auf dies Ziel hinarbeiten. Sicher darf ich Sie bitten, auch Ihrerseits allen Einfluss in dieser Richtung geltend zu machen.« Obwohl sie mit diesen Worten voraussetzte, dass ihr Vespasia zustimmen würde, suchte sie in ihren Augen nach einer Antwort.

Vespasia holte tief Luft, nicht ganz sicher, warum sie so zögerte. Gab es wirkliche Gründe dafür, oder hing es mit ihren alten Vorbehalten gegenüber Cordelia zusammen? Falls es sich so verhielt, wäre das beschämend, und sie spürte, wie ihr das Blut heiß in die Wangen stieg. »Gewiss«, sagte sie ein wenig zu rasch. »Ich muss zugeben, dass auch ich noch keine Zeit hatte, über diese Sache nachzudenken, doch ich werde es tun. Sie geht uns alle an.«

Cordelia lehnte sich ein wenig zurück und wollte gerade dem Gespräch eine neue Wendung geben, als der Butler hereinkam und diskret an der Tür stehen blieb.

»Ja, Porteous?«, fragte Cordelia.

»Mr und Mrs Denoon sind gekommen, Mylady. Ich habe ihnen mitgeteilt, dass seine Lordschaft ausgegangen ist, und sie wollten wissen, ob Sie sie empfangen oder das lieber auf einen anderen Zeitpunkt verschieben wollen.«

»Bitten Sie sie herein«, sagte Cordelia. Sie wandte sich Vespasia zu. »Ich glaube, Sie kennen Enid Denoon nicht besonders gut.« Sie zuckte ein wenig steif die Achseln. »Ich habe nicht unbedingt den Wunsch, sie zu sehen, denn bestimmt ist sie entsetzlich aufgewühlt. Sie hat ihrem Bruder Sheridan immer recht nahe gestanden. Es wird nicht einfach sein. Falls Sie jetzt lieber gehen wollen, habe ich dafür volles Verständnis.« Damit gab sie Vespasia zwar die Möglichkeit zu gehen, doch ließ ihr Gesichtsausdruck keinen Zweifel daran, dass es für sie einfacher wäre, wenn Vespasia bliebe.

So hatte sie nicht nur keine Wahl, sie hätte davon abgesehen auch keine Gelegenheit gehabt, rechtzeitig zu gehen, denn schon kehrte der Butler zurück, vom Ehepaar Denoon gefolgt. Vespasia hatte Enid tatsächlich vergessen, doch als sie ihrer erneut ansichtig wurde, kam ihr die Erinnerung an etwas, woraus unter anderen Umständen eine Freundschaft hätte werden können.

Sie war hoch gewachsen wie ihr Bruder Sheridan, schlank, hatte aber breitere Schultern und hielt sich sehr aufrecht. Ihre Figur hatte dem Alter weniger Tribut gezollt als die ihrer Schwägerin; ihre Taille war nicht in die Breite gegangen, und ihre Hüften waren weniger ausladend. Ihr Haar war nicht mehr von so kräftigem Dunkelblond wie früher, aber ihr Gesicht mit den hohen Wangenknochen und der charaktervollen Nase hatte sich kaum verändert. So manche jüngere Frau mochte sie um den Schimmer ihrer Haut beneiden.

Denoon, der hinter ihr stand, war dunkler und fülliger, aber sein Haar war immer noch dicht und fast schwarz. Mit seinem Charakterkopf wirkte er eher eindrucksvoll als gut aussehend. Vespasias einzige Erinnerung an ihn war, dass sie ihn noch nie hatte leiden können, vielleicht wegen seines Mangels an Humor, den seine hohe Intelligenz nicht wettzumachen vermochte. Er lachte so gut wie nie und hatte nicht den geringsten Sinn für absurde Situationen. Ihrer Ansicht nach verlor nur allzu leicht den Verstand, wer sich an derlei nicht erfreuen konnte, denn ohne das wäre die Welt der Mode, des Reichtums und der politischen Macht unerträglich und erdrückend. In ihrer Ehe hatte es ein gewisses Maß an Kameradschaftlichkeit gegeben, aber keinerlei Leidenschaft, und da war es gut gewesen, dass sie lachen konnte, wenn ihr zum Weinen war. Als sie Denoon kennen gelernt hatte, war ihr von Anfang an der feierliche Ernst suspekt gewesen, mit dem er immer auftrat. Ihrer Ansicht nach hätte ein wenig Feinfühligkeit den Eindruck von Schroffheit gemildert, den er vermittelte.

Zwar war Enid über Vespasias Anwesenheit offenkundig erstaunt, aber, wie es aussah, nicht unangenehm davon berührt. Natürlich war sie andererseits viel zu gut erzogen, als dass sie Letzteres zu erkennen gegeben hätte, wenn es so gewesen wäre.

»Wie geht es Ihnen, Lady Vespasia?«, sagte Denoon, nachdem Cordelia sie vorgestellt hatte. »Es ist sehr freundlich von Ihnen, zum Zeichen der Anteilnahme bei diesem traurigen Anlass persönlich zu kommen.« Ganz offenkundig war er überrascht und hätte das fast gezeigt.

»Gleich uns ist Lady Vespasia der Ansicht, dass wir alle Kräfte einsetzen müssen, um Vorfälle wie den von gestern künftig zu verhindern«, ergriff Cordelia das Wort und sah Denoon eindringlich an, ohne Enid weiter zu beachten.

In dem Blick, den Denoon zurückgab, erkannte Vespasia eine starke Empfindung, die sie nicht einordnen konnte, an die sie sich aber immer erinnern würde. Dann wandte er sich wieder ihr zu.

»Wie weitblickend von Ihnen, Lady Vespasia«, sagte er. »In der Tat ist die Zeit, in der wir leben, gefährlicher, als den meisten von uns bewusst sein dürfte. Das Chaos greift immer mehr um sich, und die gestrigen Ereignisse, die zu unserem tragischen Verlust geführt haben, bedeuten einen neuen Höhepunkt dieser Entwicklung. Ich bin zutiefst betroffen.« Diese letzten Worte waren wieder an Cordelia gerichtet.

»König Knut war ein weiser Mann«, sagte Enid in den Raum hinein.

Cordelia hob verwundert den Blick.

Vespasia sah Enid erstaunt an und erkannte in ihren von Trauer und Wut erfüllten Augen, dass sie mit ihren Gedanken in weiter Ferne weilte.

Ärgerlich fuhr Denoon herum und warf seiner Frau einen empörten Blick zu. »Ein Dummkopf war er!«, knurrte er. »Ich vermute, du beziehst dich auf die Geschichte, wie er mit seinen Höflingen ans Meer geht, um der Flut Einhalt zu gebieten. Jeder, der glaubt, er könne sich einer Entwicklung entgegenstemmen oder sie gar umkehren, ist ein ausgemachter Narr! Im Übrigen habe ich bildlich gesprochen. Niemand muss warten, bis die Erde oder der Mond stillsteht, um bei gesellschaftlichen Entwicklungen einzugreifen, und ebenso wenig brauchen wir hilflos zuzusehen, wie Dinge geschehen, mit denen wir nicht einverstanden sind. Wir sind Herren unseres Geschicks!« Wieder sah er zu Cordelia hin, erkennbar aufgebracht, weil seine Frau nicht zu verstehen schien, worum es ihm ging.

Cordelia begann zu sprechen, aber Enid fiel ihr ins Wort. »Knut wollte keine Entwicklung umkehren«, widersprach sie ihm. »Er hat lediglich darauf hinweisen wollen, dass nicht einmal er dazu imstande war. Die Macht der Menschen ist begrenzt, sogar wenn es um einen so mächtigen König wie Knut I. geht.«

»Das ist nichts Neues!«, sagte Denoon voll Schärfe. »Und es gehört in keiner Weise zur Sache. Ich versuche nicht, der Natur in den Arm zu fallen, Enid, sondern will lediglich erreichen, dass die Menschen begreifen, welche Gesetze in unserem Lande herrschen, damit wir uns vor der Anarchie schützen können. Mag sein, dass du dich schon besiegt fühlst und bereit bist, dich einfach mit in den Strudel hinabreißen zu lassen – ich bin es nicht.« Wieder wandte er sich von ihr ab und Cordelia zu.

»Ich denke nicht an die Entwicklung hin zur Anarchie«, erläuterte Enid, »sondern an Veränderungen ganz allgemein.«

Diesmal ging er nicht auf ihre Worte ein, doch schwoll ihm erkennbar die Zornesader. »Cordelia, auch wenn es im Augenblick nicht so aussieht: Wir sind gekommen, um dir zu sagen, wie tief uns dein Verlust schmerzt. Sofern es etwas gibt, was wir tun können, um dich zu trösten oder dir zu helfen, stehen wir dir in jeder Hinsicht zur Verfügung, jetzt und auch künftig. Das sind keine leeren Worte, bitte glaub mir das.«

»Natürlich nicht!«, sagte Enid mit erstickter Stimme – sie schien mit einem Mal von ihren Gefühlen so überwältigt zu sein, dass es sie Mühe kostete zu sprechen. »Das weiß Cordelia doch!« Sie warf ihrer Schwägerin einen brennenden Blick zu, in dem mehr Hass als Kummer zu liegen schien. Bei diesem Anblick überlief Vespasia ein Schauer, bis ihr einfiel, dass der Zorn bei vielen Menschen die Trauer so stark überlagert, dass sich die beiden Gefühle nicht unterscheiden lassen.

Als habe sie Enids Worte kaum gehört, sah Cordelia ihren Schwager unverwandt mit einem kalten Lächeln an. »Danke. In einer Zeit wie dieser müssen Verwandte und Freunde einander beistehen, und Menschen, die ähnlich denken und der drohenden Gefahr mit der gleichen Entschlossenheit gegenübertreten, sich näher rücken. Ich bin dankbar, dass ihr wie auch Vespasia die Dinge ebenso seht wie ich und begriffen habt, dass jetzt nicht die richtige Zeit ist, sich noch so tiefen privaten Empfindungen hinzugeben, weil uns sonst die Ereignisse überrollen würden.« Sie schloss mit ihren Worten Enid nicht ausdrücklich aus; trotzdem hatte Vespasia den unabweisbaren Eindruck, dass das ihre Absicht war und Enid das auch sehr wohl begriff.

Sie selbst hatte das Bedürfnis, sich von dem zu distanzieren, was da gesagt worden war. Während Denoon offen dafür eintrat, der Polizei größere Vollmachten zu geben, sodass sie schon beim bloßen Verdacht auf eine Straftat einschreiten konnte und nicht warten musste, bis Beweise vorlagen, war sie sehr viel zurückhaltender. Nicht nur fürchtete sie die Möglichkeit eines Missbrauchs dieser Vollmacht, sondern auch den Eindruck, den ein solches Vorgehen auf die Öffentlichkeit machen musste.

Cordelia und Denoon führten ihre Unterhaltung fort. Der Name Tanqueray wurde genannt, ein Treffen vorgeschlagen, dann fielen weitere Namen.

Vespasia sah zu Enid Denoon hinüber, die nicht einmal zuzuhören schien. Ihr regloses Gesicht wirkte verblüffend verletzlich, so, als sei Schmerz ihr etwas nur allzu Vertrautes. Ihr konnte nicht bewusst sein, welchen Eindruck sie erweckte, sonst hätte sie sich vermutlich bemüht, unbeteiligt zu wirken, obwohl weder Cordelia noch Denoon zu ihr hinsahen.

Im Vestibül hörte man Schritte. Gleich darauf wurde die Tür geöffnet, und alle wandten sich um, als Sheridan Landsborough eintrat. Zwar hatte Vespasia damit gerechnet, auf seinen Zügen Kummer zu sehen, doch war sie entsetzt, als sie die pergamentene Blässe seiner Haut, die eingesunkenen Wangen und die tiefen Ringe unter seinen Augen sah.

»Guten Morgen, Edward«, sagte er kühl und zwang sich zu einem Lächeln. »Enid.« Er sah seine Frau flüchtig an und wandte sich dann Vespasia zu. Seine Augen öffneten sich weit, und in seine Wangen kehrte ein wenig Farbe zurück. »Vespasia!«

Sie tat einen Schritt auf ihn zu. Die förmlichen Worte, die ihr in den Kopf kamen, traten ihr nicht auf die Lippen. »Es tut mir so Leid«, sagte sie ruhig. »Ich kann mir nichts Fürchterlicheres denken.«

»Danke«, sagte er leise. »Es ist sehr lieb, dass du gekommen bist.«

Enid trat näher zu ihm, fast, als merke sie selbst nichts davon. Als die Geschwister so nebeneinander standen, war die Ähnlichkeit zwischen ihnen unübersehbar. Es war weniger das Aussehen der Gesichter als die Kopfform, die Art zu stehen, die angeborene mühelose Anmut, die sich auch in einer Zeit wie dieser unmöglich ablegen ließ.

Cordelia sah ihn aufmerksam an. »Ich nehme an, dass alle Vorkehrungen getroffen sind?«

Sein Ausdruck wurde nicht weicher, als er ihren Blick erwiderte. »Gewiss«, gab er zur Antwort. »Es muss nichts weiter getan oder entschieden werden.« Seine Stimme klang tonlos. Vielleicht brauchte er diese vollkommene Beherrschung, um nicht zusammenzubrechen. Wenn er irgendeine Empfindung gezeigt hätte, wäre in seinem Inneren womöglich der Damm gebrochen und alles nach oben gespült worden. Haltung und Würde bedeuteten eine Art Fluchtmöglichkeit. Vespasia überlegte, dass die Distanz zwischen den beiden vielleicht auch als eine Art Schutz diente, der dafür sorgte, dass der eine nicht an die Wunde des anderen rührte.

Sie gewahrte in der Atmosphäre eine Art elektrische Spannung wie vor einem Gewitter. Das rief ihr ins Bewusstsein, dass ihre Anwesenheit den anderen unter Umständen lästig war. So wandte sie sich zu Cordelia. »Danke, dass Sie mich empfangen haben«, sagte sie mit einem leichten Neigen des Kopfes. »Ich weiß das sehr zu schätzen.«

Cordelia gab zurück: »Ihre Hilfe ist für uns äußerst wertvoll. Gerade jetzt müssen wir für das kämpfen, woran wir glauben.« Sie holte tief Luft und fügte hinzu: »Sie sind eine wahre Freundin«, traf aber keine Anstalten, sie zur Tür zu begleiten.

Vespasia brachte es nicht fertig, ihre letzte Äußerung zu kommentieren. Es musste Cordelia ebenso bewusst sein wie ihr, dass sie alles andere als Freundinnen waren. »Es war das Mindeste, was ich tun konnte«, sagte sie leise und merkte, wie ironisch diese Worte klangen.

Sheridan wandte sich ihr zu. »Soll ich deine Kutsche rufen?« Er griff nach dem einen Schritt entfernten Klingelzug.

»Danke«, nahm sie das Angebot an. Im Raum knisterte es vor Spannung. Enid sah von ihrem Bruder zu ihrer Schwägerin, doch war Vespasia nicht sicher, ob das Gefühl, das sie auf ihren Zügen erkannte, Zorn oder Besorgnis war. Sie hielt die Schultern steif, den Kopf hoch, als rechne sie damit, dass ein alter Schmerz wiederkehren würde, den sie mit allem Mut nicht besiegen konnte.

»Piers wird zutiefst bekümmert sein«, sagte Denoon übergangslos. Cordelia nickte kaum wahrnehmbar, um zu zeigen, dass sie verstanden hatte.

Diese Worte erinnerten Vespasia daran, dass Enid einen Sohn hatte, der inzwischen knapp dreißig Jahre alt sein dürfte, etwa ebenso alt wie sein Vetter Magnus.

»Vielleicht sollten wir ebenfalls gehen«, sagte Enid mehr zu Denoon als zu Cordelia. »Gespräche über eine Gesetzesreform können sicher einen oder zwei Tage warten. Es wird ohnehin Monate dauern, bis sie durchgesetzt wird, wenn nicht Jahre.«

»Die Zeit haben wir nicht!«, stieß Denoon wütend hervor.

Röte überzog sein Gesicht. »Meinst du, dass die Anarchisten herumsitzen und untätig warten, bis wir ihnen einen Strich durch die Rechnung machen?«

»Ich nehme an, die sehen uns ganz gern dabei zu, wie wir uns selbst einen Strich durch die Rechnung machen«, gab sie zur Antwort.

»Das ist doch lächerlich!«, sagte Denoon fast zu sich selbst, als sei sie ihm lästig und als wisse er nicht, wie er sie in Vespasias und Landsboroughs Gegenwart zurechtweisen konnte.

Landsborough richtete sich ein wenig mehr auf und tat einen Schritt von seiner Frau weg in Richtung seiner Schwester. Er sog den Atem scharf zwischen den Zähnen ein.

Vespasia fühlte sich zutiefst unbehaglich. Sie hatte das Bedürfnis einzuschreiten, bevor sich die Situation zuspitzte.

»Ein zu rasches Eingreifen kann ebenso schaden wie ein zu tiefer Einschnitt«, sagte sie, wobei sie erst zu Enid hin und dann wieder von ihr weg sah. »Wir dürfen uns nicht die Blöße geben, den Anschein zu erwecken, als seien wir so repressiv, wie es die anderen sagen, aber ebenso wenig sollten wir uns durch ungeschicktes Vorgehen Sympathien verscherzen. Beim gegenwärtigen Stand der Dinge haben wir alle auf unserer Seite. Diesen Vorteil sollten wir nicht leichtfertig verspielen.«

Einige Sekunden lang herrschte angespanntes Schweigen, dann sagte Landsborough: »Da hast du sicher Recht.« Er trat ins Vestibül hinaus, und Vespasia folgte ihm. Ein Lakai wurde hinausgeschickt, der ihrem Kutscher wie auch dem der Denoons mitteilen sollte, dass die Herrschaften zum Aufbruch bereit seien. Cordelia machte eine Bemerkung über das Wetter, und Vespasia ging darauf ein.

Die mit grünem Tuch bespannte Tür zum Dienstbotentrakt wurde geöffnet, und ein livrierter Lakai näherte sich, ein junger Mann, der sich mit der Anmut und Selbstsicherheit von Menschen bewegte, die körperliche Anstrengungen gewohnt sind. Er sah ausschließlich Enid an, ignorierte jeden anderen einschließlich Denoon und sagte, sobald er nur noch einen Meter von ihr entfernt war, achtungsvoll: »Die Kutsche steht bereit, Ma'am.« Er sah ihr einen Moment in die Augen und wandte den Blick dann wieder ab.

Enid dankte ihm und verabschiedete sich dann von ihrem Bruder, indem sie ihm leicht die Hand auf den Arm legte. Sie nickte Cordelia zu, wandte sich mit einem flüchtigen Lächeln an Vespasia und ging schließlich von Denoon gefolgt zur Tür.

Als auch Vespasias Kutsche abfahrbereit war, bot ihr Landsborough den Arm als unauffälligen Hinweis darauf, dass er gern einige Worte mit ihr wechseln wollte, wenn nicht schon unter vier Augen, so zumindest, ohne dass seine Frau sie hören konnte.

Vespasia verabschiedete sich erneut von Cordelia und ließ sich dann von Landsborough zur wartenden Kutsche hinausführen.

»Danke, dass du gekommen bist«, sagte er mit ruhiger Stimme. »Ich weiß das sehr zu schätzen, zumal angesichts der Umstände.«

Ihr war nicht recht klar, ob er damit ihre einstige Beziehung meinte oder die Art und Weise von Magnus' Tod und was sich in diesem Zusammenhang noch ergeben mochte. Immerhin musste er mit öffentlichen Anwürfen und öffentlicher Empörung rechnen. »Euer Verlust greift mir ans Herz«, sagte sie. »Zweifellos werden wir uns später noch anderen Dingen stellen müssen, die aber dürften im Augenblick unerheblich sein.«

Ein leichtes Lächeln trat auf seine Züge. Sein Gesicht wirkte alt, seine Haut dünn wie Papier, doch seine Augen waren ganz so, wie sie sie von früher in Erinnerung hatte. »Das wird nicht lange auf sich warten lassen«, stimmte er ihr zu. »Magnus war immer gleich Feuer und Flamme und hat sich für bestimmte Dinge eingesetzt, weil ihm Ungerechtigkeit in tiefster Seele zuwider war. Leider hat er nicht jedes Mal genau angesehen, worum es dabei ging, und wohl auch nicht begriffen, dass eine gute Sache gelegentlich auch von schlechten Menschen verfochten wird. Ich hätte ihm vermutlich beibringen müssen, geduldiger zu sein, vor allem aber, der Weisheit sein Ohr zu leihen.«

»Man kann niemandem beibringen, was er nicht lernen

möchte«, sagte sie sanft. »Ich meine mich zu erinnern, dass ich in seinem Alter auch ziemlich revolutionär gesinnt war. Meine einzige Weisheit bestand damals darin, dass ich diesem Hang nicht in meinem Vaterland nachgegeben habe. Als mir der Boden von Rom zu heiß unter den Füßen wurde, konnte ich zum Glück nach England zurückkehren.«

Die Zärtlichkeit, mit der er sie ansah, erinnerte sie voll Freude und Schuldbewusstsein an frühere Gelegenheiten. »Darüber hast du nie gesprochen«, sagte er. »Nur über die Hitze und das italienische Essen. Dafür hattest du schon immer eine Schwäche.«

»Vielleicht erzähle ich es dir eines Tages«, sagte sie im vollen Bewusstsein dessen, dass sie es nie tun würde. Jener Sommer des Jahres 1848 war eine Zeitinsel, die in ihrem übrigen Leben keinen Platz hatte und die sie mit niemandem teilen wollte, nicht einmal mit Sheridan Landsborough. Ganz davon abgesehen könnte es ihn schmerzen, wenn man ihm Jugend, glühenden Idealismus und Liebe ins Gedächtnis rief, lauter Dinge, die ihm selbst mittlerweile entglitten waren, ihn aber möglicherweise an seinen Sohn gemahnten, um den er trauerte.

Die Kutsche wartete. Vespasia sah ihn aufmerksam an und erkannte in seinem Blick Erinnerung, Einsamkeit und womöglich ebenfalls Schuldbewusstsein. Er hätte in jungen Jahren unter Umständen einen Revolutionär abgegeben. Nicht nur hatte er sich über Ungerechtigkeit empört und den Wandel befürwortet, er hatte auch den Mut gehabt, zu seinen Überzeugungen zu stehen. Vielleicht lag es daran, dass er nie ein hohes Regierungsamt bekleidet hatte. Wie viel mochte er über die Aktivitäten seines Sohnes gewusst haben? Hatte er womöglich anfangs Sympathien dafür empfunden und war jetzt bereit, seine Erinnerung daran zu verteidigen?

»Auf Wiedersehen«, sagte sie und ließ sich von ihm in die Kutsche helfen.

Auf dem Heimweg dachte sie weiter über die Fragen nach, die ihr durch den Kopf gingen. Noch am Nachmittag kehrten ihre Gedanken immer wieder zu dem Gespräch zwischen Cordelia und Denoon zurück, aber auch zu dem, was Enid dazu gesagt hatte. Auf ihrem Gesicht hatte neben einem Ausdruck leidenschaftlicher Emotionen, die mehr als idealistisch waren, der von Schmerz so nahe an der Oberfläche gelegen, dass sie ihn kaum zu beherrschen vermocht hatte.

Am frühen Abend kam Vespasia zu dem Ergebnis, dass sie die Sache nicht länger allein mit sich ausmachen könne, und ließ sich in die Keppel Street fahren.

Charlotte war hoch erfreut, sie zu sehen. Die Ärmlichkeit ihrer Wohnung war ihr nicht mehr peinlich. Schon vor einigen Jahren hatte sie gemerkt, dass sich Vespasia in ihrer Küche auf eine Weise wohl fühlte, wie sie das bei sich zu Hause nie tun würde, wo die Kluft zwischen ihr als der Herrin und den Dienstboten, die nur etwas sagten, wenn sie angesprochen wurden, unüberbrückbar war. Obwohl Vespasia in einem Haus voller Menschen lebte, war sie seit dem Tod ihres Mannes in vieler Hinsicht allein, wenn sie es nicht schon vorher gewesen war. Kindesliebe ist von anderer Art und schließt nicht unbedingt Kameradschaft mit ein.

»Tante Vespasia!«, begrüßte Charlotte sie mit ungeheucheltem Entzücken. »Komm doch bitte rein. Möchtest du dich ins Wohnzimmer setzen?«

»Auf keinen Fall«, sagte Vespasia offen heraus. »Stimmt mit eurer Küche etwas nicht?«

Charlotte lächelte. »Nicht mehr als sonst. Die Wäsche ist trocken, die Katzen schlafen im Holzkorb, und Gracie macht den Abwasch. Aber ich kann ihr das ohne weiteres abnehmen und sie oben die saubere Wäsche zusammenfalten und einräumen lassen.« Sie ließ sich Vespasias Umhang, ihren Stock mit Silberknauf, den sie in der Hand hielt, aber nie benutzte, und den Hut geben.

Kaum hatten sie die Küchentür geöffnet, als Gracie, die gerade das Geschirr vom Abendessen abtrocknete, herumfuhr und sogleich die Förmlichkeit in Person wurde.

»Gut'n Ab'nd, Lady Vespasia!«, sagte sie atemlos und vollführte einen Knicks, der zwar ein wenig ungelenk ausfiel, sich aber im Übrigen durchaus sehen lassen konnte.

»Guten Abend, Gracie«, gab Vespasia zur Antwort und tat so, als habe Gracie den Knicks schon immer beherrscht. »Ich hatte einen sehr aufregenden Tag. Könnten Sie mir bitte eine Tasse Tee machen?«

Gracie errötete vor Vergnügen und stieß mit dem Ellbogen gegen die Teller, als sie sich daran machte, den Wunsch zu erfüllen. Im letzten Augenblick konnte sie verhindern, dass sie zu Boden fielen.

Mit einem Blick zu Vespasia unterdrückte Charlotte ein Lächeln. »Das tut mir Leid«, sagte sie rasch. »Was hat es denn gegeben?«

Vespasia setzte sich so aufrecht auf einen der Küchenstühle, wie sie das als Schulmädchen dadurch gelernt hatte, dass ihre Gouvernante sie jedes Mal mit dem Lineal in den Rücken stieß, wenn sie in sich zusammensank. Sie hatte mit einem Stapel Bücher auf dem Kopf gehen müssen – Wörterbücher, nichts so Anstößiges wie Romane –, und die Gewohnheit, sich aufrecht zu halten, hatte sie nie aufgegeben. Mit einer eleganten Handbewegung strich sie sich den dunkelgrauen Rock zurecht.

»Ich war bei Lord und Lady Landsborough, um ihnen mein Mitgefühl angesichts des Todes ihres Sohnes auszusprechen«, sagte sie ohne Umschweife. »Ich wollte lediglich einen Beileidsbrief dalassen und wurde zu meiner Überraschung empfangen.« Sie sah, wie Charlotte die Augen weit öffnete. »Ehrlich gesagt kann ich Cordelia Landsborough nicht besonders gut leiden und sie mich übrigens auch nicht. Dafür gibt es gute und reichliche Gründe, über die wir nicht weiter zu reden brauchen.«

Charlotte biss sich auf die Lippe und schwieg.

»Ich denke, sie hat mich nur empfangen, um sich meinen politischen Einfluss zu sichern. Sie ist fest entschlossen, sich dafür einzusetzen, dass das Parlament ein Gesetz verabschiedet, das der Polizei grundsätzlich Schusswaffen gestattet«, fuhr sie fort.

»Davon abgesehen soll sie weit größere Vollmachten bekommen als bisher. So soll es ihr beispielsweise erlaubt werden, in Ausübung ihrer Pflichten mehr oder weniger nach Gutdünken in die Privatsphäre der Bürger einzudringen. All das beunruhigt mich zutiefst. Edward Denoon war übrigens auch da. Du hast ja bestimmt seinen Leitartikel in der heutigen Zeitung gelesen.« Das war nicht als Frage formuliert.

Gracie fiel ein Löffel voll Teeblätter auf den Boden, und sie bückte sich, um sie möglichst geräuschlos zusammenzukehren, damit das Gespräch nicht unterbrochen wurde.

Charlotte sah rasch zu ihr hin und warf dann Vespasia mit gerunzelter Stirn einen besorgten Blick zu. »Spricht der Kummer aus Lady Landsborough?«, fragte sie. »Der Mord an ihrem Sohn muss der Armen sehr nahe gehen.« Die Kehle schnürte sich ihr zu. Unwillkürlich wandten sich ihre Gedanken ihrem Sohn Daniel zu, der vermutlich oben im Kinderzimmer über den Hausaufgaben saß. Noch war er lenkbar und bereit, auf das zu hören, was man ihm sagte. In einem halben Dutzend Jahren würde er völlig anders sein, voll Leidenschaft und Eigensinn, überzeugt, das Leid der Welt zu kennen und zu wissen, was sich dagegen unternehmen ließ. So war es nun einmal, wenn man in sich das Feuer, den Mut und den Schwung der Jugend spürte.

»Sicherlich treibt ihr Schmerz sie zum Handeln an«, sagte Vespasia. »Ihre Erschöpfung, ihre Tränen, alles, was du und ich auch empfinden könnten.«

Charlotte überlegte einen Augenblick, bevor sie etwas sagte. Ihre Züge wurden weicher. Sie versuchte nicht, Vespasias Empfindungen zu verstehen, sondern hing ihren eigenen Gedanken nach.

»Würdest du denn Einfluss auf eine solche Gesetzesänderung nehmen wollen?«, fragte sie. Die bloße Vorstellung jagte ihr Angst und Schrecken ein.

Gracie stand mit dem Rücken zum Spülbecken. Ohne sich die geringste Mühe zu geben, so zu tun, als gehe die Situation sie nichts an, ließ sie den Blick angespannt von einer zur anderen wandern. Zwar wagte sie nicht, sich in das Gespräch einzumischen, doch hatte sie, was dies Thema anging, unübersehbar ihre eigenen Vorstellungen.

»Auf keinen Fall«, gab Vespasia zur Antwort.

Gracie sog scharf die Luft ein.

Charlotte entspannte sich ein wenig und lächelte. »Ich kann den Leuten nachfühlen, dass sie so empfinden«, räumte sie ein. »Die Gewalttätigkeit hat ein beängstigendes Ausmaß erreicht, und wir müssen alles tun, was wir können, um solche Vorfälle zu verhindern.«

Als Gracie hörte, in wie gemäßigtem Ton sie das sagte, konnte sie nicht mehr an sich halten. Weil Charlotte und nicht Lady Vespasia sprach, fühlte sie sich nicht verpflichtet, weiterhin zu schweigen. »Da hat man die Häuser von einfach'n Leut'n in de Luft gejagt!«, stieß sie voll Verzweiflung hervor. »Die ham kein Geld un keine Macht, da muss de Polizei un de Regierung se schütz'n! Es is entsetzlich. Ich hab in der Zeitung Bilder von dem geseh'n, was da passiert is. Wo soll'n de Leute jetz schlaf'n? Ihr Haus is weg, se ham nix mehr. Wer ersetzt ihn'n das?«

Charlotte wurde rot vor Verlegenheit, da sie fürchtete, dass Vespasia diesen Ausbruch als unpassend empfinden könnte.

Vespasia sah Gracie so ernsthaft an, dass dieser alle Farbe aus dem Gesicht wich. Aber sie senkte den Blick nicht.

»Das ist eine äußerst üble Situation«, sagte sie rasch. »Ich werde tun, was ich kann, um dafür zu sorgen, dass den Menschen, die ihr Heim verloren haben, mit Geld geholfen wird. Ich denke nicht daran, Mr Denoon zu unterstützen, denn ich habe keinen Grund anzunehmen, dass er sich bei seinem Vorgehen auch nur im Geringsten mäßigen wird. Im Gegenteil fürchte ich, dass er das Problem mit seiner radikalen Haltung nicht lösen, sondern eher noch verschärfen wird.«

Gracie sah verblüfft drein. »Tatsächlich? Ich mein, Se woll'n den' wirklich helf'n?«

Das Wasser im Kessel siedete, doch niemand achtete darauf.

»Mein Wort darauf«, bekräftigte Vespasia feierlich. »Was Sie sagen, ist durchaus berechtigt. Wir neigen allzu leicht dazu, unserem Zorn über die Zerstörung nachzugeben und zu überlegen, auf welche Weise wir deren Urheber bestrafen können, statt uns um Hilfe für die Menschen zu bemühen, die darunter leiden müssen.«

Niemand hatte gehört, dass Pitt zur Haustür hereingekommen war und sich durch den Flur der Küche genähert hatte.

»Danke, Tante Vespasia«, sagte er ernst. Er trat ein und begrüßte nacheinander sie, Charlotte und Gracie. Dann setzte er sich auf einen freien Stuhl.

»Man muss damit rechnen, dass es zu einer heftigen Reaktion kommt, Thomas«, sagte Vespasia zu ihm. »Edward Denoon will einen Feldzug zur generellen Bewaffnung der Polizei starten und durchsetzen, dass sie das Recht bekommt, mehr oder weniger nach Gutdünken Personen und Wohnungen zu durchsuchen.« Wer Denoon war, brauchte sie ihm nicht zu erklären.

»Ich weiß«, sagte er düster. »Meinst du, dass er damit durchkommt?«

Sie erkannte die Besorgnis auf seinem Gesicht und sein Bedürfnis nach Hoffnung. Sie hatte ihn noch nie belogen und würde es auch jetzt nicht tun. »Ich glaube, es wird schwierig sein, ihn daran zu hindern. Viele anständige Bürger sind sehr aufgebracht und haben große Angst«, sagte sie.

Pitt wirkte müde. »Ich weiß. Vielleicht haben sie auch ein Recht dazu. Aber indem man die Polizei mit Schusswaffen ausrüstet, macht man nichts besser. Das Letzte, was wir brauchen, sind Feuergefechte auf öffentlichen Straßen. Und wenn man anfängt, Menschen ohne wirklichen Grund zu durchsuchen oder in ihre Wohnung einzudringen, den einzigen Ort, an dem sie Herr ihres Lebens zu sein glauben, werden sie nicht mehr bereit sein, der Polizei zu helfen. Und dabei haben wir dreißig Jahre gebraucht, um zu erreichen, dass sie es tun.«

Gracie sah verwirrt drein. Da er mit dem Rücken zu ihr saß, sah er die Betroffenheit auf ihren Zügen nicht, wohl aber Charlotte.

»Wir müssen gegen sie kämpfen«, sagte sie. »Wie gehen wir dabei am besten vor? Hast du eine Vorstellung davon, wer diese Leute sind oder zumindest von dem, was sie wollen?«

»Ich kenne ihre Forderungen; sie haben sie genannt«, sagte er matt.

Charlotte spürte, dass ihn etwas quälte, und zwar mehr als alles zuvor. »Und die wären?«

»Sie wollen, dass die Korruption bei der Polizei aufhört«, gab er zur Antwort.

Charlotte erstarrte. »Korruption? Bei der Polizei?«

Pitt fuhr sich mit den Händen durch die Haare. »Ich weiß nicht, ob sie so weit verbreitet ist, wie sie behaupten, aber ich werde der Sache nachgehen müssen. Nur wenn die Menschen Grund haben, an das Gesetz zu glauben, dürfen wir erwarten, dass sie sich daran halten.«

Vespasia merkte, wie ein kalter Schauer sie überlief. Sie hatte das Gefühl eines Verlustes, der sehr viel weiter ging als beim Tod eines Menschen, ganz gleich, wie gewaltsam oder tragisch er sein mochte. »In dem Fall kommt es vielleicht zum Kampf«, sagte sie. »Wir müssen unsere Bataillone ordnen.«

KAPITEL 3

Am nächsten Morgen suchte Pitt die inhaftierten Anarchisten noch einmal im Gefängnis auf, um zu sehen, ob er von ihnen Weiteres erfahren konnte. Welling hatte dunkle Ringe unter den Augen und wirkte erschöpft. Man hätte annehmen können, er sei die ganze Nacht rastlos in seiner Zelle auf und ab geschritten. Mitgenommen wie er war, konnte er nicht zusammenhängend denken und wagte es offensichtlich nicht, sich Pitt anzuvertrauen.

Bei dem Idealisten Carmody lagen die Dinge anders. Er barst vor Energie und konnte kaum stillhalten, wollte sich unbedingt von der Seele reden, was er von der Unterdrückung der Bevölkerung durch die Regierung, der Ausbeutung der Armen und den Übeln hielt, die auf privaten Reichtum zurückgingen.

»Unsere Gesellschaftsordnung ist in die Jahre gekommen!«, sagte er voll Leidenschaft, wobei er Pitt mit glühenden Augen ansah und mit seinen dürren Fingern in die Luft stach. »Sie ist müde geworden! Wir müssen von vorn beginnen, die Fehler der Vergangenheit ausmerzen, alles beiseite fegen.« Wild gestikulierte er mit beiden Armen. »Wir brauchen einen Neuanfang!«

»Mit neuen Vorschriften?«, fragte Pitt bitter.

»Da haben wir es. Sie fangen schon wieder an!«, hielt ihm Carmody vor. »Nicht einmal in Gedanken können Sie sich von den Vorschriften lösen. Sie tun nur so, als ob Sie mir zuhörten. Sie sind genau wie die anderen. Auch Sie wollen allen

Ihren Willen aufzwingen. Um nichts anderes geht es nämlich: Macht, Macht, immer nur Macht. Sie denken nicht im Traum daran, mir zuzuhören. Nein, keine Vorschriften! Damit erstickt man die Menschen, drückt ihnen die Luft ab, bis sie tot sind. Verstehen Sie das nicht? Vorschriften töten alles Leben im Land ab.«

»Ehrlich gesagt glaube ich, dass es Ihnen in Wirklichkeit um das genaue Gegenteil geht«, gab Pitt zur Antwort und verlagerte sein Gewicht von einem Fuß auf den anderen. Die Luft in der Zelle war verbraucht und stickig.

Carmody war erbost. Er wusste nicht, wie er sich gegen das zur Wehr setzen sollte, was er als Pitts Uneinsichtigkeit ansah. »Verschwinden Sie! Raus hier!«, schrie er ihn unvermittelt an. »Ich sag Ihnen nichts mehr! Nicht wir haben Magnus umgebracht. Das waren Ihre Leute. Warum hätten wir das auch tun sollen? Er war unser Anführer.«

»Vielleicht wollte jemand anders Anführer werden?«, gab Pitt zu bedenken, ohne sich zu rühren.

Carmody warf ihm einen verächtlichen Blick zu. »Macht man das bei der Polizei so?«, fragte er höhnisch. »Wer befördert werden will, bringt seinen Vorgesetzten um?«

Pitt stieß die Hände in die Taschen. »Das würde nicht klappen«, gab er zur Antwort. »Es gibt Vorschriften, die das verhindern.«

Blinde Wut überflutete Carmodys Züge einen Augenblick lang, dann begriff er, dass sich Pitt über ihn lustig machte. »Und natürlich halten Sie sich immer an die Vorschriften!«, stieß er sarkastisch hervor. »Wie das funktioniert, hab ich in der Bow Street gesehen.«

Gerade hatte Pitt ihm antworten und ihn in seine eigene Falle laufen lassen wollen. Mit der Anspielung auf die Wache in der Bow Street aber, auf die er nicht gefasst war, traf ihn Carmody an einer empfindlichen Stelle. Ihr Ruf lag ihm selbst jetzt noch am Herzen, da nicht mehr er für sie verantwortlich war, sondern Wetron. Dort arbeiteten Männer, mit denen er über Jahre hinweg zusammen gewesen war, allen voran Samuel Tellman. Am Anfang war er Pitts erbitterter Gegner gewesen, denn seiner Überzeugung nach hatte man ihn in eine höhere Position befördert, als ihm zustand, weshalb er ihn als Vorgesetzten für ungeeignet hielt. Anweisungen erteilen durften seiner Ansicht nach nur Herren: ehemalige Heeres- oder Marineoffiziere, die den Wert der Erfahrung kannten und sich nicht in Dinge einmischten, die nicht zu ihren Aufgaben gehörten. Für Männer, die in Positionen aufstiegen, für die sie seiner Meinung nach nicht infrage kamen, hatte Tellman nichts übrig. Es hatte lange gedauert, bis sich die beiden zusammengerauft hatten und einander vertrauten. Als man Pitt dann aus seiner Stellung entfernt hatte, war es Tellman gewesen, der Charlotte mit seiner unverbrüchlichen Treue das Leben gerettet hatte.

Auf Carmodys Züge stahl sich der Ausdruck von Triumph, als er merkte, dass Pitt ihm die Antwort schuldig blieb. Offenbar hatte er mit seiner Bemerkung ins Schwarze getroffen.

»Wenn Sie keine Vorschriften wollen«, gab Pitt schließlich zurück, »warum beschweren Sie sich dann eigentlich darüber, dass sich der eine oder andere in der Bow Street nicht daran hält? Müsste das nicht Ihren Beifall finden?«

»Weil Sie Heuchler sind, einer wie der andere!«, stieß Carmody hervor. »Sie halten die Vorschriften nur dann ein, wenn es Ihnen in den Kram passt!«

»Sie etwa nicht?«, setzte Pitt dagegen. »Geht es nicht genau darum? Man tut, was man will, keine Vorschriften, nicht einmal zwecks ihrer Einhaltung.«

Carmody sah einen Augenblick lang verwirrt drein.

Pitt beugte sich vor. »Hören Sie«, sagte er mit Nachdruck. »Mir liegt ebenso viel daran wie Ihnen zu erfahren, wer Magnus umgebracht hat, wenn nicht gar mehr. Wer auch immer der Täter war – er hat sich gegen die Vorschriften vergangen, nach denen ich lebe. Sie sagen, dass Sie nichts von Vorschriften halten, aber das ist Unsinn. Sie sind wütend auf mich, weil Sie überzeugt sind, dass ich Sie belüge ...«

»Ist es denn nicht so?«, hielt ihm Carmody vor.

»Sie haben also Vorschriften im Hinblick aufs Lügen!«, sagte Pitt trocken.

Carmody sog scharf die Luft ein.

»Sie glauben also, dass einer von uns Magnus erschossen hat«, fuhr Pitt fort. »Wütend macht Sie das deshalb, weil Sie nicht damit rechnen, dass Polizeibeamte kaltblütig Menschen umbringen. Also kennen auch Sie Vorschriften in Bezug auf das Töten. Wie steht es mit Verrat? Haben Sie da ebenfalls Vorschriften?«

Carmody sah ihn wortlos an.

Pitt wartete.

»Ja«, gab Carmody schließlich zu. Er sah Pitt misstrauisch und gekränkt an.

»Wer immer Magnus erschossen hat, hätte ohne weiteres die Möglichkeit gehabt, auch Sie und Welling zu erschießen«, gab Pitt zu bedenken. »Warum hat er es nicht getan?«

Carmody sah ihn verständnislos an.

»Nun, wenn es ein Polizeibeamter war, würde das doch einen Sinn ergeben«, ließ Pitt nicht locker. »Warum sollte er Zeugen zurücklassen? Was ist denn der Unterschied zwischen einem Anarchisten und einem anderen?«

»Magnus war unser Anführer«, gab Carmody ohne das geringste Zögern zurück. »Es ist doch sinnvoll, den Anführer umzubringen.«

»Wenn der Täter aber keiner von Ihnen war – woher hätte er wissen sollen, dass Magnus Ihr Anführer war?«, fragte Pitt.

Carmody schwieg. Sein Gesicht war bleicher als zuvor, und er sah Pitt mit angespannter Aufmerksamkeit an. Die gespielte Teilnahmslosigkeit war wie mit einem Schlag verflogen.

»Sofern uns über Sie etwas bekannt gewesen wäre, hätten wir Sie verhaftet, lange bevor Sie einen Anschlag wie den in der Myrdle Street verüben konnten«, gab Pitt zu bedenken. »Immerhin stellt uns der Vorfall kein gutes Zeugnis aus, lässt uns unfähig erscheinen. Warum haben Sie Grovers Haus in die Luft gejagt?

Wieso hat es von allen Polizeibeamten Londons ausgerechnet ihn getroffen?«

»Weil er für Simbister im Revier Cannon Street alle schmutzigen Aufträge erledigt hat«, gab Carmody zur Antwort. Wut ließ seine Stimme zittern, von Verwirrtheit war nichts mehr zu spüren.

In Pitts Brust krampfte sich etwas zusammen. »Und wieso waren Sie davon unterrichtet?«, fragte er.

Ungehalten knurrte Carmody: »Wenn Sie Magnus gekannt hätten, würden Sie nicht zweifeln.«

»Ich habe ihn aber nicht gekannt.«

Mit Stolz in der Stimme erklärte Carmody: »Er war sehr umsichtig. Er hat alle wichtigen Fakten zusammengetragen – Uhrzeiten, Treffpunkte, Beträge. Er wusste genau, wer wie viel bezahlen musste, wer die armen Leute bedroht und die bestraft hat, die sich weigerten. Er hat sogar für manche von ihnen die Schulden bezahlt.« Wütend funkelte er Pitt an, weil er in seinem Schmerz hilflos war und nichts gegen die Ungerechtigkeit unternehmen konnte, die da geschehen war.

Pitts Weltbild geriet ins Wanken; er glaubte Carmody. Aber er musste mehr erfahren und durfte nicht erwarten, dass dieser ihm traute. Er versuchte, nicht zu zeigen, was er empfand. »Und das wissen Sie bestimmt?«

»O ja!« Carmody beugte sich ein wenig vor. »Ich sehe, dass Sie mir glauben; Sie wissen genau, dass ich die Wahrheit sage. Wenn Sie überzeugend genug lügen und Ihre Leute dazu bringen, das ebenfalls zu tun, können Sie dafür sorgen, dass man mich wegen des Mordes an Magnus hängt. Trotzdem können Sie uns nicht alle zum Schweigen bringen. Es gibt Beweise, und die finden Sie nie. Magnus hat man umgebracht – ein anderer wird an seiner Stelle fortführen, was er angefangen hat.«

»Und was war sein Ziel?«, fragte Pitt. »Außer Chaos, dem Bestreben, alle Vorschriften abzuschaffen, dafür zu sorgen, dass die Versorgung der Bevölkerung zusammenbricht, man die Häuser nicht mehr heizen und die Schwachen nicht mehr schützen kann …«

»Das wollte er selbstverständlich nicht!«, sagte Carmody angewidert. »Keiner von uns wollte ein wirkliches Chaos, nur das Ende der Unterdrückung.« Er veränderte seine Stellung ein wenig. Die Luft in der Zelle war feucht. »Spotten Sie über uns, so viel Sie wollen, das ändert nichts daran, dass er ein Reformer und kein Revolutionär war. Sie haben mich gefragt, wem daran gelegen gewesen sein könnte, ihn umzubringen? Das weiß ich nicht – uns jedenfalls nicht. Wir haben an das geglaubt, was er getan hat, und waren bereit, alles zu geben, was wir hatten, um ihn dabei zu unterstützen. Das sind wir nach wie vor!« Er wies mit dem Finger auf die Stahltür. »Fragen Sie lieber, wer etwas zu verlieren hat – dann haben Sie das Motiv. Soll ein Kriminalbeamter nicht immer nach dem Motiv suchen? Wem hätte Magnus schaden können? Korrupten Polizeibeamten. Da haben Sie Ihre Antwort.«

»In der Cannon Street?«, fragte Pitt ruhig.

»Und in der Bow Street, in Mile End, in Whitechapel.«

»Wer hat die Beweise?« Auch wenn er nicht mit einer Antwort rechnete, musste er doch danach fragen.

Carmody schnaubte. »Glauben Sie, das würde ich Ihnen sagen? Wenn Sie es wirklich nicht wissen sollten, arbeiten Sie sich von der Myrdle Street nach Westen vor. Probieren Sie es in der Kneipe von Dirty Dick in Bishopsgate oder bei Polly Quick im *Ten Bells* am Markt von Spitalfields.«

Pitt gab sich einstweilen mit dieser Auskunft zufrieden. Mehr würde er von dem Mann wohl ohnehin nicht erfahren, wie lange er die Befragung auch fortsetzen mochte. Ihm würde also nichts anderes übrig bleiben, als den Anschuldigungen nachzugehen, wenn er wissen wollte, ob sie auf Wahrheit beruhten oder nicht.

Er richtete sich auf. »Das werde ich tun«, sagte er.

»Die sind überall im East End«, fügte Carmody hinzu. In seiner Stimme schwang ein sonderbarer naiv-hoffnungsvoller Ton mit. »Vorausgesetzt, Sie wollen das wirklich, werden Sie die finden.«

Bevor Pitt daran ging, an den von Carmody genannten Stellen nachzuforschen, kehrte er in die Keppel Street zurück. Wer im East End etwas in Erfahrung bringen wollte, durfte nicht annähernd so gut gekleidet sein wie er. Zu Charlottes großem Missbehagen hatte er für Vorhaben wie dieses vor Schmutz starrende ausgefranste und schlecht sitzende Kleidungsstücke sowie abgestoßene und mehrfach neu besohlte Schuhe zu Hause.

In dieser Kleidung traf er gegen Mittag in Bishopsgate ein und mischte sich unter die Hausierer, Arbeiter und kleinen Angestellten auf der Straße. Dort arbeiteten Männer, Frauen und Kinder vom frühen Morgen bis zum späten Abend, um einen kümmerlichen Lebensunterhalt zu verdienen. Sie stellten billige Möbel her, flochten Körbe, nähten Kleidungsstücke oder handelten mit allem, wofür sich ein Abnehmer fand. Auf den lauten und schmutzigen Straßen wimmelte es von Menschen. Der Geruch nach Abfällen, altem Ruß und ungewaschenen Leibern stieg ihm in die Nase und in die Kehle. Einige magere Kühe und Schweine durchwühlten die Marktabfälle auf der Suche nach etwas, was sie fressen konnten. Hunde schnüffelten hoffnungsvoll umher, und Katzen waren auf der Jagd nach Mäusen und Ratten.

Ohne befürchten zu müssen, dass ihn jemand bestahl, zog Pitt durch Bishopsgate, denn er hatte nichts Wertvolles in den Taschen. Er ging durch die Camomile Street, Wormwood Street und Houndsditch, bis er schließlich die Kaschemme von Dirty Dick erreichte. Vor gut hundert Jahren hatte sie *Gates of Jerusalem* geheißen – ein beachtlicher Abstieg.

Die Tür stand offen, und ein massiger Mann, dessen Haare wie angeklebt quer über dem Schädel lagen, rollte ein Bierfass über den Gehweg zur Falltür, die in den Keller führte.

Pitt blieb neben ihm stehen.

Der Mann hob den Blick. »Da drin gibt's, was Se such'n«, sagte er und nickte in Richtung Tür.

»Ich will kein Bier«, sagte Pitt und blieb stehen, wo er war.

Langsam richtete sich der Mann auf. »Wer sind Se?«, fragte er.

Er beäugte Pitt argwöhnisch von Kopf bis Fuß, wobei er die Augen zusammenkniff. »Ich hab Se hier noch nie geseh'n.« Es klang fast wie eine Beschuldigung.

Pitt beschloss, zumindest teilweise die Wahrheit zu sagen. »Ich war noch nicht oft hier. Meistens arbeite ich im Revier Bow Street.«

Der Mann stieß einen lästerlichen Fluch aus, wobei in seiner Stimme ebenso viel Verzweiflung wie Wut mitschwang.

Pitt wartete. Etwas war faul, doch war ihm nicht klar, was.

Das Gesicht des Mannes war voll Bitterkeit. »Bei mir is Feierab'nd! Ich hab die Woche schon bezahlt. Ich hab nix mehr. Macht mein' Lad'n ruhig dicht! Nur zu! Dann habt ihr gar nix mehr! Verdammte Schweinehunde!«

»Ich habe nichts verlangt«, sagte Pitt gedehnt. »Was bringt Sie auf den Gedanken, ich könnte Geld haben wollen?«

Das Gesicht des Mannes war verzerrt. Verächtlich verzog er die Oberlippe, sodass man seine gelben Zähne sah. »Se steh'n hier rum un versperr'n mir 'n Weg. Se woll'n kein Bier. Halt'n Se mich für dämlich? Das bin ich nich, un ich zahl nix. Macht, was ihr wollt! Ich hab nix mehr.«

Ein Schwindel erfasste Pitt. Der Mann war überzeugt, er sei gekommen, um weiteres Schutzgeld zu erpressen. Es war also tatsächlich so, wie Carmody gesagt hatte. »Niemand kann mehr geben, als er hat«, gab er dem Wirt Recht. »Das Beste ist, überhaupt nichts zu bezahlen ...«

»Soll ich mir etwa 'n Schädel einschlag'n lass'n?«, stieß der Mann wild hervor. »Un wer hilft mir dann, hä? Etwa de Polente?« Er spie vor Pitt aus, doch ließ sich erkennen, dass er den Tränen der Verzweiflung nahe war. Erstickt kam es aus seiner Kehle: »Hau'n Se ab, ich hab nix für euch! Un' wenn Se mich umbring'n, ich hab nix! Verschwindet un lasst mich meine Arbeit mach'n!« Er stand mit geballten Fäusten da, die Schultern angespannt, als werde er im nächsten Augenblick die Beherrschung verlieren und wild um sich schlagen, einfach, weil er keine Zukunft für sich sah, nichts hatte außer seinen Fäusten, womit er für sein Recht kämpfen konnte. Er wirkte verzweifelt genug, um sich ein Ende herbeizuwünschen.

»Sagen Sie mir, wer das Geld nimmt, und ich ...«, setzte Pitt an, begriff dann aber, dass das aussichtslos sein würde. Der Mann sah in ihm den Feind, ganz gleich, wie viel Mühe er sich gab, das zu bestreiten – er kannte keine andere Wahrheit. »Hören Sie ...«, begann er erneut.

Der Mann trat einen Schritt auf ihn zu, den Kopf gesenkt, die Muskeln angespannt, bereit, die Faust gegen ihn zu erheben.

Pitt wich zurück, wandte sich dann um und ging fort. Er hatte die Sache falsch angefasst und daher nichts erfahren, was ihm nützen konnte. Zwar war der Mann offensichtlich überzeugt, dass seine Quälgeister Polizeibeamte waren, aber Pitt musste mehr wissen: wer kassieren kam und wann. Er musste Beträge erfahren, brauchte Beweise. Er würde die Sache völlig anders angehen und sie sehr viel besser einfädeln müssen.

Er ging die Bishopsgate entlang und bog an der Ecke der Brushfield Street, wo ein Invalide Schnürsenkel verkaufte, in Richtung des Markts von Spitalfields ab. Drei Frauen stritten sich auf dem Gehweg. Ein kleines Mädchen heulte. Ein von Ruß geschwärzter Kaminkehrerjunge kam mit hängenden Schultern vorüber. Ein halbes Dutzend Straßenkinder spielten auf dem Gehweg mit kleinen Knochen, die sie in die Luft warfen und auffingen. Sicher eine gute Übung für die Fingerfertigkeit künftiger Taschendiebe, die den Leuten rasch und ohne dass sie es merkten die Börse aus der Tasche zu entwenden vermochten.

Einige der verwahrlosten Häuser, an denen er vorüberkam, hatten früher Seidenkaufleuten, für die inzwischen deutlich schlechtere Zeiten angebrochen waren, als Wohnung, Lager und Ladengeschäft gedient. Ein fliegender Händler schob seinen Karren über die Straße, zahlreiche mit Bauholz und Kohle beladene Wagen strebten den Hafenanlagen entgegen, ein Brauereifuhrwerk rumpelte vorüber.

Als er das *Ten Bells* erreichte, trat er ein und bestellte einen

Krug Apfelwein, dessen kräftiger Geschmack den säuerlichen Geruch der Straße wenigstens für einige Augenblicke fortspülte.

Ihm fiel auf, dass ihn die untersetzte Wirtin unauffällig musterte. Eigentlich war das nicht weiter verwunderlich, da er zum ersten Mal dort war. Die Frau, deren blonde Haare sich aus den Nadeln lösten, lächelte beständig und begrüßte die meisten Gäste mit Namen. Das Lokal schien gut zu gehen.

Er bestellte einen zweiten Krug Apfelwein und dazu Brot mit Käse. Als sie das Verlangte brachte, tat sie das zwar mit dem üblichen Lächeln, doch erkannte er in ihren Augen Argwohn. Aus der Nähe sah er Falten an ihrem Hals und feine Linien in ihrem Gesicht. Trotz aller Energie und Munterkeit, die sie an den Tag legte, war sie wohl den Fünfzig näher als den Vierzig.

»Danke.« Er nahm Krug und Teller entgegen. »Sie führen ein ordentliches Haus und haben viele Gäste.«

Sie sah ihn aufmerksam an. Ihrem Blick war anzumerken, dass sie damit rechnete, er könne ihr Ärger bereiten. Ihm war selbst nicht wohl bei dem, was zu tun er im Begriff stand, aber er war auf die Angaben angewiesen.

»Ich komme zurecht«, sagte sie und tat so, als ob sie sich über seine Äußerung freue.

»So sehr, dass man den Gewinn auch noch ein bisschen teilen kann«, sagte er und ließ es eher wie eine Aussage als wie eine Frage klingen.

Die aufgesetzte Freundlichkeit verschwand von ihrem Gesicht. »Ich zahl schon ...«, sagte sie kalt.

»Das ist mir bekannt!« Er wischte ihr Aufbegehren beiseite. »Und Sie können nicht zweimal zahlen. Auch das ist mir bekannt. Zahlen Sie einfach mir statt den anderen. Ich kümmere mich um die Sache. Es kommt Sie dann auch billiger. Nur regelmäßig muss es sein.«

»Muss es das?«, fragte sie voll Bitterkeit. »Un was sag ich dem ander'n, wenn er kommt? Dass er nix kriegt? Un Sie mein'n, der verschwindet dann einfach so?«

»Natürlich nicht. Sagen Sie mir, wann er kommt und wie er aussieht. Ich kümmere mich um ihn.«

Sie hob die Brauen. »Ach ja?« Sie sah sich um. »Sie alleine? Das sind Hunderte! Da steckt die ganze verdammte Polizei hinter! Wenn man da ein'n wegnimmt, komm'n zwei and're nach. Un wie viele seid Ihr?«

Er überlegte nur einen kurzen Augenblick, bevor er antwortete. »Zerbrechen Sie sich darüber nicht den Kopf. Sagen Sie mir einfach, wer er ist, wann er kommt und wie er aussieht, und ich schaffe Ihnen den vom Hals. Anschließend können Sie mich bezahlen.«

Sie wirkte verängstigt und ungläubig. In ihrem Blick lag die Gewissheit der Niederlage. Pitt spürte, wie eine Welle des Zorns in ihm aufstieg. Der Zorn war so stark, dass die Frau ihn in seinen Augen erkannte und zurückwich. Am liebsten hätte er sie um Entschuldigung gebeten, doch hätte er damit alles zunichte gemacht. »Name?«, sagte er laut.

»Jones«, gab sie zur Antwort. »Wir nennen ihn Taschen-Jones.«

»Wie sieht er aus?«

»Schmale Nase, schwarze Haare«, sagte sie und verzog den Mund. »Nicht besonders groß. Schwer zu sag'n, ob er dick oder dünn is, weil er immer 'nen weit'n Mantel anhat, Sommer wie Winter. Da versteckt er wohl was drunter.«

»Kommt er regelmäßig?«

»Wie die Steuer und der Tod.«

»Wann?«

»Mittwochs. Am Nachmittag, wenn hier nich viel los is.«

»Dann ist der kommende Mittwoch sein letzter«, sagte Pitt tief befriedigt.

Sie hielt seine offenkundige Zufriedenheit für Habgier und hob kaum wahrnehmbar die Schultern. »Für mich macht das kein'n Unterschied. Ob ich den bezahl oder Sie, is mir eins. Zweimal zahl'n kann ich nich, sons' bleibt mir nix für de Brauerei. Dann hat keiner von uns was.«

Pitt wandte sich um und ging über den mit Sägespänen bedeckten Boden hinaus auf die Straße. Er durfte nicht weich werden und ihr Trost zusprechen, denn damit würde er alles Erreichte aufs Spiel setzen.

Bei Anbruch der Abenddämmerung wartete er am Eingang der Gasse gegenüber dem Haus, in dem Samuel Tellman wohnte, auf dessen Rückkehr. Der Wind war kälter geworden, und in der Luft lag der Geruch nach Regen. Er trat von einem Fuß auf den anderen. Er hatte hin und her überlegt, doch ihm war keine andere geeignete Lösung eingefallen. Wenn es jemanden gab, der etwas von der Korruption mitbekommen haben konnte, ohne selbst daran beteiligt zu sein, dann Tellman, denn er tat Dienst in der Wache in der Bow Street.

Mit dem einsetzenden Regen wurde der Wind noch kälter. Pitt schlug den Mantelkragen hoch und drückte sich näher an die Mauer. Allmählich kamen ihm Zweifel. Und wenn nun die Anarchisten alles andere als weltfremd waren und sich seiner ganz bewusst für ihre Zwecke bedienten? In erster Linie ging es ihnen darum, Chaos zu erzeugen. Welche bessere Methode aber gäbe es dafür, als Misstrauen zwischen Staatsschutz und Polizei zu säen und einen Keil zwischen beide zu treiben? Wusste er denn, ob sie nicht in umgekehrter Richtung dasselbe taten und gerade jetzt jemand der Polizei einzureden versuchte, die Anschläge wie auch die Ermordung von Magnus Landsborough seien das Werk Narraways, der sich seinen eigenen Machtbereich schaffen wolle? Zwar glaubte Pitt keine Sekunde lang an diese Möglichkeit, doch hätte er keinerlei Beweismittel, um eine solche Anschuldigung überzeugend zu widerlegen. Er war selbst erstaunt, wie wenig er über Narraway wusste.

Ein alter Mann, dessen weißes Haar unter der Krempe seines steifen Hutes sichtbar war, durchschritt rasch den Lichtkreis der Straßenlaterne und verschwand wieder. Im nächsten Augenblick tauchte Tellman auf, hager, hohlwangig und mit straffen Schultern.

Pitt verließ den Schatten der Gasse, eilte ihm nach und holte ihn in dem Augenblick ein, als er die Haustür erreichte. Tellman sah ihn überrascht an.

»Ich muss mit Ihnen reden«, sagte Pitt in entschuldigendem Ton. »Möglichst unter vier Augen.« Er wagte nicht, Tellman rundheraus zu bitten, ihn mit nach oben zu nehmen. Normalerweise hätte er ihn in eins der umliegenden Wirtshäuser eingeladen, aber in dieser Situation war es von größter Wichtigkeit, dass niemand sie zusammen sah.

Tellman musterte Pitts Aufzug argwöhnisch, kannte ihn aber aus ihrer gemeinsamen Zeit gut genug, um sich den Hintergrund denken zu können. »Was gibt es?« Er wirkte gehemmt. »Es hat doch hoffentlich nichts mit Gracie zu tun?«

Pitt hatte ein schlechtes Gewissen, weil er nicht von Anfang an erklärt hatte, dass zu Hause alles in bester Ordnung war. Ihm war nicht entgangen, wie Tellman seinem Hausmädchen zögernd und täppisch den Hof machte, und er wusste, wie sehr ihm an ihr lag. »Nein«, sagte er. »Es geht um Polizeiangelegenheiten.«

Die Besorgnis verschwand aus Tellmans Gesicht. »Kommen Sie herein. Ich habe jetzt ein besseres und größeres Zimmer.« Ohne auf Pitts Antwort zu warten, schloss er auf und ging ihm voraus. Der Fußboden der kleinen Diele war mit Linoleum belegt, an den Wänden hingen gerahmte Stickmustertücher. Der Duft nach gebratenen Zwiebeln, der aus dem hinteren Teil des Hauses drang, erinnerte Pitt daran, dass er Hunger hatte.

Im ersten Stock schloss Tellman die Tür zu einem großen Zimmer auf, das zur Straße ging. In einer Ecke stand ein Messingbett, am Fenster Tisch und Stuhl, und am Kamin, in dem bereits ein munteres Feuer brannte, sah man zwei Sessel. Er forderte Pitt auf, Platz zu nehmen, und setzte sich dann ebenfalls, nachdem er seine Schnürsenkel gelöst und die Uniformjacke abgelegt hatte.

Pitt kam ohne Umschweife zur Sache. »Es geht um die Anschläge in der Myrdle Street«, sagte er. »Einer von den Anarchisten ist tot, und zwei haben wir gefasst. Einer ist entkommen, wenn nicht sogar zwei.«

Tellman wartete. Ihm war klar, dass Pitt nicht gekommen war, um die Polizei um Hilfe bei der Jagd nach entflohenen Anarchisten zu bitten.

»Ich habe die beiden verhört«, fuhr Pitt fort. »Sie sind jung und vertrauensselig, empören sich über Ungerechtigkeiten in der Gesellschaft, ganz besonders aber über Korruption in der Polizei.« Er hielt den Blick aufmerksam auf Tellman gerichtet, um zu sehen, ob er sich ärgerlich zeigte oder den Vorwurf bestreiten wollte. Nichts dergleichen geschah. Er wartete einfach ab, bis Pitt weitersprach.

»Mein erster Gedanke war: Wieso ausgerechnet die Myrdle Street?«, fuhr Pitt fort. »Es sah mir ganz nach willkürlicher Gewalt aus. Dann habe ich erfahren, dass das bei der Explosion zerstörte Haus in der Mitte einem Polizeibeamten aus dem Revier Cannon Street gehörte. Er heißt Grover.«

Tellman nickte bedächtig. »Ich kenne ihn.«

»Was können Sie mir über ihn sagen?«

»Groß, breitschultrig, etwa fünfundvierzig.« Man sah, dass er sich den Mann vorstellte, während er über ihn sprach. »Ist mit ungefähr zwanzig in die Polizei eingetreten. Hat sich bis zum Oberwachtmeister emporgearbeitet, scheint aber nicht den Ehrgeiz zu haben, weiterzukommen. Er kennt in den Straßen seines Reviers jedes Haus und auch die meisten Menschen, die dort wohnen. Er kann Ihnen von jedem Straßenbettler, Hehler oder Geldfälscher sagen, wie er heißt und was seine Spezialität ist.«

»Woher wissen Sie das alles?«

Mit schmalen Lippen antwortete Tellman: »So etwas spricht sich herum. Wer wissen will, was im Revier Cannon Street vor sich geht, muss Grover fragen.«

»Aha. Aus mindestens zwei voneinander unabhängigen Quellen habe ich erfahren, dass Polizeibeamte in Spitalfields Schutzgelder von Gastwirten erpressen«, fuhr Pitt fort. »Ich habe das selbst überprüft, und zwar im *Dirty Dick* und im *Ten Bells*. Ein Mann, der dort unter dem Namen Taschen-Jones bekannt ist, kommt jeden Mittwochnachmittag, um das Geld einzutreiben.«

»Sind Sie sicher, dass er der Polizei angehört?«, fragte Tellman mit unglücklichem Gesichtsausdruck.

»Nein. Bisher weiß ich nur, dass die Wirte davon überzeugt sind. Ich muss unbedingt feststellen, was es damit auf sich hat. Dazu möchte ich, dass der Mann festgenommen wird, damit ich an seine Stelle treten kann.«

»Wozu das? Natürlich könnte zwischen ihm und Grover eine Beziehung bestehen«, räumte Tellman ein, »aber die müsste erst einmal bewiesen werden. Bisher wissen Sie ja wohl nicht, für wen er arbeitet. Und freiwillig wird er es Ihnen bestimmt nicht sagen.«

»Nein«, gab ihm Pitt Recht. »Aber sofern ich das Geld habe, das er eintreiben sollte, wird jemand alle Hebel in Bewegung setzen, um mich zu finden.«

Tellman zuckte leicht zusammen und sagte mit finsterer Miene: »Und zwar höchstwahrscheinlich mit einem Messer in der Hand.«

»In erster Linie haben sie es auf das Geld abgesehen, und außerdem werden sie von mir wissen wollen, ob ich auf eigene Rechnung arbeite.« Trotz dieser zuversichtlichen Worte war sich Pitt der Gefahr durchaus bewusst und hätte seine Erkundigungen liebend gern auf andere Weise eingezogen, wenn ihm eine brauchbare Alternative eingefallen wäre.

Gerade als Tellman Luft holte, um etwas dagegen zu sagen, wurde an seine Tür geklopft.

»Herein«, sagte er und stand auf, als seine Vermieterin eintrat, eine gut aussehende Frau, die Pitt auf Mitte fünfzig schätzte. Eine gestärkte weiße Schürze verdeckte den größten Teil ihres Baumwollkleides. Ein angenehmer Geruch nach warmer Küche erfüllte mit einem Mal den Raum.

»Soll ich Ihn'n das Ab'ndess'n warm halt'n, Mr Tellman?«, fragte sie. Sie sah zu Pitt hin. »Es wär auch genug für Ihr'n Besuch da, wenn er möchte. Er darf gern mitessen.«

Tellman sah fragend zu Pitt hin.

Pitt nahm das Angebot bereitwillig an, und Tellman bat die

Frau, das Essen möglichst bald zu bringen. Sie warteten, bis sie mit dem Tablett zurückkam, dankten ihr und nahmen das Gespräch wieder auf, während sie aßen. Das einfache Mahl aus Würstchen mit Kartoffelbrei und Kohl war gut zubereitet und reichlich.

»Spitalfields gehört zum Revier von Cannon Street«, sagte Tellman betrübt. »Da ist Simbister zuständig. Wetron scheint sich in letzter Zeit ziemlich gut mit ihm zu verstehen. Es sieht ganz so aus, als ob er überall Verbündete sucht. In so großem Ausmaß hab ich das noch nie gesehen. Gewöhnlich gibt es da eine Art von …« Er suchte nach dem treffenden Wort. »… Rivalität. Bei ihm ist das aber anders. Überhaupt ist alles ganz anders als sonst. Ich weiß nicht recht, man kann nicht genau sagen, was dahinter steckt.«

Pitt konnte sich denken, was Tellman meinte. Der Innere Kreis, so weit er noch existierte, war ein Geflecht aus geheimen Bündnissen, Versprechungen und gegenseitigen Treuebeziehungen zwischen Männern, die auf den ersten Blick nichts miteinander zu tun hatten. Kein Außenstehender wusste, wer sie waren; man bekam lediglich mit, dass bestimmte Leute Erfolg hatten, wo sich andere vergeblich abgemüht hatten. Gewisse Geschäftsabschlüsse wurden eher mit diesem als mit jenem getätigt. Bei Beförderungen wurde bisweilen jemand einem fähigeren Mitbewerber vorgezogen. Sollte sich aber herausstellen, dass Wetron, der jetzt an der Spitze dieser Geheimorganisation stand, innerhalb der Polizei Bündnisse mit Männern knüpfte, die als Konkurrenten bei der Besetzung höherer Positionen infrage kamen, und noch dazu womöglich im ganzen Lande, bestand in der Tat Grund zur Besorgnis.

»Simbister?«, fragte Pitt.

»Andere auch, aber er vor allem«, antwortete Tellman, während er ein Stück Wurst kaute. »Falls die Schutzgelderpresser zur Wache Cannon Street gehören, gibt es da mit Sicherheit mehr als zwei oder drei. Sie dürfen da von niemandem Unterstützung erwarten.«

»Das denke ich mir.« Ein kalter Schauer überlief Pitt, obwohl das Zimmer gut geheizt war und er gerade eine warme Mahlzeit zu sich nahm. »Genau aus diesem Grunde brauchen Sie noch jemanden, auf den Sie sich in jeder Hinsicht verlassen können, um diesen Jones festzunehmen – vorausgesetzt, ich finde ihn. Ich muss wissen, ob die Aussagen der Anarchisten auf Wahrheit beruhen.« Auf die Hintergründe ging er nicht weiter ein. Ihm ging es nicht nur darum, festzustellen, wer Magnus Landsborough ermordet hatte, sondern um sehr viel mehr. Der Ruf der gesamten Polizei, in der er wie Tellman viele Jahre tätig gewesen war und an die sie glaubten, stand auf dem Spiel.

Tellman nickte und beendete lustlos seine Mahlzeit. Eine ganze Weile herrschte Schweigen zwischen ihnen.

Auf Tellmans Zügen lag unverhohlener Ingrimm. Er stammte aus einer armen, aber zutiefst achtbaren Familie. Sein Vater hatte vom frühen Morgen bis zum späten Abend gearbeitet, um die Kinder ernähren und kleiden zu können. Seine energische und auf größtmögliche Gerechtigkeit bedachte Mutter hatte sich, auch wenn sie oft ärgerlich war, mit einer Hingabe für ihre Sprösslinge eingesetzt, die an Gewalttätigkeit grenzte. Sie hatte sie getadelt, wenn sie die Unwahrheit sagten, zu laut oder zu oft lachten, faul oder hinterhältig waren oder sich in die Angelegenheiten anderer Leute einmischten. Aber sobald ein Außenstehender etwas an ihnen auszusetzen hatte, war sie wie eine Furie dazwischengegangen. Wenn die Kinder etwas leisteten, galt das als ihre selbstverständliche Pflicht, während jede noch so kleine Schwäche rücksichtslos geahndet wurde. Sie hatte sie alle geliebt, am stolzesten aber war sie stets auf Samuel gewesen, weil er sich jederzeit für Recht und Gerechtigkeit einsetzte. Es war ihm entsetzlich peinlich gewesen, von ihr den jüngeren Geschwistern als Vorbild hingestellt zu werden, doch lag ihm mehr an ihrer Meinung als an der aller anderen Menschen, von Gracie einmal abgesehen.

Mit ansehen zu müssen, wie Kollegen die Polizei, der er diente, in Misskredit brachten, tat ihm in tiefster Seele weh, womöglich mehr noch als Pitt.

»Ich möchte es ebenfalls wissen«, sagte er ruhig. »Unbedingt. Sollte es auch auf unserer Wache Schutzgelderpresser geben, ist es meine Aufgabe, dem Einhalt zu gebieten. Wenn ich das nicht täte, wäre das nicht besser, als wenn ich mich daran beteiligte.« Er sah Pitt herausfordernd an.

»Seien Sie vorsichtig«, mahnte Pitt, der wusste, wie leicht Tellman dabei zu Unrecht in ein falsches Licht geraten konnte, wenn man ihn nicht sogar aus dem Weg räumte.

Nicht zum ersten Mal wäre ein Polizeibeamter in Ausübung seines Dienstes umgekommen. Sollte dies Schicksal Tellman ereilen, würde man es als Heldentod hinstellen, und Wetron würde persönlich sein Lob in höchsten Tönen singen. Es gäbe keine Möglichkeit zu beweisen, wie es wirklich gewesen war. Pitts Inneres krampfte sich bei dieser Vorstellung zusammen, und er merkte, dass er Tellman trotz seiner Streitlust, seiner Vorurteile, seiner Bockbeinigkeit und seines bisweilen übertriebenen Ehrgefühls besser leiden konnte als jeden anderen Menschen außerhalb seiner Familie. Wenn er ihn in diese Geschichte mit hineinzog und ihm dabei etwas widerfuhr, würde er nicht nur Schuldgefühle empfinden, sondern grenzenlose Einsamkeit und einen tiefen Schmerz, wie ihn ein nicht wieder gutzumachender Verlust hervorruft.

Sie sprachen noch eine Weile miteinander, dann ging Pitt, der sich im letzten Augenblick eine weitere Mahnung verkniff, hinaus in den Abend. Draußen war es noch kälter geworden. In dem Gemisch aus feinem Nebel und Rauch, das in der Luft hing, wirkte das Licht der Straßenlaternen gelblich. Er ging bis zur nächsten Hauptstraße und nahm von dort eine Droschke nach Hause.

Am folgenden Morgen suchte er Narraway auf, einerseits, um zu berichten, wie weit er mit seinen Nachforschungen gekommen war, aber auch, um zu hören, was dieser selbst in Erfahrung gebracht hatte. Narraway saß vor einem Papierstapel am Schreibtisch, den Federhalter in der Hand.

»Ja?«, sagte er kurz und hob den Blick, als Pitt die Tür hinter sich schloss.

Pitt setzte sich, ohne eine Aufforderung abzuwarten. Das hatte er noch nie getan. Nach wie vor war ihm bewusst, dass Narraway sein Vorgesetzter war, und wenn seine eigene Stellung auch offiziell nicht mehr gefährdet war, hatte ihn doch ein Gefühl der Unsicherheit nie verlassen.

»Ich habe mich gestern wegen der Vorwürfe, die Welling und Carmody in Bezug auf die angebliche Korruption der Polizei erhoben haben, umgehört«, sagte er ohne Einleitung. »Ich wollte ihnen beweisen, dass sie Unrecht haben.«

»Und das ist Ihnen nicht gelungen«, sagte Narraway, den Federhalter nach wie vor in der Hand.

Pitt fuhr auf. »Sie wissen davon!« Er fühlte sich hintergangen, weil ihm Narraway die Sache verschwiegen hatte, als traue er ihm nicht zu, treu zu seinen Grundsätzen zu stehen, wenn es um seine früheren Kollegen ging.

Narraway sah ihn gelassen an. Auf seinem angespannten Gesicht waren im Sonnenlicht, das durch das Fenster links von ihm fiel, tiefe Linien zu erkennen. Seine Augen waren nahezu schwarz. Das früher ebenso dunkle Haar durchzogen inzwischen an den Schläfen graue Strähnen.

»Nein, Pitt, ich weiß nichts davon«, sagte er müde. »Ich kann es Ihnen ansehen. Ihr Gesicht verkündet es, wie ein Leuchtfeuer einem Schiff die Richtung zeigt. Wenn Sie die Anschuldigung widerlegen könnten, würden Sie auf keinen Fall um diese Tageszeit in mein Büro kommen und mir so etwas mitteilen, ohne zumindest ›Guten Morgen‹ zu sagen oder irgendeine einleitende Bemerkung zu machen, weil die Sache Sie in dem Fall kaum berühren würde.«

Pitt kam sich vor wie ein dummer Junge. Der gegen die Polizei erhobene Vorwurf hatte ihn, wie es schien, so tief getroffen, dass seine Urteilskraft darunter gelitten hatte. Er musste mehr auf der Hut sein, nicht unbedingt Narraway gegenüber, sondern ganz allgemein.

Mit trübseligem Lächeln fragte Narraway: »Und wie schlimm ist es?«

»Massive Einschüchterung«, gab Pitt zur Antwort und musste dabei an die Wirtin des *Ten Bells* denken. »Ein Teil der Einnahmen mehr oder weniger ehrlicher kleiner Gewerbetreibender wird regelmäßig abgeschöpft.«

Narraway machte eine finstere Miene. »Das geht uns nichts an, und es dürfte auch kaum der Anlass gewesen sein, einen Mann wie Magnus Landsborough in die Anarchie zu treiben. Dessen ungeachtet werde ich natürlich mit dem Polizeipräsidenten sprechen. Es sieht ganz so aus, als müsste er in seinem Haus Ordnung schaffen. Tut mir wirklich Leid. Es ist nicht schön, wenn man merkt, dass unter den eigenen Leuten Korruption herrscht.« Er senkte den Blick wieder auf seine Papiere. Als sich Pitt nicht vom Fleck rührte, sah er wieder auf. »Hat man etwa deshalb die Häuser in der Myrdle Street gesprengt?«

»Ja. Eins davon gehörte einem Mann von der Wache in der Cannon Street, eben jenem Grover, von dem Welling gesprochen hat. Carmody zufolge ist er in die Schutzgeld-Erpressung verwickelt, und allem Anschein nach hat Magnus Landsborough alles über ihn gewusst. Haben Sie eine Verbindung zwischen Landsborough und ausländischen Anarchisten feststellen können?«

»Nein. Wir wissen, wo sich die aktivsten und fähigsten von ihnen befinden.« Narraway verzog den Mund zu einem schiefen Lächeln. »Die anderen haben sich mit ihrer Untüchtigkeit selbst in die Luft gejagt und liegen entweder im Krankenhaus oder auf dem Friedhof. Soweit ich sagen kann, hatte Landsborough keine Kontakte zum Festland. Sofern man Welling und Carmody als typisch ansehen darf, handelt es sich bei den Leuten um treuherzige Idealisten, die unsere Gesellschaft reformieren wollen, aber nicht die Geduld haben, ihre Ziele auf die übliche Weise zu verfolgen. Sie bilden sich ein, sie könnten ein besseres System errichten, wenn sie zuvor das bestehende zerstören. Das ist natürlich Unsinn, aber ohne die Sprengstoffanschläge könnte man sie sozusagen als Heilige betrachten.«

Pitt sah ihn aufmerksam an und versuchte abzuschätzen, welche Empfindungen hinter Narraways Worten lagen. Hatte er etwa Verständnis für die jungen Menschen, die sich durch offenkundige Ungerechtigkeiten zu unbedachten Handlungen hatten hinreißen lassen, weil sie glaubten, die Welt zum Besseren verändern zu können? Oder war das einfach eine kühle Einschätzung der Lage, die es ihm ermöglichte, sein weiteres Handeln zu bestimmen und sich zugleich auch ein besseres Bild von Pitt zu machen?

»Darüber zerbreche ich mir den Kopf nicht«, sagte Pitt und sah, dass in Narraways Gesicht Überraschung aufblitzte. »Ich war gestern Abend bei Samuel Tellman – in seiner Wohnung, nicht etwa in der Bow Street«, fügte er rasch hinzu, als er Narraways missbilligenden Blick sah. »Ich habe ihm gesagt, was ich über Wellings und Carmodys Anschuldigungen weiß und was ich ermittelt habe.«

»Rühren Sie um Gottes willen kein Wespennest auf, Pitt!«, fuhr Narraway auf.

»Tellman hat es sofort geglaubt«, sagte Pitt. »Ohne Beweise. Und ihm ist klar, dass die Sache noch weiter nach oben reichen muss.«

»Selbstredend«, knurrte Narraway. »Kommen Sie zur Sache, Mann!«

Pitt spürte, wie sich alles in ihm anspannte. Es widerstrebte ihm, diese Dinge wem auch immer sagen zu müssen, und Narraway machte ihm die Sache nicht leichter. »Tellman sagt, dass Wetron Bündnisse mit Männern schmiedet, die unter normalen Umständen bei einer möglichen Beförderung als seine Konkurrenten infrage kämen. In erster Linie dürfte das Simbister aus der Cannon Street sein.«

Narraway stieß langsam die Luft aus. »Aha. Gehört der ebenfalls dem Inneren Kreis an?«

»Das entzieht sich meiner Kenntnis. Aber sofern er noch nicht Mitglied ist, nehme ich an, dass er es bald sein wird.«

»Und welches Ziel mag Wetron mit dieser Taktik verfolgen?«

Narraways Finger hielten den Federhalter umfasst und bewegten ihn unbewusst vor Anspannung langsam auf und ab.

»Macht«, gab Pitt schlicht zur Antwort. »Nichts als Macht.«

»Und dazu benutzt er Simbister?« Narraways Stimme hob sich ein wenig. Es fiel ihm schwer, das zu glauben.

»Sieht ganz so aus.«

»Inwiefern könnte eine korrupte Polizei seinen Interessen dienen?«, fragte Narraway. »Wenn er Polizeipräsident werden möchte, ist es unerlässlich, dass er nicht nur als fähig gilt, sondern auch als über jeden Verdacht erhaben. Andernfalls würde ihn das Parlament nie und nimmer unterstützen, da könnte er so reich sein wie Krösus. Die Männer an der Spitze des Landes wollen Stabilität und Sicherheit für den Bürger. Wenn das Eigentum nicht sicher ist, fühlt sich der Wähler unwohl.« Sein Gesichtsausdruck wirkte, als rechne er damit, dass ihm Pitt widersprechen würde.

»Ich weiß nicht, warum er die Korruption der Polizei fördern sollte«, gab Pitt zu. »Aber sind Sie bereit, die Hand dafür ins Feuer zu legen, dass Wetron bei Simbister nicht die Finger im Spiel hat?«

Narraway machte sich nicht die Mühe zu antworten. »Und welchen Auftrag haben Sie Tellman gegeben?«

Pitt zögerte. Er hatte Narraway ursprünglich nichts von seiner Absicht sagen wollen, Taschen-Jones festnehmen zu lassen und dann an dessen Stelle zu treten, doch hätte ihm von vornherein klar sein müssen, dass ihm gar nichts anderes übrig bleiben würde. Jetzt jedenfalls war es unvermeidlich. Er schilderte ihm die Zusammenhänge so knapp wie möglich. Es war nicht nötig zu erklären, warum er bei seinem Vorhaben auf Tellmans Hilfe angewiesen war. Angehörige des Staatsschutzes durften keine Verhaftungen vornehmen, und einem Polizeibeamten aus dem Revier der Cannon Street zu vertrauen wäre angesichts der Situation hochgradig unklug gewesen.

»Seien Sie vorsichtig, Pitt«, mahnte Narraway überraschend eindringlich. Auf seinem Gesicht lag nicht mehr der kleinste

Anflug von Ironie. Er hatte die vorgetäuschte Beschäftigung mit seinen Papieren längst aufgegeben und beugte sich leicht vor. »Sie wissen weder, wer in die Sache verwickelt ist, noch mit wie vielen Sie es da zu tun bekommen. Dahinter steckt sicher nicht nur Habgier, sondern es geht wohl auch um vermeintliche Verpflichtungen – Ihnen sollte das weiß Gott bekannt sein! Und Angst. Was geschieht mit denen, die nicht bereit sind, mitzumachen? Ein Mann braucht einen Arbeitsplatz, denn er muss seine Familie ernähren. Außerdem Ehrgeiz. Wer erklärt schon gern seiner Frau oder seinem Schwiegervater, warum er nicht befördert wird? Von den Söhnen ganz zu schweigen!«

»Ich weiß«, sagte Pitt ruhig.

»Ach ja?«, sagte Narraway herausfordernd. »Und vermutlich ist Ihnen auch klar, dass Sie Tellman ein Kainsmal aufdrücken, wenn herauskommt, dass zwischen ihm und Ihnen eine Verbindung besteht? Ein Mann wie Wetron lässt sich nicht so ohne weiteres hinters Licht führen, und schon gar nicht von Ihnen. Zwar haben Sie ihm seinerzeit die Gelegenheit in die Hände gespielt, Voisey zu vernichten und die Führung des Inneren Kreises zu übernehmen, doch er weiß, dass Sie nach wie vor dessen unnachsichtigster und bisher auch erfolgreichster Gegner sind. Daran wird er immer denken, und das müssen Sie auch.«

Ein Frösteln überlief Pitt. All das hatte er bereits gewusst, aber derart eindringlich formuliert, schien die Gefahr plötzlich wesentlich konkreter. Beim Besuch Tellmans war er mit größter Umsicht vorgegangen, hatte darauf geachtet, dass er ihn zu einer Zeit aufsuchte, als es dunkel, die Straßen aber noch voller Menschen waren. War es ein Fehler gewesen, ihn um Hilfe zu bitten?

Nein. Tellman war kein Kind, das man vor der Wahrheit schützen musste, und noch weniger durfte man ihm eine Gelegenheit vorenthalten, die Polizei, die ihm ebenso am Herzen lag wie Pitt, gegen ihre Feinde zu verteidigen. Überdies sah Pitt keine Möglichkeit, sein Ziel ohne Tellmans Mitwirkung zu erreichen. Er hatte niemanden sonst, dem er trauen konnte, schon gar nicht in der Bow Street. Und wenn Krieg herrschte, durfte man nicht ausschließlich Fremde in die Schlacht schicken, um seine Freunde zu schonen. »Das ist mir bekannt«, sagte er. »Und ihm ebenfalls.«

»Dann lassen Sie sich nicht aufhalten«, ermunterte ihn Narraway. »Ich möchte wissen, wer hinter den Anschlägen stand. War Landsborough tatsächlich der Anführer? Woher stammt das Geld für die Sprengsätze? Und vor allem, wer ist jetzt nach Landsboroughs Tod der neue Anführer? Ach, übrigens, wer hat ihn denn nun auf dem Gewissen?«

»Das weiß ich noch nicht«, gab Pitt zu. »Carmody und Welling tun so, als seien sie überzeugt, dass es einer von uns war, was den Schluss zulässt, dass sie den Mann nicht kannten. Ein Anarchist aus einer rivalisierenden Gruppe? Einer von Simbisters Männern?«

»Mit anderen Worten, einer von Wetrons Leuten?«, sagte Narraway kaum hörbar. »Stellen Sie das fest, Pitt. Ich will es wissen.«

Pitt verbrachte den Rest des Tages im Umfeld der Ruinen der Häuser in der Myrdle Street. Er erkundigte sich überall nach Grover, doch war niemand bereit, viel mehr über ihn zu sagen, als dass er im mittleren der Häuser gelebt hatte und jetzt obdachlos war wie sie alle. Dass er bei der Polizei war, bestätigte ihm jeder, den er befragte, doch weiter kam er nicht. Alle waren abweisend und verschlossen und, wie er glaubte, verängstigt. Zwar sagte niemand etwas Nachteiliges über Grover, aber er sah in den Augen der Menschen, dass sie kein Mitgefühl für ihn empfanden. All das war eher dazu angetan, Carmodys Worte zu bestätigen, als sie zu widerlegen.

Während Pitt nun tief in Gedanken versunken am Themseufer entlang der Keppel Street entgegenschritt, nahm er die Vergnügungsboote kaum zur Kenntnis, auf denen Ausflügler, die bunt geschmückte Strohhüte trugen, den Menschen am Ufer zuwinkten. Irgendwo hinter einer Flussbiegung spielte eine Kapelle, die er nicht sehen konnte. Straßenhändler boten Limonade, Schinkenbrote und allerlei Süßigkeiten feil. In der leichten Brise, die von der Themse herüberwehte, lagen der Salzgeruch der hereindrängenden Flut, das Gelächter von Menschen, Musik und das leise Hintergrundgeräusch des Wassers, das vom Hufschlag der Pferde auf der Straße übertönt wurde.

»Guten Abend, Pitt. Alles wie immer, wie ich hoffe?«

Pitt blieb unvermittelt stehen. Er brauchte sich nicht umzudrehen; er wusste auch so, wem die Stimme gehörte: Charles Voisey, von Königin Viktoria in den persönlichen Adelsstand erhoben wegen des außergewöhnlichen Mutes, den er bewiesen hatte, indem er Mario Corena getötet und damit angeblich Englands Thron vor dem Umsturz durch einen der leidenschaftlichsten und radikalsten Republikaner Europas bewahrt hatte. Mittlerweile war er außerdem Abgeordneter im Unterhaus.

Was Ihre Majestät nicht wusste und nie erfahren würde, war, dass in Wahrheit damals Voisey als Mann an der Spitze des Inneren Kreises kurz davor gestanden hatte, sein höchstes Ziel zu erreichen, das darin bestand, die Monarchie zu stürzen und auf diese Weise der erste Präsident eines republikanischen Großbritannien zu werden.

Mario Corena hatte ihn mit seinem Dazwischentreten in eine Falle gelockt. Er hatte ihn gezwungen, ihn zu töten, um sein eigenes Leben zu retten. Das hatte Pitt die Gelegenheit gegeben, Voisey als Retter des Thrones hinzustellen und ihn zugleich in den Augen seiner Anhänger als Verräter an der republikanischen Sache erscheinen zu lassen. Ihm war klar, dass Voisey ihm das nie verzeihen würde, auch wenn er, wie es aussah, ohne die geringste Mühe auf die andere Seite gewechselt war und nahezu ohne zu zögern seine neue Stellung als Günstling der Königin dazu genutzt hatte, mit Erfolg für das Unterhaus zu kandidieren. Er kannte kein anderes Ziel als die Macht. Außer Pitt und wenigen anderen Eingeweihten hatten lediglich die Männer des Inneren Kreises seine Absicht gekannt, eine Republik ins Leben zu rufen. In den Augen aller anderen war er ein tapferer und unerschrockener Monarchist.

Jetzt sah Pitt, wie dieser Mann lächelnd auf dem Gehweg neben der Uferstraße vor ihm stand. Auch wenn man ihn mit seiner teigigen, sommersprossigen Haut und der ein wenig gebogenen langen Nase nicht unbedingt als gut aussehend bezeichnen konnte, wirkte er doch eindrucksvoll. Mit seinen Augen, in denen eine wache Intelligenz lag, sah er Pitt leicht belustigt an.

»Guten Abend, Sir Charles«, gab Pitt zur Antwort und stellte überrascht fest, dass ihm ein wenig beklommen zumute war. Diese Begegnung konnte kein Zufall sein.

»Sie zu finden ist gar nicht so einfach«, fuhr Voisey fort, während er neben Pitt herging, der sich wieder auf den Weg gemacht hatte. »Ich vermute, dass der Sprengstoffanschlag in der Myrdle Street Sie ganz schön in Bewegung hält.«

»Sind Sie mir etwa gefolgt, um mir das zu sagen?«, fragte Pitt ein wenig gereizt.

»Das war nur die Einleitung«, gab Voisey zurück. »Vielleicht war sie überflüssig. Ich möchte mit Ihnen über diese Sache sprechen.«

»Falls es Ihre Absicht ist, mich dafür zu gewinnen, dass die Polizei bewaffnet werden soll, vergeuden Sie Ihre Zeit«, sagte Pitt kurz angebunden. »Sie verfügt über Schusswaffen, die sie einsetzen kann, wenn es nötig ist. Auch braucht sie keine weiter gehenden Vollmachten als bisher. Es hat Jahrzehnte gedauert zu erreichen, dass die Bevölkerung ihre Arbeit unterstützt, und genau damit wäre es dann vorbei. Sie sehen, ich bin nicht dafür und durchaus bereit, mit allen Kräften dagegen zu kämpfen.«

»Wirklich?« Voisey machte einen raschen Schritt zur Seite und wandte sich ihm mit gespielt weit aufgerissenen Augen zu.

Pitt, der dadurch genötigt war, ebenfalls stehen zu bleiben, sagte: »Ja!«

»Und es besteht keine Aussicht, dass Sie Ihre Ansicht ändern könnten, beispielsweise, wenn man Sie unter Druck setzte?«

»Auf keinen Fall. Hatten Sie die Absicht, mich unter Druck zu setzen?«

»Auf keinen Fall«, sagte Voisey seinerseits und zuckte leicht die

Achseln. »Im Gegenteil höre ich mit großer Erleichterung, dass Sie sich nicht umkrempeln lassen, ganz gleich, ob man Ihnen droht oder Sie bittet. Ich hatte von Ihnen zwar nichts anderes erwartet, bin aber trotzdem erleichtert.«

»Was wollen Sie?«, fragte Pitt ungeduldig.

»Eine vernünftige Unterhaltung«, sagte Voisey mit gesenkter Stimme und von einem Augenblick auf den anderen sehr ernst. »Es gibt wichtige Dinge, bei denen wir einer Meinung sind. Mir ist dies und jenes bekannt, wovon Sie möglicherweise nichts wissen.«

»Da Sie im Unterhaus sitzen, ist das nicht weiter verwunderlich«, gab Pitt mit einer gewissen Schärfe in der Stimme zurück. »Aber wenn Sie glauben, dass ich Ihnen Dienstgeheimnisse des Staatsschutzes mitteile, sind Sie auf dem Holzweg.«

»Dann halten Sie den Mund, und hören Sie mir zu!«, fuhr ihn Voisey an, der mit einem Mal alle Geduld verloren zu haben schien. Eine plötzliche Röte war ihm ins Gesicht gestiegen. »Ein Hinterbänkler namens Tanqueray will einen konkreten Gesetzesantrag mit dem Ziel einbringen, alle Angehörigen der Londoner Polizei zu bewaffnen und ihnen größere Vollmachten zur Durchsuchung und Beschlagnahme zu geben. Wie die Dinge im Augenblick liegen, hat er gute Aussichten, damit durchzukommen. Aber es gibt noch etwas weit Wichtigeres.«

Auch wenn sich Pitt keine Mühe gab, seine Ungeduld zu verbergen, war er doch neugierig geworden. Es war klar, dass Voisey etwas von ihm wollte, und zwar sehr dringend, sonst hätte er sich nicht über seine Abneigung Pitt gegenüber hinweggesetzt, um ihm zu folgen und ihn anzusprechen. »Ich höre«, sagte Pitt.

Voiseys Gesicht war jetzt bleich, seine Kiefermuskeln angespannt. Sie standen einander im Schein der Abendsonne gegenüber und spürten den Wind, der von der Themse zur Uferstraße herüberwehte, nahmen beides aber ebenso wenig bewusst wahr wie die Passanten, das Gelächter, die Musik und den trägen Wellenschlag der steigenden Flut gegen die Stufen unter ihnen. Voisey sah Pitt fest in die Augen und sagte: »Wetron ist entschlossen, den Antrag zu unterstützen. Er baut auf die Angst der Bevölkerung. Jedes weitere Verbrechen, das geschieht, wird ihm in die Hände spielen. Er wird dafür sorgen, dass seine Leute untätig bleiben, bis sich niemand mehr sicher fühlen darf. Die Polizei wird tatenlos allen Übergriffen zusehen, ganz gleich, ob es um Raubüberfälle, Einbrüche, Brandstiftung oder vielleicht sogar noch weitere Sprengstoffanschläge geht. Damit verfolgt Wetron die Absicht, die Bevölkerung so sehr in Angst und Schrecken zu versetzen, dass man ihn förmlich auf Knien bitten wird, seine Polizisten zu bewaffnen, mehr Leute einzustellen, weitreichendere Vollmachten zu akzeptieren, und all das, damit sich die Menschen wieder sicher fühlen können. Sobald er all das bekommen hat, wird er das Verbrechen gleichsam über Nacht ausmerzen und als Held dastehen.«

»Und Sie wollen, dass ihm dabei jemand in den Arm fällt«, sagte Pitt, dem klar war, wie sehr Voisey den Mann hassen musste, der im Handstreich die Position eingenommen hatte, aus der er selbst vertrieben worden war.

Voiseys Gesicht wirkte nahezu ausdruckslos; er verwendete alle Willenskraft darauf, seine Empfindungen zu verbergen. »Sie wollen das doch auch«, sagte er leise. »Falls er Erfolg hätte, wäre er einer der mächtigsten Männer im Lande. Man würde ihn als denjenigen feiern, der London vor Gewalttat und Chaos gerettet hat, als den, der dafür gesorgt hat, dass die Leute wieder ungefährdet durch die Straßen gehen und ruhig schlafen können, ohne Explosionen, Raubüberfälle, den Verlust des eigenen Heims oder Unternehmens befürchten zu müssen. Wenn er dann den Ehrgeiz hätte, Polizeipräsident zu werden, brauchte er es nur zu sagen.« Voiseys Augen blitzten vor Wut, und sein Abscheu war so übermächtig, dass er ihn nicht länger aus seiner Stimme heraushalten konnte.

»Dann würde er über eine Privatarmee von Polizeibeamten verfügen. Niemand könnte ihm mehr in seiner Position gefährlich werden. Er würde fortfahren, Gelder aus dem organisierten Verbrechen zu beziehen, und sich dafür bezahlen lassen, dass er diesen Elementen insgeheim gestattet, ihre Erpressung ungehindert fortzuführen. Sollte ein Bürger wagen, sich zu widersetzen oder zu protestieren, würde man ihn auf der Straße festnehmen, sein Haus durchsuchen und dabei feststellen, dass er dort Hehlerware verborgen hält. Dann wäre er in null Komma nichts im Gefängnis, und seine Familie stünde mittellos da.«

Ein offener Landauer kam vorüber, mit jungen Frauen in pastellfarbenen Kleidern, die Sonnenschirme in der Hand hielten. Lachend riefen sie Bekannten etwas zu, die sie auf der Straße sahen.

»Niemand würde einem solchen Menschen zu Hilfe kommen«, fuhr Voisey fort, ohne auf sie zu achten, »denn längst wäre jeder zum Schweigen gebracht worden, der die Macht hätte, etwas zu unternehmen. Kein Polizeibeamter würde einem anderen trauen, da die Hälfte von ihnen ohnehin Wetrons Spießgesellen wären. Allerdings wüsste niemand, welche Hälfte. Die Regierung ihrerseits würde dem Treiben tatenlos zusehen, dankbar dafür, dass im Lande Ruhe herrscht. Wollen Sie das, Pitt? Oder ist Ihnen diese Vorstellung ebenso zuwider wie mir? Es ist mir gleich, welche Gründe Sie dafür haben.«

Pitts Gedanken jagten sich. War das denkbar? Gewiss, Wetrons Ehrgeiz war grenzenlos – aber gingen seine Vorstellungskraft und seine Dreistigkeit so weit, dass er derlei planen konnte? Die Antwort war ihm klar, kaum dass er sich die Frage gestellt hatte: Unbedingt.

Voisey sah, was in Pitt vorging, und er entspannte sich allmählich. Die Panik schwand aus seinen Augen.

Es war Pitt alles andere als recht, von Voisey so leicht durchschaut worden zu sein, doch noch weniger wäre es ihm recht gewesen, wenn dieser angenommen hätte, das Ganze werde ihn kalt lassen, oder, schlimmer noch, zwar liege ihm daran, etwas zu unternehmen, doch fehle ihm der Mut dazu.

»In dem Fall sollten Sie sich mit mir verbünden«, sagte Voisey leise. »Helfen Sie mir zu beweisen, was Wetron tut, und gebieten Sie seinem Treiben Einhalt!«

Pitt zögerte. Ihrer beider Hass aufeinander schien unüberwindlich.

»Was ist Ihnen wichtiger?«, drängte Voisey. »Ihre Liebe zu London und seinen Bewohnern oder Ihr Hass auf mich?«

Man hörte eine Kapelle, die eine Tanzmelodie spielte. Auf einem Ausflugsdampfer lachten Menschen und riefen einander zu. Irgendwo in der Ferne spielte eine Drehorgel ein beliebtes Lied. Der Wind riss einer jungen Frau den Hut vom Kopf, dass die Bänder flogen.

»Für Hass ist hier kein Platz«, sagte Voisey. »Ich traue Ihnen – zumindest insoweit, als ich weiß, dass man sich auf Sie verlassen kann. Überlegen Sie es sich. Ich habe einen Sitz im Unterhaus, und ich kenne den Inneren Kreis. Gemeinsam können wir mehr erreichen als Sie oder ich allein. Überlegen Sie, was Ihnen wichtig ist, Pitt. Denken Sie an den Spruch ›Der Feind meines Feindes ist mein Freund‹ – jedenfalls so lange, bis die Schlacht vorüber ist. Denken Sie darüber nach. Wir können uns morgen noch einmal treffen. Sagen Sie mir dann Ihre Antwort.«

Pitt brauchte mehr Zeit. Die ganze Geschichte kam ihm widersinnig vor. Voisey war gefährlich, er hasste Pitt und würde ihn bei der ersten Gelegenheit vernichten, die sich bot. Lediglich weil Pitt bestimmte Dinge wusste – und an geheimer Stelle Beweise dafür verborgen hielt –, hatte es Voisey bisher unterlassen, seinen Angehörigen Schaden zuzufügen. Dass er zu allem fähig war, hatte er hinreichend bewiesen: Die eigene Schwester, den einzigen Menschen auf der Welt, den er liebte, hatte er als Werkzeug zu einem kaltblütigen Mord benutzt.

Auf der anderen Seite musste sich Pitt eingestehen, dass es äußerst gefährlich wäre, wenn Wetron die Bedrohung durch die Anarchisten dazu nutzte, noch mehr Macht an sich zu reißen. Ihm war klar, dass man etwas dagegen unternehmen musste, und das hatte Voisey erkannt.

»Übermorgen«, sagte er. »Wo?«

Voisey lächelte. »Für langes Nachdenken sind die Zeiten zu ernst. Bleiben wir bei morgen. Am besten an einem öffentlichen

Ort«, gab er zur Antwort. »Wie wäre es mit der Krypta der St.-Paul's-Kathedrale. Schlag zwölf Uhr mittags, an Nelsons Grab?«

Pitt sog die Luft tief ein. In Voiseys Augen sah er, dass dieser fest mit seiner Zustimmung rechnete. Er nickte. »Ich komme.« Dann wandte er sich um und ging, überquerte die Straße und ließ Voisey allein am Fluss zurück, der hell im Sonnenschein hinter ihm glänzte.

KAPITEL 4

Ohne die Freude, die er sonst bei seiner Heimkehr empfand, schloss Pitt die Tür des Hauses in der Keppel Street auf. Voisey hatte sie ihm verdorben. Würde er dessen Namen auch nur erwähnen, würde Charlotte sich augenblicklich an alles vergangene Elend, alle frühere Gewalttätigkeit erinnern. Es wäre entsetzlich selbstsüchtig von ihm, ihr von seiner Begegnung mit ihm zu berichten, nur um nicht auf sich allein gestellt abwägen, seine Entscheidung nicht allein fällen zu müssen.

Er trat ein und zog sich die Schuhe aus. Jedes Wort über Voisey wäre ohnehin überflüssig, sofern er zu dem Ergebnis kam, dass er nicht bereit war, ein Bündnis mit ihm einzugehen. Sollte er aber das Angebot des Mannes annehmen, wäre es weit besser, wenn Charlotte nichts von der Sache wüsste. Gewöhnlich teilte er ihr alles Wichtige mit. Das hielt er so, seit sie einander im Zusammenhang mit einem Mordfall kennen gelernt hatten. Sie war aufmerksam, klug und durchschaute Frauen auf eine Weise, wie ihm das nie möglich wäre. Noch wichtiger aber war es bei seinen Nachforschungen in vielen Fällen gewesen, dass sie die höheren Kreise bis in alle Feinheiten kannte, was einem Außenstehenden nie möglich sein würde – schließlich stammte sie selbst aus dieser Gesellschaftsschicht. Häufig hatten ihn Dinge, die ihr aufgefallen waren, auf einen wesentlichen Gesichtspunkt hingewiesen, ein Motiv, ein Gedankenmuster, etwas, das anders war, als man hätte erwarten sollen.

Doch gelegentlich verschwieg er ihr dies und jenes, und die Frage, ob es notwendig sein würde, mit Voisey zusammenzuarbeiten, gehörte, wie er fand, unbedingt in diese Kategorie. Dabei hatte er sich noch nicht einmal entschieden. Er hatte den Impuls abzulehnen. Alles in ihm sprach sich dagegen aus.

Leise ging er durch den Flur zur Küche. Er sah, dass dort Licht brannte, und hörte das Klappern von Geschirr.

Jedes Mal, wenn er im Begriff stand, den Gedanken an eine Zusammenarbeit mit Voisey von sich zu weisen, trat ihm Wetrons leidenschaftsloses, glattes Gesicht vor das innere Auge, und er begriff, dass Voisey in Bezug auf diesen Mann Recht hatte. Zwar fiel der nicht besonders große oder kräftige Wetron mit seinem Dutzendgesicht, in dem lediglich die unerbittlichen Augen und die scharfe Linie seines schmalen Mundes hervorstachen, in keiner Weise auf, doch brannte er vor Ehrgeiz, und so war es ohne weiteres möglich, dass er in der Tat das höchste Amt in der Polizei anstrebte und das Gesetz in die eigenen Hände nehmen wollte. Das gäbe ihm eine nahezu grenzenlose Möglichkeit zur Korruption. Vielleicht bestand in einer Zusammenarbeit mit Voisey tatsächlich die einzige Möglichkeit, das zu verhindern.

Allerdings würde er dem Mann keinesfalls über den Weg trauen. Doch konnte er ihn überhaupt benutzen, und sei es nur zu diesem einzigen Zweck? So viel stand auf dem Spiel, dass es das Risiko wert zu sein schien, genauer gesagt: Der mögliche Verlust war zu groß, als dass man es nicht auf den Versuch ankommen lassen müsste.

Er öffnete die Küchentür und trat ein. Das Abendessen stand auf dem Tisch. Während der Mahlzeit kam er weder auf seine missliche Lage noch auf die Korruption in der Polizei zu sprechen. Er wusste, dass Charlotte sofort aus seiner Stimme heraushören würde, wie nah ihm das alles ging, und dann würde auch sie leiden, weil ihr klar sein würde, dass noch so verständnisvolle Worte, noch so viel Freundlichkeit und auch ihr gegenseitiges Vertrauen, ihre tröstenden Umarmungen, nichts an der Wirklichkeit ändern würden, der er sich stellen musste.

Als der Tisch abgeräumt war, setzte er sich behaglich in seinen Sessel im Wohnzimmer und sah Charlotte zu, wie sie sich über ihre Stopfarbeit beugte. Das Licht der Gaslampe neben ihr warf den Schatten ihrer Wimpern auf eine Wange. Flink zogen ihre Finger die Nadel durch das Leinen, und er war froh, sie nicht beunruhigt zu haben.

Man hörte nichts als das leise Zischen der Gasflamme und das Klicken, mit dem die Nadel von Zeit zu Zeit gegen den Fingerhut stieß. Die Art, wie sie da saßen, war das Urbild häuslichen Behagens. Diese Gemeinsamkeit, die keiner Worte bedurfte, war ihm nach einem Arbeitstag wichtiger als eine Mahlzeit oder die Wärme des Hauses, wichtiger als freie Zeit, über die er nach Belieben verfügen konnte. Alles, was sie gemeinsam taten, war wichtig. Auch wenn sie nicht unbedingt immer einer Meinung waren, sie gingen einen Weg, den beide für richtig hielten. Ob er Erfolg hatte oder nicht, ob er von Energie überquoll oder zu müde war, um zu denken, immer war sie da, in seiner Nähe.

Es wäre töricht, sie zu ängstigen, indem er ihr erklärte, er werde mit Voisey zusammenarbeiten, und ebenso töricht wäre es, sie mit der Korruption in der Polizei zu belasten. Ohnehin, überlegte er, fand sich vielleicht eine bessere Lösung, wenn er gründlich über die Sache nachdachte.

Er würde Jack Radley um Rat fragen. Bei ihm war er vor der richtigen Schmiede. Der Mann von Charlottes Schwester Emily war ebenfalls Unterhausabgeordneter und hatte im Laufe der Jahre viel Erfahrung gesammelt. Gleich am nächsten Morgen würde er ihn aufsuchen und mit ihm sprechen. Für heute schob er die ganze Sache von sich und genoss sein behagliches Zuhause.

»Tanqueray«, sagte Jack mit Schärfe in der Stimme. Er hatte sich entschlossen, Pitt nicht in seinem Abgeordnetenbüro zu empfangen, wo Mitarbeiter, Parlamentsdiener oder andere Parlamentarier sie stören konnten, und so war er mit ihm auf die große Terrasse des Unterhauses gegangen, von wo aus der Blick weit über die Themse schweifte. Wie sie da mit dem Rücken zum lang gestreckten gotischen Palast von Westminster und zum Uhrturm mit der als Big Ben bekannten Glocke standen, fielen sie nicht weiter auf und durften hoffen, niemandes Aufmerksamkeit zu erregen.

»Es stimmt also?«, fragte Pitt rasch. Während zwei ältere Herren an ihnen vorübergingen, stieg ihm Zigarrenrauch in die Nase. Der Sonnenschein glänzte auf dem Wasser. Schleppzüge ließen sich von der Flut stromaufwärts schieben.

»Gewiss«, sagte Jack mit Nachdruck. »Und eine ganze Reihe von Abgeordneten unterstützen ihn. Eigentlich sind sie die treibende Kraft dahinter – Tanqueray ist lediglich eine Art Sprachrohr. Das ist eins der vielen Dinge, die mir Sorgen machen. Ich weiß gar nicht, wer wirklich hinter diesem Bestreben steht, die Polizei durchgehend zu bewaffnen.«

»Ist denn der Antrag keine Reaktion auf den Anschlag in der Myrdle Street?«, fragte Pitt.

Jack lächelte trübselig. »Natürlich machen sich die Leute das zunutze, aber sie sind weit besser vorbereitet, als das in einem oder zwei Tagen möglich gewesen wäre. Der Antrag muss zwar noch genau ausformuliert werden, aber sie haben alle Hauptargumente beisammen. Sie versuchen, die Meinung der anderen auszuloten, und stoßen dabei, wie sich zeigt, auf viel Zustimmung. Das Verbrechen auf den Straßen hat im Lauf des vergangenen Jahres stark zugenommen.« Er warf einen Seitenblick auf Pitt, die Augen gegen die Sonne zusammengekniffen. »Jeder weiß von jemandem, der ausgeraubt worden ist, in einen hässlichen Zwischenfall verwickelt wurde oder auf dem Heimweg lieber einen Umweg gemacht hat, um nicht Opfer eines Überfalls zu werden. Vielleicht ist dir das nicht besonders aufgefallen, weil du jetzt beim Staatsschutz und nicht mehr bei der Polizei bist.«

»Was mir auch nicht aufgefallen ist«, sagte Pitt leise, »ist die Korruption in der Polizei.«

»Korruption?«, fragte Jack mit gerunzelter Stirn. »Wo? Wie kommst du darauf?«

»Die beiden Anarchisten, die wir gefasst haben, haben mich

darauf gebracht«, gab Pitt zur Antwort und setzte langsam einen Fuß vor den anderen. »Deswegen haben sie den Anschlag in der Myrdle Street verübt – zumindest behaupten sie das. Sie wollten das Haus in der Mitte zerstören – es gehört einem Beamten aus dem Revier Cannon Street. Wie es aussieht, sind sie im Umgang mit Dynamit nicht besonders erfahren, und so haben sie statt des einen Hauses mindestens drei in die Luft gejagt und fünf weitere so stark beschädigt, dass man sie abreißen muss.«

Jack hob die Brauen. »Und du glaubst denen?« Er ging neben Pitt her.

»Ursprünglich hatte ich Zweifel. Nachdem ich mich aber ein wenig umgehört habe, bin ich zu dem Ergebnis gekommen, dass die Sache zumindest teilweise auf Wahrheit beruht.«

»Und der Rest?«

»Das weiß ich noch nicht, bin aber entschlossen, es festzustellen.«

»Wie weit reicht die Korruption?« Sie hatten das Ende der Terrasse erreicht und machten kehrt.

»Bis ganz nach oben«, gab Pitt zur Antwort.

Jack schwieg mehrere Minuten, weil er sah, dass sich einige Abgeordnete in Hörweite befanden. Zwei oder drei von ihnen sprachen Jack an, und er antwortete ihnen kurz, ohne Pitt vorzustellen.

»Wen meinst du?«, fragte er schließlich, als er sicher sein durfte, dass niemand mehr nahe genug war, um hören zu können, was gesagt wurde.

»Wetron in der Bow Street«, gab Pitt zur Antwort. »Auch Simbister in der Cannon Street. Ich weiß nicht, wer noch, aber Wetron ist auf jeden Fall der wichtigste.«

Jack fragte nicht nach dem Grund für diese Einschätzung. Er wusste, dass Wetron an der Spitze des Inneren Kreises stand, seit Pitt ihm das im Zusammenhang mit den Vorfällen in Whitechapel mitgeteilt hatte.

»Es heißt, die Polizei könne uns nicht vor Diebstahl oder willkürlicher Gewalt schützen, solange sie nicht mehr Leute hat.«

Jack blieb stehen und sah über die vom Wind aufgewühlte Wasserfläche hinweg. »Sie braucht angeblich mehr Schusswaffen zum Schutz ihrer Männer, und die Befürworter des Gesetzes bringen gute Argumente dafür vor. Bisher sind noch nicht viele Beamte im Dienst umgekommen, aber das kann sich ändern. Wir können nicht erwarten, dass die Polizei uns schützt, wenn wir ihr nicht die Mittel dazu in die Hand geben. Lass einen Beamten schwer verwundet werden, und es kommt zum öffentlichen Aufruhr. Ganz davon zu schweigen, dass eine ganze Anzahl von ihnen den Dienst quittieren wird. Die Leute haben Angst, und das mit Grund.«

»Ich weiß.« Pitt lehnte sich an die Mauer des Gebäudes und sah zu, wie eine Fähre unter der Brücke von Westminster hindurchglitt. »Aber Schusswaffen würden die Lage nicht verbessern. Sie würden lediglich dafür sorgen, dass alles noch schlimmer wird. Wenn man der Polizei zu viel Macht einräumt, werden einige diese früher oder später missbrauchen. Zwischen ihr und der Bevölkerung, deren Bestandteil sie sein soll, wird sich eine Kluft auftun.«

Jack kaute auf seiner Unterlippe herum. »Man munkelt, dass es noch schlimmer kommen soll«, sagte er unglücklich. »Ich weiß aber nicht genau, was geplant ist.«

»Noch schlimmer?« Pitt war entsetzt. »Was könnte schlimmer sein als eine mit Schusswaffen ausgerüstete korrupte Polizei, die obendrein die Vollmacht hat, jeden zu durchsuchen, ohne dass sie das zu rechtfertigen braucht? Das kommt doch der Erlaubnis gleich, eine Privatarmee auf die Beine zu stellen.«

»Ich weiß es nicht genau. Man hat gerüchteweise von einem Zusatzartikel zu dem Gesetz gehört, aber niemand ist bereit, Genaueres darüber zu sagen. Doch ich bin überzeugt, dass etwas in der Art existiert. Es würde mich jedenfalls nicht wundern.« Er richtete sich auf und sah Pitt an. »Es gibt mancherlei Befürchtungen, Thomas. Die Leute haben Angst vor Veränderungen, vor Gewalttaten wie auch davor, dass sie durch Tatenlosigkeit verlieren, was sie besitzen. Angst ist ein schlechter Ratgeber, denn die

Menschen reagieren auf sie, ohne sich über die Folgen klar zu werden.«

Mit bitterem Lächeln dachte Pitt an Welling, Carmody und Magnus Landsborough, den er nie kennen gelernt hatte. »Wie die Anarchisten, die mit Bomben gegen die Zustände vorgehen wollen, ohne überlegt zu haben, was sie an deren Stelle setzen können.«

»Haben sie das gesagt?« Jack machte ein fragendes Gesicht.

»Überrascht dich das?«

»Kommt ganz darauf an. Der bisherige theoretische Ansatz der Anarchisten ist nicht sehr brauchbar, jedenfalls meiner Ansicht nach. Er stützt sich zu sehr auf die Annahme, der Mensch sei von Natur aus gut, und auf den Glauben, einsichtsfähige Menschen sollten lernen, sich ohne das störende Eingreifen einer Regierung um ihre eigenen Angelegenheiten zu kümmern.« Ein betrübtes Lächeln umspielte seine Lippen. »Der Haken ist nur: Wer soll darüber entscheiden, welche Menschen einsichtsfähig sind und welche nicht? Und was ist mit denen, die faul sind, unfähig oder nichts zum allgemeinen Wohl beisteuern wollen, die sich einfach aufsässig verhalten? Außerdem wird es immer Kranke, Alte und solche Menschen geben, deren Geistesgaben nicht ausreichen, für sich selbst zu sorgen. Wer soll sich um die kümmern, und wer weist die in ihre Schranken, die andere belügen, bestehlen oder tyrannisieren? Hier ist die Übereinstimmung aller nötig, womit wir wieder bei der Regierung landen.«

»Und bei der Polizei«, gab ihm Pitt Recht, dem das, was Jack da über die Theorie der Anarchisten gesagt hatte, weitgehend neu war. Das ließ Magnus Landsborough, aber auch Jack selbst, in einem anderen Licht erscheinen. Wie es aussah, durfte man in der Anarchie nicht nur den bloßen Protest sehen, sondern musste sie wohl ein wenig ernster nehmen, als er das bisher getan hatte, zumindest als Gedankengebäude.

»Da gibt es noch etwas«, sagte er. »Ich bin gestern Voisey begegnet, am Themseufer.«

Jack erstarrte. »Was du nicht sagst!«

Pitt teilte ihm mit, was Voisey über Wetrons angebliche Absicht gesagt hatte, immer weiter aufzusteigen, bis er schließlich praktisch ganz London beherrschte.

»Grundgütiger!«, entfuhr es Jack. Dann senkte er die Stimme, weil er merkte, dass er mit diesem Ausruf die Aufmerksamkeit einer Gruppe von Männern auf sich gelenkt hatte, die in der Nähe vorübergingen. »Der Kerl muss verrückt sein! Was meinst du?«, fragte er ungläubig. »Was sagt Narraway dazu?«

»Ich weiß nicht«, räumte Pitt ein. »Ich habe ihm noch nichts davon gesagt.«

»Und wann gedenkst du das zu tun?«

»Sobald ich von hier weggehe.«

»Trau Voisey nicht über den Weg!«, mahnte Jack eindringlich. »Er verzeiht nichts und vergisst nichts. Er wollte Präsident des Landes werden, und das hast in erster Linie du verhindert, mit Lady Vespasias Hilfe. Auch das hat er mit Sicherheit nicht vergessen.«

»Ist mir klar«, erwiderte ihm Pitt. »Hätte Voisey mich nicht auf die Straße setzen lassen, wäre nach wie vor ich Leiter der Wache in der Bow Street und nicht dieser Wetron. Aber ändert das etwas am Wahrheitsgehalt der Vorwürfe gegen Wetron?«

Jack sah ihn an. Sein Gesicht war bleich. Der Wind wurde stärker und zerrte an seinen Haaren. »Nein«, gab er zögernd zu. »Wohl nicht. Was führt Voisey im Schilde? Er hat dir das doch bestimmt nicht gesagt, ohne es mit einer Forderung zu verbinden?«

»Ich soll mit ihm zusammenarbeiten, um Wetron in den Arm zu fallen«, sagte Pitt.

»Das kannst du nicht tun!« Jack war entsetzt. »Thomas, du kannst unmöglich mit Voisey zusammenarbeiten! Er jagt dir bei erster Gelegenheit kaltblütig ein Messer in den Rücken. Das weißt du doch, zum Kuckuck!«

»Ja.« Pitt schlug den Mantelkragen hoch. »Der Haken ist allerdings, dass er möglicherweise Recht hat. In dem Fall muss unbedingt verhindert werden, dass Wetron am Schluss praktisch ganz

London und damit das Herz des britischen Weltreichs beherrscht.«

Jack antwortete nicht. Sie standen schweigend da und dachten über die Ungeheuerlichkeit der Situation nach.

»Noch etwas«, sagte Pitt schließlich und machte sich daran, den Weg zurückzugehen, den sie gekommen waren. »Wenn nun Wetron doch nicht so gerissen ist, wie er denkt, und ihm jemand aus dem Inneren Kreis in den Rücken fällt, unter Umständen jemand, der gute Kontakte zu ausländischen Mächten hat? Ich habe keine Vorstellung davon, ob die Verschwörung auf England begrenzt ist, und die Möglichkeit lässt sich nicht von der Hand weisen, dass ein Mitglied des Inneren Kreises bereit sein könnte, England zu verraten. Es hat dort schon früher Interessengruppen und einen Wechsel an der Spitze gegeben. Entsprechendes kann jederzeit wieder geschehen.«

Die Stirn nachdenklich in Falten gelegt, hielt Jack den Blick gesenkt. »Du glaubst also nicht, dass sich Voisey das alles aus den Fingern gesogen hat, um dich zu benutzen, damit du für ihn Wetron unschädlich machst?«, fragte er. In seiner Stimme lag keinerlei Überzeugung. »Bestimmt hasst er ihn noch mehr als dich. Welche größere Befriedigung könnte es geben, als die eigenen Erzfeinde aufeinander zu hetzen? Ganz gleich, wer dabei den Kürzeren zieht, man selbst gewinnt, und der andere ist möglicherweise so sehr geschwächt, dass auch er sich aus dem Weg räumen lässt.«

»All das ist mir bekannt. Aber können wir es uns leisten, untätig zu bleiben?«, fragte Pitt. Für ihn gab es keinen Zweifel an der Antwort.

Jack überlegte lange, bis er etwas sagte. Sie hatten fast die Tür erreicht, die ins Innere des Parlamentsgebäudes führte. »Nein«, sagte er leise. »Aber pass auf, Thomas, pass um Gottes willen auf. Trau Voisey nicht über den Weg, nicht eine Sekunde.«

Pitt sagte nichts.

»Was wolltest du eigentlich von mir?«, fragte ihn Jack.

Pitt sah ihn unverwandt an. »Die Antwort, die du mir schon

gegeben hast. Tanqueray wird seinen Antrag einbringen, und du vermutest, dass er gute Aussichten hat, damit durchzukommen. Damit hätte Wetron die Macht in Händen, in London nach Belieben zu schalten und zu walten. Das kann ich nicht zulassen. Sofern es überhaupt eine Möglichkeit gibt, dem Einhalt zu gebieten, muss ich das versuchen, ganz gleich, wie groß die damit verbundene Gefahr ist.«

Jack sah ihn aufmerksam an. »Halt mich auf dem Laufenden«, sagte er schließlich. »Und pass auf dich …« Er zuckte die Achseln. »Entschuldige. Es geht mir einfach gegen den Strich.«

Pitt lächelte. »Mir auch.«

Pitt betrat Narraways Büro. Schon bevor er das Thema ansprach, waren seine Nerven bis zum Zerreißen gespannt. Narraway stand mit dem Rücken zur Tür und sah zum Fenster hinaus. Das Licht spielte auf seinem Haar. Bei Pitts Eintreten wandte er sich mit erwartungsvoller Miene um.

»Sie kommen spät!«, sagte er, ohne Pitts Gruß zu erwidern. »Was haben Sie über Magnus Landsborough noch herausbekommen? Ich muss das wissen, bevor sich die Anarchisten neu formieren und einen anderen Anführer ernennen.« Er war ungeduldig. »Woher hatten sie das Geld? Wer ist außerdem in die Sache verwickelt? Ich habe mit jedem Einzelnen meiner üblichen Informanten gesprochen, aber von keinem etwas über eine Verbindung zu irgendeiner ausländischen Gruppe gehört. Zwar wimmelt es im East End von Polen, Juden, Franzosen, Italienern, Russen und weiß der Henker was noch, aber keiner von denen dürfte das geringste Interesse daran haben, in der Myrdle Street Häuser in die Luft zu jagen.«

Pitt nickte und blieb gleichfalls stehen. Da er Narraway die Begegnung mit Voisey keinesfalls verschweigen durfte, war es besser, die Sache unverzüglich anzusprechen. »Der Grund meiner Verspätung liegt darin, dass ich im Unterhaus bei meinem Schwager Jack Radley war. Er sagt, dass Tanquerays Gesetzesantrag, die Polizei zu bewaffnen und ihr weiter reichende Vollmachten zur Durchsuchung und Beschlagnahme zu geben, gute Aussichten hat, angenommen zu werden.«

Narraway machte seiner Empörung durch kräftiges Fluchen Luft.

»Man hat mir Hilfe angeboten, und ich werde sie annehmen«, fuhr Pitt fort, »weil die Dinge möglicherweise weit schlimmer liegen, als wir angenommen haben. Auch Radley ist überzeugt, dass die Entwicklung noch lange nicht am Ende ist.«

»Aha. Und was wollen die Anarchisten als Nächstes in die Luft jagen – vielleicht den Buckingham-Palast?«, fragte Narraway sarkastisch.

»Es geht um Sabotage durch Korruption«, gab Pitt zur Antwort. »Wenn das Gesetz durchkommt, könnte Wetron auf die Polizei als eine Art Privatarmee zurückgreifen.«

Narraway, der die Zusammenhänge augenblicklich durchschaut hatte, sog scharf die Luft ein. Er ließ die Schultern ein wenig sinken und atmete tief aus. »Wetron nutzt die Gunst der Stunde«, sagte er leise. »Glänzend gemacht! Er hat also nicht das geringste Interesse daran, dass wir die Anarchisten fassen, sondern möchte, dass sie erneut zuschlagen. Dann bekommen alle Leute Angst und überlassen ihm die Macht, die er haben will. Anschließend greift er hart durch und geht rücksichtslos gegen die Korruption vor, die er selbst unterstützt hat. Es wird ihm nicht schwer fallen, alle Schuldigen festnehmen zu lassen, schließlich weiß er schon jetzt, wer sie sind, da er sie selbst auf ihre Posten berufen hat. Wie sind Sie nur dahinter gekommen, Pitt?« In seinen schwarzen Augen lag ein Leuchten, das möglicherweise Hochachtung ausdrücken sollte.

Auf diese Frage gab es nur eine Antwort – die Wahrheit. »Durch Charles Voisey«, sagte Pitt. »Er hat mich gestern auf der Straße angesprochen. Ich soll mit ihm zusammenarbeiten, weil er möchte, dass das Gesetz verhindert wird.«

Der Ausdruck unterschiedlicher Empfindungen trat nacheinander auf Narraways Gesicht: Verblüffung, Ungläubigkeit und einen flüchtigen Augenblick lang sogar Belustigung. »Ach ja?«, sagte er schließlich. »Und was haben Sie ihm gesagt?« Es war unübersehbar, dass er auf die Antwort neugierig war.

Pitt zwang sich zur Ruhe. »Ich habe ihm gesagt, dass ich darüber nachdenken und ihm meine Antwort heute sagen werde. Ich treffe ihn um die Mittagszeit in St. Paul's. Ich bin entschlossen, es zu tun.«

Mit einer Stimme, fast wie das Schnurren einer Katze, sagte Narraway: »Sollte man das für möglich halten.« Es klang eher herausfordernd als fragend.

Pitt nahm die Herausforderung an.

»Ich kann mir eine andere Haltung nicht leisten. Und ich denke, Sie können es sich nicht leisten, mich daran zu hindern. Wir sind auf die Zusammenarbeit mit der Polizei angewiesen, um unsere Aufgabe zu erledigen. Unter einem Polizeipräsidenten Wetron würde nicht nur der Innere Kreis gegen uns arbeiten, sondern auch die Polizei. Damit wären wir vollständig lahmgelegt und könnten lediglich tun, was Wetron zulässt.«

»Glauben Sie die Geschichte tatsächlich?«, fragte Narraway. »Ist Ihnen noch nicht der Gedanke gekommen, Voisey könnte sich das alles aus den Fingern gesogen haben, um Sie als Werkzeug zur Vernichtung Wetrons zu benutzen und sich selbst wieder an die Spitze des Inneren Kreises zu setzen?«

»Selbstverständlich«, gab Pitt erbittert zur Antwort. »Und zweifellos ist sich Voisey auch klar darüber. Aber das ändert weder etwas an Tanquerays Gesetzesantrag noch an der Korruption innerhalb der Polizei, die Wetron nicht verhindert hat, ganz gleich, ob er davon weiß oder nicht.«

Narraway verzog den Mund und nickte leicht. »Und wer hat Magnus Landsborough auf dem Gewissen?«

»Das weiß ich nicht«, gab Pitt zu, »aber ich bin fest entschlossen, es herauszubekommen. Dazu muss ich noch einmal mit Welling und Carmody sprechen. Allerdings wird es immer schwieriger, von ihnen nützliche Hinweise zu bekommen. Beide sind Idealisten. Sie haben den Blick starr auf die korrupte Polizei gerichtet, deren Vertreter man ausschließlich durch Gewalt beseitigen kann. Gewiss, sie haben Häuser gesprengt, aber nicht ohne zuvor deren Bewohner von der bevorstehenden Explosion in Kenntnis zu setzen.« Er versuchte die Vergeblichkeit und die Einfältigkeit eines solchen Vorgehens in Worte zu fassen. »Sie wollten kein Blutvergießen, da das in ihren Augen der letzte Ausweg wäre. Wohl aber waren sie bereit, die Wohnungen und die Habe der Armen zu zerstören und ihnen die Mittel zu nehmen, die ihnen das Leben erträglich machen. Beide sind gesunde junge Männer ohne Frau und Kinder, die nichts zu verlieren haben. Diese Träumer wissen nichts von der Wirklichkeit des Lebens anderer, von den Empfindungen und den Bedürfnissen der Menschen. Ich weiß nicht, was ich denen sagen soll.«

Narraway schien bereits darüber nachgedacht zu haben. »Sagen Sie ihnen, dass man sie aufknüpfen wird«, sagte er und sah Pitt starr an. »Ich denke, das ist auch ihnen selbst klar, nur haben sie es vielleicht nicht bedacht. Zwar ist beim Anschlag in der Myrdle Street niemand ums Leben gekommen, aber einer der Anarchisten hat einen Polizeibeamten angeschossen. Wären Sie nicht zu ihm gegangen, um die Blutung zum Stillstand zu bringen, er wäre womöglich verblutet. Die Leute haben sich also nicht nur eines schweren Verbrechens schuldig gemacht, man kann sie obendrein wegen versuchten Mordes an einem Polizeibeamten in Ausübung seines Dienstes unter Anklage stellen.«

Trotz der Wärme im Raum überlief es Pitt kalt. Dass man junge Männer an den Galgen brachte, die taten, was sie für richtig hielten, ganz gleich, wie fehlgeleitet sie dabei gewesen sein mochten, gehörte zu den Aspekten seiner Arbeit, die ihm Widerwillen einflößten.

Ihm war klar, dass es sinnlos wäre, gegen Narraway zu argumentieren. Er wusste nicht einmal, wie dieser selbst dazu stand oder was er im tiefsten Inneren in Bezug auf die Freuden oder Ärgernisse empfand, die seine Arbeit mit sich brachte. Was er über seinen Vorgesetzten wusste, war äußerst bruchstückhaft. Ihm war bekannt, dass er peinlich genau auf seine Kleidung achtete und bei seiner Aktenarbeit nachlässig war, nur wenig aß, aber eine Leidenschaft für gute Weine und süßes Gebäck hatte. Auf bestimmten Gebieten las er, was ihm in die Finger fiel: historische und naturwissenschaftliche Werke, Biografien und Lyrik. Romane hatte Pitt höchstens in Übersetzungen aus fremden Sprachen bei ihm gesehen, vor allem aus dem Russischen. Doch was seine Gefühle erregte, was ihn bedrückte oder nachts im Traum quälte, davon wusste Pitt nichts.

»Bieten Sie den beiden einen Straferlass an«, drang Narraways Stimme in seine Gedanken, »für den Fall, dass sie bereit sind, uns Angaben zu liefern, die es uns ermöglichen, der Korruption der Polizei ein Ende zu bereiten und weitere Anschläge zu verhindern, bei denen Menschen ums Leben kommen könnten. Wie Sie das formulieren, ist mir gleich. Hauptsache, es funktioniert.«

Pitt war verblüfft. »Völlige Straffreiheit?«, fragte er ungläubig.

Narraway sah ihn aufmerksam an. »Eigentlich hatte ich gedacht, das würde Ihnen gefallen! Natürlich mache ich das Angebot nicht deswegen. Aber verkaufen Sie es nicht zu billig.«

Mit einem Mal hob sich Pitts Stimmung. »Wen müssen Sie fragen, um das durchzusetzen? Wann werden wir es wissen?«

Narraway steckte die Hände in die Taschen. »Das ist alles geregelt.« Ein Anflug von Belustigung trat ihm in die Augen. »Sehen Sie zu, was Sie herausholen können.«

Um fünf Minuten vor zwölf schritt Pitt über den schwarz-weißen Steinboden der St.-Paul's-Kathedrale und ging die Stufen zur Krypta hinab, wobei er so leise aufzutreten versuchte, dass er die Stille des Raumes nicht störte. Er sah zwei andere Besucher: einen alten Mann mit schütterem Haar und einem milden, verträumten Gesicht und eine junge Frau, die sich auf ein Blatt Papier in ihrer Hand zu konzentrieren schien. Keiner der beiden sah ihn an, als er vorüberging.

Tafeln an den Wänden ehrten das Andenken zahlreicher berühmter Männer, die in großen Schlachten der Vergangenheit gefallen waren. Voll Verblüffung fiel ihm auf, wie viele von ihnen Kapitäne in der Königlichen Marine gewesen waren und in der

Schlacht von Trafalgar das Leben verloren hatten. Er musste daran denken, wie finster Englands Zukunft zu jener Zeit ausgesehen hatte, als Napoleon den europäischen Kontinent eroberte und sich an dessen Gestaden daran machte, die Hand nach England auszustrecken. Damals hatte es ausgesehen, als könne nichts ihm Einhalt gebieten.

Pitt hob den Blick zu der Stelle, wo im Herzen der Krypta Horatio Nelsons gewaltiges steinernes Grabmal stand. Voisey war schon da. Galten seine stillen Gedanken dem Heldentum, dem Opfermut und Kriegsglück, die der Geschichte in einer einzigen Schlacht eine andere Richtung zu geben vermochten? Und war die Führerschaft eines einzigen fähigen, mutigen und bisweilen verschrobenen Mannes, der über den nötigen Weitblick verfügte, dazu angetan, auf all dies einen bestimmenden Einfluss auszuüben? Der Signalspruch, den Nelson vor dem Angriff an die Flotte hatte ergehen lassen, war nicht nur in die Geschichte eingegangen, sondern möglicherweise auch Bestandteil all dessen, was es bedeutete, Engländer zu sein: »England erwartet, dass jeder Mann seine Pflicht tut.«

Warum nur war Voisey gerade auf dieses Grabmal unter all den vielen in der großen Kathedrale verfallen? Es gäbe Dutzende anderer Treffpunkte, die sich ebenso leicht hätten finden lassen. Und warum war er vor der vereinbarten Zeit gekommen? Sollte das sein erster taktischer Fehler sein? Das wäre erstaunlich. Pitt hatte angenommen, er werde etwa zehn Minuten später kommen, nicht spät genug, um Pitt einen Vorwand zum Fortgehen zu geben, wohl aber hinreichend verspätet, um ihn in eine ungünstige Position zu bringen und ihn Befürchtungen hegen zu lassen, so, als sei der Bittsteller er und nicht Voisey.

Er blieb stehen, um festzustellen, ob sich Voisey suchend nach ihm umsehen würde. Das tat er nicht. War seine Selbstsicherheit größer, als sein frühes Eintreffen vermuten ließ? Oder konnte er Pitts Spiegelbild in der glatten schwarzen Marmorfläche des Grabmals sehen?

Für den Fall, dass es sich so verhielt, tat Pitt lächelnd einige

Schritte auf ihn zu. Er wollte seinen Vorteil nicht dadurch aufs Spiel setzen, dass er den Anschein erweckte, ihn auszukosten, so, als sei ihm das wichtig.

»Guten Morgen, Sir Charles«, sagte er. Ganz bewusst bediente er sich der förmlichen Anrede. Sie sollte Voisey daran erinnern, dass bei ihrer beider größten Auseinandersetzung Pitt Sieger geblieben war. Er hätte ihn lieber anders angeredet, doch hätte er damit dem anderen gezeigt, dass er sich davor fürchtete, Erinnerungen an diese Auseinandersetzung zu wecken. Ihn beunruhigte das Bewusstsein, wie intensiv er über all das nachgedacht hatte, bevor sie überhaupt miteinander ins Gespräch kamen, bevor Voisey auch nur ein einziges Wort gesagt hatte.

Langsam wandte sich der Angesprochene um. Er war elegant und unauffällig gekleidet. Man hätte glauben können, er sei eher gekommen, um sich in die Betrachtung der Helden der Vergangenheit zu versenken, als um über die politischen Schlachten der Gegenwart zu reden.

»Guten Morgen, Pitt«, gab er zur Antwort. »Sie haben sich ein wenig verspätet. Sind Sie zum ersten Mal hier? Vielleicht möchten Sie etwas umhergehen, vorausgesetzt, Sie können sich dabei auf das konzentrieren, was wir zu besprechen haben? Ich kann Ihnen einige der anderen bemerkenswerten Grabmäler zeigen, auch wenn natürlich keines von ihnen so …« – er zögerte – »spektakulär ist wie dies hier.«

Pitt sah sich das imposante Denkmal genauer an. Es war reich verziert und entfaltete eine ungeheure Pracht: der Tribut der Nation an einen Mann, der nicht nur den bedeutendsten Sieg in einer Seeschlacht errungen hatte, sondern auch als Held geliebt wurde, einen Mann, der im Augenblick seines höchsten Triumphs den Tod gefunden hatte. Pitt hielt das für durchaus angemessen, und ihn erfüllte tiefer Stolz, während er vor dem Grabmal stand. Einen Augenblick lang hatte er Voiseys Anwesenheit vollständig vergessen.

»Wir haben nahezu vierzig Offiziere und fünfhundert Seeleute verloren«, unterbrach Voisey seine Gedanken.

»Vor Trafalgar?«, fragte Pitt überrascht. Die Zahl schien ihm für eine solche Schlacht sehr gering.

»In der ganzen britischen Flotte«, gab Voisey zur Antwort. Auf seinem Gesicht lag Spott, seine Augen leuchteten. »Dazu zählen die Schiffe der Franzosen und Spanier natürlich nicht.«

Pitt sagte nichts, er kam sich ein wenig töricht vor.

»Die haben über hundert Offiziere und eintausendeinhundert Matrosen verloren«, fuhr Voisey fort.

Wieder gab Pitt keine Antwort.

»Sonderbarer Mensch«, spann Voisey den Faden weiter. »Immer, wenn das Schiff auslief, wurde er seekrank.« Er bezog sich auf Nelson.

»Ich weiß«, sagte Pitt.

»Und er hatte eine Vorliebe für üppige Frauen, die streng rochen«, fügte Voisey hinzu.

Pitt wusste nicht, ob das der Wahrheit entsprach, und er wollte es auch nicht wissen. Er warf einen Blick auf Voisey und sah dann wieder beiseite. Ihm war klar, warum er das gesagt hatte: Er wollte damit die Klassengegensätze herausstreichen und Pitt daran erinnern, dass er im Unterschied zu ihm aus einer Aristokratenfamilie stammte und mit Selbstverständlichkeit die Schwächen von Helden und die natürlichen Dinge des Lebens betrachtete, ganz im Gegensatz zur prüden Haltung der Unterschicht. Er sondierte, versuchte die richtige Stelle zu finden, an der er Pitt treffen konnte.

»Tatsächlich?«, fragte dieser in gleichgültigem Ton. »Wie viele Schiffe haben wir denn verloren?«

»Die Franzosen und Spanier haben aus ihrer gemeinsamen Flotte einundzwanzig eingebüßt«, gab Voisey zurück.

Pitt lächelte im Bewusstsein dessen, dass sich die Situation zwischen ihnen allmählich zu seinen Gunsten verschob. »Sie scheinen sich ja gründlich damit beschäftigt zu haben.«

»Immerhin war es ein Wendepunkt, eine der bedeutendsten Seeschlachten der Weltgeschichte.« Jetzt hatte er Voisey in die Defensive gedrängt. »Es muss ein eindrucksvolles Bild gewesen sein.« Er sah nachdenklich auf das Grabmal. Unwillkürlich schwang Stolz in seiner Stimme mit. »Zweiundsechzig Schiffe, die sich an einem kalten Oktobermorgen unter Vollzeug zur Schlacht stellten. Wir waren dem Gegner an Feuerkraft und auch zahlenmäßig unterlegen. Dreiunddreißig zu neunundzwanzig.«

»Wie viele Schiffe haben wir verloren?«, wiederholte Pitt seine Frage. Unwillkürlich empfand er Sympathie für Voisey, weil sich dieser für die Sache interessierte. Da er sich nicht mit dessen Patriotismus identifizieren wollte, konzentrierte er sich auf die Fakten.

»Die Franzosen acht, die Spanier dreizehn«, sagte Voisey.

»Und wir?«

Voisey nickte zu dem Grabmal hin. »Wir haben Nelson verloren.«

»Und Schiffe?« Pitt ließ nicht locker. Er war nicht bereit, an Menschenleben und Gefühle zu denken. Er wollte bei dem bleiben, was zähl- und messbar war.

»Nicht ein einziges. Alle Schiffe sind in die Heimat zurückgekehrt.« Voisey schien ein wenig zu blinzeln, als habe ihn seine eigene Rührung übermannt. »Es war der bedeutendste Sieg in unserer Seefahrtsgeschichte. Obwohl unser Land vor der Invasion bewahrt blieb, kehrte die Flotte mit auf Halbstock gesetzten Flaggen zurück, wie nach einer Niederlage.« Seine Stimme klang belegt, und er vermied es, Pitt anzusehen.

Zwar war Pitt entschlossen, seinen Hass auf Voisey nie zu vergessen, denn das konnte er sich nicht erlauben, doch sah er sich jetzt mit in die Tragödie von Kampf, Ruhm und Verlust hineingezogen, ob er das wollte oder nicht. Er durchschaute Voiseys Absicht. Ganz bewusst wollte dieser ein Band zwischen ihnen schaffen und Pitt auf diese Weise dazu bringen, dass er seinen Argwohn fahren ließ. Wenn er sich dem entzog, würde er sich damit selbst herabsetzen und verleugnen. Man hätte glauben können, der Mann ziehe die Fäden wie ein Puppenspieler, der seine Figuren nach Belieben bewegt.

Schließlich brach Voisey das Schweigen.

»Hat Ihnen Radley gesagt, dass Tanquerays Gesetzesantrag durchkommen wird?«, erkundigte er sich.

Pitt verbarg seine Überraschung darüber, dass Voisey bereits Kenntnis von seinem Gespräch mit Jack hatte. »Ja«, sagte er. »Auch dass man kaum mit Widerstand dagegen rechnen darf. Wir müssen weit umsichtiger als bisher vorgehen, wenn wir das Ruder noch herumreißen wollen.« Er hatte die seemännische Redensart unabsichtlich benutzt.

Obwohl ein Anflug von Belustigung Voiseys Lippen umspielte, sah Pitt, dass er die Fäuste geballt hatte, sodass die Knöchel weiß hervortraten. »Das klingt wie eine Niederlage«, sagte er. Die Symbolik des Ortes, an dem sie sich befanden, war beiden bewusst. Auch das entsprach Voiseys Absicht.

»Es sollte eher wie eine Mahnung zur Vorsicht klingen«, gab Pitt zur Antwort. »Ich glaube, auch wir sind der Gegenseite an Feuerkraft und Zahl unterlegen, zumindest im Augenblick. Wenn wir den Sieg erringen wollen, ist mehr nötig als tapfere Worte und leider auch mehr als nur das Bewusstsein, der gerechten Sache zu dienen.«

Voisey hob die Brauen ein wenig. »Sie meinen, wir brauchen einen Nelson?« Ein angedeutetes Lächeln trat auf seine Züge. »Ist Narraway Ihrer Ansicht nach dieser Rolle gewachsen?«

»Ich weiß noch nicht, wie weit ich ihn da mit hineinziehen möchte«, sagte Pitt.

Mit breitem Lächeln und unübersehbar belustigt sagte Voisey: »Und ich dachte immer, Sie können ihn gut leiden! Sollte ich mich da irren?«

»Das gehört nicht zur Sache«, gab Pitt nicht ohne Schärfe zurück. Voiseys Belustigung ärgerte ihn. »Ich kann auch mit Menschen zusammenarbeiten, die ich nicht gut leiden kann, wenn ich überzeugt bin, dass sie dasselbe Ziel verfolgen wie ich und tüchtig genug sind, die Aufgabe zu bewältigen. Ich hatte eigentlich gedacht, dass Ihnen das bekannt ist!«

»Gut«, sagte Voisey kaum hörbar. »Wenn Sie jetzt gesagt hätten, dass Sie mir vertrauen, hätte ich gewusst, dass Sie lügen, und noch dazu schlecht. Aber Sie billigen mir zu, dass ich dasselbe Ziel verfolge wie Sie. Das muss genügen.«

»Eins nach dem anderen«, bremste Pitt. Er stellte nicht die Frage, ob Voisey ihm vertraute oder nicht. In dieser Beziehung war der andere im Vorteil und wusste das auch. Pitt war an seine Werte gebunden, Voisey hingegen an nichts.

»Was für ein Mensch ist dieser Tanqueray?«, fragte Pitt.

Mit unverhohlenem Vergnügen sagte Voisey: »Ein schmieriger Charakter. Wer mit ihm zu tun hat, bekommt so fettige Finger, dass er sich die Hände anschließend gründlich waschen muss und trotzdem noch an allem kleben bleibt.«

Unwillkürlich musste Pitt lächeln. »Und warum ist man dann auf ihn verfallen?«

Erneut hob Voisey die Brauen. »Wollen Sie raten? Weil wir eine ganze Menge von Abgeordneten haben, denen bekannt ist, dass man mit Speck Mäuse fängt.«

Pitt wusste, was er meinte. »Und auf wen können sich die Leute noch stützen?«

»Auf viel zu viele«, sagte Voisey mit Bedauern in der Stimme. »Der Mächtigste von ihnen ist Dyer. Er redet so salbungsvoll, als sei er ein aus dem Amt gejagter Priester, und genauso sieht er auch aus. Ich würde ihm weder die Parteikasse noch meine Patentochter anvertrauen, wenn sie jünger als zwanzig wäre. Lord North hat über Gladstone gesagt, er habe nichts dagegen, dass dieser das Trumpfass im Ärmel halte, verwahre sich aber gegen dessen Behauptung, Gott habe es dahin getan. Genau so eine Figur ist Dyer – heiliger als der Papst persönlich!«

Pitt wandte sich beiseite, damit Voisey nicht sah, wie sehr ihn das erheiterte. Keinesfalls wollte er an ihm etwas sympathisch finden. Er entfernte sich einige Schritte von Nelsons Grabmal in die Richtung, aus der er gekommen war.

»Wer hat Magnus Landsborough auf dem Gewissen?«, fragte Voisey.

»Ich weiß es nicht«, sagte Pitt. »Aber ich möchte es herausbekommen. Warum liegt Ihnen daran? Geht es Ihnen nicht um die

Korruption in der Polizei? Das dürfte doch am ehesten Ihre Trumpfkarte im Unterhaus sein, wenn es gegen die anderen geht.«

»Genau. Sind Sie denn sicher, dass das eine nicht eng mit dem anderen verknüpft ist?«

»Nein. Aber es wäre ohne weiteres möglich.«

»Ich muss es genau wissen«, sagte Voisey. »Ich möchte Beweise für eine systematische Korruption oder zumindest dafür, dass man mit sehr viel mehr rechnen muss, als bisher bekannt ist.«

»Ich verstehe, was Sie brauchen, und mir ist auch klar, warum«, stimmte Pitt zu. »Ich kann das Material besorgen und es Jack Radley übergeben.« Er wandte sich wieder Voisey zu. »Was liefern Sie mir im Gegenzug, was er mir nicht geben könnte?«, erkundigte er sich.

»Einzelheiten über den Inneren Kreis«, gab Voisey zur Antwort. Seine Stimme zitterte kaum wahrnehmbar. »Namen, Angaben darüber, wer wem welchen Gefallen schuldet.« Damit würde er zwar alle früheren Eide brechen, sich zugleich aber auch an all denen rächen, die sich gegen ihn gewendet und Wetron auf den Schild gehoben hatten. In ihm tobte ein wilder Aufruhr der Gefühle, in dem sich Frohlocken mit Besorgnis mischte. Er stand im Begriff, einen Schritt zu tun, von dem es kein Zurück gab. Falls ihm sein Vorhaben misslang, konnte es ihn den Kopf kosten.

»Und in welchem Umfang sind Sie bereit zuzulassen, dass von diesen Angaben Gebrauch gemacht wird?«, fragte Pitt mit gesenkter Stimme. Weder sollten ihn Vorüberkommende hören, von denen theoretisch jeder jener geheimen Bruderschaft angehören konnte, noch wollte er, dass Voisey seiner Stimme anhörte, wie dringend er auf dessen Unterstützung angewiesen war.

»Sie können sie alle nutzen, ausnahmslos«, gab Voisey zur Antwort. »Bis all das so tot ist wie die Männer, deren Gebeine hier unter Porphyr und Marmor begraben liegen.«

»Ich verstehe.«

»Das glaube ich nicht«, antwortete Voisey. »Aber Sie werden

im Laufe der Zeit dahinterkommen. Ich lasse Ihnen eine Nachricht zukommen, wenn ich Ihnen eine Mitteilung über die Vorgänge im Unterhaus zu machen habe. Sofern Sie bis dahin etwas in der Hand haben, sollten wir uns heute in einer Woche wieder hier treffen. Gehen Sie jetzt. Wir gehören nicht zusammen, sondern haben rein zufällig zum gleichen Zeitpunkt denselben Ort aufgesucht.«

Pitt schluckte. Sein Mund war ausgedörrt. Er hätte gern eine scharfe und herabsetzende Äußerung getan, aber sein ganzes Denken war wie gelähmt von dem Bewusstsein, dass Voiseys zersetzender Hass nur ein Ziel kannte: Pitts Vernichtung. Er wandte sich um und ging auf die Treppe zu, die ihn empor in die Weite der Kathedrale und zurück in die Außenwelt führte.

KAPITEL 5

Am selben Vormittag, an dem Pitt die St.-Paul's-Kathedrale aufsuchte, um mit Voisey zusammenzutreffen, rief Charlotte ihre Schwester Emily an und teilte ihr mit, sie würde gern zu ihr kommen, um mit ihr über eine ziemlich wichtige Angelegenheit zu sprechen. Daraufhin sagte Emily der Schneiderin und der Putzmacherin unter Hinweis auf einen wichtigen Termin telefonisch ab und blieb zu Hause.

Sie empfing Charlotte in ihrem Boudoir. Unter einem Gemälde des Schlosses von Bamburgh mit dem Meer im Hintergrund standen ihr Stickrahmen und ein Korb mit Seidengarn in allerlei Farben.

Emily trug ein Morgenkleid aus feinem Seidenmusselin in ihrer Lieblingsfarbe Blassgrün. Genau genommen war es nach der Mode des Vorjahres geschnitten, doch das wäre nur jemandem aufgefallen, der sich intensiv mit derlei Dingen beschäftigte. Solche Menschen waren schon im Bilde, wenn sie sahen, wie ein Rock fiel oder ein Ärmel sich bauschte, wo eine Perle oder eine Schleife angebracht war.

An Emily waren die Jahre nahezu spurlos vorübergegangen. Noch mit Mitte dreißig war sie ausgesprochen schlank – sie hatte nur zwei Kinder geboren und nicht ein halbes Dutzend, wie so manche ihrer Bekannten –, und ihre Haut war von der alabasternen Zartheit der Naturblonden. Auch wenn sie keine wirkliche Schönheit war, besaß sie doch natürliche Eleganz und Charakter.

Vor allem aber wusste sie genau, was ihre Erscheinung unterstrich und was nicht. So mied sie alles Auffällige und trug bei wichtigen Anlässen Grau und Violett in allen Schattierungen oder das kühle Grün und Blau des Wassers. Etwas Rotes hätte sie um keinen Preis angezogen – lieber wäre sie erfroren.

Charlotte sah sich wegen ihrer beschränkten finanziellen Mittel zu größerer Bescheidenheit genötigt und hatte sich so manches Mal, wenn sie sich in Gesellschaft begeben musste, entweder von Großtante Vespasia oder von Emily ein Kleid ausleihen müssen. Letzteres war nicht ganz einfach, da sie eine gute halbe Handbreit größer war als ihre Schwester. Auch bei den Farben musste sie wegen ihres warmen Hauttons, der wie Bernstein war, ihrer grauen Augen und ihres wie poliertes Mahagoni glänzenden Haares Kompromisse eingehen.

Diesmal allerdings wollte sich Charlotte lediglich mit Emily unterhalten. Zu diesem Anlass genügte ein graublaues Musselinkleid mit weiten Ärmeln den Ansprüchen.

»Charlotte!« Emily trat ihr in der Tür ihres Boudoirs entgegen, Freude lag auf ihren Zügen. Nach einer flüchtigen Umarmung tat sie einen Schritt zurück. »Was gibt es? Irgendetwas muss passiert sein, sonst würdest du nicht um diese Tageszeit herkommen. Geht es um einen von Thomas' Fällen?« Ihre Stimme klang eindringlich, fast hoffnungsvoll.

Charlotte musste daran denken, wie oft sie sich beide bei Mordfällen an Pitts Ermittlungen beteiligt hatten. Gewöhnlich war das Tatmotiv Habgier, Machthunger oder die Angst vor Entdeckung gewesen. Sie beide hatten in solchen Situationen Dinge getan, die ihr im Rückblick unbegreiflich erschienen, ohne dass sie sich dessen jedoch schämte. Immerhin hatten sie so manches Mal der Wahrheit zum Sieg verholfen und zumindest für eine Art von Gerechtigkeit gesorgt, doch hatte es auch tragische Fälle gegeben. Ganz wie Emily trauerte auch sie diesen Zeiten nach. Mittlerweile waren solche Abenteuer nicht mehr möglich, denn erfreulicherweise nahm Jack seine Karriere als Politiker inzwischen so ernst, dass sich seine Gattin nicht mehr auf derlei Dinge einlassen konnte. Hinzu kam, dass Pitts Arbeit beim Staatsschutz nicht nur gefährlicher war als seine frühere Tätigkeit bei der Polizei, sie unterlag auch strengerer Geheimhaltung. Es hätte keinen Sinn gehabt, etwas zu bedauern oder sich zu grämen, da diese Wendung unvermeidlich gewesen war.

»In gewisser Hinsicht hat es mit seiner Arbeit zu tun«, antwortete Charlotte auf Emilys Frage. Sie folgte ihr ins Zimmer und setzte sich. »Es geht um den Sprengstoffanschlag der Anarchisten in der Myrdle Street. Du weißt schon, den, bei dem der junge Landsborough ums Leben gekommen ist«, fügte sie hinzu.

Emilys Gesicht verdüsterte sich. »Ist das nicht entsetzlich? Und wie viel Schaden dabei angerichtet worden ist! Sein Tod ist natürlich eine Katastrophe. Trotzdem fragt man sich unwillkürlich, was um Himmels willen er mit solchen Menschen zu tun hatte! Und jetzt versuchen bestimmte Leute im Unterhaus ein Gesetz einzubringen, das der Polizei mehr Waffen geben und es ihr ermöglichen soll, beim kleinsten Anlass Hausdurchsuchungen vorzunehmen. Jack fürchtet, wenn das durchkommt, würden die Leute der Polizei das Leben schwerer machen, statt sie zu unterstützen, womit das Rad um Jahre zurückgedreht würde.« Ihre Augen waren tief umschattet. »Ich weiß nicht, ob die Lage wirklich so schlimm ist, wie er sie hinstellt, jedenfalls lässt er sich durch nichts dazu bringen, seinen Widerstand dagegen aufzugeben.«

Charlotte sah ihre Schwester an, die ungeachtet des Sonnenlichts und der leuchtenden Farben, der Vasen voller Blumen und des Geruchs nach frisch gemähten Gras, der durch das halb offen stehende Fenster hereinwehte, mit verkrampften Händen und besorgter Miene in sich zusammengesunken auf dem eleganten Sofa saß. Sie war unverkennbar voller Beklemmung.

»Du findest es nicht richtig, dass er sich der Sache entgegenstellt?«, fragte Charlotte. Ihrer Ansicht nach hätte Emily nach Jacks vertändelten Jugendjahren eigentlich erleichtert sein müssen, dass er sich offen einer Auseinandersetzung stellte, wenn nicht gar stolz darauf, dass er so entschlossen und zielstrebig geworden war. Immerhin hatte sie lange genug darauf gehofft, dass er die Dinge ernster nahm, und ihn mit vielen guten Worten in diese Richtung gedrängt.

Unwillig verzog Emily den Mund. »Es ist ein hässlicher Kampf!«, stieß sie hervor. »Vielen liegt die Sache sehr am Herzen, weil sie Angst haben. Angst aber macht die Menschen gefährlich. Tanqueray, der das Gesetz mit aller Gewalt durchboxen will, ist eigentlich eine Null; andere haben ihn vorgeschoben. Hinter der Initiative steckt eine mächtige Gruppe, die entschlossen ist, kurzen Prozess mit jedem zu machen, der sich ihr in den Weg stellt.«

Fast hätte Charlotte gelächelt, unterdrückte dann aber den Impuls. Hielt Emily etwa die Auseinandersetzungen, denen sich Pitt immer wieder stellen musste, für ungefährlich? Glaubte sie womöglich, dass er dabei nichts zu verlieren hatte? Wie es aussah, war es für sie das erste Mal, dass sie nachts allein wach im Bett lag, krank vor Angst um jemanden, den sie liebte, und ohne eine Möglichkeit, ihm zu helfen, so sehr sie das auch wünschte. Charlotte kannte das längst, hätte allerdings nicht sagen können, dass sie sich daran gewöhnt hatte. Leicht war es nie.

»Weißt du, wer zu den Befürwortern des Antrags gehört?«, fragte sie. Von den Gefahren wollte sie erst sprechen, wenn sie sicher war, dass sie ihren eigenen Zorn hinlänglich zügeln konnte.

»Ich könnte dir ein Dutzend Namen nennen!«, sagte Emily sogleich. »Einige haben sehr hohe Ämter und würden keine Sekunde zögern, Jack oder jeden anderen ins Messer laufen zu lassen, der ihre Pläne zu durchkreuzen versucht. Was sagt Thomas dazu? Möchte er, dass die Polizei Schusswaffen bekommt? Jack behauptet, dein Mann sei dagegen, aber vielleicht sieht er ja die Dinge nach der Schießerei in der Long Spoon Lane anders.«

Charlotte biss sich auf die Lippe. Eigentlich hatte sie nicht sagen wollen, dass er überhaupt nicht mit ihr über diese Angelegenheit sprach, sie völlig von dieser Sache ausschloss, doch schien es ihr fast unmöglich, das jetzt noch für sich zu behalten. Immerhin verstand sie Emilys Angst nur allzu gut. Auch in dieser Situation mussten sie zusammenhalten.

»Er ist nach wie vor dagegen«, sagte sie leise und sah Emily offen an. »Außerdem beschäftigt ihn irgendetwas weit mehr, als er mir sagt. Ich glaube, das tut er nicht nur wegen der damit verbundenen Gefahr, sondern weil er traurig ist und sich schämt.«

»Weshalb schämt er sich denn?«, fragte Emily überrascht.

»Es hat nichts mit ihm selbst zu tun«, verbesserte sich Charlotte rasch. »Er schämt sich für die Polizei. Er hat gesagt, man erhebe Korruptionsvorwürfe gegen sie, und ich vermute, dass es schlimmer ist, als er zugibt. Er hat so gut wie niemanden, dem er trauen kann.«

»Korruption bei der Polizei!«, stieß Emily hervor. Jetzt war die letzte Spur von Gelassenheit aus ihrem Gesicht verschwunden. »Kein Wunder, dass Jack der Gedanke, ihr Waffen in die Hand zu geben, zuwider ist. Wenn er das im Unterhaus als Argument vortragen könnte …«

»Auf keinen Fall!« Abwehrend hielt ihr Charlotte die erhobene Hand entgegen, als könne sie sie damit zurückhalten. »Vergiss nicht, dass Wetron Leiter der Wache in der Bow Street ist. Wenn zum Beispiel der Innere Kreis hinter der Sache steckt, wäre zwangsläufig auch der eine oder andere Parlamentarier in sie verwickelt.«

Emilys Gesichtsmuskeln spannten sich an. »Die Leute vom Inneren Kreis wollten, dass sich Jack ihnen anschließt. Hast du das gewusst? Er hat abgelehnt.« Sie schluckte. »Manchmal wünschte ich, er säße nicht im Unterhaus. Dann könnte er in aller Seelenruhe und völlig gefahrlos irgendeinen freien Beruf ausüben.« Das Geständnis schien ihr peinlich zu sein, denn Charlotte sah, dass sie sich auf die Lippe biss.

»Wäre es dir tatsächlich lieber, wenn er anders wäre, als er ist?«, fragte sie. Dann lächelte sie halbherzig, als sie an ihre eigene Schwäche denken musste. »Mir geht es übrigens mitunter ebenso. Oft denke ich, wenn Thomas ein einfacher Polizist geblieben wäre und nur tun müsste, was man ihm sagt, hätte er keine Entscheidungen zu treffen brauchen, die anderen nicht recht sind, und er wäre nicht ständig gefährdet. Natürlich wären wir ärmer.

Dir würde es nichts ausmachen, wenn Jack es nicht weit gebracht hätte, denn du hast genug geerbt – was aber ist mit Jack? Ihm wäre das bestimmt schrecklich zuwider.«

»Ich weiß, ich weiß«, gab Emily zu und senkte den Blick. »Es spielt ohnehin keine Rolle, wie wir die Dinge gern hätten. Wir müssen uns ihnen stellen, wie sie sind. Im Übrigen widersetzen sich einige gute Leute dem Antrag – Somerset Carlisle gehört selbstverständlich dazu.« Sie nannte ein halbes Dutzend weiterer Namen, jeweils mit einem knappen, bisweilen ein wenig negativ klingenden Kommentar. »Andererseits verlangt eine ganze Anzahl wohlhabender Bürger von den Vertretern ihrer Wahlkreise, sie sollen dafür sorgen, dass auf den Straßen Frieden herrscht und sich jeder zu Hause sicher fühlen kann. Sie sprechen sich für schärfere Gesetze aus und sagen, die Polizei könne nur dann etwas gegen das Verbrechen unternehmen, wenn man ihr die Macht und die Waffen gibt, die sie braucht.« Sie sah Charlotte aufmerksam an. »Einer der schärfsten Gegner des Antrags ist Charles Voisey. Er argumentiert geradezu brillant dagegen, sagt Jack.«

»Oh.« Charlottes Gedanken jagten sich. Sie musste an eine finstere Nacht in Dartmoor denken, in der sie, Gracie und die Kinder mit Tellmans Unterstützung Hals über Kopf aus dem dort gemieteten Häuschen hatten fliehen müssen. Dann kamen ihr lange Abende in Erinnerung, die sie allein in der Keppel Street verbracht hatte, während sich Pitt in Whitechapel aufhielt, ohne dass sie eine Vorstellung gehabt hätte, wann oder ob er zurückkehren würde. Er hatte dort in einer geheimen Wohnung hausen müssen und war auf der Suche nach einem Mörder nächtens im bleichen Schein der Gaslaternen durch die Schatten der dunklen Gassen gezogen. All das war Voiseys Werk gewesen, der Pitt mit einem abgrundtiefen Hass verfolgte. Sie verstand gut, warum er diesen Kampf im Unterhaus führte, und sei es nur, um seinen Widersacher Wetron an der Durchsetzung seiner Ziele zu hindern.

»Er ist nicht unbedingt der Verbündete, den ich mir gewünscht hätte«, sagte Charlotte mit spöttischem Lächeln, »vielleicht aber ist er besser als keiner.«

»Mir wären andere auch lieber.« Emily sah sie aufmerksam an. Offensichtlich empfand sie mit ihrer Schwester, auch wenn sie nicht im Detail wusste, was diese durchlitt, da sie die Geschichte nicht in allen Einzelheiten kannte. »Übrigens ist seine Schwester, Mrs Cavendish, wieder in den Salons aufgetaucht. Es heißt sogar, dass sie noch einmal heiraten wird, und zwar ziemlich gut. Das aber nur nebenbei. Ich will versuchen, mehr über die betreffenden Abgeordneten herauszubekommen. Weißt du, manchmal wünschte ich, wir Frauen hätten das Wahlrecht, dann müssten die Männer mehr auf uns hören.«

»Darauf zu warten können wir uns kaum leisten!«, gab Charlotte zurück. »Wir sollten unbedingt gleich überlegen, auf wessen Hilfe wir bauen können.«

Sie dachten eine Weile nach, machten Vorschläge, die sie teils gleich wieder verwarfen, teils beibehielten. Dies gemeinsame Pläneschmieden, bei dem sie sich ihrer Schwester menschlich verbunden fühlte, hatte Charlotte gefehlt.

Um die Mittagszeit hörten sie Schritte, und einen Augenblick später stand Jack in der Tür. Er war offenkundig überrascht, seine Schwägerin dort anzutreffen. Man sah ihm an, dass er Sorgen hatte.

Emily stand rasch auf. In der Art, wie sie sich ihm zuwandte und ihn begrüßte, lag eine Fürsorglichkeit, die Charlotte nicht an ihr kannte, zugleich aber auch unübersehbare Furcht.

»Wir haben gerade über das Polizeigesetz gesprochen«, sagte Charlotte, um ihre Anwesenheit zu erklären. »Thomas ist davon sehr betroffen.«

»Ich weiß«, sagte Jack. »Er war am frühen Vormittag bei mir. Leider konnte ich ihm keine besonderen Hoffnungen machen.« Er ließ sich im dritten der bequemen Sessel mit den groß geblümten Bezügen nieder, wirkte aber alles andere als entspannt. Etwas schien ihn zu bedrücken, und es sah aus, als beunruhige es ihn, dass Emily nicht allein war.

Emily stand in der Mitte des Raumes. Das Sonnenlicht malte helle Flecke auf den Teppich und das polierte Holz des Dielenbodens um ihn herum. Die späten Tulpen dufteten in der Hitze des Tages betäubend.

»Wir waren gerade dabei, uns zu überlegen, wer im Kampf dagegen hilfreich sein könnte. Da ist uns der eine oder andere Name eingefallen.«

Mit finsterer Miene sagte Jack: »Es wäre mir lieber, du würdest dich da heraushalten. Ich weiß deine Hilfe immer zu schätzen, aber diesmal bitte nicht.« Auf ihr Gesicht trat ein Ausdruck von Zorn und Unbehagen, und er sah, wie sie unwillkürlich eine feindselig wirkende Haltung einnahm. »Das wird kein Spaziergang«, versuchte er zu erklären. »Die Leute haben Angst. Edward Denoon hat alle möglichen Schreckensbilder von Gewalttaten an die Wand gemalt, so, als wäre jeder von uns in Gefahr, einem Sprengstoffanschlag zum Opfer zu fallen, nur weil die Polizei noch nicht weiß, wer diese Anarchisten sind.«

»Man wird sie finden!«, sagte Charlotte eine Spur schärfer, als sie beabsichtigt hatte. In ihren Ohren hatte Jacks Äußerung wie eine Kritik an Pitt geklungen. »Du kannst nicht erwarten, dass ein Mordfall in zwei, drei Tagen aufgeklärt wird.«

Jack sah müde aus, dabei war es erst Mittag. »Nein«, stimmte er matt zu.

Emily war sehr bleich. »Wenn es aussichtslos ist, bei der Sache die Oberhand zu behalten, ruiniere dir deine Karriere nicht damit, dass du es versuchst«, sagte sie und musste schlucken. »Das hat keinen Sinn. Natürlich erwartet niemand, dass du dich für das Gesetz aussprichst, aber du brauchst doch auch nichts dagegen zu sagen. Überlass das Somerset Carlisle und Charles Voisey. Ich verspreche dir auch, dass ich niemanden um Unterstützung bitten werde!«

Er sagte nichts.

»Jack!« Sie tat einen Schritt auf ihn zu. »Jack?«

Charlotte war überrascht und beunruhigt. Zum ersten Mal begriff sie, dass Emily wirklich Angst hatte, und sie fragte sich, wie lange sie selbst schon mit der Furcht lebte, Pitt könne etwas zustoßen. Die Eindringlichkeit, mit der ihre Schwester auf Jack einsprach, ging sicher darauf zurück, dass sie an ein Leben in Sicherheit gewöhnt und ihr diese innere Unruhe bisher erspart geblieben war. Sie sah aber auch seinen Ärger darüber, dass man ihn zwang, etwas zu tun, dem er sich nicht entziehen konnte, so gern er das getan hätte, weil er dessen negative Folgen nicht abzuschätzen vermochte. Ihm war klar, dass der bevorstehende Zusammenprall von Machtgruppen Opfer fordern würde. Genau aus diesem Grund wollte er seine Frau aus der Sache heraushalten.

Charlotte erhob sich und lächelte ihrer Schwester zu. »Eventuell sollten wir das wirklich besser sein lassen.«

Emily gab sich einen Ruck. »Du hast Recht. Vielleicht ist es ja so auch ganz in Ordnung. Die Polizei muss dem Verbrechen Einhalt gebieten. Das will jeder von uns.«

»Darum geht es nicht«, gab Jack zur Antwort. »Es geht um die Art, wie sie das tut. Außerdem ist Anarchie nicht die einzige Art von Verbrechen.«

»Natürlich nicht«, stimmte sie zu. »Überall hört man, dass auch Diebstähle, Einbrüche und Fälle von Brandstiftung zunehmen. Hinzu kommt die Gewalttätigkeit auf den Straßen, ganz zu schweigen von Prostitution, Fälscherei und was weiß ich nicht alles.«

»Das habe ich nicht gemeint.« Er sah unglücklich drein, als wolle er am liebsten gar nicht darüber reden. »Ich muss mich gegen diesen Antrag stellen, Emily. Er geht von falschen Voraussetzungen aus. Er ist ...«

»Das musst du nicht!«, sagte sie aufbrausend. »Ihr kommt ohnehin nicht damit durch. Überlass das lieber anderen, zum Beispiel Charles Voisey. Mag er es tun, wenn er das unbedingt will. Falls ihm was passiert, ist das völlig einerlei. Oder Somerset Carlisle, wenn er so leichtsinnig ist, den Kopf dafür hinzuhalten.« Sie tat einen Schritt auf ihn zu. Als sie sich über ihn beugte und nach seinen Jackettaufschlägen griff, brach sich das Sonnenlicht in den Diamanten ihres Ringes. »Bitte, Jack! Du bist zu wertvoll, als dass du deine Karriere im Kampf um eine von vornherein verlorene Sache zugrunde richten dürftest.« Während sie Luft holte, um weiterzureden, fiel er ihr ins Wort: »Das ist noch nicht alles, Emily.« Er nahm ihre Hände und schob sie sanft von sich fort. Seine Stimme klang entschlossen. Der sonst so charmante Mann war unvermittelt von einer Entschlossenheit, die fast kalt wirkte. Charlotte fiel auf, dass auch ein wenig Furcht darin mitschwang. Ihr war nicht klar, ob Emily das ebenfalls merkte. Er fühlte sich verpflichtet, gegen das Gesetz zu kämpfen, obwohl er wusste, dass der Preis dafür sehr hoch sein konnte.

Charlotte trat näher auf ihn zu. »Jack, du hast gesagt, dass das noch nicht alles ist. Was meinst du damit?«

»Bisher denkt man nur darüber nach«, sagte er, doch auf seinem Gesicht lag tiefe Sorge. »Vielleicht kommt es ja auch nicht dazu, aber falls doch, muss ich unbedingt versuchen, den Leuten in den Arm zu fallen.« Er sah erneut Emily an. »Tut mir Leid«, sagte er entschuldigend, »aber mir bleibt keine Wahl. Die Polizei soll das Recht bekommen, Dienstboten auszufragen, ohne dass ihre Herrschaft davon weiß oder die Erlaubnis dazu gegeben hat.«

Emily war verblüfft. »Worum soll es dabei um Gottes willen gehen? Diebesgut? Schusswaffen? Oder was sonst?«

»Das wird niemand wissen.« Das gewohnte entspannte Lächeln trat flüchtig auf sein Gesicht, verschwand aber gleich wieder. »Das ist ja der springende Punkt. Sie können alles fragen! Wer war zu Besuch im Hause, wie viel Geld gibt die Familie aus, wohin hat dich dein Kutscher gefahren, mit wem hast du gesprochen, wem hast du Briefe geschrieben, von wem hast du welche bekommen? Was stand darin?«

Emily schüttelte den Kopf. »Aber warum nur? Welches Interesse könnte die Polizei daran haben?«

Charlotte begriff sogleich, was hinter dieser Ungeheuerlichkeit stand. Allerdings war sie auch mit der Arbeit der Polizei vertrauter und wusste von Pitt, wie groß die Gefahren der Korruption waren. »Das würde der Erpressung Tür und Tor öffnen«, sagte sie leise. Ihr Inneres krampfte sich zusammen. »Wer die richtigen Fragen stellt, kann auf diese Weise Belege für fast jeden Schuldvorwurf finden. Wir würden alle in Angst und Schrecken vor übler Nachrede, Gerüchten und Missverständnissen leben. Es ist widersinnig! Bisher hatten Dienstboten Angst, dass sie keine neue Stelle bekommen, wenn ihr gegenwärtiger Arbeitgeber Schlechtes über sie sagt – und in Zukunft würden wir in Angst vor unseren Dienstboten leben. Eine unzutreffende Behauptung der Polizei gegenüber, und wir würden unseren guten Ruf verlieren. Ein solcher Vorschlag hat doch sicherlich keinerlei Aussicht, Gesetz zu werden, oder?«

Jack wandte sich ihr mit umschatteten Augen zu. »Ich weiß nicht recht. Immerhin wäre eine Menge Macht damit verbunden. Es würde genügen, dass sich ein Polizeibeamter gekränkt fühlt, sich hervortun oder jemandem eins auswischen will. Die Möglichkeiten sind endlos. Anfangs würde man das Gesetz vielleicht wirklich nur in Fällen anwenden, in denen es um den Verdacht der Anarchie oder des Landesverrats geht, dann aber würde man es auf Diebstahl, Unterschlagung oder Betrug ausdehnen und schließlich dazu übergehen, Erpresser selbst zu erpressen. Die Polizei könnte so gut wie alles tun, was in ihrem Belieben steht, weil jeder Bürger verletzlich wäre.«

»Aber wir haben doch nichts zu …«, setzte Emily an.

»Verbergen?«, fragte er mit gehobenen Brauen. »Wer sagt denn, dass es dabei um die Wahrheit geht? Was ist mit faulen oder aufsässigen Dienstboten oder mit solchen, die sich über ihre Herrschaft ärgern, solchen, die man bei einem Diebstahl ertappt hat, die trinken oder spielen, ein unerlaubtes Verhältnis haben oder einfach nur auf Geld oder Macht aus sind?« Seine Stimme wurde schärfer. »Gefährlich wären sogar solche, die Angst haben, verliebt sind oder sich leicht beeinflussen lassen. Es könnte auch sein, dass jemand einem Angehörigen helfen will, der in Schwierigkeiten ist oder …«

»Schon gut!«, rief Emily aus. »Ich habe verstanden! Es ist

unvorstellbar. Kein Parlament, dessen Mitglieder bei klarem Verstand sind, würde ein solches Gesetz erlassen.«

»So würde man es ja auch nicht formulieren!«, sagte er verzweifelt. »Dem Wortlaut nach ginge es nur um das Recht der Polizei, Dienstboten ohne Wissen der Herrschaften zu befragen. Als Grund dafür würde man anführen, dass man sie auf diese Weise von dem Druck befreien will zu lügen, um ihre Stellung nicht zu gefährden.«

»Geht das nicht jetzt schon?«, fragte Charlotte verwirrt.

»Natürlich kann die Polizei Dienstboten wie jeden anderen Bürger verhören«, gab Jack zur Antwort. »Aber nicht ohne Wissen ihrer Herrschaft. Wenn das Gesetz durchkäme, hätten die Wände im eigenen Hause außer Ohren auch Augen, und das beileibe nicht nur in Küche und Esszimmer, sondern sogar im Schlafzimmer! Die Neuerung liegt darin, dass man die Sache mit der Behauptung verbrämt, man wolle die Bevölkerung vor der Anarchie schützen. In einem solchen Fall müsste die Polizei keine Gründe nennen. Gegenwärtig ist ein begründeter Verdacht nötig, dass ein bestimmter Mensch eine bestimmte Straftat begangen hat, um ihn offen befragen zu können. Künftig würde das insgeheim geschehen und ohne dass man einen Grund brauchte. Die Sache würde ganz harmlos anfangen und immer weiter um sich greifen, ohne dass wir es merkten.«

Emily senkte den Blick. »Ich verstehe. Ja, dagegen musst du dich wohl stellen«, sagte sie resigniert. Offenkundig hatte sie sich mit der Sache abgefunden.

»Wann hast du davon erfahren?«, fragte ihn Charlotte.

»Heute Morgen. Nachdem Thomas mich verlassen hat, um ... um seine Dienststelle aufzusuchen, nehme ich an. Ich konnte es ihm also noch nicht sagen. Er muss das unbedingt wissen. Tut mir aufrichtig Leid, ich wollte euch beide nicht damit belasten.« Mit freundlichem Blick, Bedauern in der Miene, wandte er sich Emily zu. »Verstehst du, warum ich es tun muss, ganz gleich, was es mich kostet? Wenn ich nicht davon erfahren hätte, könnte ich mich heraushalten, aber ich weiß es nun einmal.«

»Wer hat es dir gesagt?«, fragte Emily.

»Voisey. Aber es entspricht der Wahrheit. Inzwischen habe ich den Entwurf auch gesehen.«

»Voisey?«, stieß Emily wütend hervor.

Er fasste sie sanft an den Schultern und hielt sie fest. »Es stimmt. Ich werde das weitergeben – wenn nötig, bis zum Premierminister –, bevor ich etwas unternehme, und du darfst mir glauben, niemand in Westminster wäre glücklicher als ich, wenn sich die Sache als blinder Alarm herausstellen sollte – aber das wird es vermutlich nicht. Die Polizeiführung hat diese Vollmacht mit der Begründung verlangt, der Staatsschutz habe sich als unfähig erwiesen, die Gewalttaten der Anarchisten und das zunehmende Verbrechen einzudämmen.« Ein leiser Schauer überlief ihn. »Sie haben erklärt, sie müssten die Möglichkeit haben, notfalls so vorzugehen, um die Bevölkerung zu schützen. Ohnehin wäre die Erteilung der Vollmacht keine große Sache, und man werde nur in den seltensten Fällen Gebrauch davon machen. Doch wenn sie die erst einmal haben, kann ihnen niemand das Handwerk legen, denn es ist nichts vorgesehen, was einen Missbrauch verhindern könnte. Die Lebenserfahrung lehrt uns aber, dass es zum Wesen der Macht gehört, den Menschen zu korrumpieren.«

Emily sah zu Charlotte und dann wieder zu Jack hin. »Von mir aus«, sagte sie zögernd. »Trotzdem habe ich Angst.«

»Mir geht es genauso«, sagte er leise, nahm eine Hand von ihrer Schulter und liebkoste ihre Wange. »Ich habe auch Angst.«

Nach dem Mittagessen ließ sich Charlotte von Jack die Erlaubnis geben, Vespasia zu berichten, was er gesagt hatte. Sie schlug Emilys Angebot aus, sie mit ihrer Kutsche hinbringen zu lassen, da es ihr verlockender erschien, die gut zwei Kilometer im Sonnenschein des Frühsommers zu Fuß zu gehen. Das würde ihr Gelegenheit geben, nicht nur innerlich zur Ruhe zu kommen, sondern auch ihre Gedanken zu ordnen. Raschelnd fuhr ein angenehmer leichter Wind durch das Laub der Bäume, sodass die

Blätter wechselnde Schattenmuster auf den Boden malten. In vorüberfahrenden offenen Kutschen saßen nach der letzten Mode gekleidete Frauen, deren Hüte mit Federn, großen Satinschleifen und Rüschen geschmückt waren. Von all dem sah sie so gut wie nichts.

Vespasia, die ein Kleid aus grauvioletter Seide trug, wollte gerade zu einem Nachmittagsbesuch aufbrechen, als Charlotte eintraf. Als sie aber merkte, wie enttäuscht die Jüngere darüber zu sein schien, gab sie ihr Vorhaben auf.

»Was gibt es?«, fragte sie, als sie sich gesetzt hatten. Charlottes Besorgnis war ihr nicht verborgen geblieben. Aus dem stillen Salon fiel der Blick auf den grünen Rasen; im Beet davor bildete eine früh blühende gelbe Kletterrose einen freundlichen Farbfleck.

»Gerade als ich mich mit Emily über den Gesetzentwurf unterhielt, bei dem es darum geht, der Polizei mehr Schusswaffen zu geben und größere Vollmachten einzuräumen«, sagte Charlotte, »ist Jack nach Haus gekommen und hat uns von einer weiteren Entwicklung berichtet, die das Ganze noch viel bedrohlicher erscheinen lässt als zuvor – als ob es nicht schon schlimm genug gewesen wäre.« Der alten Dame gegenüber nahm sie kein Blatt vor den Mund. Nicht nur gab es dazu keinen Anlass; es hätte sie auch angesichts ihrer engen Beziehung nur gekränkt. »Es gibt bereits jetzt viel böses Blut, und es sieht ganz so aus, als ob sich die Sache noch mehr zuspitzen würde, sobald weitere Verbrechen bekannt werden, die über das Alltägliche hinausgehen.«

»Dass es dazu kommen wird, darauf dürfen wir uns verlassen«, sagte Vespasia finster. »Aber wir sind nicht ganz hilflos. Ich habe den Eindruck, dass sich Jack in der Politik mittlerweile recht gut zurechtfindet, und so denke ich, dass er unbedingt auf unserer Seite stehen wird. Auch auf Somerset Carlisle können wir zählen. Er hat stets gegen jede Art von Ungerechtigkeit gekämpft, ganz gleich, was ihn das selbst kosten mochte.«

Charlotte sah, wie sich ein Schatten auf Vespasias Gesicht legte. Sie wartete. Es wäre taktlos, sie nach dem Grund zu fragen.

»Früher hätte ich als sicher angenommen, dass sich auch Lord Landsborough mit allem Nachdruck gegen ein solches Gesetz ausspricht«, fuhr Vespasia leise und mit betrübter Stimme fort. »Sein Einfluss hätte genügt, zwei oder drei Minister mit auf unsere Seite zu ziehen. Aber da sein einziger Sohn bei diesem Anschlag ums Leben gekommen ist, ist es denkbar, dass er die Dinge jetzt anders sieht oder sich zumindest veranlasst fühlt, sich aus der Arena herauszuhalten.« Sie runzelte die Stirn. »Aber du hast gesagt, dass es noch schlimmer ist, als du angenommen hattest. Gibt es eine neue Entwicklung?«

»Ja. Zwar ist die Sache, von der Jack gehört hat, wohl noch nicht spruchreif, aber er macht sich die größten Sorgen.« Charlotte konnte die beklemmende Angst in ihrer eigenen Stimme hören. »Die Polizei soll die Möglichkeit bekommen, Dienstboten ohne Wissen oder Erlaubnis ihrer Herrschaft zu befragen.«

Vespasia erstarrte. »Und wonach?«

»Nach allem Möglichen. Niemand würde je etwas davon erfahren, da das insgeheim geschehen würde.« Charlotte sah sie aufmerksam an und erkannte, wie sich allmählich auf Vespasias Zügen abzeichnete, dass sie die Tragweite des Vorhabens erfasst hatte.

»So ein Gesetz hätte doch nie im Leben Aussichten durchzukommen?« Vespasia stieß die Luft langsam aus. »Das wäre geradezu ein Freibrief für Erpressung. Es würde ...« Sie sprach nicht weiter. »Vermutlich steckt dahinter nichts weiter als die nackte Angst von Leuten, die sich nicht überlegt haben, welche Folgen das haben würde.« Sie wirkte mit einem Mal müde. »Manchmal kann man sich angesichts der Dummheit der Menschen nur an den Kopf fassen. Jeder, der mit Dienstboten zu tun hat, weiß, dass sie genauso sind wie alle anderen Menschen auch – es gibt gute, schlechte und solche, die weder das eine noch das andere sind. Wie wir alle haben sie ihre Leidenschaften und Eifersüchteleien, sind habgierig und ehrgeizig. Auch kann man sie in seinem eigenen Sinne beeinflussen, genauso, wie sie es bisweilen umgekehrt tun. Manche reden der Herrschaft nach dem Mund, um ihr zu Gefallen zu sein, andere nutzen jede Gelegenheit, die Aufmerksamkeit auf sich zu lenken oder einen Konkurrenten auszustechen.«

»Vielleicht können die Ehefrauen der Abgeordneten ihre Männer davon überzeugen, dass ein solches Gesetz eine ausgemachte Dummheit wäre?«, fragte Charlotte, ohne so recht daran zu glauben. »Ist es nicht sonderbar, was manche Leute tun, wenn sie Angst haben? Aber soweit ich weiß, haben wir einen Verbündeten.«

»Wer soll das sein?«

Trotz der Wärme des vom Sonnenlicht erfüllten Raumes überlief es Charlotte kalt, als sie sagte: »Charles Voisey.«

Mit hochgerecktem Kinn saß Vespasia reglos da. Sie schien in weite Fernen zu blicken. »Aha. Ich frage mich, ob er das aus Liebe zur Freiheit des Bürgers tut oder aus Hass auf die Polizei, die sich für ihn in Hauptkommissar Wetron verkörpert.«

»Bestimmt aus Hass auf Wetron«, gab Charlotte sogleich zurück. »Aber nicht das macht mir Sorge«, erklärte sie, »sondern dass Thomas in die Sache verwickelt ist und damit auf derselben Seite wie Voisey steht. Er hat mir nur sehr wenig darüber gesagt – offen gestanden weicht er mir seit neuestem aus, was ihm überhaupt nicht ähnlich sieht. Ich habe zufällig durch Jack davon erfahren, sonst wüsste ich nicht, in welchem Lager Voisey steht. Ich vergehe vor Angst um Thomas. Ich weiß nicht, ob ihm klar ist, wie sehr Voisey von Hass zerfressen wird.« Sie biss sich auf die Lippe, weil sie den Eindruck hatte, Pitt in gewisser Weise zu verraten, indem sie so offen über die Sache sprach. Sofern sie es aber nicht tat, konnte sie Vespasia auch nicht um Hilfe bitten. Das wiederum war möglicherweise das Einzige, was Pitt vor einer Katastrophe bewahren konnte.

Vespasia nickte bedächtig.

»Ich kenne Menschen wie Voisey«, fuhr Charlotte fort. »Thomas nicht. Seiner Überzeugung nach muss ein Herr aus der feinen Gesellschaft automatisch gewisse Tugenden besitzen und würde sich nie im Leben zu bestimmten niedrigen Verhaltensweisen herablassen. So aber verhält es sich nicht.« Verzweifelt sah sie zu Vespasia hin, die aufmerksam zuhörte. »In seiner Großmut neigt er dazu, in anderen das Gute zu sehen. Ihm ist Hass fremd – jedenfalls die Art von unerbittlichem, die ich in Voiseys Augen gesehen habe, als ihm die Königin den Adelstitel verliehen hat. Der Mann würde alles auf der Welt darum geben, sich dafür an uns rächen zu können.«

Vespasia stieß einen leisen Seufzer aus. »Ich nehme an, dass du keine Vorstellung hast, was Thomas zu tun gedenkt, um Voisey mit in die Sache einzubeziehen?«

»Nein.«

»Dann müssen wir Material finden, das wir gegebenenfalls gegen Voisey verwenden können. Wir wissen nicht genug über ihn. Vielleicht ist es nützlich, wenn wir uns an die Geschichte von David und Goliath erinnern ...«

»Ist er denn wirklich ein Goliath?«, fragte Charlotte kläglich.

»Gewiss, in der Bibel siegt David, aber im wirklichen Leben ziehen die Davids oft den Kürzeren. Ich nehme an, dass die Geschichte keinen Sinn hätte, wenn es anders wäre.« Mit einem schiefen Lächeln fügte sie hinzu: »Zwar bin ich ziemlich sicher, dass wir den lieben Gott auf unserer Seite haben, doch ist mein Glaube an die Rechtmäßigkeit unserer Sache nicht so unerschütterlich, dass ich mich dem ganzen Heer der Philister mit nichts als einer Schleuder und einer Hand voll Steine entgegenstellen möchte. Ich bin wohl ziemlich kleingläubig, wie? Oder bin ich einfach nicht so anmaßend und eher realistisch?«, scherzte sie, um den peinigenden Schmerz zu übertönen, den sie um Pitts willen empfand.

»Ich beabsichtige den Kampf mit Goliath nicht ganz allein aufzunehmen«, gab Vespasia nicht ohne Schärfe zurück. »Mit meinen Worten habe ich mich auf die Aussage bezogen, dass Goliath eine undurchdringliche Rüstung trug, die seine Schläfen ungeschützt ließ – eine kleine, aber überaus verwundbare Stelle für jemanden, der genau zu zielen versteht. Wo ist Charles Voisey verwundbar? Wir brauchen etwas, worauf wir zielen können.«

»Ich weiß es nicht!«, sagte Charlotte und schluckte. »Entschuldige, aber ich habe das Gefühl, dass meine Angst mit mir durchgeht. Thomas hat der Korruptionsvorwurf gegen die Polizei schrecklich mitgenommen. Zumindest ein Teil der Männer arbeitet in der Bow Street, wo er früher war. Es tut mir weh zu sehen, dass ihm das so nahe geht.«

Vespasia seufzte. »Ich nehme an, dass man mit Korruption rechnen muss, wenn man jemanden wie Wetron in eine solche Stellung bringt. Vermutlich bist du deiner Sache absolut sicher?«

»Nein, aber ich habe gute Gründe, anzunehmen, dass es sich so verhält«, gab Charlotte zur Antwort. »Tellman macht Gracie den Hof ...«

Plötzlich lächelte Vespasia mit unverhüllter Freude. »Meine Liebe, dessen bin ich mir durchaus bewusst. Sie wird dir bestimmt sehr fehlen.«

»Unbedingt. Ich weiß gar nicht, wie das Leben bei uns ohne ihre Kommentare zu allem und jedem sein wird. Mir ist die Vorstellung zuwider, eine andere ins Haus nehmen zu müssen, und Daniel und Jemima werden bestimmt todunglücklich sein, aber mir ist klar, dass das Leben für Gracie weitergehen muss.«

»Was hat das Ganze mit der Korruption in der Bow Street zu tun?«

»Gestern Abend wollte Tellman eigentlich mit Gracie ausgehen, hat ihr aber abgesagt«, gab Charlotte zur Antwort, »und gleich für heute Abend mit. Das bedeutet, dass er etwas außerordentlich Wichtiges zu tun hat, das keinen Aufschub duldet. Daraus, dass er ihr keine Erklärung abgegeben hat, haben wir beide geschlossen, dass es etwas ist, was er für Thomas tut – und das kann gegenwärtig nur mit Anarchie und Korruption zu tun haben.«

»Du hast Recht, das klingt plausibel«, nickte Vespasia. »Umso dringender ist es, Voiseys schwache Stelle herauszubekommen. Es muss etwas geben, was ihm wichtig ist, etwas, was er unbedingt haben oder auf keinen Fall verlieren möchte, irgendeine Leidenschaft oder ein Bedürfnis. Und wenn sich Thomas durch sein Ehrgefühl daran gehindert sieht ...«

»Das würde er bestimmt.«

»Das vermute ich auch. Aus diesem Grunde schätzen wir beide ihn umso mehr«, sagte Vespasia ohne zu zögern. »Auf jeden Fall müssen wir etwas finden, womit wir ihn schützen können, ganz gleich, ob wir dann später Gebrauch davon machen oder nicht. Was glaubt Voisey deiner Ansicht nach auf diese Weise gewinnen zu können? Geht es einfach nur um Rache an Wetron?«

Charlotte wollte schon sagen, dass sie das vermute, dachte dann aber ein wenig gründlicher nach. »Ich weiß nicht recht. Vielleicht will er Thomas auf irgendeine Weise als Mittel zum Zweck benutzen, um Wetron zu vernichten und dann selbst dessen Stelle einzunehmen? Wir brauchen eine Waffe, nicht wahr? Allerdings hätte ich möglicherweise Angst, sie zu benutzen, wenn ich eine besäße.« Sie sah Vespasia eindringlich an, suchte in ihren Augen verzweifelt nach einer tröstlichen Antwort, die ihre Angst vertreiben konnte.

»Natürlich würdest du sie benutzen«, sagte Vespasia, ohne zu zögern. »Das tut jede Frau, wenn Menschen in Gefahr sind, die sie liebt. Wenn ihr Mann oder ihre Kinder bedroht werden, kämpft sie bis zum Tode und denkt über die Folgen erst nach, wenn sich daran nichts mehr ändern lässt. Und ich zweifle, dass sie es dann bedauern würde. Wie gesagt, wir brauchen eine Waffe. Manchmal genügt schon das Wissen, worin sie bestehen könnte.«

»Meinst du?«, fragte Charlotte zweifelnd. »Oder würde er den Bluff durchschauen?«

»Was für einen Bluff?«, fragte Vespasia freundlich.

Charlotte zog es vor, das Thema zu wechseln. »Es tut mir Leid, dass ich deine Pläne für den Nachmittag durcheinander gebracht habe. Hoffentlich habe ich dir damit keine allzu großen Ungelegenheiten bereitet. Auf jeden Fall bin ich dir wirklich dankbar, dass du dir die Zeit genommen hast, mir zuzuhören. Ich wüsste niemanden außer dir, dem ich mein Herz hätte ausschütten können.«

Vespasia lächelte. Ihr war anzusehen, dass sie sich freute. »Ich hatte nichts Wichtiges zu tun«, sagte sie mit einer wegwerfenden Handbewegung. »Bitte überleg dir, was du in Bezug auf Voisey tun willst. Da er und Jack hinsichtlich Tanquerays Vorhaben einer Meinung sind, kann es dir niemand übel nehmen, wenn du dich mit ihm beschäftigst. Aber halte ihn keine Sekunde lang für dumm, und nimm auch nicht an, dass er dich unterschätzen wird.« Vespasia erhob sich. »Ich werde mich einmal sehr ausführlich mit dem Thema Anarchie beschäftigen und festzustellen versuchen, warum in aller Welt ein junger Mann wie Magnus Landsborough bereit sein sollte, dafür ein ausgesprochen behagliches Leben aufzugeben.«

Auch Charlotte stand auf. »Ich bin dir wirklich sehr dankbar«, sagte sie leise.

* * *

»Halt bloß den Mund«, sagte Emily eindringlich, als sie und Charlotte sich am Nachmittag auf der Besuchergalerie des Unterhauses niederließen. Die Debatte, in der es um den von Tanqueray eingebrachten Gesetzesantrag gehen sollte, konnte jeden Augenblick beginnen. Um sie herum hörte man das Rascheln von Seide, während sich nach der neuesten Mode gekleidete Damen links und rechts von ihnen niederließen. Emily beugte sich über die Brüstung und flüsterte aufgeregt: »Da ist er.«

Charlotte folgte ihrem Blick, konnte aber Jacks ihr wohlbekannten Kopf nicht sehen. »Wo?«, fragte sie.

»Etwa in der Mitte, gleich in der zweiten Reihe«, gab Emily zur Antwort. »Rötlich-brünett, ungefähr wie ein ausgeblichener Fuchs.«

»Wer?«

»Nicht Jack, Charlotte, Voisey!«, zischte sie.

»Ach so. Und wer ist dieser Tanqueray?«

»Das weiß ich nicht. Er soll um die Mitte vierzig sein; ich habe aber keine Ahnung, wie er aussieht.«

Die Sitzung begann. Der feierlich in seine Amtsgewänder samt

Perücke gekleidete Präsident des Unterhauses bat um Ruhe. Der Innenminister sprach zum Thema Anarchisten und allgemeiner Gewalttätigkeit im East End und erklärte, die Regierung habe die Lage sorgfältig geprüft und werde ihr weiteres Vorgehen dementsprechend planen.

Von den gegenüberliegenden Bänken der Opposition wurde gezischt. Einzelne Buh-Rufe ertönten. Nach einigen Augenblicken, in denen sich allgemeines Durcheinander, gegenseitige Schmähungen und Beifall abwechselten, erhob sich ein Mann mit einem ausdruckslosen weichen Gesicht. Das Licht brach sich in seinem dichten Haar, das an den Schläfen langsam weiß wurde.

Der Präsident rief das ehrenwerte Mitglied für den Wahlbezirk Newcastle-under-Lyme auf.

»Das muss Tanqueray sein«, flüsterte Emily ihrer Schwester zu. »Ich weiß, welchen Wahlkreis er vertritt.«

Als Erstes erklärte der Abgeordnete, wie betroffen alle Mitglieder des Unterhauses über den Vorfall in der Myrdle Street seien, bei dem so viele Menschen schwere Verluste erlitten und Todesängste ausgestanden hatten. Dann wandte er sich ganz allgemein dem East End zu und wies darauf hin, dass die Umtriebe der Anarchisten auf ganz London überzugreifen drohten.

»Ehrenwerte Mitglieder des Hauses, wir müssen uns dieser Bedrohung ungesäumt stellen!«, sagte er mit Nachdruck. Alles wartete mit angehaltenem Atem auf seine nächsten Worte. Tanqueray umriss, welche Maßnahmen ihm vorschwebten. Dazu gehörte, dass man jede Polizeiwache mit Schusswaffen ausrüsten solle. Außerdem regte er an, man möge dafür sorgen, dass Streifenbeamte das Recht bekamen, beliebige Passanten auf der Straße anzuhalten und zu durchsuchen und diese Durchsuchung auch auf deren Wohnungen oder Geschäftsräume auszudehnen.

Billigende Zurufe ertönten. Manche der Abgeordneten zollten ihm Beifall, andere riefen: »Hört! Hört!«

Wie erstarrt wartete Charlotte auf den noch weiter gehenden Vorschlag, man solle auch Dienstboten ohne Wissen und Willen ihrer Herrschaft befragen können. Sie warf einen kurzen Blick auf Emily, die ihn mit einem trübseligen Lächeln erwiderte.

Vor ihnen ergriff eine füllige Frau in einem Kleid aus einem leichten Woll-Seide-Gemisch die Hand der jüngeren neben ihr. »Na bitte, meine Liebe«, flüsterte sie tief befriedigt. »Ich habe gleich gewusst, dass man uns beschützen wird.«

Tanqueray legte sein Vorhaben in Einzelheiten dar, wobei er es nicht versäumte, zahlreiche Geschichten von einfachen Leuten einzuflechten, die Opfer von Diebstahl, Brandstiftung und Gewaltandrohung geworden waren. Auf jede einzelne folgten Ausrufe des Mitgefühls oder der Empörung. »Wir müssen tun, was wir können«, schloss er, »es ist unsere Pflicht den Menschen im Lande gegenüber, alles zu unternehmen, wozu wir befugt sind. Lassen Sie mich Ihnen versichern – ich werde in meinen Bemühungen nicht nachlassen, bis unsere Polizei jede erdenkliche Unterstützung bekommen hat und ihr jeder Schutz zuteil wird, den sie bei der Erfüllung ihrer Aufgabe braucht, die darin besteht, die Sicherheit der Bürger zu gewährleisten.«

Als er sich unter brausendem Beifall setzte, bat Jack Radley, von seinem Fraktionsführer unterstützt, um das Wort.

Emily lächelte, doch an der Art, wie sie ihre Hände zu Fäusten ballte, sodass der Stoff ihrer Handschuhe über den Knöcheln spannte, erkannte Charlotte den Grad ihrer Erregung.

»Der geschätzte Kollege spricht davon, wie sehr einfache Leute unter Straftaten leiden«, begann Jack. »Er hat völlig Recht, wenn er sagt, dass man sie schützen muss, sei es in ihrem Privatleben, sei es am Arbeitsplatz. Das zu tun ist die vorrangige Aufgabe der Polizei.«

Zustimmendes Murmeln erhob sich. Tanqueray sah selbstzufrieden drein.

Voiseys Gesicht verfinsterte sich.

»Allerdings dient es meiner Ansicht nach diesem Zweck nicht, wenn wir ihnen das Recht auf Menschenwürde und ungestörtes Privatleben verweigern, das wir ganz selbstverständlich für uns in Anspruch nehmen«, fuhr Jack fort.

Verblüfftes Schweigen trat ein. Verwirrt wandten sich Abgeordnete wie Zuschauer einander zu. Was mochte er damit meinen?

»Sitzt hier irgendjemand, dem es recht wäre, wenn Polizeibeamte seine Wohnung durchsuchten?«, fragte Jack und sah in die Runde. »Wenn sie seine Briefe läsen und seine Habe durchwühlten?«, fuhr er fort. »Womöglich sogar seine Kleidungsstücke und andere persönlichen Gegenstände, sein Schlafzimmer, sein Arbeitszimmer, ja, sogar die Kleider, Unterröcke und Handschuhe seiner Frau, weil sie vermuten, dort könne etwas verborgen sein, was er dem Gesetz nach nicht haben darf?«

Lautstark drückten einige Abgeordnete ihre wütende Ablehnung aus. Sie wandten sich fragend einander zu, als wollten sie sich vergewissern, dass solch abwegige Gedanken unmöglich Unterstützung finden könnten.

Emily stöhnte auf und schloss die Augen. Sie saß mit starren Schultern vorgebeugt da, die Hände im Schoß verkrampft.

Charlotte merkte, dass sie Angst hatte. Ihr war bekannt, dass auf Patronage angewiesen war, wer in der Gesellschaft wie in der Politik Erfolg haben wollte. Man hätte glauben können, Jack, der kurz vor dem Aufstieg stand, für den er so hart gearbeitet hatte, lege es darauf an, sich mit seinen Worten Feinde zu machen.

»Sofern man der Polizei diese Möglichkeit gibt«, fuhr er mit unerbittlicher Offenheit fort, als wolle er sein Schicksal endgültig besiegeln, »was kann sie dann, von nichts als einfacher Neugier getrieben, nicht alles tun? Die Rechnung Ihres Weinlieferanten lesen? Briefe Ihres Schneiders, Ihres Bankiers, Ihres Schwiegervaters ... oder gar, Gott behüte – solche Ihrer Geliebten?« Vereinzelt ertönte Lachen, das aber nichts mit Erheiterung, sondern eher mit Hysterie zu tun hatte.

»Und was werden die Dienstboten tun?«, fragte Jack, wobei er betont die Achseln hob.

Emily setzte sich aufrecht hin und reckte den Hals, so weit sie konnte.

»Wenn die Polizei im Haus sämtliche Habseligkeiten aller

Bewohner durchsucht, hat die Köchin den Vorwand, den sie schon lange sucht: Sie kündigt!« Das war eine schreckliche Vorstellung, denn wer eine gute Köchin hatte, wollte sie auf keinen Fall verlieren. Häufig hing von ihr ab, welches Ansehen eine Familie in der Gesellschaft genoss.

Stumm zollte Charlotte ihm Beifall. Die Art, wie er die Abgeordneten auf ihr Bedürfnis nach Behaglichkeit und darauf hingewiesen hatte, wie gefährdet ihr Ansehen bei anderen sein konnte, war meisterhaft. Auf beiden Seiten des Hauses erhob sich Gemurmel. Wieder wandten sich entgeisterte Gesichter einander zu.

Jack fuhr fort, kaum dass ein wenig Stille eingetreten war. Ohne das Thema Dienstboten wieder anzusprechen, wies er darauf hin, dass die Polizeibeamten, die überwiegend der Bevölkerungsschicht angehörten, deren Mitglieder man am ehesten auf der Straße anhalten oder durchsuchen würde, bei ihrer Arbeit auf die Unterstützung der Allgemeinheit angewiesen waren. Er lieferte eindrucksvolle Beispiele dafür und erklärte abschließend, seiner Meinung nach beruhe Tanquerays Gesetzesantrag nicht nur auf einer falschen Einschätzung der Lage, sondern schieße auch weit über das Ziel hinaus.

Zwei weitere Abgeordnete unterstützten Tanqueray mit ihren Wortmeldungen, wobei sie teils auf Emotionen, teils auf Vernunftargumente zurückgriffen.

Dann erhob sich Voisey. Völlige Stille trat ein. Die Frau in Schwarz, die neben Charlotte saß, murmelte etwas, das wie Zustimmung klang. Charlotte wusste nicht, ob der Frau im voraus bekannt war, was Voisey sagen würde.

Zuerst lobte er Jack für seine Worte und für seinen Mut, dass er seine Meinung ohne Rücksicht auf die möglichen Folgen vertreten habe. Damit habe er bewiesen, dass er ein Mann unerschütterlicher Grundsätze und nicht auf seinen Eigennutz bedacht sei. Bei diesen Worten warf Emily ihrer Schwester einen wehmütigen Blick zu. Charlotte nickte bestätigend und sah dann wieder auf Voisey. Ganz gleich, was er sagte, sie durfte nie vergessen, dass er ihr Feind war. Sie musste ihn genauestens beobachten, bis sie wusste, an welcher Stelle er verwundbar war, sei es im Privatleben, sei es in seiner Karriere. Es mochte sein, was es wollte: ein Traum, eine Hoffnung, ein Fehler, was auch immer.

Voisey fuhr fort. Ohne weitere Argumente anzuführen, stellte er die Frage, ob es klug sei, den Männern, die tagein, tagaus mit gewalttätigen Mitgliedern der Gesellschaft zu tun hatten, Schusswaffen in die Hand zu geben. War es nicht auf diese Weise letzten Endes möglich, dass Rechtsbrechern, insbesondere Anarchisten, noch mehr Waffen in die Hände fielen? Würde das womöglich in einem offenen Krieg auf der Straße enden, bei dem die eigentlichen Verlierer unschuldige Bürger wären, sei es als Geiseln, sei es als Opfer? Das sei nicht nur schlecht für das Wirtschaftsleben, sondern werde letztlich auch Wählerstimmen kosten. Mit diesem Argument zielte er bewusst auf die niedrigsten Beweggründe seiner Kollegen. Seine Handlungsweise erschien Charlotte in ihrer Verschlagenheit verächtlich, aber sie musste sich eingestehen, dass sie ihre Wirkung nicht verfehlen dürfte. Niemand buhte oder zischte; die Rede wurde mit unruhigem Schweigen aufgenommen.

Charlotte und Emily blieben sitzen, bis sich eine günstige Gelegenheit ergab, unauffällig aufzubrechen. Dann entschuldigten sie sich bei den Umsitzenden, stiegen die Treppen hinab und verließen das Parlamentsgebäude.

»Er opfert seine Karriere für nichts und wieder nichts auf!«, stieß Emily wütend hervor. Damit meinte sie natürlich Jack.

»Findest du etwa, wir sollten nur dann tun, was wir für richtig halten, wenn es uns nichts kostet?«, fragte Charlotte zweifelnd. Sie unternahm nicht den geringsten Versuch, das Entsetzen aus ihrer Stimme herauszuhalten.

Emily funkelte sie an. »Sei doch nicht so blöd!«, fauchte sie. »Ich habe lediglich gesagt, dass es sinnlos ist, ein überflüssiges Opfer zu bringen. Es wäre viel vernünftiger, wenn er sein Pulver trocken hielte, um dann zu schießen, wenn er etwas erlegen kann.« Sie schritt so rasch aus, dass sie fast über ihre eleganten schwarz-weißen Röcke gestolpert wäre und Charlotte Mühe hatte, ihr zu folgen. »In der Politik geht es nicht um große Gesten, sondern darum, wer zum Schluss die Oberhand behält!«, fuhr sie fort. »Er vertritt andere Menschen. Aber die haben ihn nicht gewählt, damit er den Helden spielt, mit großartigen und sinnlosen Gesten herumstolziert und in den Feuerschlund der feindlichen Geschütze hineinreitet, nur weil das tapfer ist und er sein eigenes Gewissen damit beruhigen kann – die haben ihn gewählt, damit er etwas bewirkt.«

»Ich dachte immer, die Wähler erwarten von ihrem Abgeordneten, dass er ihre Ansichten vertritt«, sagte Charlotte, ohne auf den militärischen Vergleich und die Anspielung auf Lord Tennysons berühmtes Gedicht einzugehen.

»Natürlich soll er das, aber doch so, dass dabei ein Ergebnis herauskommt. Sonst könnte das jeder Dummkopf!« Emily ging immer schneller, sodass Charlotte ihren Schritt noch einmal beschleunigen musste, um nicht zurückzubleiben. Die Röcke schlugen ihr wild um die Beine, und fast hätte sie einen jungen Mann umgerannt, der ihr entgegenkam.

»Entschuldigung«, sagte sie.

»Ich nehme an, ich kann nicht erwarten, dass du das verstehst«, spann Emily den Faden fort. »Du warst ja auch nie in dieser Situation.«

»Ich habe mich nicht bei dir entschuldigt!«, stieß Charlotte empört hervor. »Ich habe jemanden angestoßen.«

»Dann pass gefälligst auf, wo du gehst!«

»Glaubst du eigentlich, du hast als Einzige einen Mann, der sich in Gefahr begibt, um zu tun, was er für richtig hält?«, wollte Charlotte wissen. »Wie unglaublich ichsüchtig du bist.«

Emily blieb so unvermittelt stehen, dass zwei Männer, die hinter ihr gingen, alles Geschick aufbieten mussten, um ihr im letzten Augenblick auszuweichen.

»Damit tust du mir Unrecht!«, begehrte sie auf, ohne auf die Männer zu achten.

»Nicht im Geringsten«, gab Charlotte zurück. »Entschuldigung«, sagte sie zu den Männern. »Sie ist überreizt.« Dann wandte sie sich erneut Emily zu. »Falls du dir selbst gegenüber ehrlich wärest – von mir wollen wir gar nicht reden –, würdest du das gar nicht anders wollen. Wenn er sich den Problemen nicht stellte, hättest du nichts für ihn übrig. Schon möglich, dass du ihn nach wie vor liebtest, aber du würdest ihn auch verachten – und diese Art von Liebe ist nicht von langer Dauer.«

Emily machte ein entsetztes Gesicht. Von einem Augenblick auf den anderen war ihre Wut verraucht.

»Tut mir Leid, Charlotte«, sagte sie zerknirscht. »Ich habe so schreckliche Angst, dass er sich fürchterliche Unannehmlichkeiten damit einhandelt und nicht weiß, wie er da wieder herauskommt. Und ich habe keine Ahnung, wie ich ihm helfen könnte.«

Charlotte konnte sich genau vorstellen, was Emily empfand: Hilflosigkeit und Zorn darüber, wie ungerecht es in solchen Situationen zuging. Damit aber hätte sie rechnen müssen. Schließlich wusste sie genau, nach welchen Gesetzen die Gesellschaft funktionierte, und Jack war das ebenfalls bekannt. Er war den Weg gegangen, für den er sich entschieden hatte, weil das seinem Wunsch entsprach – genauso, wie es Pitt schon so oft getan hatte.

»Helfen kannst du ihm nur damit, dass du an ihn glaubst«, sagte Charlotte freundlich. Sie kannte keinen anderen Wunsch, als ihrer Schwester beizustehen. »Sorg dafür, dass er nicht an sich selbst zweifelt, und erweck vor allem nicht den Eindruck, dass du kein Vertrauen in ihn hast, selbst wenn du vor Angst verrückt zu werden glaubst.«

»Machst du das so?«, fragte Emily.

»Mehr oder weniger. Na ja, eigentlich weniger«, gab Charlotte zu. »Ich werde jetzt als Nächstes versuchen, so viel wie möglich über Charles Voisey in Erfahrung zu bringen. Er muss irgendwo verwundbar sein, und ich will feststellen, wo. Ich melde mich bei dir, sobald ich etwas weiß.« Sie lächelte ein wenig, wandte sich um und ging fort.

Es war ihre Absicht gewesen, Voisey aufzuspüren und womöglich sogar mit ihm zu sprechen. Wie sich zeigte, sprach er sie an.

»Guten Tag, Mrs Pitt.«

Sie fuhr herum und sah, dass er einige Schritte hinter ihr stand, ein feines Lächeln auf den Zügen.

»Guten Tag, Sir Charles.« Sie musste sich räuspern. Es ärgerte sie, dass er sie überrumpelt hatte. »Ihre Rede vorhin war sehr eindrucksvoll.«

Seine Augen weiteten sich kaum wahrnehmbar, sodass sie nicht sicher sein durfte, ob sie sich das nur eingebildet hatte. »Nehmen Sie etwa Anteil an der Frage, ob die Polizei bewaffnet sein soll oder nicht, Mrs Pitt? Ihr Mann ist doch jetzt beim Staatsschutz. Da kann er sicher jederzeit eine Schusswaffe tragen, wenn er der Ansicht ist, dass die Situation das erfordert?« Er senkte die Stimme ein wenig. »Wie bei der Belagerung des Hauses in der Long Spoon Lane. Bestimmt waren Sie sehr erleichtert, dass er unverletzt geblieben ist. Unangenehme Sache, das.« Er verzog die Lippen zu einem Lächeln, doch sein Blick war hart und beherrscht, und einen kleinen Augenblick lang brachte er es nicht fertig, seinen Hass zu verbergen.

»Gewiss«, sagte sie, und es gelang ihr, ihre Worte fast neutral klingen zu lassen. »Der Staatsschutz hat nun einmal die Aufgabe, sich mit unangenehmen Dingen und daher zwangsläufig auch mit sehr unangenehmen Menschen herumzuschlagen.« Sie zwang sich zu einem Lächeln, nicht, weil sie annahm, er könne es für aufrichtig halten, sondern um ihm zu zeigen, dass sie über mehr Selbstbeherrschung verfügte als er. »Ich bin so froh, dass Sie es für unklug und überflüssig halten, der Polizei mehr Schusswaffen oder größere Vollmachten zur Durchsuchung von Menschen ohne triftigen Grund zu geben. Sie haben völlig Recht mit Ihrer Überzeugung, dass der Polizei nichts so sehr hilft wie die Unterstützung durch die Bevölkerung. Das dient den Interessen aller.«

Er sah sie aufmerksam an, wollte in ihrem Gesicht lesen, ob hinter ihren Worten eine tiefere Bedeutung lag. Sie sah ihm seine

Unsicherheit an. Er hätte gern gewusst, ob Pitt seine Geheimnisse mit ihr teilte.

»Den Interessen aller sicherlich nicht, Mrs Pitt«, sagte er ruhig. »Möglicherweise Ihren und meinen. Aber es gibt Menschen, deren Ehrgeiz in eine andere Richtung zielt.«

»Davon bin ich überzeugt«, stimmte sie zu und zögerte dann. Sollte sie ihn wissen lassen, wie weit sie die Situation durchschaute?

Er sah das und lächelte. »Auf Wiedersehen, Mrs Pitt«, sagte er und schien dabei fröhlich. »Die Begegnung mit Ihnen war mir ein unerwartetes Vergnügen.« Mit diesen Worten ging er rasch davon. Sie hatte das eigenartige Gefühl, im Nachteil zu sein, und ihr blieb die Erinnerung an den Augenblick unverhüllten Hasses, der sich tief in ihr Bewusstsein eingebrannt hatte.

Vespasia zerbrach sich den Kopf auf der Suche nach einem brauchbaren Vorwand für einen erneuten Besuch bei Cordelia Landsborough. Kein auch nur annähernd feinfühliger Mensch suchte von sich aus ein Trauerhaus auf. Nur eins konnte einen solchen Besuch rechtfertigen: Cordelias Wunsch, an der Verwirklichung von Tanquerays Gesetzentwurf mitzuwirken.

Die Kutsche rollte durch stille Wohnstraßen mit eleganten georgianischen Häusern, vor deren Fassaden sich die Bäume mit jungem Laub geschmückt hatten. Nur wenige Menschen waren auf den Gehwegen zu sehen, meist Frauen, die ihren Teint mit Sonnenschirmen schützten und durch deren Röcke raschelnd der Wind fuhr.

Vespasia dachte an Charlotte und an die Angst, die sie in ihrer Stimme gehört hatte, als sie davon gesprochen hatte, es könne sich als notwendig erweisen, gegen Voisey vorzugehen, sofern dieser für Pitt zur Bedrohung wurde. Nicht die Sorge, dabei selbst verletzt zu werden, bereitete ihr Furcht, sondern die Möglichkeit, andere zu verletzen, und das Bewusstsein, dass sie es tun würde.

Mit einem Mal kam Vespasia der Einfall, nach dem sie gesucht hatte. Als sie vor dem Haus der Landsboroughs ausstieg, wusste sie genau, was sie sagen würde, falls Cordelia sie empfing. Sie würde alles tun, um möglichst nicht abgewiesen zu werden.

Wie sich zeigte, war das nicht nötig, denn sie wurde ohne Umschweife durch das schwarz verhängte Vestibül in den Salon geführt. Dort stand Cordelia am Fenster und sah auf den Rasen und die frühen Sommerblumen.

»Wie aufmerksam von Ihnen, so bald wieder zu kommen«, sagte sie. Es klang in keiner Weise unfreundlich oder gar giftig, und auf ihren bleichen, erschöpften Zügen lag kein Hinweis darauf, dass sie nicht meinte, was sie sagte.

Einen Augenblick lang hatte Vespasia Mitleid mit ihr. Auf dem Gesicht dieser herben Schönheit hinterließ der Kummer tiefere Spuren als in weicheren, weiblicheren Gesichtern. Tiefe Linien zogen sich von der Nase zum Mund, und ihre Lippen wirkten blutleer. Ihre von Natur aus tiefschwarzen Brauen sahen über ihren eingesunkenen Augen, unter denen dunkle Schatten lagen, wie offene Wunden aus.

»Man könnte meinen Besuch als zudringlich auffassen«, sagte Vespasia, »aber ich hoffe, dass Sie das nicht tun. Mir geht die Gewalttätigkeit der Anarchisten und der Schrecken, den alle möglichen Menschen vermutlich dabei empfinden, nicht aus dem Kopf. Wir müssen dagegen ankämpfen, und ich bewundere den Mut und die Selbstlosigkeit, mit der Sie das tun, obwohl Sie gerade jetzt einen so schweren Verlust erlitten haben.« Mit der letzten Äußerung war es ihr ernst, denn so wenig sie Cordelia stets hatte leiden können, die ihr gelegentlich grausam und selbstsüchtig erschienen war, war sie doch jetzt voll Bewunderung für die Stärke, die diese Frau an den Tag legte.

Vielleicht hörte Cordelia diese Aufrichtigkeit aus ihren Worten heraus. »Danke«, sagte sie. »Ich weiß zu schätzen, dass Sie meine Gefasstheit nicht als Gleichgültigkeit gegenüber dem Tod meines Sohnes missdeuten.«

»Ich bitte Sie! Der bloße Gedanke wäre widersinnig und für Sie beleidigend«, beeilte sich Vespasia zu sagen. »Man weint seine

Tränen im stillen Kämmerlein und nicht vor den Augen der Welt. Ich bin gekommen, weil mir, während ich hin und her überlegt habe, was wir tun könnten, um gegen solche Dinge zu kämpfen, dies und jenes eingefallen ist. Auch ist mir klar, dass wir es uns nicht erlauben können abzuwarten, bis günstigere Umstände eingetreten sind. Wir haben es mit Gegnern zu tun, die nicht uns persönlich feindlich gesinnt sind, sondern der Sache, die wir vertreten. Sie werden nicht zögern, gerade dann zuzuschlagen, wenn sie uns für besonders verwundbar halten.«

Cordelia sah sie neugierig an; das Paradoxe an der Situation entging ihr nicht. »Sie meinen, wir haben Feinde im Unterhaus?«, fragte sie.

»Unbedingt, und zwar aus einer ganzen Reihe von Gründen«, erläuterte Vespasia. »Manche werden einfach die Meinung vertreten, dass es unklug sei, der Polizei mehr Macht einzuräumen, andere werden ihren eigenen Ehrgeiz und ihre Vorlieben in den Vordergrund rücken. Dann gibt es natürlich auch noch die, die solche Situationen dazu nutzen, persönliche Auseinandersetzungen zu führen. Auf keinen Fall dürfen wir zulassen, dass uns irgendeine dieser Gruppierungen in einen Hinterhalt lockt.«

»Einen Hinterhalt?«, sagte Cordelia nachdenklich. Sie schien nicht sicher zu sein, ob es das richtige Wort war. »Ich nehme an, dass Sie einen Plan haben, wie wir uns verteidigen können, wenn Sie sozusagen mit dem Schwert in der Hand hier auftauchen?«

»Ich glaube schon. Aber zu dessen Ausführung ist Ihre Hilfe unerlässlich«, sagte Vespasia, die mit der Absicht gekommen war, möglichst viele Informationen über die Gegenseite zu erlangen. Sie standen so dicht nebeneinander am Fenster, dass sich ihre Röcke berührten. »Ich bin sicher, dass Sie weit mehr wissen als ich, aber ganz davon abgesehen müssen wir zusammenarbeiten.«

Cordelia zögerte. Sie war auf keinen Fall bereit, sich hinters Licht führen zu lassen. Immerhin war dieser Vorschlag angesichts ihrer früheren Beziehung geradezu revolutionär.

Vespasia wartete. Es wäre unklug, rasch vorzugehen, denn dann wäre ihre eigene Verwundbarkeit erkennbar. Ungeachtet ihres Mitgefühls für Cordelia durfte sie sich keineswegs dazu verleiten lassen, das wahre Wesen dieser Frau zu übersehen. Mit schwachem Lächeln fügte sie hinzu: »Zumindest in dieser Sache.«

Cordelia entspannte sich. »Darf ich Ihnen eine Tasse Tee anbieten?«

»Danke«, antwortete Vespasia, »sehr gern.«

Cordelia betätigte den Klingelzug.

Nachdem sie dem Mädchen Anweisungen gegeben hatte, setzten sich beide und strichen ihre Röcke mit nahezu identischen Bewegungen glatt. Jetzt war der richtige Zeitpunkt für die Ausführung von Vespasias Plan. Sie hatte das Bündnis geschmiedet und musste nunmehr eine rechtfertigende Begründung liefern.

»Die Gegenseite wird unsere Motive in Zweifel ziehen«, begann sie. »Daher müssen wir sicher sein, dass wir unwiderlegliche und nachvollziehbare Gründe haben, und nichts als diese vortragen. Zu weitschweifige Erklärungen würden wie eine Entschuldigung wirken.«

Cordelia schien von diesen Worten nicht beeindruckt zu sein.

»Man wird keine Möglichkeit haben, Sie oder Mr Denoon zu kritisieren.« Vespasia gab sich die größte Mühe, ihre Stimme nicht ungeduldig klingen zu lassen. »Und möglicherweise auch nicht Mr Tanqueray, obwohl ich über ihn nicht genug informiert bin, als dass ich meiner Sache in Bezug auf ihn sicher sein könnte. Wie aber sieht es mit unseren anderen Verbündeten aus? Es ist ganz klar, dass man als Ersten immer den verwundbarsten Gegner herausgreift und später einen nach dem anderen von denen aufs Korn nimmt, die ihn unterstützen.«

Plötzlich erhellte sich Cordelias Gesicht. »Natürlich«, bestätigte sie. »Und das funktioniert auch umgekehrt. Wir sind also gut beraten, wenn wir festzustellen versuchen, wer unsere Gegner sind.«

Vespasia gelang es, ihre Augen, ihre Stimme und auch die Hände zu beherrschen, die scheinbar gelöst in ihrem Schoß lagen. Ihr war klar, dass sie ein gefährliches Spiel spielte. »Genau so ist es«, stimmte sie zu. »Einer von ihnen dürfte Somerset Carlisle sein. Er ist etwas exzentrisch, aber beliebt«, erklärte sie. »Manche haben ihn zu verleumden versucht, damit aber nicht viel Erfolg gehabt. Außerdem dürfte da wohl Jack Radley sein. Er ist mit meiner Familie von ferne verschwägert, spielt im Unterhaus aber so gut wie keine Rolle. Ich nehme an, dass man es für eine Verzweiflungstat halten würde, wenn ihn jemand angriffe, und wir wollen ja wohl weder boshaft erscheinen noch den Eindruck erwecken, wir hätten es nötig, zu verzweifelten Mitteln zu greifen.«

»Diese Männer scheinen in der Tat belanglos zu sein«, gab ihr Cordelia Recht. »Gibt es jemanden, um den wir uns Sorgen machen müssten?« In ihren Augen lag zwar eine leichte Belustigung, aber sie hörte zu. Ihr war klar, dass Vespasia ohne etwas Handfestes nicht gekommen wäre.

»Sir Charles Voisey hat weit mehr Einfluss, als man auf den ersten Blick annehmen sollte«, sagte Vespasia. Sie hoffte, dass es kein falscher Schachzug war, Cordelias Aufmerksamkeit auf ihn zu lenken.

Cordelias schwarze Brauen hoben sich fragend. »Tatsächlich? Ich habe von ihm zum ersten Mal im Zusammenhang mit der merkwürdigen Republikaner-Geschichte gehört, als er den seltsamen Italiener erschossen und damit, wie es aussieht, unsere Königin gerettet hat. Ich habe nie so recht gewusst, was ich von der Sache glauben soll und was nicht.«

Vespasia spürte, wie ihr Herzschlag aussetzte, denn ›der seltsame Italiener‹, von dem Cordelia so herablassend sprach, war Mario Corena, Vespasias große Liebe, gewesen, und der Verlust schmerzte sie wie am ersten Tag.

Außerstande, Cordelia in die Augen zu sehen, senkte Vespasia den Blick auf die Hände, die in ihrem Schoß ruhten. »Voisey hat Verbindungen bis in die allerhöchsten Kreise«, sagte sie gefasst, »Freunde und Feinde an vielen Orten. Sie wissen ja, wie das ist. Männer gehen Verpflichtungen ein und erfahren dabei dies und jenes.«

»Sie meinen ...«, setzte Cordelia an.

Sie konnte ihren Satz nicht zu Ende sprechen, da das Mädchen hereinkam und ihr mitteilte, das Ehepaar Denoon sei eingetroffen. Sie wollte wissen, ob sie sie im Damenzimmer warten lassen oder in den Salon führen sollte.

Cordelia blieb nichts anderes übrig, als Schwager und Schwägerin zu empfangen. Sie unterdrückte die Enttäuschung darüber, dass ihre Unterhaltung mit Vespasia auf diese Weise unterbrochen wurde, und sagte dem Mädchen, sie solle Mr und Mrs Denoon hereinführen.

Selbstverständlich trug auch Enid Trauer, hatte aber das Schwarz durch eine außergewöhnlich schöne Kamee, die sie an einem Samtband um den Hals trug, ein wenig aufgehellt. Da sie blond war, wirkte sie ganz von selbst lebensfroher als die schwarzhaarige Cordelia. Während Vespasias Anwesenheit sie nur leicht zu verblüffen schien, trat Denoon Vespasia mit finsterer Miene gegenüber. Zwar wahrte er die Formen der Höflichkeit, unternahm aber nicht den geringsten Versuch, den Eindruck zu erwecken, als freue er sich, im Kreis der Familie eine Außenstehende vorzufinden.

Cordelia machte sich sogleich daran, die Situation zu erklären, und sagte, als die Begrüßung vorüber war, ohne lange Vorrede: »Lady Vespasia liegen unsere Interessen sehr am Herzen. Gerade hat sie mich darauf hingewiesen, wie wichtig es ist, dass wir uns nicht nur selbst vor politisch motivierten Angriffen schützen, sondern auch unsere Verbündeten.«

»Sehr aufmerksam von Ihnen, Lady Vespasia, aber ganz und gar unnötig«, bemerkte Denoon kalt. Auf seinem Gesicht lag unübersehbar Selbstgefälligkeit. »Ich bin über diese Dinge bestens auf dem Laufenden. Ein Einfaltspinsel kann nicht gut Herausgeber einer Zeitung sein.«

Angesichts dieses ungehobelten Ausfalls fuhr Cordelia auf, vielleicht, weil sie Vespasias Hilfe wünschte. »Wenn dir Charles Voiseys geheime Verbindungen bekannt sind, hättest du mir ruhig etwas davon sagen können«, sagte sie eisig.

Denoon erstarrte. »Was ist mit Voisey?«

Vespasia sah, wie sich seine Nackenmuskeln spannten und er seine Körperhaltung ein wenig änderte. Zwar hatte sie gewusst, dass er auf Wetrons Seite stand, doch ging ihr in diesem Augenblick auf, dass er wohl auch dem Inneren Kreis angehörte und daher über die Rolle im Bilde war, die Voisey dort gespielt hatte, bevor es zum Bruch gekommen war. Um solche Dinge zu erfahren, war sie in das Trauerhaus gekommen.

»Nun«, sagte sie mit nahezu ausdruckslosem Gesicht. »Bekanntlich spricht er sich gegen den Gesetzesantrag aus, und alles deutet darauf hin, dass er entschlossen ist, seinem Standpunkt mit gewissem Nachdruck Geltung zu verschaffen.«

»Woher wissen Sie das?«, fragte er herausfordernd.

Sie hob leicht die Brauen. »Wie bitte?«

»Woher wissen …?« Er hielt inne.

Enid ergriff das Wort. »Ist er etwa ein Befürworter der Anarchie?«, fragte sie und nieste dann heftig. »Entschuldigung.« Sie suchte in ihrem Ridikül nach einem Taschentuch. Ihre hellen, blassen Augen begannen zu tränen.

Vespasia war höflich genug, so zu tun, als habe sie nichts bemerkt. »Ich glaube nicht«, gab sie zur Antwort. »Eine solche Haltung könnte er sich unmöglich leisten. Ich nehme an, er wird sagen, dass die Polizei bereits genug Schusswaffen besitzt und Angaben über das Treiben umstürzlerischer Gruppen weit wertvoller sein würden als die Vollmacht, Menschen nach Gutdünken zu durchsuchen, und dass die Polizei höchstwahrscheinlich keine Unterstützung von der Bevölkerung erwarten dürfe, wenn sie die Menschen schikaniert und ihre Macht missbraucht.«

Enid nieste erneut. Es sah ganz so aus, als sei bei ihr eine Erkältung im Anzug. Ihre Augenlider waren gerötet.

»Haltlose Behauptungen«, tat Denoon ihre Worte ungeduldig ab. »Wenn die Polizei die Vollmachten hätte, um die Angaben zu bekommen, von denen Sie sprechen, hätte sie den Anschlag in der Myrdle Street verhindert. Das liegt ja wohl auf der Hand.«

Vespasia zögerte. Ein Hinweis darauf, dass die Polizei trotz

Schusswaffen und Durchsuchungen Magnus Landsboroughs Beteiligung an dem Anschlag nicht entdeckt hätte, wäre unnötig grausam und könnte sie dem Verdacht aussetzen, Voiseys Position zu verteidigen. Bei dem Spiel, das sie spielte, ging es nicht nur um Fakten, sondern auch um Emotionen.

»Ich bin weder eine Fürsprecherin Sir Charles', noch vertrete ich seinen Standpunkt, Mr Denoon«, sagte sie sanft und mit einer Andeutung von Herablassung. »Ich will lediglich darauf hinweisen, dass das, was er im Unterhaus vorträgt oder möglicherweise in Zeitungen von sich gibt, den Eindruck erweckt, vernünftig zu sein. Ich bin mit der Absicht hergekommen, Sie darauf aufmerksam zu machen, dass er Mr Tanquerays Gesetzesvorlage mit größter Wahrscheinlichkeit scharf bekämpfen wird.«

Denoon stieß leise die Luft aus. »Ja, natürlich«, sagte er etwas ruhiger. »Wissen Sie, ob ihn das Thema aus persönlichen oder aus politischen Gründen interessiert?« Er tat so, als betrachte er sie gleichmütig, war aber erkennbar voll angespannter Aufmerksamkeit.

Enid, die sich inzwischen auf dem großen Sofa niedergelassen hatte, nieste erneut und stand auf. Ihre Augenlider wirkten geschwollen.

Vespasia hob mit einer eleganten und weitläufigen Bewegung ein wenig die Schultern. »Ich habe nicht die geringste Ahnung«, log sie.

Ungehalten sagte Cordelia: »Wahrscheinlich beides. Es ist nicht zu übersehen, dass der Mann vor Ehrgeiz förmlich platzt.« Sie sah zu ihrer Schwägerin hin. »Setz dich lieber da in den Sessel«, bot sie ihr an. »Edward, würdest du bitte das Fenster öffnen?« Sie sagte das im Befehlston, wie man einem Dienstboten eine Anweisung erteilt, bei dem man nicht im Entferntesten auf den Gedanken kommt, er könne nicht gehorchen.

Mit finsterer Miene sah er sie an, ohne sich vom Fleck zu rühren.

»Enid leidet unter den Katzenhaaren!«, fuhr sie ihn an. »Du weißt doch, dass sie gegen Katzen allergisch ist! Dem armen

Sheridan geht es genauso. Ich habe strenge Anweisung gegeben, dass das Vieh im Dienstbotentrakt bleiben soll, aber irgendwie muss es hier reingekommen sein und hat wohl einige Haare hinterlassen. Ich habe es heute Morgen hinausgescheucht.«

Widerwillig ging Denoon zum Fenster und öffnete es unnötig weit, sodass die kühle Luft und der Geruch nach frisch gemähtem feuchtem Gras hereinkamen.

»Danke«, sagte Enid und nieste erneut. »Entschuldigung«, wandte sie sich an Vespasia. »Ich mag Katzen – sie sind ja auch sehr nützlich –, aber wir können keine im Hause halten. Piers und ich sind in dieser Hinsicht sehr empfindlich. Ein Leiden unserer ganzen Familie – bei Sheridan ist es ebenso.« Diese letzte Bemerkung richtete sie an Cordelia.

»Genau deswegen darf das Vieh den Dienstbotentrakt ja nicht verlassen«, erläuterte diese. »Sheridan geht nie dorthin.«

»Wo ist er überhaupt?«, fragte Denoon. »Wird er heute Nachmittag zu Hause sein? Seine Unterstützung in dieser Sache würde uns sehr nützen. Wenn er in der Angelegenheit das Wort ergreift, wird das größeren Eindruck machen als bei jedem anderen. Er würde der Sache Gesicht verleihen. Sofern er sich dazu entschließen könnte, seinen üblichen liberalen Standpunkt einmal aufzugeben, würde das mehr Menschen auf unsere Seite ziehen als alles andere, was ich mir denken könnte.«

»Natürlich kommt er«, sagte Cordelia. »Er hat sich verspätet!« Auf ihren Zügen mischte sich Ärger mit Geringschätzung.

»Ich denke, wir sollten zunächst ohne ihn fortfahren. Du kannst ihn ja von unseren Plänen in Kenntnis setzen, sobald er da ist.«

Vespasia, die sich ein wenig beiseite gedreht hatte, sah, dass Enid ihren Mann mit unversöhnlichem Hass im Blick anstarrte. Einen Moment später war es vorüber, und Vespasia fragte sich, ob sie es sich eingebildet oder das wechselnde Spiel des Lichts, das durch das Fenster hereinfiel, sie getäuscht hatte.

Im Vestibül hörte man Schritte und Stimmen. Dann wurde die Tür zum Salon geöffnet, und Sheridan Landsborough kam herein. Er sah sich um und begrüßte alle Anwesenden – Vespasia mit offenkundiger Überraschung und Freude –, ohne sich aber für sein Zuspätkommen zu entschuldigen. Es war, als sei ihm nicht bewusst, dass man ihn erwartet hatte. Auf seinem bleichen Gesicht lag Kummer, und seine Augen wirkten glanzlos. Enid sah ihn mit so tiefer Empfindung an, als dränge ein körperlicher Schmerz sie förmlich zu ihm hin, doch sie konnte ihm keinerlei Trost spenden. Seine Trauer entrückte ihn, und das verstand sie.

An Cordelia war nichts von dieser Wärme zu spüren. Wie so oft in solchen Fällen schien der Verlust die beiden weiter voneinander entfernt, statt einander näher gebracht zu haben. Jeder von ihnen gab sich seinem Schmerz auf seine eigene Weise hin: Sie war voll Wut, während er sich von der Außenwelt noch stärker zurückzog als sonst.

Denoon verhielt sich, als gehe ihn das alles nichts an. »Wir reden gerade darüber, wie wir Tanquerays Gesetzesantrag am besten fördern können«, sagte er zu Landsborough. »Lady Vespasia ist, wie es aussieht, überzeugt, dass man Charles Voisey in dieser Sache als Gegner ernst nehmen muss.«

Landsborough sah ihn nur mäßig interessiert an. »Tatsächlich?«

»Großer Gott, Sheridan«, sagte Cordelia mit finsterem Gesicht. »Wir müssen die Sache mit aller Kraft unterstützen, solange der ungeheuerliche Vorfall noch in allen Köpfen lebendig ist. Die Leute warten nicht, bis wir über unsere Trauer hinweggekommen sind.«

»So ist es«, gab ihr Denoon Recht, die Augen auf Landsborough gerichtet. »Du kennst Voisey doch bestimmt. Welche Schwächen hat er? Wo ist er verletzlich? Wenn ich Lady Vespasia richtig verstanden habe, muss man damit rechnen, dass er große Schwierigkeiten macht, auch wenn ich selbst nicht begreife, welchen Grund er dafür haben sollte.«

»Er dürfte wohl gegen den Antrag stimmen«, sagte Landsborough freundlich. Er setzte sich nicht. Es sah fast so aus, als wolle er die Möglichkeit haben, den Raum jeden Augenblick wieder zu verlassen. »Soweit ich gehört habe, vertritt er die Ansicht, dass Mäßigung bei einer Reform, die unerlässlich ist, wenn wir in der Gesellschaft weiterhin Frieden haben wollen, größere Erfolgsaussichten verspricht als ein hartes Vorgehen.«

»Der Mann ist Opportunist«, gab Denoon kalt zurück. »Du bist nicht realistisch, Sheridan, Du denkst zu gut von den Menschen.«

Aufgebracht sagte Vespasia: »Sehen Sie das wirklich so?«

»Meiner Überzeugung nach dient, was Voisey über eine friedliche Reform sagt, ausschließlich seinen eigenen Zwecken«, gab Denoon in einem Ton zur Antwort, der erkennen ließ, dass das eigentlich selbst einem Menschen wie ihr klar sein müsste.

»Gewiss«, gab sie zurück. »Aber darum geht es nicht. Für uns ist ausschließlich wichtig, was er sagen wird, nicht, was er denkt.«

Denoon lief tief dunkelrot an. Der Anflug eines Lächelns umspielte Cordelias Mund. »Ich hatte ganz vergessen, wie direkt Sie sein können, Vespasia«, sagte sie, und es klang fast vergnügt.

»Oder wie klug Sie sind«, fügte Landsborough hinzu.

Vespasia quittierte seine Bemerkung mit einem leichten Lächeln.

»Dann lassen Sie mich doch um Gottes willen in den Genuss Ihrer Ansichten kommen«, sagte Denoon missmutig.

Cordelia funkelte ihn an. »Ich hoffe sehr, dass Lady Vespasia mehr tun wird, als uns nur ihre Ansichten mitzuteilen. Da sie in Bezug auf die Dringlichkeit und die Ernsthaftigkeit eines Vorgehens gegen die Gewalttaten hierzulande unsere Meinung teilt und ebenso wie wir findet, dass man etwas unternehmen muss, damit die Polizei Mittel dafür in die Hände bekommt, bevor die Flut der Zerstörung über uns zusammenschlägt, kann ihr Handeln von großem Nutzen sein.«

Einen Augenblick lang sah man Denoons Gesicht an, wie schwer es ihm fiel, seine Überheblichkeit zu zügeln. Dann hatte er sich im Griff und wandte sich an Vespasia: »Das wäre großartig. Mir ist bewusst, dass Sie in der Gesellschaft beträchtlichen Einfluss haben, und das möglicherweise bei Menschen, auf deren

Unterstützung wir angewiesen sind. Ich brauche wohl nicht zu betonen, dass es für uns unschätzbar wäre, wenn Sie diesen Einfluss geltend machen könnten.«

Das Mädchen brachte Tee, und die Unterhaltung wandte sich der praktischen Seite der Frage zu. Namen von Unterhausabgeordneten, von Herausgebern anderer Zeitungen und politischer Schriften wurden genannt, und man überlegte, auf welche Weise sich deren Unterstützung gewinnen ließe oder was man tun könnte, falls sie sich negativ äußerten.

Vespasia brach auf, sobald es die Höflichkeit gestattete. Sie entschuldigte sich mit weiteren Verpflichtungen und verabschiedete sich von Cordelia und Denoon. Enid hatte den Raum einige Minuten zuvor ohne nähere Erklärung verlassen. Vespasia bat, sie zu grüßen, und ging, von Landsborough begleitet, ins Vestibül hinaus.

Er teilte dem Butler mit, man möge ihre Kutsche vorfahren lassen. Während sie wartete, fiel ihr Blick zufällig auf einen Gang, aus dem eine Tür in den Garten führte. Dort stand Enid mit dem Rücken zu ihr in einem allem Anschein nach angeregten Gespräch mit einem gut aussehenden jungen Lakaien. Da dieser nicht die Livree der Familie Landsborough trug, war es wohl ihr eigener. Vespasia fiel sein Gesichtsausdruck auf, und so fasste sie ihn genauer ins Auge. Er stand vor Enid, die näher an ihn herangetreten war, als im Umgang mit Lakaien üblich, und sah ihr mit gesammelter Aufmerksamkeit ins Gesicht, so, als gebe sie ihm Anweisungen für eine komplizierte und höchst wichtige Aufgabe. Während sie leise und eindringlich auf ihn einredete, schien sie für nichts um sie herum Augen und Ohren zu haben.

Als sie aber Schritte auf dem Steinboden des Vestibüls hörte, unterbrach sich Enid mitten im Satz. Der Lakai vergrößerte den Abstand zu ihr, nahm die übliche ehrerbietige Haltung von Dienstboten ein und ging, vermutlich, um den ihm erteilten Auftrag auszuführen. Enid kehrte langsam ins Vestibül zurück und trat auf Landsborough zu, als sei nichts gewesen.

Nachdem sich Vespasia von Enid verabschiedet hatte, kehrte

diese zu den anderen in den Salon zurück, während Landsborough Vespasia an die Kutsche begleitete.

»Glaubst du wirklich, dass es sinnvoll ist, der Polizei weitere Schusswaffen zu geben?«, fragte er mit besorgtem Gesicht, als sie den Gehweg erreicht hatten.

Sie zögerte. Er sah sie verwirrt an. Eindeutig erwartete er, dass sie seine Offenheit mit Ehrlichkeit vergalt. In früheren Zeiten hatten sie einander so manches Mal statt der Wahrheit lieber etwas Liebenswürdiges gesagt, doch nie mit der Absicht, den anderen zu täuschen. Beiden war klar gewesen, dass es lediglich darum ging, Dingen, die sonst verletzend hätten sein können, die Schärfe zu nehmen. Dieser Teil ihrer Beziehung aber gehörte längst der Vergangenheit an. An die Stelle des einstigen Begehrens waren Kummer und Weisheit getreten. Die Einsamkeit, die sie jetzt empfanden, war von anderer Art und bedurfte anderer Mittel, sie zu heilen.

Welche Art von Wahrheit würde er nun, da er so große Qual litt, ertragen können? Als ihr einfiel, mit welch überströmender Güte Enid ihn angesehen hatte, musste sie nicht nur an Cordelias Kälte denken, sondern auch daran, dass ihm diese völlig gleichgültig zu sein schien. Natürlich bestand die Möglichkeit, dass es zwischen den beiden auch andere Kümmernisse gab, die sie äußerstenfalls erraten konnte. Aber wie weit durfte sie ihm im Interesse aller trauen?

Eine Kutsche ratterte vorüber, und als sie den Blick hob, sah sie das Geschirr des Pferdes in der Sonne blitzen.

»Wir müssen der Anarchisten unbedingt Herr werden«, sagte sie. »Ich weiß aber noch nicht, wie.«

»Der Polizei mehr Macht zu geben dürfte nicht der richtige Weg dazu sein«, sagte er gemessen. »Magnus hat mir berichtet, dass sie ihre Kompetenzen bereits jetzt häufig überschreitet. Das Gesetz darf nicht nur dazu dienen, die Schuldigen zu fassen und zu bestrafen, es muss auch die Unschuldigen schützen, sonst ist es nichts als ein Freibrief für die Unterdrückung der Menschen.«

»Das ist mir klar.« Sie sah ihn aufmerksam an, bemüht, die

Empfindungen hinter seinen Worten zu verstehen. Wie viel wusste er von dem, was Magnus getan hatte? Was konnte man ihm an Wahrheit zumuten?

»Trau auf keinen Fall Voisey«, sagte er plötzlich mit erstickter Stimme. »Bitte! Was immer du tust, Vespasia, überleg dir gut, wem du dich anvertraust. Die Gefahr ist weit größer, als dir bewusst sein dürfte.«

Dann, als befürchte er, jemand könne ihn aus einem der Fenster hinter ihm beobachten, verabschiedete er sich, half ihr in die Kutsche und neigte höflich den Kopf, als diese anfuhr.

KAPITEL 6

Tellman wollte Taschen-Jones so schnell wie möglich aufspüren, doch war ihm klar, dass er dabei mit größter Umsicht zu Werke gehen und das vor allem unbedingt nach Feierabend tun musste. Sofern er von der Bow Street aus Nachforschungen anstellte, würde man von ihm wissen wollen, warum er sich für jemanden interessierte, der seine Straftaten – sofern es sich um solche handelte – im Revier einer anderen Wache begangen hatte, und Wetron würde früher oder später davon erfahren. Dann wäre es nur noch eine Frage der Zeit, und zwar einer vermutlich äußerst kurzen, bis er Tellmans Vorhaben durchschaut hatte.

Am nächsten Abend zog er sich um. Es war ihm zuwider, in alter, abgetragener Kleidung auf die Straße zu gehen, weil ihn das an seine Kindheit erinnerte, in der er nichts anderes besessen hatte. Aber es war unvermeidlich. Er durfte nicht auffallen, zumal er, das war ihm durchaus klar, mit seinem hohlwangigen Gesicht und seinem scharfen Blick an nur allzu vielen Stellen bekannt war. In dieser Hinsicht, doch wohl auch nur in dieser, bedeutete es einen gewissen Vorteil, dass er seine Nachforschungen nicht im eigenen Revier betrieb, sondern weiter im Osten der Stadt im Revier der Wache Cannon Street. Allerdings wagte er keinen der dortigen Kollegen um Hilfe zu bitten, weil dann Simbister von seinem Vorhaben erfahren und das binnen weniger Stunden an Wetron weitergeben würde. Falls Pitts Befürchtung stimmte, dass die Korruption in der Polizei weit verbreitet war, ermittelte Tellman gegen seine Kollegen. Da konnte er nicht gut erwarten, dass sie ihn auch noch unterstützten.

Er war im East End zur Welt gekommen und aufgewachsen, und so kannte er dort Straßen und Gassen, Hinterhöfe und Wegabkürzungen, Wirtshäuser und Pfandleihen. Auch wenn er in jener Gegend mit so gut wie niemandem mehr Kontakt hatte, wusste er doch, wie die Menschen dort lebten. Es war ein sonderbar unbehagliches Gefühl, sich wieder an den vertrauten Orten aufzuhalten, als habe ihn der Geruch dieses Stadtviertels nie verlassen und als sei seinen Füßen nach wie vor jeder einzelne Stein des unebenen Pflasters vertraut, über das er jetzt ging.

In jungen Jahren war er an all diesen Häusern und Geschäften vorübergekommen, in durchlöcherten Schuhen, immer ein wenig hungrig, immer mit der unausgesprochenen Frage im Kopf, ob es zu Hause etwas zu essen oder eine warme Stube geben werde, immer voll Angst vor der Zukunft. Falls Taschen-Jones aus dem East End stammte, würde Tellman ihn so gut verstehen, dass er alles andere als glücklich wäre, ihn zu verfolgen. Grover gegenüber hatte er zwiespältige Empfindungen. Einerseits empfand er Mitleid, kannte er doch selbst das Leben, dem dieser Mann zu entfliehen versuchte, andererseits hasste er ihn, weil er zum Verräter an der Polizei geworden war, die Tellman wie auch ihm selbst den Weg aus diesem Leben heraus ermöglicht hatte.

Bestimmt hatte auch Grover mit angesehen, wie sich seine Mutter abmühen musste, um ihn und seine Geschwister zu ernähren und zu kleiden. Mit großer Wahrscheinlichkeit hatte sie, von den erbärmlichen Lebensumständen oder Krankheiten geschwächt, mehrere ihrer Kinder verloren. Nie würde Tellman die Stille, die Angst und den Geruch nach Kummer im Elternhaus vergessen. Mit dem Tod eines alten Menschen musste man rechnen, doch wenn es um ein Kind ging, gab es auch nach all den Jahren keinen Trost. Er brauchte nur die Augen zu schließen, um das Gesicht seiner Mutter vor sich zu sehen, wie es an jenem Abend gewesen war, und erneut seine eigene Hilflosigkeit zu spüren.

So verabscheute er Grover teils, weil dieser Menschen aussaugte, die aus demselben Milieu stammten wie er selbst, brachte aber auch ein gewisses Verständnis dafür auf, dass sich ein Hungernder, vom verzweifelten Willen zu überleben angetrieben, nahm, was er bekommen konnte. Damit einem dies Leben nicht früher oder später das Genick brach, musste man stark und geschickt sein, oder man musste Glück haben.

Keine dieser Erwägungen hemmte im Geringsten seine Entschlossenheit, Taschen-Jones aufzuspüren und festzunehmen, nur verschaffte ihm diese Aufgabe nicht die geringste Befriedigung.

Im Verlauf des Abends suchte er jedes Wirtshaus auf, das im Umkreis von drei Kilometern ums *Dirty Dick* und das *Ten Bells* lag, machte sich mit den kürzesten Wegen zwischen ihnen allen vertraut und beobachtete das Verhalten der Wirte.

Am nächsten Tag erteilte er seinen Mitarbeitern Aufträge, die sie den ganzen Nachmittag beschäftigen würden, und fand sich zur Mittagszeit erneut im Wirtshaus *Ten Bells* ein. Da es der Tag war, an dem Pitts Worten zufolge Jones kommen würde, um sein Geld zu holen, setzte er sich mit einem Krug Dünnbier und einem Rindfleisch-Sandwich in die Nähe der Tür, sodass er sehen konnte, wer hereinkam.

Vorsichtshalber war er früh gekommen. Nach halbstündigem Warten kam ein Mann, der durch seine lange Nase und seine ungepflegten Haare auffiel. Er bestellte ein Glas Dünnbier und eine heiße Pastete, wobei er ein wenig mit der Bedienung tändelte. Den Mann, der nach ihm eintrat, hätte er fast übersehen. Die Augen in seinem spitzen Gesicht huschten hin und her, und er trug seinen Mantel offen, sodass er ihm beim Gehen um die Beine schlug. Das Gesicht der Wirtin wurde mit einem Mal ausdruckslos. Ohne dass er den Mund auftun musste, goss sie ihm ein Glas Wacholderschnaps ein und reichte es ihm. Er nahm es, stürzte es mit einer raschen Bewegung hinunter und setzte es auf die Theke, wie es aussah, ohne zu bezahlen.

Tellman leerte seinen Krug und stand auf. Die Wirtin hielt dem Mann mit dem Mantel die offene Hand hin.

Dieser nahm ein Geldstück aus der Tasche und gab es ihr. Tellman kam sich töricht vor. Er würde sich wieder setzen müssen. Das war wohl doch nicht Jones.

Andererseits schien sich die Wirtin unbehaglich zu fühlen. Während sie Tellman, der dort völlig unbekannt war, mit einem Lächeln begrüßt hatte, war ihr Gesicht beim Anblick des Mannes merkwürdig leblos geworden. Jetzt trat sie an die Geldschublade, als ob sie nach Wechselgeld suche, und nahm dann mit einer raschen Bewegung etwas aus einem der Fächer, das wie ein kleines Bündel aussah. Sie schloss die Schublade, wandte sich um und gab es dem Mann. Er nahm das Bündel mit einigen Worten entgegen, die Tellman nicht hören konnte, und verstaute es sorgfältig in einer seiner Innentaschen. Das Schutzgeld war übergeben worden, doch ein weniger aufmerksamer Beobachter hätte darin ein ganz normales Herausgeben von Wechselgeld gesehen.

Jones war damit fertig und ging. Tellman folgte ihm auf die Straße, hielt sich aber in größerer Entfernung. Da er wusste, wohin der Mann als Nächstes gehen würde, ließ er ihn sogar außer Sichtweite geraten. Seine einzige Sorge war, dass Jones das Geld vielleicht nicht am selben Tag an seine Hintermänner weitergeben würde. Nach wie vor wusste er nicht, wo er ihn finden konnte, außer in der kommenden Woche an denselben Orten wie jetzt. Doch unmöglich konnte Pitt weitere sieben Tage warten.

Noch um kurz vor sechs Uhr hatte Jones das Geld niemandem übergeben und war auch in kein Haus gegangen, von dem man hätte annehmen können, dass er dort wohnte.

Schließlich suchte er ein Wirtshaus in Bethnal Green auf und bestellte etwas zu essen. Als Tellman sah, wie ihm die Bedienung das Verlangte brachte, ohne dass er bezahlte, schloss er, dass Jones auch dort Schutzgeld erpresste. Dann aber lachte die Frau. Sie schien in keiner Weise ärgerlich, ging gelöst mit leicht schwingenden Hüften. Sie wirkte selbstsicher, schäkerte ein wenig mit anderen Gästen und zwinkerte ihnen zu. Sie machte einen

Scherz, ein breitschultriger Mann machte seinerseits einen, und sie tat so, als sei sie darüber entrüstet. Lautes Gelächter ertönte, in das auch Jones einstimmte.

Die Frau kehrte an den Tresen zurück, notierte sich etwas auf einem Blatt Papier und legte es in die Schublade.

Jones schien dort Stammgast zu sein. Diese Wirtin erpresste er nicht; sie schrieb an, was er verzehrte. Das konnte nur heißen, dass er regelmäßig dort aß. Wahrscheinlich wohnte er ganz in der Nähe.

Endlich wusste Tellman, wo er den Mann erforderlichenfalls finden konnte. Er verließ das Wirtshaus mit federnden Schritten. Zwar hatte er Hunger, doch würde er anderswo essen, nicht im selben Wirtshaus wie Taschen-Jones.

Tellman kehrte in Siegesstimmung in seine Wohnung zurück, doch als er im Bett lag und über seinen Erfolg nachdachte, ging ihm auf, dass er zwar ein genaues Bild vom Ablauf, aber nicht den geringsten Beweis für eine Straftat hatte, derentwegen er Jones festnehmen könnte. Besäße die Polizei die neuen Vollmachten, über die im Unterhaus kürzlich debattiert worden war, hätte er diese nutzen können, um den Mann zu durchsuchen. Der Gedanke erfüllte ihn mit Bitterkeit, denn ihm stand der Sinn nicht nach Schusswaffen, und noch weniger wünschte er, dass von Wetron und seinesgleichen korrumpierte Kollegen solche bekamen.

Er brauchte einen Vorwand, um Jones festsetzen zu können, damit Pitt Gelegenheit hatte, an dessen Stelle das Geld abzuholen und darauf zu warten, dass die Leute, für die Jones arbeitete, kamen, um es sich aushändigen zu lassen.

Sofern sie Pitt ebenfalls für korrupt hielten – und sie hatten keinen Anlass, etwas anderes anzunehmen –, brauchten Tellmans Gründe für Jones' Festnahme nicht unbedingt stichhaltig zu sein. Wenn die Sache aber aufflog und Wetron davon erfuhr, würde der ihn damit für den Rest seines Lebens unter Druck setzen können.

Während er sich unruhig im Bett hin und her wälzte, überliefen ihn abwechselnd heiße und kalte Schauer.

Die Aussicht, in Wetrons Gewalt zu sein, schien ihm weniger unangenehm als das Bewusstsein, unehrenhaft zu handeln. Er malte sich aus, was seine Mutter davon halten würde. Noch bitterer als ihre Verachtung wäre der Schmerz, den er ihr damit bereiten würde.

Und dann Gracie! Sie wäre wütend auf ihn, weil er nicht klug genug gewesen war, sich etwas Besseres einfallen zu lassen. Sie hätte keinen Grund mehr, zu ihm aufzusehen.

Aus welchem Grund aber könnte er Jones festnehmen, ohne sich in diese Zwickmühle zu begeben? Dass der Mann ein Erpresser war, ließe sich nicht nachweisen, weil keins der Opfer den Mut haben würde zu sagen, dass sie unter Druck bezahlt hatten. Alle wussten, dass in einem solchen Fall als Nächstes die Polizei ins Haus käme und bei ihnen Hehlerware, Falschgeld oder Papiere finden würde, die nicht dorthin gehörten.

Mit einem Mal setzte er sich auf, sodass er die Kälte durch das Nachthemd spürte. Das war es! Noch hatte Jones nicht alle Wirtshäuser in jener Gegend aufgesucht, würde also am nächsten Tag bei weiteren kassieren wollen. Wenn ihn nun einer der Wirte mit Falschgeld bezahlte? Das ließe sich ohne große Mühe einrichten. Wer Erpressern Falschgeld gab, machte sich nicht strafbar, und es dürfte Tellman nicht schwer fallen, an einige gefälschte Geldscheine heranzukommen. Im Revier seiner Wache kannte er mindestens einen Trickbetrüger, der ihm einen Gefallen schuldete und nur allzu gern bereit sein dürfte, ihm auszuhelfen. Vermutlich wusste er, wie man an Falschgeld kam.

Trotzdem war Vorsicht geboten. Er musste Jones folgen, darauf achten, dass er sich das Geld geben ließ, und ihn dann gleich festnehmen. Der Besitz von Falschgeld, über dessen Herkunft er nichts würde sagen können, weil er sich sonst selbst ans Messer liefern würde, wäre ein hinreichender Grund, ihn einige Tage, wenn nicht gar eine Woche lang, festzuhalten. Damit hätte Pitt eine Gelegenheit, an die Hintermänner heranzukommen.

Tellman war hellwach. Sein Entschluss war gefasst. Jetzt musste er nur noch überlegen, welchen seiner Kollegen er zur Festnahme von Jones mitnehmen wollte. Es war klüger, das nicht allein zu tun, für den Fall, dass sich der Mann zur Wehr setzte, womit man rechnen musste. In Gegenden wie Mile End oder Whitechapel gab es genug dunkle Gässchen und schmuddelige Hinterhöfe, in denen man jemandem ein Messer in den Leib rammen und ungesehen verschwinden konnte. Dort würde ihm niemand zu Hilfe kommen. Auf der anderen Seite wagte er nicht, sich den Kollegen der zuständigen Wache anzuvertrauen, weil jeder von ihnen korrupt sein konnte, wenn er nicht gar einer von Jones' Hintermännern war oder die Verbindung zu ihnen herstellte.

Er legte sich wieder hin und fiel nach einer Weile in einen unruhigen Schlaf. Kaum war er am nächsten Morgen aufgewacht, stellte er sich erneut die Frage, wen er für vertrauenswürdig genug hielt, um ihn mitzunehmen.

Letzten Endes blieb ihm keine rechte Wahl. Er würde sich zwischen Stubbs und Cobham entscheiden müssen. Cobham war neu und eindeutig nicht gewohnt, Anweisungen auszuführen, ohne nach dem Warum zu fragen. Da keine Zeit für lange Erklärungen war, dürfte es das Beste sein, Stubbs mitzunehmen. Von ihm wusste er lediglich, dass auch er der Älteste in einer kinderreichen Familie gewesen war. Er sprach gelegentlich von seiner Mutter, aber nie von seinem Vater, vielleicht weil dieser nicht mehr lebte. Zwar musste Tellman mit der Möglichkeit rechnen, dass der Ehrgeiz des Mannes in eine Richtung ging, die ihm schaden konnte, oder er über Verbindungen verfügte, denen man besser nicht traute. Das aber galt gleichermaßen für alle Männer auf der Wache. Wenn er diesen Befürchtungen nachgäbe, würde er sich nie entschließen. Das war eine der schlimmsten Folgen der Korruption: Sie hemmte die Tatkraft und sorgte dafür, dass alle Entscheidungen in der Schwebe blieben, bis man zum Schluss an jedem zweifelte und sich selbst nicht mehr über den Weg traute.

Als Tellman an jenem kühlen Vormittag aufbrach, um sich Falschgeld zu besorgen, lag leichter Nebel über der Themse. Um acht Uhr suchte er den Wirt des Gasthauses auf, von dem er am ehesten annehmen durfte, dass er bereit war, Jones mit Falschgeld abzuspeisen, ohne durch irgendeinen Hinweis zu verraten, dass mit der Zahlung etwas nicht stimmte. Um ganz sicher zu gehen, rief ihm Tellman die Unannehmlichkeiten in Erinnerung, denen er sich ausgesetzt sehen würde, wenn die Sache fehlschlug; außerdem malte er ihm aus, wie günstig es sich für ihn auswirken würde, wenn ihr Unternehmen erfolgreich ausging.

Um neun Uhr trat er wie immer in der Bow Street seinen Dienst an und ging Wetron so weit wie möglich aus dem Weg. Er beschloss, Stubbs nicht zu sagen, dass er ihn später brauchen würde, weil ihm das zu gefährlich erschien. Stattdessen suchte er ihn um die Mittagszeit auf, als er gerade einen Bericht abfasste, und teilte ihm mit, er habe eine Aufgabe im Außendienst für ihn. Stubbs, dem der Papierkram zuwider war, schloss sich ihm bereitwillig an.

Sie suchten einen Pfandleiher auf, bei dem sie sich nach zwei gestohlenen Kerzenleuchtern und einer silbernen Deckelvase erkundigten, was Tellman ohne weiteres allein hätte tun können. Von dort gingen sie weiter nach Osten, als folgten sie der Spur dieser Gegenstände. Sie nahmen in der *Smithfield Tavern* einen Imbiss ein und setzten ihren Weg dann in Richtung des Wirtshauses fort, in dem Jones, wie Tellman annahm, an jenem Tag kassieren würde. Anfänglich hatte er erwogen, sich schon dort, wo Jones lebte, auf dessen Fährte zu setzen und ihm zu dem Wirtshaus zu folgen, wo der gefälschte Geldschein auf ihn wartete. Dann aber fürchtete er, dass Stubbs ihn möglicherweise warnen konnte, falls er dem Inneren Kreis oder einem seiner Mitglieder in irgendeiner Weise verbunden oder verpflichtet war oder einfach Angst hatte.

Also mussten sie warten. Der Himmel bewölkte sich, es regnete, und sie begannen zu frieren. Stubbs fragte sich offenkundig immer mehr, was sie dort wollten.

Tellman unterließ es, ihm Erklärungen zu geben. Dazu wären zu viele Einzelheiten nötig gewesen, über die er nicht reden wollte.

Wieder ging ein Schauer nieder, Hagelkörner prallten gegen die Scheiben des Geschäfts, vor dem sie Zuflucht gesucht hatten. Mit einem Mal tauchte Jones auf. Er trug einen schwarzen Hut, und wie am Vortag schlug ihm der Mantel um die Beine. Er betrat das Wirtshaus und kam zehn Minuten später wieder heraus. Er wischte sich den Mund ab und ging auf die andere Straßenseite.

»Los!«, sagte Tellman scharf. »Auf ihn haben wir es abgesehen.«

»Warum?«, fragte Stubbs, kam aber ohne zu zögern mit. Er trat in eine Pfütze und fluchte leise. »Was hat er getan?«

»Er besitzt Falschgeld«, gab Tellman zur Antwort.

»Woher wollen Sie das wissen?« Stubbs holte ihn gerade in dem Augenblick ein, als Jones vor ihnen in ein Gässchen einbog, um den Weg zum nächsten Wirtshaus abzukürzen.

»Das gehört zu meinen Aufgaben«, sagte Tellman und schritt kräftig weiter aus. Es war ihm nicht recht, Jones an eine Stelle folgen zu müssen, die ihm nicht vertraut war, weil man ihn dort leicht in einen Hinterhalt locken konnte. Auf keinen Fall aber wollte er ihn aus den Augen verlieren, denn es war gut möglich, dass er gerade in diesen wenigen Augenblicken das Geld weitergab. Damit aber wäre der Grund für die Festnahme entfallen. Die Korruption in der Polizei nagte an Tellman wie ein Geschwür, und der Gedanke, den Kampf gegen sie zu verlieren, schien ihm unerträglich. Nicht nur würde er sich den Vorwurf machen müssen, feige gewesen zu sein, er hätte auch Pitt im Stich gelassen, und das wäre fast genauso schlimm.

Er sah, dass sich Jones rasch einem untersetzten Mann mit O-Beinen näherte, der in der Mitte des wegen der Regenwolken ziemlich finsteren Gässchens stand. Er ging geradewegs auf ihn zu, und es sah nicht so aus, als habe er die Absicht, ihm auszuweichen.

Tellman blieb keine Wahl. Wenn das Geld einmal übergeben war, hatte er keinen Vorwand mehr, Jones anzuhalten.

»Wir müssen ihn festnehmen«, sagte er leise zu seinem Kollegen. Jetzt würde man ja sehen, auf wessen Seite dieser stand. Einen Augenblick lang krampfte sich in seinem Inneren alles so sehr zusammen, dass er kaum Luft bekam. Er lief plötzlich los, packte Jones von hinten, drehte ihm den Arm auf den Rücken und brachte ihn wie einen Schutzschild zwischen sich und den Unbekannten. Falls dieser eine Waffe hatte, würde ihm die erst einmal nichts nützen. Er hörte auf dem Pflaster Stubbs' Schritte, die ihm folgten.

»Polizei, Mr Jones«, sagte Tellman laut und vernehmlich. »Ich nehme Sie fest wegen des Verdachtes, im Besitz von Falschgeld zu sein.«

Jones stieß einen leisen Schrei aus, teils vor Überraschung, in erster Linie aber wohl vor Schmerz. Er versuchte vergeblich, sich loszureißen. »Bei mir find'n Se nix«, sagte er aufgebracht.

»Was wollen Sie hier?«, fragte der O-Beinige leise. Sein Gesicht war scharfgeschnitten. »Ich heiße Grover«, fuhr er fort. »Wache Cannon Street. Oberwachtmeister Grover. Sie sind doch gar nicht aus diesem Revier, sondern aus der Bow Street.« Seine gebildete Art zu sprechen passte in keiner Weise zu dem Ruf, den er hatte.

»Ich bin Oberwachtmeister Tellman und bin dem Geld aus meinem Revier gefolgt«, gab er zur Antwort.

»Lüge!«, stieß Jones aufgebracht hervor. »Ich war überhaupt nicht in der Nähe von der Bow Street.«

»Sind Sie Ihrer Sache sicher?«, fragte Grover und tat einen Schritt auf Tellman zu. Er war jetzt nur noch knapp drei Meter entfernt.

Tellman trat zurück und zog Jones mit sich, um einen größeren Abstand zwischen sich und Grover herzustellen und näher an Stubbs zu kommen. »Absolut«, sagte er. »Wir werden ja gleich sehen, ob er Falschgeld bei sich hat oder nicht. Stubbs, durchsuchen Sie seine Taschen!« Er wollte nicht das Risiko eingehen, Jones von seinem Kollegen festhalten zu lassen, um selbst nach dem Geld zu suchen, denn falls Stubbs ihn losließ, ob absichtlich oder nicht, war es möglich, dass die Sache drei zu eins stand. In dem Fall hätte Tellman nicht die geringste Aussicht gehabt, davonzukommen. Außerdem bestand die Gefahr, dass ihm Grover unterstellte, Jones das Falschgeld untergeschoben zu haben.

Eine quälend lange Weile rührte sich niemand, dann trat Stubbs vor.

Jones höhnte: »Bei mir find'n Se nix!« Zu Grover gewandt sagte er, ohne seinen Ärger zu verbergen: »Se kenn' mich. Das is Ihr Revier. Woll'n Se mit anseh'n, was sich der da rausnimmt?«

»Wenn Sie wirklich nichts haben, werde ich mich entschuldigen«, sagte Tellman und verdrehte ihm den Arm so weit, dass Jones zusammenzuckte. »Ich lade Sie dann sogar zum Abendessen ein. Vorwärts, Stubbs! Worauf warten Sie?« Jones festzuhalten wurde immer schwerer, außerdem sah Tellman, dass sich hinter Grover von der anderen Seite der Gasse ein weiterer Mann näherte. Grover schien ihn gehört zu haben, denn er drehte sich um. Dann richtete er den Blick wieder auf Tellman. Sein Gesichtsausdruck wirkte sonderbar unsicher.

Jetzt war der andere zu erkennen. Es handelte sich um Leggy Bromwich, einen kleinen Dieb, den Tellman seit Jahren kannte. Ein- oder zweimal hatte er ein Auge zugedrückt, wenn es lediglich darum ging, dass sich Leggy wegen einer erlittenen Unbill an einem anderen Ganoven gerächt hatte. Mithin schuldete er Tellman eigentlich einen Gefallen, doch war keineswegs sicher, ob er jetzt daran denken würde.

»Hallo Leggy«, sagte Tellman und entblößte die Zähne, sodass es wie ein Lächeln aussah. »Haben Sie in letzter Zeit gute Fälschungen gesehen?«

»Ham Se eine, Mr Tellman?«, fragte Leggy, und sein Gesicht hellte sich auf.

»Gleich«, sagte Tellman, »sobald Stubbs hier seine Arbeit getan hat.«

Mit aufmerksamen Augen blieb Leggy gerade so weit von Grover entfernt stehen, dass ihn dieser nicht erreichen konnte. Auf seinem Mausgesicht lag ein leichtes Lächeln.

Stubbs ging alle Taschen Jones' durch und holte Hände voll Geld heraus. »Lauter Hartgeld«, sagte er ausdruckslos.

Jones schwieg.

Tellman spürte, wie sein Herz sank. Hatte Jones den Schein bereits an Grover weitergegeben? Oder hatte der Wirt Tellman hintergangen und ihn Jones erst gar nicht ausgehändigt? Er spürte den Geschmack des Fehlschlags schon wie Galle im Mund. »Sehen Sie in seinem Hemd nach«, sagte er grob.

»Auf kein'n Fall, Mr Tellman!«, begehrte Jones auf. »Das dürf'n Se nich! Ich bin unschuldig.«

Tellman drehte seinen Arm ein wenig weiter, sodass Jones laut aufschrie.

»Sie sind hier nicht in Ihrem Revier«, sagte Grover in scharfem Ton.

Stubbs sah auf ihn, dann auf Leggy. Er schob die Hand in Jones' Hemd und zog zwei Fünf-Pfund-Scheine heraus.

»Sehen Sie sich die gut an«, forderte Tellman ihn auf. Sogar aus fast einem Meter Entfernung konnte er sehen, dass sie nicht gleich waren. Also musste mindestens einer von ihnen gefälscht sein, und das nicht einmal besonders gut.

Jetzt war Tellman sehr froh über Leggy Bromwichs Anwesenheit.

»Mr Jones, ich bin von Ihnen enttäuscht«, sagte Grover und tat so, als sei er betrübt. Er trat einen Schritt zurück. »Sieht ganz so aus, als hätte mein Kollege Recht. Leichtsinnig, wirklich sehr leichtsinnig.«

Erneut entblößte Tellman seine Zähne. »Das kann man wohl sagen«, stimmte er zu. »Ich fände es nicht gut, wenn mir jemand meine Außenstände mit einer Hand voll von denen da bezahlte! Stubbs, die Handschellen bitte. Wir müssen Mr Jones mitnehmen. Auf Wiedersehen Mr Grover. Auf Wiedersehen, Leggy!« Dann zerrte er Jones herum in die andere Richtung und stieß ihn vor sich her. Stubbs folgte ihm.

Sie gingen in Richtung der nächsten größeren Straße, wo sie mit etwas Glück schon bald eine Droschke finden würden. Tellman drehte sich nicht nach Grover um, auch wenn er gern dessen Gesichtsausdruck gesehen hätte. Dass Leggy Bromwich zufrieden dreinblickte, konnte er sich denken. Auf jeden Fall würde es sich für ihn empfehlen, Grover in den nächsten ein, zwei Monaten aus dem Weg zu gehen.

Am Abend, nachdem er Pitt die Nachricht überbracht hatte, stand Tellman mit Gracie vor dem Varietétheater *Gaiety*. Sie glühte vor Aufregung. Schon vor fast drei Wochen hatte er versprochen, mit ihr auszugehen, und es zweimal aufschieben müssen, um Pitt zu helfen. An diesem Abend wollte er an nichts von all dem denken. Drei Stunden lang würde er alles beiseite schieben, was mit Verbrechen irgendwelcher Art zu tun hatte. Gracies strahlendes Gesicht war ihm Belohnung genug für seinen angestrengten Versuch, alles Misstrauen zumindest so lange aus seinen Gedanken zu verbannen, bis er wieder in seiner Wohnung war und sich ihm erneut die Erkenntnis aufdrängte, dass er es sich nicht leisten konnte, irgendeinem seiner Kollegen zu trauen.

Selbstverständlich war es gut möglich, dass sich die Anarchisten über das Ausmaß der Korruption irrten. Es waren nicht unbedingt Männer, die sich der Vernunft und dem gesunden Menschenverstand verschrieben hatten. Wer hatte schon je etwas so ganz und gar Unsinniges gehört wie die Behauptung, man müsse jegliche Ordnung zerschlagen, um aus dem Chaos, das darauf folgte, Gerechtigkeit schaffen zu können?

Dennoch ließ die Frage Tellman keine Ruhe, was Stubbs wohl getan hätte, wenn nicht zufällig Leggy Bromwich aufgetaucht wäre. Was würde er Wetron melden, was würde Grover an Simbister weitergeben? Glaubte Grover, dass Jones tatsächlich mit Falschgeld zu tun hatte, oder war ihm klar, dass Tellman da nachgeholfen hatte? In einem Punkt war er seiner Sache sicher: Nie und nimmer würde Grover den Wirt offen beschuldigen, er habe dem Erpresser Falschgeld gegeben.

Falls aber das Übel tatsächlich dermaßen weit verbreitet war, wie Pitt befürchtete, und es ihnen nicht gelang, es an der Wurzel zu packen, würde es Tellman erst recht schlecht gehen. Bedrückt machte er sich klar, dass er in dem Fall nicht bei der Polizei bleiben konnte. Er würde sich einen anderen Beruf suchen müssen. Nur welchen? Er hatte nichts anderes gelernt. Gracie und er wollten heiraten. Was konnte er ihr bieten, wenn er keine Arbeit hatte?

Sie hatte sich bei ihm untergehakt, hauptsächlich, um nicht von ihm getrennt zu werden, als die Menschenmenge voranstürmte, da die Türen des *Gaiety* geöffnet wurden. Sie so zu spüren war ein schönes Gefühl, voll menschlicher Wärme. Der Himmel wusste, dass er lange genug darauf hatte warten müssen, bis sie bereit gewesen war, einigermaßen höflich mit ihm umzugehen. Er konnte sich noch gut daran erinnern, wie herablassend sie ihn immer behandelt hatte. Mit in die Luft gereckter Nase war sie an ihm vorübergegangen, was eine beachtliche Leistung war, denn schließlich maß sie gerade einen Meter fünfzig und war so dürr wie ein halb verhungertes Kaninchen. Aber ihre Energie hätte für zwei Frauen ihrer Größe ausgereicht, und Tellman war von Anfang an von ihr gefesselt gewesen. Wenn er ehrlich war, musste er zugeben, dass er sich fast ein ganzes Jahr lang eingeredet hatte, er empfinde ihr gegenüber ausschließlich Ärger wegen ihrer Art, sich ständig in alles einzumischen, und sonst nichts.

Jetzt drängten sie gemeinsam mit der Menge voran und wurden an ihre Plätze geführt. Alle machten es sich bequem, Frauen ordneten ihre Röcke. Die Menschen unterhielten sich, lachten, beschwerten sich über die Sitznachbarn oder riefen Bekannten etwas zu, die sie im Zuschauerraum entdeckt hatten.

Das Programm war vielversprechend: ein Akrobat, zwei Jongleure, zwei Schlangenmenschen, die gemeinsam auftraten, eine Tänzerin, mehrere Gesangsnummern und zwei erstklassige Clowns. Tellman hatte für Gracie Schokolade und Pfefferminzbonbons gekauft und wollte sie in der Pause zu einem Glas Limonade einladen.

Der Vorhang hob sich. Unter prasselndem Beifall kündigte der Conférencier mit gedrechselten Worten und blumigen Umschreibungen die einzelnen Auftritte an. Vor allem gefielen Gracie und Tellman die überaus geschickten Jongleure, die ihrer Darbietung eine lustige Note gaben, wie auch der äußerst anmutige Akrobat, der zugleich eine Pantomime ablieferte. Wie alle anderen im Publikum stimmten sie begeistert mit in die Lieder ein, die auf der Bühne vorgetragen wurden. Das Ende der ersten Programmhälfte bestritt einer der beiden Clowns, der brüllendes Gelächter erntete.

Als sich der Beifall gelegt hatte und der rote Samtvorhang gefallen war, stand Tellman auf.

»Möchtest du gern eine Limonade?«, fragte er.

»Danke, Samuel«, sagte Gracie höflich. »Das wäre sehr schön.«

Wenige Minuten später kehrte er zurück und reichte ihr das Glas. Sie nahm einen kleinen Schluck daraus und verzog das Gesicht.

»Was ist?«, fragte er besorgt. »Ist sie zu sauer?«

»Nein, sie ist köstlich«, gab sie zur Antwort. »Ich mach mir nur Sorgen um Mr Pitt.«

»Wieso das?«, fragte er und hoffte, sie mit einer einfachen Erklärung beruhigen zu können. »Die Arbeit im Staatsschutz ist eben aufreibender als die bei der Kriminalpolizei.«

»Weiß ich doch«, erwiderte sie und nahm erneut einen Schluck. Ganz leise, damit niemand in ihrer Nähe hören konnte, was sie sagte, fuhr sie fort: »Er will unbedingt wiss'n, ob stimmt, was de blöd'n Bomb'nleger über de Polizei sag'n. Da kann er ja nich gut jemand frag'n, oder? Wem könnte er da trau'n?«

»Die meisten von uns sind genauso anständig wie die Leute vom Staatsschutz!«, sagte er hitzig. »Und das ist ihm auch klar.«

»Dass du so bis', weiß er«, verbesserte sie ihn, »aber über die ander'n weiß er nix.«

»Doch. Er weiß ...« Er hielt inne, weil ihm aufging, dass auch er nicht wusste, wem er trauen konnte.

Sie sah ihn aufmerksam an und registrierte die leiseste Regung auf seinem Gesicht. Er spürte, wie ihm die Hitze in die Wangen stieg, und merkte, dass er rot wurde.

»Er hat dir was davon gesagt, nich?«, fragte sie ruhig, ohne weiter auf ihre Limonade zu achten. »Du weiß' doch bestimmt, wovor er Angst hat?«

Die zwischen ihnen bestehende Freundschaft war viel zu kostbar, als dass er sie hätte aufs Spiel setzen können, indem er sie mit einer Lüge oder auch nur einer Halbwahrheit abspeiste. »Über Angelegenheiten der Polizei darf ich nicht sprechen«, erklärte er gemessen. »Nicht einmal mit dir.« Falls er ihr sagte, dass er lediglich schwieg, um ihr Sorgen zu ersparen, würde sie das nur reizen. Als er das bei einer früheren Gelegenheit versucht hatte, war ihm das nicht nur mit dem Vorwurf vergolten worden, er verhalte sich ihr gegenüber anmaßend, sie hatte ihn auch zwei Monate lang so behandelt, als sei er Luft.

»Brauchs' du auch nich«, sagte sie steif. »Ich arbeit' schon beinah zehn Jahre für Mr Pitt, da weiß ich natürlich, dass er so was auf kein'n Fall durchgeh'n lässt, ganz egal, was es 'n kostet, das aufzudeck'n. Un wenn Mrs Pitt vor Angst um 'n nich aus 'n Aug'n guck'n kann, lässt er sich trotzdem nich davon abhalt'n.«

»Würdest du etwas anderes wollen?«, fragte Tellman, der die rückhaltlose Bewunderung in ihrer Stimme hörte und den Glanz in ihren Augen sah.

Sie zögerte. Vielleicht wusste sie es selbst nicht recht.

Er drängte sie: »Nun?« Er war sicher, dass er ihre Empfindungen nicht falsch gedeutet hatte. Ganz davon abgesehen, dass er Gracie recht gut kannte, entsprach die Haltung, die er bei ihr voraussetzte, auch seinen eigenen Überzeugungen.

Sie sah beiseite.

»Mir is klar, dass er das tun muss«, sagte sie so leise, dass er es kaum hörte. Dann fuhr sie zu ihm herum und sagte mit Tränen des Zorns in den Augen: »Aber du nich! Wer hilft dir, wenn die dahinter komm'n, was du machs'?« Sie schluckte, ihr ganzer Körper war starr. »Du bis doch da bei euch ganz alleine, un wenn die dich zu fass'n krieg'n, kanns' du nix mach'n un auch sons' keiner!«

Er öffnete den Mund, um zu erklären, dass er nichts Gefährliches tue.

»Untersteh dich, mich zu belüg'n, Samuel Tellman!«, drohte sie, wobei sie an ihren Worten fast erstickte. »Wag es ja nich!«

»Ich habe nicht die Absicht zu lügen«, sagte er steif. Ihm blieb keine Wahl. Falls er zuließ, dass sie ihm vorschrieb, was er zu tun und zu lassen hatte, würde er sein Leben lang unter ihrem Pantoffel stehen. Das wollte er auf keinen Fall, ganz gleich, wie sehr er sie liebte. »Ich habe das Thema lediglich deshalb nicht angesprochen, weil ich dir Ärger ersparen wollte«, sagte er. »Weiß der Geier, wie du auf die Sache gestoßen bist. Ich habe dir jedenfalls nichts davon gesagt und Mr Pitt bestimmt auch nicht.«

»Das muss mir auch keiner sag'n!«, zischte sie wütend. »Da bin ich ganz von selber drauf gekomm'n! Die Anarchist'n hab'n das Haus von 'nem Polizist'n aus der Cannon Street inne Luft gejagt. Im Unterhaus woll'n se 'n Gesetz mach'n, damit ihr alle Schusswaff'n kriegt. Das will Mr Pitt aber nich. Er sagt, das macht der Polizei die Arbeit nur schwerer. Der Mann, der jetz' dein Chef is, is 'n krummer Hund un' der Anführer von dem Inner'n Kreis, der Mr Pitt früher schon mal fast umgebracht hat.«

»Gracie!«, flüsterte er mahnend. »Nicht so laut. Du weißt nicht, wer zuhört.«

Ohne auf ihn zu achten, fuhr sie fort: »Lady Vespasia kommt vor Sorg'n um un Miss Emily auch. Un du kanns' nich mit mir ins Varieté geh'n, weil du zu viel zu tun has. Wo wir jetz' aber doch hier sind, siehst aus, wie wenn dir jemand mit der Faust auf de Aug'n geschlag'n hätt! Un da glaubs' du, ich komm da nich von selber drauf?«

Er hätte wissen müssen, dass der Versuch sinnlos war, zumindest das Ausmaß der Schwierigkeiten vor ihr geheim halten zu können. Doch änderte das nichts daran, dass er seine Pflicht tun musste.

»Sieht ganz so aus, als ob du es dir tatsächlich selbst zusammengereimt hast«, gab er zu. »Ich hatte gehofft, dir das ersparen zu können, damit du dir keine Sorgen machen musst.«

Sie schnaubte verächtlich.

»Trotzdem werde ich tun, was ich kann«, sagte er entschlossen.

»Und frag mich nicht wieder danach, weil du mich sonst dazu zwingst, dir zu sagen, du sollst dich da heraushalten. Auf keinen Fall werde ich dir Einzelheiten mitteilen – nicht etwa, weil ich dir nicht traute, sondern damit du keine Geheimnisse vor Mrs Pitt haben und sie nicht belügen musst.«

»Die weiß sowieso Bescheid«, sagte Gracie und schluckte. »Da is se auch von selber draufgekomm'n. Wir wiss'n schon, dass die das Haus inne Luft gejagt ham, weil der Polizist, der da drin wohnte, korrupt is!«

»Dann brauche ich ja ohnehin nichts zu sagen«, gab er zur Antwort. »Lassen wir es gut sein, Gracie. Die Sache ist, wie sie ist, und du wirst dich wohl oder übel daran gewöhnen müssen.« Er sah sie aufmerksam und ernsthaft an.

Der Ausdruck von Wut trat auf ihr Gesicht, und sie ballte ihre Hände im Schoß, sodass die Knöchel weiß wurden. Sie atmete mehrere Male heftig ein und aus und schien angestrengt zu überlegen, was sie ihm antworten konnte. Ihre weit aufgerissenen dunklen Augen zeigten ihm, dass sie Angst hatte.

Fast wäre er weich geworden. Wenn sie sich jetzt so sehr ausgeschlossen fühlte, dass sie ihm nicht verzeihen mochte? Er holte Luft, um ihr etwas Freundliches zu sagen.

»Ja, Samuel«, sagte sie leise.

»Was?« Er war verblüfft. Sie fügte sich!

»Du has' gehört, was ich gesagt hab!« Ihre Stimme klang wieder verärgert. »Ich sag das nich noch mal! Aber ... aber pass auf dich auf, ja? Versprich mir ...«

»Das verspreche ich dir!«, gab er mit großer Erleichterung zurück. Am liebsten hätte er sie in die Arme genommen und geküsst, aber so vor aller Augen würde sie sich zu Tode schämen. Allmählich nahmen die Menschen um sie herum wieder ihre Plätze ein, Röcke raschelten, man hörte gemurmelte Entschuldigungen und unterdrückte Aufschreie, wenn jemand einem anderen auf die Zehen trat.

Gracie saß ganz steif da, das Kinn emporgereckt. Sie zog die Nase leicht hoch und suchte nach einem Taschentuch. Ihr Gesicht leuchtete vor Stolz und Erregung, und das hatte weder etwas mit den Schlangenmenschen zu tun, deren Auftritt bevorstand, noch mit dem Clown, der sie zum Lachen bringen würde, und auch nicht mit dem Sänger, der danach an die Reihe kam und in dessen mitreißende Lieder das ganze Publikum einfallen würde.

Tellman lächelte so breit, dass der Mann neben ihm annahm, er habe einen der besten Witze verpasst, ohne dass er es gewagt hätte nachzufragen.

Als Tellman am nächsten Morgen bei Dienstantritt eine Notiz vorfand, er möge sich umgehend bei Hauptkommissar Wetron melden, waren alle Vergnügungen des Vorabends wie weggewischt.

»Ja, Sir?«, sagte er, sobald er vor Wetron stand, der hinter seinem untadelig aufgeräumtem Schreibtisch saß. Sein Mund war wie ausgedörrt.

Wetron hob den Blick. Dabei sah man, dass er allmählich eine Stirnglatze bekam.

»Ah ... Tellman.« Er lehnte sich leicht zurück und musterte seinen Untergebenen mit stählernen Augen. Sein schmaler Mund bildete eine scharfe Linie. »Ich wusste gar nicht, dass in unserem Revier Fälschungen auftreten, wenn man von gelegentlichen Einzelstücken absieht, die meist so schlecht gemacht sind, dass praktisch niemand darauf hereinfallen würde.«

Tellman spürte, wie ihm die Röte ins Gesicht stieg. »Ich bin überzeugt, dass es so ist, Sir, und es wäre mir lieb, wenn es so bliebe.«

»Nun habe ich aber von der Cannon Street erfahren, dass Sie gestern dort einen Mann festgenommen und hierher gebracht haben. Stimmt das?«

»Ja, Sir. Ich hatte Grund anzunehmen, dass der gefälschte Geldschein, den er bei sich trug, aus unserem Revier stammt und wir deshalb zuständig sind.« In gewisser Hinsicht entsprach das der Wahrheit. Trotzdem musste er bei seiner Wortwahl größte

Vorsicht walten lassen. Er hatte keine Vorstellung, was Stubbs möglicherweise schon gesagt hatte.

»Geht es um einen Fünf-Pfund-Schein?« Wetron hob kaum wahrnehmbar die Brauen. Der Klang seiner Stimme ließ den Eindruck aufkommen, als messe er der Sache praktisch keine Bedeutung bei.

Tellman fühlte sich gekränkt, durfte das aber auf keinen Fall zeigen.

Ein Anflug von Belustigung trat auf Wetrons hartes Gesicht. Er sagte nichts.

Dann ging Tellman auf, was sein Vorgesetzter von ihm erwartete: Er sollte sich entschuldigen und möglichst rasch verschwinden, so, als habe er Angst oder sei sich einer Schuld bewusst. Zorn flammte in ihm auf, aber auch das Bewusstsein, dass er mit größter Umsicht vorgehen musste. Wetron würde sich jedes Wort merken, das er sagte, jede Tonfärbung, sogar die Art, wie er stand, und den Ausdruck auf seinem Gesicht. Er war keinesfalls bereit, klein beizugeben.

»Ich war in dem Augenblick der Ansicht, Sir, dass diese Fälschung von besonderer Bedeutung sein könnte«, sagte er und straffte sich ein wenig. »Anarchisten brauchen Geld. Um Grovers Haus und die Häuser links und rechts davon in die Luft zu sprengen, war wohl ziemlich viel Dynamit nötig.«

Mit tiefer Befriedigung sah er, dass der Ausdruck von Unsicherheit in Wetrons Augen trat. Doch so schnell er gekommen war, verschwand er auch wieder.

»Das ist wohl richtig«, stimmte Wetron zu. »Ich wusste gar nicht, dass Sie sich so sehr für den Fall interessieren. Andererseits ist das natürlich verständlich. Ich nehme an, dass Sie sich Pitt nach wie vor verbunden fühlen.« Er schwieg einen Augenblick, um die in seiner Anspielung enthaltene Zweideutigkeit wirken zu lassen. »Er ist doch mit den Ermittlungen in der Sache betraut, nicht wahr?«

Mit großer Erleichterung, wie ein Läufer, der ins Straucheln geraten ist und das Gleichgewicht wiedergefunden hat, fiel

Tellman ein, dass das in den Zeitungen gestanden hatte. »Ja, Sir, so heißt es in der Presse«, antwortete er. »Ich mache mir aber Sorgen, weil Grover einer von uns ist.«

»Mir war gar nicht bewusst, dass Sie ihn kannten.«

»Das ist auch nicht der Fall, Sir. Aber wenn es diesmal ihn getroffen hat, kann es beim nächsten Mal einen anderen von uns treffen, zum Beispiel mich.« Er holte tief Luft. »Es sei denn, es gäbe etwas im Zusammenhang mit Grover, was ich nicht weiß.«

Wetrons ausdrucksloses Gesicht verriet nichts. Reglos lagen seine Hände auf der Schreibtischplatte. »Sind Sie der Ansicht, dass die Anarchisten es auf Oberwachtmeister Grover abgesehen hatten?«

»Ich ahne es nicht, Sir, und ich möchte keine voreiligen Theorien aufstellen. Selbstverständlich kann es Zufall sein, dass es das Haus eines Polizeibeamten getroffen hat, Sir«, sagte er. »Andererseits kannte Grover dort viele Menschen und hat vermutlich den einen oder anderen dadurch verärgert, dass er ihn ins Gefängnis gebracht oder ihm das Geschäft verdorben hat. Vielleicht haben diese Leute für die Anarchisten einige Geldscheine gedruckt und sie gefragt, ob sie ihnen nicht den Gefallen tun könnten, mit ihrem Dynamit ein bestimmtes Haus in einer bestimmten Straße zu sprengen?« Er war mit seiner Antwort zufrieden. Sie klang plausibel.

Wetron sah ihn scharf an. »Ist das Mr Pitts Theorie?«

»Davon ist mir nichts bekannt, Sir.« Das stimmte auf jeden Fall, auch wenn es nicht so klang. »Ich vermute, dass ihm mehr daran liegt, sie zu fassen, als daran, zu erfahren, ob sie es auf ein bestimmtes Haus abgesehen hatten.«

Wetron lächelte, wobei man seine kleinen, gleichmäßigen Zähne sah. »Ihr Mr Pitt ist wohl nicht besonders schnell, was?«, fragte er mit einem Anflug von Spott in der Stimme. »Die Anarchisten beschaffen sich ihre Mittel selbst – das weiß sogar ich, und zwar einfach dadurch, dass ich mich ein bisschen umgehört habe. Das kann er, wie es aussieht, nicht einmal mithilfe kriminalistischer Methoden herausbekommen – ebenso wenig wie Sie.«

Zornesröte trat auf Tellmans Gesicht. Er spürte, wie seine Wangen brannten, und ihm war klar, dass Wetron das sehen musste. Instinktiv neigte er dazu, eher Pitt als sich selbst zu verteidigen. Vielleicht wollte ihn Wetron dazu provozieren. Wenn er nicht auf diese Herausforderung einging, würde Wetron wissen, dass er sich bewusst zurückhielt. Was erwartete der Mann? Einen Bluff? Einen doppelten Bluff?

Wetron wartete und sah ihn aufmerksam an. Er musste unbedingt reagieren. Ein Zögern würde nicht nur seine Besorgnis preisgeben, sondern ihn auch als Lügner erscheinen lassen.

»Ja«, stimmte er zu. »Es kann sein, dass er nicht mehr so viel erfährt, seit er nicht mehr bei der Polizei ist. Und wir haben ihm ja wohl nichts gesagt.«

»Ich weiß nicht recht«, sagte Wetron immer noch lächelnd. »Ich könnte mir denken, dass er Kontakte hat, Leute, die ihn auf dem Laufenden halten. Meinen Sie nicht auch, Oberwachtmeister?«

Tellman wusste, dass seine Stimme vor Anspannung belegt und unnatürlich klingen würde. Trotzdem unterdrückte er das Bedürfnis, sich zu räuspern. »Nun, Sir, wenn Sie die Sache mit den Anarchisten wissen und er nicht, muss man annehmen, dass er nicht über besonders gute Zuträger verfügt«, gab er zur Antwort.

»Ja, das sollte man glauben, nicht wahr?«, sagte Wetron. »Vermutlich fragt er Leute, denen ihre Vorgesetzten und ihre Kollegen nicht trauen.«

Da war sie, die unüberhörbare Warnung. Tellman konnte die Sache an Pitt weiterberichten und sich damit zu der Kategorie bekennen, in die ihn sein Vorgesetzter mit diesen Worten eingeordnet hatte, oder es ihm verschweigen – dann aber wäre er Pitts Vertrauens unwürdig.

Er konnte die Befriedigung, die Wetron ausstrahlte, fast mit Händen greifen.

»Ausgesprochen töricht!«, fuhr dieser fort. »Ein Polizeibeamter im Außendienst, der das Vertrauen der Männer nicht genießt, auf die er angewiesen ist, lebt ausgesprochen gefährlich. Es gibt in London eine Menge Orte, an denen ihn das sogar das Leben kosten könnte.«

Tellman dachte an die Situation mit Grover und Stubbs in dem Gässchen. Wusste Wetron davon – durch einen von beiden? Lediglich Leggys zufälliges Auftauchen hatte verhindert, dass er Stubbs ausgeliefert war – auf die eine oder die andere Weise.

»Ja, Sir«, sagte er. »Sollen wir dem Staatsschutz den Gefallen tun und ihm mitteilen, woher die Anarchisten ihr Geld haben? Es könnte nützlich sein, bei den Leuten einen Stein im Brett zu haben.«

»Meinen Sie, dass die uns den Gefallen eines Tages erwidern würden?«, fragte Wetron überrascht.

Tellman kam sich einfältig vor. Bei Pitt war er seiner Sache sicher, ob sich aber Victor Narraway zu einer solchen Handlungsweise verpflichtet fühlen würde, war eine völlig andere Frage.

Auch Wetron schien das zu erwägen. »Wir könnten es ja auf den Versuch ankommen lassen«, sagte er nachdenklich, »wenn die Leute in drei oder vier Tagen immer noch im Dunkeln tappen sollten.«

Tellman fiel keine Antwort ein, und er wagte nicht, etwas dagegen zu sagen.

Wetron lehnte sich zurück. »Zieht der Staatsschutz Erkundigungen über die Angehörigen von Magnus Landsborough ein?«, fragte er in einem Ton, als interessiere ihn das nur am Rande.

Tellman war verblüfft. »Ich ahne es nicht, Sir.«

Wetron lächelte erneut. »Da sollten sich die Leute einmal umsehen. Am besten bei seinem Vetter Piers Denoon. Vielleicht kommt Pitt im Laufe der Zeit ja sogar von selbst dahinter.« Er sah Tellman mit harten, glänzenden Augen an, als könne er seine Gedanken lesen.

Tellman war sich ebenso wie Wetron selbst über das Katz- und-Maus-Spiel im Klaren, das er mit ihm trieb. Offenkundig genoss er es, Tellman in der Zwickmühle zu sehen: Würde er Pitt berichten, worüber sie gesprochen hatten, und sich damit selbst ans Messer liefern – oder nichts sagen und damit Pitt hintergehen? In dem Fall war die Gefahr, dass dessen Bemühungen fehlschlugen, noch weit größer als zuvor – dabei empörte sich schon jetzt halb London darüber, dass der Staatsschutz erst zwei der Anarchisten gefasst hatte und von den übrigen nicht einmal die Namen wusste.

»Ja, Sir«, sagte Tellman ruhig. Er wagte kaum zu sprechen aus Besorgnis, der Klang seiner Stimme könne ihn verraten. Nur eine Blöße hatte Wetron sich gegeben, und falls Tellman je geglaubt hatte, der Mann sehe sich als Diener des Volkes und nicht als Vertreter seiner eigenen Interessen, so war es damit nun vorbei. Doch vielleicht war es Wetron auch längst klar, dass sich Tellman dieser Täuschung nie hingegeben hatte.

»Noch etwas, Sir?«, fragte Tellman höflich.

»Nein«, sagte Wetron und richtete sich in seinem Sessel auf. »Ich wollte lediglich feststellen, aus welchem Grund Sie sich so sehr für den gefälschten Fünf-Pfund-Schein interessiert haben. Mir scheint die Sache ziemlich ... belanglos.«

»Ich nehme an, dass es nicht nur den einen Schein gibt.« Jetzt hob Tellman die Mundwinkel ganz leicht, sodass es wie ein Lächeln aussah. »Wer die Druckplatten hat, kann so viele davon herstellen, wie er will.«

»Und hat Ihnen dieser ... Jones irgendwelche verwertbaren Hinweise geliefert?«

»Noch nicht, Sir«, sagte Tellman unbewegt. »Aber das kommt noch.«

Wetron nickte langsam. Er hatte die Kampfansage begriffen und war sicher, dass er Sieger bleiben würde. »Schön, Sie können jetzt gehen.«

Für Tellman gab es nur eine einzige Möglichkeit. Ganz gleich, wie gefährlich die Sache sein mochte, er konnte unmöglich zulassen, dass Pitt etwas nicht erfuhr, was für ihn möglicherweise von entscheidender Bedeutung war.

Andererseits konnte es sich ohne weiteres um eine Falle handeln, in der Wetron nicht nur Tellman, sondern auch Pitt fangen wollte. Immerhin hatten die beiden einander schon früher mit abgrundtiefem Hass gegenübergestanden. Zwar war es Wetron nur deshalb möglich gewesen, an die Spitze des Inneren Kreises zu treten, weil Pitt dafür gesorgt hatte, dass Voisey dafür nicht mehr infrage kam, doch würde kein Mitglied die Niederlage je vergessen, die Pitt dem Inneren Kreis damit zugefügt hatte. Er war der erbittertste Gegner dieser Männer, und das wusste jeder Einzelne von ihnen.

Also musste Tellman auf eigene Faust festzustellen versuchen, ob auf Wahrheit beruhte, was Wetron über Piers Denoon gesagt hatte, und zu allem Überfluss würde er das natürlich in seiner Freizeit tun müssen.

Erst zwei Abende nachdem sein Vorgesetzter ihn hatte vor sich zitieren lassen, fand er den Mann, den er suchte. Es hatte ihn mehr Zeit und auch mehr Geld als vorgesehen gekostet. Er stieß im Gasthaus *Rat and Ha'penny* an der Ecke der Hanbury Street auf ihn, unweit der Stelle, an der man viereinhalb Jahre zuvor Jack the Rippers Opfer mit entstelltem Gesicht und aufgeschlitztem Unterleib gefunden hatte.

Die volle Gaststube roch nach Bier, Schweiß und den Leibern von Menschen, die weder eine Möglichkeit noch Lust hatten, sich zu waschen. Man hörte laute Stimmen und ebenso lautes Gelächter. Tellman saß dem Mann an einem kleinen Tisch gegenüber.

»'n Verrückter is das!«, sagte Stace und verzog das Gesicht zu einer Grimasse. Er hob sein Glas vom Tisch und sah es anerkennend an. »Der kann jetz' geg'n sich selbs un gleich drauf geg'n 'nen ander'n wüten. Redet mehr Unsinn wie jeder, den ich kenn'. Hat vor nix Angst, wie wenn's ihm egal wär, ob er lebt oder tot is. 'n Irrer, sag ich. Geld hat er wie Heu.«

»Wie sieht er denn aus?«, fragte Tellman so lässig, als interessiere ihn die Sache nicht besonders und als rede er nur, um die Zeit totzuschlagen.

Stace zuckte die Achseln. »Übel«, gab er zur Antwort. »Von ob'n bis unt'n voll Dreck, wie wenn er sich damit angemalt hätt. Is aber nich wie bei den'n, die hier leb'n. Seine Sach'n pass'n ihm, un er wäscht sich die Haare. Hat weiche Hände wie einer, der noch nie im Leb'n Arbeit angefasst hat.« Er warf einen Seitenblick auf Tellman. »Ich an Ihrer Stelle würd' 'm nich in de Quere komm'n. Wie gesagt, total verrückt un 'n geriss'ner Hund obendrein.«

»Was meinen Sie mit gerissen?«, fragte Tellman und nahm noch einen Schluck aus seinem Glas.

»Was weiß ich. Manche komisch'n Leute häng'n viel mit dem rum.«

»Inwiefern komisch?«

»Verrückte Kerle, die Sach'n inne Luft jag'n«, gab Stace zur Antwort, steckte sich das letzte Stück Pastete in den Mund und fuhr mit vollen Backen kauend fort: »Immer quatsch'n se davon, dass de Polente un das ganze Unterhaus un überhaupt alles weg muss. Die würd'n de Königin inne Luft jag'n, wenn se könnt'n.«

»Ausländer?«, fragte Tellman betont unschuldig.

»Manche ja; die meist'n sin' von hier wie Sie und ich«, sagte Stace angewidert.

»Oder vielleicht Iren?«, sagte Tellman.

»Sin' wohl auch welche dabei.« Stace zuckte erneut die Achseln. »Aus jed'm Dorf 'n Hund. Er hat's mal mit den ein'n un mal mit den ander'n. Hab ja schon gesagt, total bekloppt. Bestimmt nimmt er Opium oder so was. Sieht sich dauernd um, wie wenn der Teufel hinter ihm her wär. Immer Hummeln inner Hose, setzt sich nie irg'ndwo hin. Wie wenn 'n sein eig'ner Schatt'n gebiss'n hätt. Wie wär's mit noch 'em Glas? Ich könnt auch noch so 'ne Pastete verdrück'n, wenn Se eine spring'n lass'n.«

Tellman tat ihm den Gefallen. Was er da erfuhr, war das Opfer wert. Er holte die Pastete und das Bier und kehrte damit an den Tisch zurück, wo Stace sich sofort darüber hermachte, als befürchte er, der Spender könne es sich anders überlegen.

Tellman wollte nicht zu auffällig vorgehen. Alles, was er sagte, würde denen zu Ohren kommen, für die Stace zur Zeit arbeitete – oder denen, an die er seine Angaben verkaufen konnte.

»Verrückt, haben Sie gesagt?«, wiederholte er.

»Un wie!«, bestätigte Stace.

»Und er raucht Opium?«

»Kann sein. Weiß ich nich genau.«

»Woher bekommt er sein Geld?«

»Was weiß ich. Ich hab doch gesagt, er is bekloppt.« Stace nahm einen großen Bissen und schluckte ihn herunter. »Das stimmt auch, aber blöd is er nich.«

»Wo könnte ich ihn finden?« Vielleicht war das eine zu offene Frage. Kaum war sie ihm herausgerutscht, da wünschte er schon, sie nicht gestellt zu haben.

»Keine Ahnung«, gab Stace zur Antwort. »Was is es denn wert?«

»Wenn Sie es nicht wissen, gar nichts«, sagte Tellman schroff. »Sie haben gesagt, dass er sich gut kleidet und unter dem Schmutz sauber ist.«

»Sin' wir nich alle so?«, fragte Stace mit breitem Grinsen, sodass man seine Zahnlücken sah.

Tellman machte sich nicht die Mühe, dagegen zu argumentieren. Es hatte keinen Sinn. Er nahm an, dass Piers Denoon gelegentlich sein Elternhaus aufsuchte, um dort zu schlafen und möglicherweise auch zu essen, auf jeden Fall aber, um von Zeit zu Zeit ein heißes Bad zu nehmen. Das dürfte der einzige Ort sein, an dem man ihn finden konnte. Wer blind drauflos nach ihm suchte, konnte vermutlich monatelang durch das East End ziehen, ohne je auf ihn zu stoßen. So viel Zeit aber stand nicht zur Verfügung, ganz davon abgesehen, dass nicht nur Tellman in großer Gefahr schwebte, sondern auch Piers selbst, wenn die falschen Menschen erfuhren, dass er nach ihm Ausschau hielt.

»Danke«, sagte er aufrichtig. »Noch ein Glas?«

»Warum nich? Eh ich mich schlag'n lass«, sagte Stace großzügig.

An jenem Abend stieß Tellman nicht auf Piers Denoon, und den nächsten Tag über hatte er keine Gelegenheit, die Suche fortzusetzen. Müde und niedergeschlagen ging er nach der Arbeit nach Hause, um etwas zu essen und sich umzuziehen. Seine Hosenbeine waren nass von den Regenschauern, die den ganzen Tag über immer wieder niedergegangen waren, und seine Füße schmerzten. Außerdem hatte er zwei Tage lang nichts Warmes gegessen. Bei der Vorstellung, dass Piers Denoon im Haus seiner Eltern in der Queen Anne Street ein dampfend heißes Bad nahm, überkam ihn Bitterkeit.

Er wusste, wo sich das Haus befand; er hatte es gleich am ersten Abend aufgesucht, angeblich, um dort eine Mitteilung zu hinterlassen. Der Lakai hatte ihm mitgeteilt, der junge Herr sei nicht im Hause.

Auch an diesem zweiten Abend war er nicht da. Weil Tellman aber nicht wusste, wo er sonst suchen könnte, brachte er den größten Teil des Abends damit zu, im kalten Wind auf der anderen Straßenseite zu stehen. Immer wieder fragte er sich, wie lange er das noch aushalten würde und ob es sich überhaupt lohne.

Zweimal wollte er aufgeben und ging ans Ende der Straße, um sich in Richtung Cavendish Square auf den Heimweg zu machen, überlegte es sich dann aber anders und nahm sich vor, eine weitere Viertelstunde zu warten.

Um halb elf hielt drei Häuser weiter eine Droschke, aus der ein schlanker, geradezu dürrer, junger Mann stieg. Er schien so unsicher auf den Beinen zu stehen, dass er bei den ersten Schritten fast in eine Straßenlaterne gelaufen wäre, wenn er nicht in allerletzter Sekunde die Richtung geändert hätte. Er war unrasiert und sah ziemlich mitgenommen aus. Seine schmutzige Kleidung war nicht nur unverkennbar gut geschnitten, sondern ganz offenkundig nach Maß gemacht. Er verschwand erneut im Schatten, und Tellman rührte sich erst, als er das Haus der Familie Denoon über einen Seitenweg ansteuerte. Offenbar wollte er es durch den Lieferanteneingang betreten.

Wie von der Sehne geschnellt eilte ihm Tellman über die

Straße und die Stufen zum Lieferanteneingang hinab nach. Er erreichte den Mann gerade, als dieser im Begriff war, die Tür aufzuschließen.

»Mr Denoon!«, sagte er eindringlich.

Piers zuckte zusammen, als hätte Tellman seinen Namen laut herausgeschrien, dann fuhr er herum und drückte sich mit dem Rücken an die Tür. »Wer sind Sie?«, fragte er.

Tellman hatte sich seine Worte zurechtgelegt. »Ich bin gekommen, um Sie zu warnen«, sagte er ruhig. »Nicht um Ihnen zu drohen!«, fügte er hinzu. Im Schein der Lampe über der Tür wirkte der junge Mann abgezehrt und genau so überdreht, wie es Stace beschrieben hatte. Er war ersichtlich nur noch ein Nervenbündel. »Den Polizeibeamten, die im Zusammenhang mit dem Anschlag in der Myrdle Street ermitteln, ist bekannt, dass Sie das Geld für den Sprengstoff beschafft haben«, fuhr Tellman fort.

Piers sah ihn mit aufgerissenen Augen an, offenkundig entschlossen, ihm nicht zu glauben. Die Angst in seinem Gesicht war so ausgeprägt, dass sich Tellman ein wenig schuldbewusst fühlte. Doch jetzt konnte er sich keine Schwäche leisten.

»Man hat die beiden verhört, die sie gefasst haben, Welling und Carmody«, sagte er eindringlich. »Einer von ihnen hat wohl geredet. Sie müssen vorsichtig sein und die Leute warnen, von denen Sie das Geld bekommen haben.«

»Sie warnen?«, fragte Piers mit stockendem Atem. Seine Augen lagen tief in ihren Höhlen.

»Nun, ich kann das nicht tun«, sagte Tellman. »Aber warten Sie nicht damit. Die Polizei ist schnell.« Genügte das? Würde das Piers Denoon dazu veranlassen, die Hintermänner der Anarchisten aufzusuchen? Würde er damit den Beweis in die Hände bekommen, den Pitt brauchte?

»Ich habe verstanden«, sagte Piers leise. Er war aschfahl. Schweißtropfen standen ihm auf der Stirn, als sei er krank.

Tellman nickte. »Gut, also tun Sie es.« Er wandte sich um, stieg die Stufen zum Gehweg empor und ging davon. Erst ein halbes Dutzend Häuser weiter blieb er stehen, damit er weit genug fort war, falls ihm Piers nachgesehen hatte. Dann überquerte er die Straße, ging die Stufen zum Lieferanteneingang eines Hauses hinab, in dem kein Licht brannte, und wartete.

Vierzig Minuten später belohnte ihn der Anblick von Piers Denoon, der wieder die Treppe emporkam. Offensichtlich hatte er sich rasiert und umgezogen. Mit raschem Schritt ging er in Richtung Westen zum Cavendish Square. Tellman eilte ihm nach und holte ihn in dem Augenblick ein, als er eine Droschke bestieg.

Fluchend sah er sich nach einer weiteren Droschke um. Es war spät und kalt, und der Platz lag nahezu vollständig verlassen da. Er lief auf die Regent Street zu und sah mit großer Erleichterung eine Droschke, die langsam in die Gegenrichtung fuhr. Er rannte ihr nach, wagte aber den Kutscher erst anzurufen, als er sie eingeholt hatte. Auf keinen Fall wollte er auf sich aufmerksam machen. Er stieg ein und forderte den Mann auf, rasch zu wenden und der anderen Droschke zu folgen.

Es war eine aufregende Fahrt. Zweimal verlor er Piers Denoon aus den Augen, stieß aber schließlich wieder auf ihn. Als dieser etwa in der Mitte der Great Sutton Street in Clerkenwell ausstieg und seinen Kutscher bezahlte, ließ Tellman zwanzig Schritt weiter anhalten und sah, wie Piers, nachdem er sich vorsichtig in alle Richtungen umgesehen hatte, am Haus mit der Nummer siebenundzwanzig klingelte.

Tellman nannte seinem Kutscher die Keppel Street als neues Fahrtziel und merkte dabei, dass seine Stimme rau und sein Mund ausgedörrt war. Schweiß lief ihm am Körper herunter, und er fror, als ob die Luft eisig sei.

Es war nach Mitternacht.

KAPITEL 7

Pitt wurde davon wach, dass Charlotte leise und unüberhörbar beunruhigt auf ihn einsprach: »Thomas, da ist jemand an der Haustür.«

Er versuchte, sich aus den Tiefen des Schlafs herauszukämpfen. Im Zimmer war es dunkel. Kaum dass er Charlottes Schatten sehen konnte; eher spürte er ihre Nähe durch die Wärme ihres Körpers. Dann hörte er gedämpft ein Geräusch, das aus dem Erdgeschoss heraufdrang: Jemand schien beharrlich an die Tür zu klopfen.

»Ich seh' mal nach«, sagte er. Beruhigend legte er Charlotte die Hand auf die Schulter und spürte ihre weiche Haut. Er stieg aus dem Bett, tastete nach dem Kerzenhalter und fand im dürftigen Licht der Kerze Hose und Jackett. Sollte es nötig sein, das Haus zu verlassen, würde er zurückkommen und sich vollständig anziehen. Seine Taschenuhr auf der Kommode zeigte Viertel vor eins.

Das Klopfen hatte aufgehört. Wer auch immer an der Tür war, hatte wohl den Lichtschimmer durch den Vorhangspalt gesehen und rechnete damit, dass bald jemand kommen würde.

Pitt drehte die winzige Flamme der Gaslampe auf dem Treppenabsatz höher, eilte barfuß hinab und öffnete. Vor der Tür stand Tellman. Im schwachen Licht, das aus der Diele kam, wirkte er bleich und erschöpft.

»Kommen Sie herein«, sagte Pitt leise. »Was gibt es?«

Tellman trat ein, und Pitt schloss die Tür. Bei genauerem Hinsehen merkte er, dass der Mann grauenvoll aussah. Sein Gesicht wirkte gequält. Die Haut war teigig, die eingefallenen Wangen waren mit Bartstoppeln bedeckt, und die Augen lagen tief in ihren Höhlen.

»Was gibt es?«, wiederholte Pitt seine Frage. »Muss ich mich gleich ausgehfertig machen, oder haben wir Zeit für eine Tasse Tee?«

Tellman zitterte leicht. »Wir müssen nirgendwo hin«, sagte er. »Jedenfalls nicht sofort.«

Wortlos wandte sich Pitt um und ging Tellman voraus in die Küche. Kalt spürte er den Dielenboden unter den Füßen, obwohl dieser etwas wärmer war als der im Flur. Da die Nacht noch nicht sehr weit fortgeschritten war, würde es ihm vielleicht gelingen, das Feuer im Herd wieder in Gang zu bringen, ohne ihn vollständig ausräumen und umständlich Feuer machen zu müssen.

Als Erstes entzündete er die Gaslampe. »Setzen Sie sich«, forderte er den Besucher auf. »Ich gehe nach oben und sage meiner Frau, dass Sie es sind, dann mache ich uns Tee.«

Tellman ließ sich das nicht zweimal sagen und setzte sich.

Schon bald kehrte Pitt zurück, nachdem er noch rasch ein Hemd und Socken angezogen hatte. Er befreite die Glutreste im Herd von der Ascheschicht, legte Anmachholz darauf und wartete, bis es brannte. Dann gab er Kohlen hinzu, schloss die Ofentür, füllte den Wasserkessel und setzte ihn auf. Im Korb neben dem Herd streckten sich die Kater Archie und Angus, rollten sich erneut zusammen und schliefen wieder ein.

»Was ist passiert?«, fragte Pitt und nahm Tellman gegenüber Platz. Bis das Wasser siedete, würde es eine Weile dauern.

Tellman schien sich ein wenig zu entspannen. Es kam ihm vor, als habe er in dieser Küche, in der Gracie arbeitete und in der er und Pitt so häufig beieinander gesessen hatten, zum ersten Mal seit seiner Kindheit eine Art Heimat gefunden.

»Ich weiß nicht, wie lange man Taschen-Jones festhalten wird«, sagte er und biss sich auf die Lippe. »Es wäre besser, wenn

Sie rasch handeln könnten, denn falls die Korruption tatsächlich so schlimm ist, wie wir befürchten, ist es denkbar, dass man das Beweismaterial gegen den Mann einfach verschwinden lässt.« Er sah Pitt betrübt an.

»Wie lautet der Tatvorwurf?«, fragte Pitt, der noch nicht wusste, auf welche Weise Tellman Jones festgesetzt hatte. »Und worin besteht das Beweismaterial?«

»Besitz von Falschgeld«, sagte Tellman mit einem kaum wahrnehmbaren Anflug von Stolz in der Stimme. »Er hatte tatsächlich welches«, fügte er hinzu. »Mit einem bisschen Nachhilfe. Ich habe einen Kollegen mitgenommen, Stubbs, um einen Zeugen zu haben, aber ich weiß natürlich nicht, ob er vertrauenswürdig ist. Kann sein, dass er schlagartig blind wird oder, schlimmer noch, sagt, ich hätte Jones das Geld selbst untergeschoben.«

»Wäre das möglich?«, fragte Pitt besorgt.

»Eigentlich nicht. Ich habe ihn festgehalten und Stubbs aufgefordert, ihn zu durchsuchen. Dabei habe ich sorgfältig darauf geachtet, auf keinen Fall in die Nähe seiner Taschen zu kommen.«

»Und woher hatte er das Falschgeld?«, fragte Pitt neugierig.

»Ich habe es mir von einem besorgt, der mir einen Gefallen schuldig war, und einem der Wirte gegeben, bei denen er Schutzgeld eingetrieben hat.«

»Schön. Und wie geht es jetzt weiter?« Fast hätte Pitt ihn gefragt, warum er mit dieser Mitteilung zu nachtschlafender Zeit gekommen sei, aber Tellman sah so elend aus, dass er es unterließ.

»Wetron hat mich wegen der Sache zu sich bestellt«, gab er zur Antwort, den Blick auf seine Hände gerichtet, die auf dem Küchentisch lagen. »Natürlich war vorauszusehen, dass er früher oder später davon erfuhr, aber ich muss sagen – das war besonders schnell! Ich weiß nicht, wer es ihm berichtet hat, ob Stubbs oder Grover aus der Cannon Street, denn der war bei der Festnahme ebenfalls in der Nähe.« Er hob den Blick und sah Pitt an. »Wetron war ziemlich hämisch, aber er hat mir dann doch gesagt, dass Piers Denoon – ein Vetter von Magnus Landsborough – das Geld für die Anarchisten beschafft hat. Er behauptet, das sei allgemein bekannt. Sofern der Staatsschutz das noch nicht herausbekommen habe, sei das ein unübersehbarer Hinweis darauf, wie schlecht er arbeitet. Ganz offensichtlich hat er mir das mitgeteilt, um zu sehen, ob ich es Ihnen weitergebe.«

»Ja ...«, gab ihm Pitt Recht. Er hörte, wie zischend Wasserdampf aus dem Kessel aufstieg. »Natürlich ist das eine Falle. Sie ...«

»Was er gesagt hat, stimmt aber«, fiel ihm Tellman ins Wort. »Ich habe es selbst nachgeprüft. Ich habe mich nach dem Mann erkundigt, ihn vor seinem Haus gestellt und ihm gesagt, dass sein Treiben der Polizei bekannt ist. Kurz darauf ist er losgegangen, um das seinem Hintermann weiterzuberichten.« Sein Gesicht war jetzt fast grau. Der Wasserkessel begann leise zu pfeifen. Pitt achtete nicht darauf. »Und wer ist das?«

»Simbister.«

Pitt spürte, wie Kälte in ihm aufstieg und ihn ein leichtes Unwohlsein beschlich. Eigentlich hätte ihn diese Mitteilung nicht überraschen dürfen, denn Welling und Carmody hatten etwas in dieser Richtung durchblicken lassen. »Der Mann von der Wache in der Cannon Street? Steht das zweifelsfrei fest?«

»Ja.«

»Und Denoon hat ihn zu Hause aufgesucht? Ist das sicher?«

»Ja. Haben Sie die Absicht, mit Jones zu sprechen?«, fragte Tellman.

»Nein. Immerhin besteht die Gefahr, dass Wetron davon erführe. Ganz davon abgesehen bezweifle ich, dass er mir etwas sagen würde.«

Tellman nickte unglücklich. »Danke.«

Pitt stand auf und nahm den Kessel vom Herd, bevor dessen schrilles Pfeifen alle im Hause aus dem Schlaf riss. »Was wissen Sie über Piers Denoon?«, fragte er und griff nach der Teedose.

Tellman setzte ihn ins Bild.

Gleich am nächsten Morgen schickte Pitt eine Mitteilung an Voisey und ging um die Mittagszeit erneut die Treppe zur Krypta der St.-Paul's-Kathedrale hinab. Diesmal aber suchte er statt Nelsons Grabmal das des Herzogs von Wellington auf, der nicht nur im spanischen Freiheitskampf den Feldzug gegen die Franzosen geführt und Napoleon bei Waterloo besiegt, sondern seinem Lande auch später noch in hohen politischen Ämtern gedient hatte.

Voisey wartete bereits am anderen Ende des Grabmals. Als er Pitts Schritte hörte, wandte er sich um. Er war erkennbar verärgert und sagte leise und eindringlich, kaum dass Pitt neben ihm stand: »Ich hoffe, dass Sie für Ihr Verhalten einen wirklich guten Grund haben! Immerhin musste ich wegen dieser Sache eine Unterredung mit dem Innenminister absagen.«

»Den habe ich«, gab Pitt knapp zurück und warf einen Blick auf das prächtige Grabmal. Es wirkte eindrucksvoll und feierlich, wie es sich für den bedeutendsten Befehlshaber in der Geschichte des Landes gehörte, zugleich aber auch nüchterner und unpersönlicher als das Nelsons. Es sprach von Ruhm und Bewunderung, nicht aber von Liebe. »Glauben Sie etwa, ich hätte Sie sonst kommen lassen?«

Es kostete Voisey sichtlich große Mühe, das ›kommen lassen‹ zu überhören. »Was also ist es?«, drängte er.

Auf keinen Fall war Pitt bereit, ihn von der Festnahme von Taschen-Jones oder seinem Vorhaben zu unterrichten, an dessen Stelle zu treten. Das war ohnedies schon gefährlich genug, da er kaum eine Möglichkeit hatte, sich zu schützen. Aus dem gleichen Grund würde er auch Tellmans Namen nicht nennen.

»Die Anarchisten werden über Piers Denoon finanziert, Edward Denoons einzigen Sohn«, teilte er Voisey mit. »Allem Anschein nach ist dieser sprunghafte und unberechenbare junge Mann ein glänzender Geldbeschaffer.« Es war nicht zu übersehen, dass Voisey diese Mitteilung aufschlussreich fand, denn ihm gelang es nicht, seine Neugier zu verbergen. »Als man ihn wissen ließ, dass sein Treiben der Polizei bekannt sei«, fuhr Pitt fort, »hat er das sofort an Simbister weitergemeldet, obwohl es nach Mitternacht war. Simbister leitet die Wache in der Cannon Street.«

Ohne den geringsten Versuch, seine Empfindungen zu verbergen, stieß Voisey einen herzhaften Fluch aus. So tief war die Röte auf seinen Wangen, dass seine Sommersprossen fast nicht mehr zu sehen waren. »Also doch!«, stieß er zwischen zusammengepressten Zähnen hervor. »Die Korruption reicht bis ganz nach oben! Woher wissen Sie, dass Piers Denoon der Geldbeschaffer ist? Von Wetron?«

»Mittelbar«, sagte Pitt.

Betont richtet Voisey den Blick auf das Grabmal. »Glänzender Taktiker«, sagte er mit einer Mischung aus Spott, Belustigung und Zorn. »Kennen Sie Wellingtons ›Politik der verbrannten Erde‹? Sie würden das vermutlich nicht billigen. Jedenfalls kann ich es mir nicht vorstellen.« Seiner Stimme war nicht nur anzuhören, dass er selbst die Sache anders sah, er ließ damit auch durchblicken, dass er in der von ihm vermuteten Ablehnung eines solchen Verhaltens durch Pitt Schwäche und mangelnden Mut sah.

Sein Blick ruhte auf Wellingtons eindrucksvollem Grabmal.

Pitt, der begriff, dass er ihn damit in die Defensive drängen wollte, tat so, als spiele er mit. »Ich nehme an, diese Politik der verbrannten Erde hat mit Wetron oder Denoon zu tun?«

»Selbstverständlich, aber ein Held, dem man Liebe entgegenbringt, ist er wohl nicht, oder? Ich vermute, Ihrem Herzen steht Nelson näher. Ihn haben alle bewundert. Außerdem war er so entgegenkommend, im Augenblick seines größten Triumphes an Deck seines Schiffes zu sterben. Wer hätte ihn danach infrage stellen können? Der Dummkopf Wellington hingegen ist wohlbehalten nach Hause zurückgekehrt und danach auch noch Premierminister geworden. Ein ganz unverzeihlich stilloses Verhalten.«

Ein flüchtiges Lächeln trat auf Voiseys Züge. So ungeheuchelt war seine Belustigung, dass es Pitt schwer fiel, ihm wegen seiner

Worte zu grollen. »Er hat in einem ziemlich frühen Stadium des spanischen Freiheitskampfes gegen die napoleonische Fremdherrschaft die Schlacht von Vimeiro für sich entschieden und im Jahr darauf die Franzosen ostwärts bis Madrid zurückgetrieben. Als er sich aber 1810 zum Rückzug gezwungen sah, hat er alles Land, das er aufgeben musste, in Schutt und Asche gelegt. Abscheulich – aber ausgesprochen wirkungsvoll.«

»Und das bewundern Sie?«, fragte Pitt. Sogleich ging ihm auf, dass er mit diesen Worten seinen eigenen Widerwillen gegen ein solches Verhalten gezeigt hatte, und er wünschte, er hätte es nicht getan. Es wäre klüger gewesen, Voisey an einer Straßenecke zu treffen, wo es keinen Anlass gab, über Helden, Schlachten oder Kriegstaktiken zu sprechen. Dort wäre er selbst weniger verletzlich gewesen.

Aber war Voiseys Bedürfnis, sein haushoch überlegenes Wissen herauszustreichen, nicht gleichfalls eine Schwäche?

Voisey kostete den Augenblick aus. »Wollen Sie etwa zwischen dem Menschen und dem Feldzug unterscheiden?«, fragte er mit erhobener Stimme. »Ohne Wellington wäre Napoleon möglicherweise nicht besiegt worden. Ach was, beinahe sicher. Er war ein Genie. Oder sind Sie anderer Ansicht?« In seiner Stimme lag eine unverhüllte Herausforderung.

»Natürlich war er das«, stimmte ihm Pitt zu. »Allerdings scheint er mit dem Angriff auf Moskau keine gute Hand bewiesen zu haben. Ein Klügerer als er hätte doch sicher aus der ›Politik der verbrannten Erde‹ in Spanien gelernt. Unter Umständen ist ihm nicht aufgegangen, dass ›verbrannt‹ und ›gefroren‹ letzten Endes auf dasselbe hinausläuft, wenn es darum geht, ein Heer mit lebensnotwendigen Gütern zu versorgen.«

Voiseys Augen weiteten sich, leiser Spott blitzte in ihnen auf. »Wissen Sie, Pitt, fast könnte ich Sie mögen und vergessen, wie ich zu Ihnen stehe. Kaum denke ich, wie leicht berechenbar Sie sind, da kommen Sie her und überraschen mich.«

»Die Auffassung, Menschen berechnen zu können, ist außerordentlich überheblich«, merkte Pitt an. »Überheblichkeit aber ist gleichbedeutend mit Dummheit und hat bisweilen tödliche Folgen. Das können wir uns nicht leisten.«

»Im einen Augenblick sind Sie ein Langweiler«, fuhr Voisey fort, als habe Pitt nichts gesagt, doch die Art, wie er sich dabei vorbeugte, zeigte seine innere Spannung an. »Im nächsten beweisen Sie einen erstaunlichen Scharfblick, und gleich darauf sind Sie so selbstgefällig, dass es an Schwachsinn grenzt! Vielleicht hängt das mit Ihrer Mischung aus halb Wildhüter und halb Möchtegern-Landedelmann zusammen.«

Pitt zwang sich zu einem Lächeln. Das fiel ihm nicht leicht. Die beleidigende Anspielung auf seine Herkunft schmerzte. Warum hielt es Voisey für nötig, ihn so scharf anzugreifen, dass er dabei sogar die sonstige Selbstbeherrschung verlor? Was an Pitt brachte ihn so auf?

»Was hat Wellingtons Politik der verbrannten Erde im Spanischen Unabhängigkeitskrieg überhaupt mit Wetron, den anarchistischen Attentätern oder Simbister und Denoon zu tun?«, fragte Pitt erwartungsvoll. »Oder wollten Sie nur feststellen, ob ich in Militärgeschichte ebenso bewandert bin wie Sie?«

Der Ausdruck einer Reihe von Empfindungen trat nacheinander auf Voiseys Gesicht: Wut, Überraschung, Verwirrung. Dann begann er unvermittelt, herzlich zu lachen.

Pitt musste sich mahnen, nicht zu vergessen, dass ihn Voisey hasste. Im Auftrag dieses Mannes war Mr Wray umgebracht worden, ein gütiger alter Geistlicher, der sich nichts hatte zuschulden kommen lassen. Auch hatte Voisey mit eigenen Händen Mario Corena getötet, weil er unter den Umständen keine andere Möglichkeit gesehen hatte, seine eigene Haut zu retten. Bei Dutzenden Untaten, die auf Habgier und Vernichtungswillen zurückgingen, war er der Drahtzieher gewesen. Er mochte witzig sein und menschliche Züge besitzen, er mochte die Fähigkeit haben, zu lachen oder verletzt zu reagieren, nichts von alldem hatte etwas zu bedeuten. Es kam einzig und allein auf seinen Hass an, und falls Pitt das in einem unbedachten Augenblick vergaß, konnte ihn das alles kosten, was er hatte.

Wenn er Voiseys Lachen und Verletzlichkeit als nebensächlich ansah, bestand auf der anderen Seite die Möglichkeit, dass er ihm einen noch umfassenderen Sieg über sich erlaubte, bis hin zur Zerstörung des Innersten seiner eigenen Persönlichkeit. War das vielleicht das eigentliche Ziel dieses Mannes?

Voisey sah ihn aufmerksam an, versuchte in seinem Gesicht zu lesen. Er merkte, dass sich etwas veränderte, eine Entscheidung fiel, Gelassenheit sich einstellte, und er nahm es als eine Art Niederlage für sich selbst wahr.

Pitts Lächeln wirkte nicht länger gezwungen; es war entspannt. Zumindest in diesem Augenblick war es ganz und gar natürlich. Er war Herr der Lage, und beide begriffen das. »Glauben Sie, dass Wetron die Absicht hat, die Erde hinter sich zu verbrennen, wenn er sich zum Rückzug gezwungen sieht?«, fragte er.

»Ja, und zwar so, dass nichts übrig bleibt«, gab Voisey zurück. »Sind Sie etwa anderer Ansicht?«

»Das würde er nur dann tun, wenn er sicher wäre, dass er verloren hat«, sagte Pitt. »Bis dahin ist noch ein weiter Weg.«

Voisey sah ihn nach wie vor aufmerksam an. Sofern andere Besucher an den Grabmälern der Berühmtheiten vorüberkamen, merkte keiner von beiden etwas davon. »Ich bin überzeugt, dass er Oberwachtmeister Tellman mit Wonne in die Flammen werfen würde«, sagte Voisey leise. »Die Möglichkeit dazu hätte er auf jeden Fall.«

Pitt spürte, wie Kälte in ihm hochkroch. Er hätte sich denken müssen, dass Voisey zu dem Schluss kommen würde, niemand außer Tellman könne ihm über Vorgänge in der Bow Street berichten. Trotzdem versetzten ihn diese Worte in Angst.

»Natürlich«, stimmte Pitt zu. »Aber er wird mit Sicherheit kein Werkzeug zerstören, das ihm seiner Ansicht nach von Nutzen sein kann.« Ihm war wichtig, dass Voisey auch das richtig verstand.

»Gegen wen?« Voisey hob die Brauen. »Mit Tellmans Vernichtung würde er Sie weit besser und tiefer treffen als mit allem, was er sonst tun könnte.« In seinen Augen blitzte Befriedigung auf.

»Der Mann würde Ihnen fehlen, und das Bewusstsein der Schuld, ihn einer solchen Gefahr ausgesetzt zu haben, würde Ihr Innerstes auf immer zerstören.« Er sah Pitt aufmerksam an. Wollte er ihn vielleicht daran erinnern, dass er selbst ebenfalls dazu imstande war, wenn er das für richtig hielt?

Pitt sah beiseite und ließ den Blick auf Wellingtons Grabmal ruhen. »Er war ein bedeutender Feldherr«, bemerkte er beinahe beiläufig. »Ich denke, alle Sieger haben etwas miteinander gemeinsam. Dazu gehört unter anderem, dass sie immer das Hauptziel im Auge behalten und sich nicht dazu verleiten lassen, persönlicher Eitelkeit, kleinlichen Rachegelüsten oder einem Bedürfnis nach Rechtfertigung nachzugeben.« Er ließ den Blick über den auf der Marmorfläche eingravierten Namen gleiten. »Nie und nimmer hätte er das Schlachtfeld von Waterloo verlassen, um sich mit wem auch immer zu duellieren. Zu keiner Zeit hat er das eigentliche Ziel aus den Augen verloren.« Er sah Voisey wieder an. »Die Fähigkeit, sich auf das Wesentliche zu konzentrieren, ist eine seltene Eigenschaft. Ich glaube, Wetron besitzt sie. Meinen Sie nicht auch?«

Unverhohlene Wut trat auf Voiseys Gesicht. Dass Wetron ihn besiegt und die Leitung des Inneren Kreises an sich gerissen hatte, war das Letzte, woran er erinnert werden wollte.

»Noch ist die Sache nicht ausgestanden«, stieß er scharf hervor. »Heißt es nicht, dass der am besten lacht, der zuletzt lacht? Seien Sie nicht anmaßend, Pitt.« In diesen Worten lag Bosheit. Mit Sicherheit wollte er ihm ins Gedächtnis rufen, wie brüchig das Bündnis zwischen ihnen war. »Wenn Sie sich einbilden sollten, Sie könnten ihn immer wieder besiegen, weil Ihnen das einmal gelungen ist, sind Sie ein größerer Narr, als ich angenommen hatte, und nützen mir als Verbündeter nicht das Geringste. In dem Fall taugen sie höchstens als Kanonenfutter!« Die letzten Worte stieß er mit unendlicher Verachtung heraus.

»Ein Soldat, der sich nicht den Kanonen stellen kann, nützt niemandem viel«, gab Pitt zu bedenken. »Bisher hat von unserer Seite aus Tellman den besten Angriff geführt. Es liegt ebenso in

Ihrem wie in meinem Interesse, alles zu tun, was wir können, damit er am Leben bleibt. Sollte es dazu nötig sein, Wetron den Eindruck zu vermitteln, er könne Informationen in beide Richtungen weiterleiten, bin ich bereit, daran mitzuwirken. Um auf den eigentlichen Anlass unserer Begegnung zurückzukommen: Es sieht auf jeden Fall so aus, als bestehe eine Beziehung zwischen den Anarchisten und Piers Denoon, denn er versorgt sie mit Geld. Kaum fühlte er sich bedroht, hat er Simbister aufgesucht und wurde ins Haus gelassen. Mitten in der Nacht.«

»Damit erhebt sich die Frage«, sagte Voisey gedehnt, »inwieweit auch Edward Denoon hinter den Anarchisten steht. Können wir diese Beziehung beweisen? Ebenso muss man überlegen, wie viel Sheridan Landsborough über die Umtriebe *seines* Sohnes bekannt war.«

»Das kann alles gewesen sein oder nichts«, sagte Pitt. »Es wäre zwar ganz interessant, das zu wissen, würde uns aber beim Kampf gegen den Gesetzentwurf nicht weiterhelfen. Wir würden daraus höchstens erfahren, auf welcher Seite beide Männer stehen. Bisher wissen wir aus Denoons Zeitung, dass er sich für das Gesetz ausspricht. Landsborough hat sich in der Frage noch gar nicht geäußert.«

»Was wird er sagen?«, fragte Voisey.

»Ich habe keine Vorstellung. Ich könnte mir denken, dass er es selbst nicht weiß. Immerhin hat er seinen einzigen Sohn verloren. Aber es könnte sich zeigen, dass ihm der neueste Zusatz zu dem bewussten Antrag einen Schritt zu weit geht, denn das könnte der Erpressung Tür und Tor öffnen.«

»Sie meinen das Recht, Dienstboten ohne Wissen ihrer Herrschaft zu befragen?«, fragte Voisey verbittert, das Gesicht vor Ärger völlig verkniffen. »Und wie das der Erpressung Tür und Tor öffnen würde! Auf diese Weise könnte Wetron die führenden Köpfe des Landes in die Hand bekommen. Lebt auch nur *ein* Mann in England, dessen Kammerdiener nicht etwas über ihn weiß, was besser nicht an die Öffentlichkeit kommen sollte? Und wäre es nur, dass er ein Korsett trägt, um seinen Bauch zu bändigen, oder dass seine Frau lieber mit dem Lakaien als mit ihm ins Bett gehen würde – auch wenn sie unter Umständen klug genug ist, das zu unterlassen.«

»Wohl kaum«, gab ihm Pitt Recht. »Aber genau das ist die Schwäche des Gesetzes und nicht seine Stärke, denn es bedeutet, dass sich niemand sicher genug fühlt, um dafür zu stimmen.«

Voisey schloss die Augen. »Wie weltfremd Sie sind! Wogegen sich nichts einwenden ließe, wenn es nicht so verdammt gefährlich wäre.« Er öffnete die Augen weit. »Natürlich werden die Leute den Entwurf nicht so formulieren, Mann Gottes! Es wird selbstverständlich heißen, dass er all jene, die sich nichts zuschulden kommen lassen, nicht betrifft. Man wird schwören, das Gesetz nur gegen Leute anwenden zu wollen, die der Beteiligung an anarchistischen Umtrieben verdächtig sind. Jeder einzelne Abgeordnete im Unterhaus wird annehmen, ihm könne nichts geschehen – die einen, weil sie wissen, dass sie mit der Sache nichts zu tun haben, und die anderen, weil sie bereits mit Wetron im Bunde stehen. So weit sie dem Inneren Kreis angehören, dürften sie mit dieser Annahme auch Recht haben.«

»Sicherlich gestattet es Ihnen Ihr Wissen, dem einen oder anderen Ihrer Bekannten gegenüber durchblicken zu lassen, dass es ihnen sicher nicht lieb wäre, wenn ihre Dienstboten gewisse Einzelheiten aus ihrem Privatleben ausplaudern?«, fragte Pitt und fügte hinzu: »Und sofern Sie dies Wissen nicht besitzen, sind Sie dank Ihrer Fähigkeiten sicher imstande, es zu erwerben.«

Voisey stand einen Augenblick reglos da. Langsam verzog sich sein Mund zu einem erstaunten Lächeln. »Ich muss mich wundern, Pitt! Sie scheinen mir ein recht begabter Erpresser zu sein! Wie interessant. Ich muss gestehen, dass ich das von Ihnen nie erwartet hätte.«

»Wer Verbrechen aufklären will, muss etwas davon verstehen«, gab Pitt trocken zurück.

Voisey schob seine Hände in die Taschen. »Was Wetron angeht, war mir das schon immer klar«, sagte er. »Ich überlege nur, wieso mir das bei Ihnen nie aufgefallen ist. Ich habe den Tadel verdient.« Mit einem Mal hob er den Blick, und sein Lächeln wurde süffisant.

Pitt begriff, dass ihn der Vergleich mit Wetron verletzen sollte. »Das kann ich Ihnen erklären: Weil der Mann an der Spitze des Inneren Kreises steht«, gab er gleichmütig zurück. »Sie brauchten ihn nur an Ihrer eigenen Person zu messen.«

Der Hieb saß. Obwohl Voisey sich getroffen zu fühlen schien, tat er die Bemerkung überraschenderweise mit einem Achselzucken ab. »Ich habe Sie unterschätzt, Pitt. Vorausgesetzt, Sie verlieren die Nerven nicht, könnten Sie tatsächlich sehr nützlich sein. Sie sind klüger, als ich Sie eingeschätzt habe. Nur Ihr unberechenbares Gewissen macht mir Sorgen.«

Mit breitem Lächeln gab Pitt zurück: »Wir alle haben vor dem Angst, was wir nicht kennen.«

Voisey knurrte ein wenig, nahm aber die Herausforderung mit Humor auf und machte sich daran, dem Ausgang zuzustreben.

Pitt drehte sich um und holte ihn ein. »Sie scheinen etwas vergessen zu haben«, sagte er.

»Und das wäre?« Voisey blieb nicht stehen.

»Als Sie mir diese ... Zusammenarbeit ... vorschlugen, sagten Sie, dass Sie Angaben über den Inneren Kreis beisteuern könnten. Ich denke, jetzt ist der Zeitpunkt dafür gekommen. Als Erstes wüsste ich gern, ob Sheridan Landsborough ihm angehört.«

»Nein«, sagte Voisey zögernd. »Es sei denn, er wäre im letzten halben Jahr eingetreten. Möglich ist es natürlich, doch bezweifle ich das. Er ist ein Mann mit ziemlich hohen Idealen – er hat auch so ein unberechenbares Gewissen. Kann sich nicht beherrschen.« Er sah flüchtig zu Pitt hin. »Er ist einer von der Art, die das Schlachtfeld von Waterloo verlassen hätten, um einen Hund vor dem Ertrinken zu bewahren, aber nie und nimmer, um sich aus persönlichen Gründen mit wem auch immer zu duellieren. Kurz, ein Mann, der zu nichts taugt – wir müssten jetzt alle Französisch sprechen.«

»Ich habe immer die Ansicht vertreten, dass die Anarchie

nichts taugt.« Pitt passte seine Schritte denen Voiseys an. »Ich habe viel für Ideale übrig, allerdings nur dann, wenn sie sich verwirklichen lassen. Da wir gerade bei Dingen sind, die sich gut in die Tat umsetzen lassen: Bestimmt wissen Sie über einige Abgeordnete, die dem Inneren Kreis angehören, Dinge, von denen diese Männer nicht wollen, dass die Polizei davon erfährt. Sie könnten sie an diese Gefahr erinnern.«

»Mitglieder des Inneren Kreises verraten einander nicht«, sagte Voisey, als sie sich der Treppe näherten, die nach oben in den Hauptraum der Kathedrale führte. »Das ist eine seiner großen Stärken – Treue über alles.«

»Das ist mir bekannt«, sagte Pitt. »Und die Strafe für Verrat ist Tod. Ich habe es gesehen. Plant das Unterhaus, dass nur dem Inneren Kreis angehörende Polizeibeamte das Recht bekommen, Dienstboten zu befragen?«

Voisey wandte sich ihm zu, trat dabei fehl und konnte das Gleichgewicht nur halten, indem er rasch nach dem Geländer griff. »Vorzügliche Anmerkung«, sagte er. »Das ist eine Waffe, deren wir uns bedienen müssen. Beim nächsten Mal treffen wir uns am Grabmal Turners.«

»Gut«, sagte Pitt. »Den mag ich.«

Voisey lächelte. »Offenbar werden Polizisten besser bezahlt, als ich dachte! Haben Sie zu Hause viele Turners an der Wand hängen? Oder haben Sie viel dienstfreie Zeit, um ins Museum zu gehen?«

»Diebstahldezernat«, gab Pitt mit einem Lächeln zurück. »Der Versuch, ein gestohlenes Gemälde aufzuspüren, ist nicht sehr aussichtsreich, wenn man das Original nicht von einer Fälschung unterscheiden kann.«

»Faszinierend«, sagte Voisey trocken. »Die Polizeiarbeit scheint viel komplexer zu sein, als ich gedacht hätte.« Oben angekommen, wich er den zahlreichen Besuchern aus.

»In dem Haus, in dem ich aufgewachsen bin, hing ein Turner«, fuhr Pitt fort. »Mir war er schon immer lieber als Constable. Das hängt mit der Art zusammen, wie er das Licht behandelt.« Er lächelte Voisey zu und ging. Es stimmte: Im Hause des Landedelmannes, bei dem sein Vater Wildhüter gewesen war, hatten mehrere erstklassige Gemälde gehangen. Aber Pitt ließ Voisey lieber seine eigenen Schlüsse ziehen.

Pitt erstattete Narraway kurz Bericht, damit auch er über Piers Denoons und Simbisters Treiben im Bilde war. Allerdings rechnete er nicht damit, dass er überrascht sein würde.

»So, so, Denoon trägt also auf beiden Schultern«, sagte Narraway, räkelte sich in seinem Sessel und sah Pitt an. »Oder sollten Vater und Sohn in unterschiedlichen Lagern stehen? Jedenfalls ist das hochinteressant. Was ist mit den Landsboroughs? Haben da etwa auch Vater und Sohn in unterschiedlichen Lagern gestanden? Sheridan Landsborough war als junger Mann ausgesprochen liberal. Er besaß ein bemerkenswertes soziales Gewissen und hat sich über das seiner Ansicht nach tölpelhafte Verhalten der Regierung beschwert. Er hat behauptet, sie mische sich zu sehr die Angelegenheiten der Bürger ein. Aber sagt man nicht, dass kein Herz hat, wer in jungen Jahren nicht liberal ist, und keinen Verstand, wer in späteren Jahren nicht konservativ ist? Wie er sich jetzt wohl verhalten mag: als gereifter Bewahrer der Ordnung oder als seniler Greis, der tatenlos zusieht, wie sich die Zügellosigkeit austobt?« Er hob die Brauen. »Als weiser Politiker, trauernder Vater, Ehemann, der zu Hause seine Ruhe haben möchte? Als Bruder, der den Sohn seiner Schwester deckt? Oder ist er einfach ein verwirrter, gekränkter alter Mann, der den Boden unter den Füßen verloren hat?«

»Ich weiß es nicht«, gab Pitt zu. »Ich war zu sehr damit beschäftigt, in der Frage der polizeilichen Korruption zu ermitteln.« Das sagte er selbstbewusst und ohne den geringsten Anflug von Zorn. Zwar lag ihm sehr daran zu erfahren, wer Magnus Landsborough getötet hatte, doch musste diese Frage einstweilen hinter der anderen Aufgabe zurückstehen. Er wusste nicht einmal, ob persönliche oder politische Gründe hinter dem Mord standen. Das wollte er als Nächstes ermitteln. Er berichtete

Narraway über Taschen-Jones und seinen Plan, beim nächsten Termin die Schutzgelder selbst einzutreiben.

Narraway setzte sich auf. »Das gefällt mir nicht, Pitt«, sagte er ruhig. »Ich kann Sie nicht schützen – und auch Tellman nicht. Der steht jetzt wie eine Zielscheibe da.«

»Ich weiß«, räumte Pitt ein. Das war ihm durchaus bewusst, und es schmerzte ihn.

Narraways Gesicht verdüsterte sich. »Seien Sie jedenfalls sehr auf der Hut, denn Sie wissen nicht, wer hinter der Erpressung steckt«, mahnte er. »Vergessen Sie nie, dass Sie an Vorschriften gebunden sind, die anderen aber nicht.«

Auch wenn Pitt wusste, dass sich Narraway um ihn sorgte, ärgerte ihn die Warnung. »Sie klingen ganz wie Voisey.«

Narraway fuhr so heftig hoch, dass die Füße seines Sessels über den Boden schabten. »Um Gottes willen! Sie haben ihm doch nicht gesagt, dass ...«

»Natürlich nicht!«, gab Pitt mit Schärfe zurück. »Ausschließlich, was es mit Piers Denoon auf sich hat, sonst nichts. Er tritt mir so aufgeblasen gegenüber, als wüsste ich nichts von Verbrechen. Aus der Art, wie er mich behandelt, könnte man schließen, ich sei ein Landpfarrer!«

Langsam breitete sich ein Lächeln auf Narraways Gesicht aus, und er ließ sich wieder in seinen Sessel sinken. »Ich kenne eine ganze Reihe von Landpfarrern. Ganz besonders einer von ihnen war mit der widerlichen Seite menschlicher Grausamkeit und Habgier vertrauter als irgendjemand, dem ich je im Leben begegnet bin. Er kam damit in Berührung, als es noch ganz kleine Sünden waren, erkannte darin aber den Trieb, andere mithilfe von Herabsetzungen und zahllosen kleinen Demütigungen, die jeglichen Glauben zerstören, zu beherrschen.« Mit einem Mal hielt er inne, als rufe er sich selbst in die Gegenwart zurück. »Machen Sie weiter, Pitt. Stellen Sie genau fest, was bei den Anarchisten geschieht.«

»Ja, Sir. Haben Sie etwas gehört, was ich wissen müsste?«

Ein Anflug von Belustigung trat in Narraways Augen. »Heißt das, ich soll Ihnen Bericht erstatten, Pitt?«

Pitt überlegte, wie gut die Aussichten waren, mit Offenheit davonzukommen, und entschied sich dafür, es zu riskieren. »Ja, Sir, das könnte nützen.«

Narraways Brauen hoben sich. »Bisher ist die Wahrscheinlichkeit äußerst gering, dass Vertreter einer Festlandsmacht Zutritt zum Inneren Kreis gefunden haben könnten«, sagte er. »Allerdings gibt es gewisse Männer in der Hochfinanz, deren Interessen sich möglicherweise nicht mit denen unseres Landes decken. Mehr brauchen Sie im Augenblick nicht darüber zu wissen. Kümmern Sie sich um die Korruption bei der Polizei – sie gefährdet uns alle.«

»Ja, Sir.« Pitt verabschiedete sich und ging im Bewusstsein, dass er vergleichsweise leichten Kaufs davongekommen war.

* * *

Pitt suchte Welling in seiner Zelle im Gefängnis von Newgate auf. Obwohl es draußen recht angenehm war, schien der Mann zu frieren. Die steinernen Wände strömten eine Feuchtigkeit aus, die bis ins innerste Mark drang. Sein Gesicht war noch bleicher, sein Haar noch ungepflegter als beim vorigen Mal. Mit hängenden Schultern saß er auf seiner Pritsche.

»Was wollen Sie?«, fragte er, als Pitt eintrat und der Wärter die Stahltür klirrend hinter ihm schloss. »Ich habe Ihnen doch schon gesagt, dass Sie von mir nichts erfahren werden – weder Namen noch Orte. Glauben Sie mir etwa nicht?«

»Ich glaube Ihnen, dass Sie meinen, was Sie sagen«, gab Pitt zur Antwort. Obwohl nur ein einziger Mann in der Zelle lebte, hing in dem Raum der Geruch nach vielen Männern, so, als werde sie nie gesäubert und als gelange nie frische Luft hinein.

»Warum verschwenden Sie dann Ihre Zeit hier? Sie wissen nicht weiter. Sie tappen nach wie vor völlig im Dunkeln, haben keine Ahnung, wer Magnus erschossen hat, was?«, sagte Welling mit spöttisch vorgeschobener Oberlippe. »Ich sage Ihnen: Es war die Polizei. Sie sind nur nicht bereit, das zuzugeben.«

»Sofern es tatsächlich jemand von der Polizei war, würde ich gern wissen, wer«, gab Pitt zurück.

»Welche Rolle spielt das denn? Sie unternehmen ja doch nichts dagegen.«

»Wollen Sie nicht selbst wissen, wer es war?«

Welling setzte sich auf der Pritsche ein wenig weiter zurück und hielt die Arme fest vor der Brust verschränkt. »Wozu? Mir ist völlig einerlei, wer es getan hat – die sind einer wie der andere. Magnus ist und bleibt tot, und Gerechtigkeit wird es so oder so nicht geben.«

Pitt spürte die Wut und Angst des Mannes so deutlich, als sei die Temperatur im Raum schlagartig gesunken. Das Bewusstsein, nicht weiterzukommen, steigerte seinen Ärger, zugleich aber hatte er auch Mitleid. Etwas sehr Ähnliches hatte er als Kind erlebt, als man seinen Vater fälschlich der Wilderei bezichtigt hatte. Dieser hatte seine Unschuld nicht beweisen können, und weil man Wilderei zu jener Zeit sehr streng bestrafte, war er deportiert worden. Pitt hatte ihn nie wiedergesehen.

Er konzentrierte sich auf die Gegenwart. »Wie viele Polizeibeamte hat er gekannt?«, fragte er. Es machte ihm Mühe, seine Stimme zu beherrschen.

»Was?« Welling war verblüfft.

Pitt wiederholte seine Frage.

»Gar keine!«, gab Welling verärgert zurück. »Das sind einer wie der andere Lügner, korrupte Unterdrücker, die die Armen bestehlen. Warum stellen Sie mir eigentlich so eine dämliche Frage?«

»Wenn er tatsächlich keinen Polizeibeamten kannte – warum sollte ihn dann einer getötet haben?«, fragte Pitt.

»Weil wir wissen, wie die sind! Sind Sie eigentlich blöd?«, schnaubte Welling.

»Ja, sieht ganz so aus, als ob Sie die Leute gut kennen«, stimmte Pitt zu. »Warum also hätte so jemand Magnus umbringen, Sie und Carmody aber am Leben lassen sollen? Oder war ausschließlich Magnus für die Polizei gefährlich?«

Es dauerte einige Augenblicke, bis Welling begriff, was Pitt ihm mit der ersten Frage unterstellte. Dann überzog tiefe Röte sein Gesicht, und er fuhr ihn aufgebracht an: »Wie können Sie es wagen? Sie dreckiger ...« Mit einem Mal sprach er nicht weiter. Es war, als hätte jemand die Tür in einen hell erleuchteten Raum geöffnet. Er hatte verstanden, was Pitt mit seiner zweiten Frage gemeint hatte.

»Genau«, sagte Pitt. »Magnus wurde aus einem persönlichen Grund umgebracht, nicht aber, weil er Anarchist war. Das stimmt doch?«

Welling schluckte, sodass sein Adamsapfel in heftige Bewegung geriet. »Ja ...«, sagte er rau. »Aber wer würde so was tun?«

»Das weiß ich nicht. Fangen wir mit dem Warum an.«

Welling sah ihn an, als durchlebe er ein ganz neues Entsetzen, aufgrund eines Gedankens, auf den er bislang noch nicht verfallen war.

Mit Überraschung, in die sich ein wenig Mitleid mischte, dachte Pitt, wie weltfremd diese jungen Männer sein mussten. Sie hassten voll Leidenschaft einen unpersönlichen Feind ohne Namen und Gesicht. Doch da Welling nun genötigt war, sich dem Gedanken zu stellen, jemand könne Menschen um ihrer selbst willen so sehr hassen, dass er sie tötete, war er entsetzt.

»Hat ein anderer nach Magnus' Position als Anführer der Gruppe gestrebt?«, fragte Pitt.

»Natürlich nicht!« Welling war zutiefst empört. »So was glauben Leute wie Sie, nicht wir. Wir wollen kein System, bei dem einer dem anderen gehorchen muss, ganz egal, was das eigene Gewissen einem vorschreibt. Wir sind nicht scharf auf die Macht. Schon der Gedanke daran, so was zu wollen, ist korrupt.«

»Jemand hat sich mit einer Schusswaffe hinter einer Tür versteckt und Magnus in den Hinterkopf geschossen«, erinnerte ihn Pitt. »Ich weiß nicht, ob ich das unbedingt als korrupt bezeichnen würde. Auf jeden Fall aber verstößt es gegen meine Vorstellungen von Gesetz. Wie sehen Ihre Vorstellungen aus? Oder haben Sie gar keine?«

»Natürlich ist es nicht in Ordnung! Es ist widerlich«, stieß Welling hervor. »Es ist nicht nur brutal, sondern auch heimtückisch.«

»Ganz offenkundig wollte der Betreffende nicht gesehen werden«, fügte Pitt hinzu. »Sonst hätten Sie ihn womöglich erkannt.«

Welling schluckte. »Vielleicht.«

»Wir sind also wieder bei der Annahme, dass der Täter jemand gewesen sein muss, der Magnus kannte«, fuhr Pitt fort. »Außerdem muss es jemand gewesen sein, dem bekannt war, wohin Sie nach dem Sprengstoffanschlag in der Myrdle Street fliehen würden. Wer hat davon gewusst? Die Polizei jedenfalls nicht.«

Welling sah ihn verständnislos an.

»Andere Anarchistengruppen?«, fragte Pitt.

»Warum sollten die Magnus umbringen wollen?«, fragte Welling in kläglichem Ton. »Wir haben doch alle dasselbe Ziel.«

»Wirklich? Gibt es nur eine einzige Art von Chaos? Vielleicht sind die anderen der Meinung, dass es mehrere gibt.«

»Wir wollen kein Chaos! Sie haben ja keine Ahnung ... Sie Dummkopf!« Wellings Verärgerung nahm sichtlich zu. Jetzt hatte er sich wieder aufrecht hingesetzt. »In der einen Minute reden Sie wie jemand, der denken kann und wenigstens annähernd versteht, worum es geht, und in der nächsten gehen Sie her und sagen so abwegige Dinge. Die Anarchie will weder Chaos noch Gewalttätigkeit.« Er fuhr mit der flachen Hand durch die Luft. Mit brennenden Augen beugte er sich zu Pitt vor. »Ziel der Anarchie ist die Abschaffung der Tyrannei, damit alle Menschen frei sein und ihr besseres Ich ausleben können. Ein weiser Mensch sollte die Möglichkeit haben, zu wachsen und das Beste in sich zum Vorschein zu bringen.« Seine Stimme klang begeistert. »Hin zur Freiheit, fort von einengenden Vorschriften, die kleinliche Menschen den anderen in Gestalt von Gesetzen, Gerichten, Regierungen und Heeren aufzwingen, um deren Geist zu knechten. Es gibt nur ein wahres Gesetz: das der Vernunft und das, das uns sagt, dass alle Menschen auf der Welt Brüder sind. Alles andere bringt Angst vor Gefangenschaft und die Herrschaft der einen über die anderen mit sich, die sich durch nichts rechtfertigen lässt. Wir wollen alle gleich und frei sein.«

Pitt überlegte einen Augenblick. »Wenn Sie das Gleiche haben wollen wie andere, müssten Sie bereit sein, dafür den gleichen Preis zu zahlen«, sagte er schließlich. »Und ich glaube nicht, dass alle Menschen dazu bereit sind. Manche sind träge, und andere sind habgierig. Wenn es keine Gesetze gibt und niemanden, der ihnen zur Geltung verhilft – wer soll denn dann die Schwachen schützen?«

»Sie verstehen nichts!«, warf ihm Welling vor.

Pitt lehnte sich gegen die steinerne Wand. »Erklären Sie es mir.«

»Ohne Unterdrückung gäbe es keine Notwendigkeit, Schwache zu schützen«, sagte Welling. »Niemand würde ihnen etwas antun.«

»Außer solchen Leuten, die sich hinter Türen verstecken und sie in den Hinterkopf schießen.«

Welling war sehr bleich. »Das war keiner von uns.«

»O doch.«

»Auf keinen Fall!«, schrie Welling. »Vielleicht war es der Alte! Ein alter Mann, der ihn zu kennen schien, hat Magnus mehrfach auf der Straße angesprochen. Ich habe gesehen, wie sie wild miteinander gestritten haben. Magnus war aber nicht bereit zu sagen, wer es war oder worum es ging.«

»Ein alter Mann?«, fragte Pitt. »Beschreiben Sie ihn.«

Wellings Augen weiteten sich. »Glauben Sie denn, dass er es gewesen sein könnte?« Der Ausdruck von Hoffnung trat auf sein Gesicht. »Aber warum sollte er das tun? Sie haben doch nur miteinander gestritten. Und woher hätte er die Schusswaffe haben sollen? Er war viel zu alt, um Anarchist zu sein.«

Unwillkürlich musste Pitt lächeln. »Wie alt?«

»Ich weiß nicht, sechzig, oder älter? Er war groß und dürr. Er hatte weiße Haare.«

»Und sie haben gestritten?«

»Ja.«

»Wie wirkte er auf Sie?«

Welling erstarrte. In seine Augen trat Verstehen. »Ein Herr«, sagte er leise. »Er war zwar nicht wie einer gekleidet, aber seine Stimme ...«

»Könnte es sein Vater gewesen sein?«, fragte Pitt und wünschte insgeheim, dass Welling das verneinen würde. Er musste unwillkürlich an seinen eigenen Sohn und daran denken, wie es wäre, wenn sich Daniel irgendwann einer extremen politischen Haltung zuwenden würde, die ihn zu Verbrechen veranlassen konnte. Was würde er dann tun, um ihn vor dem zu bewahren, was in seinen Augen falsch war? Womit würde er Charlotte trösten? Wie sehr würde er sich selbst Vorwürfe machen, dass seine Entwicklung sichtlich anders verlaufen war, als sie sollte?

Er versuchte, sich in Landsboroughs Situation zu versetzen. Was hatte der Mann gewollt: seinen Sohn oder das politische System schützen, von dem er selbst überzeugt war? Oder gar die Familienehre mitsamt den Vorrechten und all der Behaglichkeit, die sein Leben bereithielt und die sein Sohn gefährdete?

Es war ein ekelhafter Gedanke, aber die Redlichkeit verlangte von Pitt, dass er ihn zumindest erwog.

Welling sah ihn an. »Möglich. Magnus hat nie darüber gesprochen. Aber der Alte war nicht der Einzige. Da war auch noch ein Jüngerer, der sehr gepflegt aussah.«

Pitt wusste nicht, was er denken sollte.

»Und wie klang seine Stimme?«

»Keine Ahnung. Ich habe ihn nie etwas sagen hören.«

»Ein Anarchist aus einer anderen Gruppe?«

»Mir ist er eher wie ein Dienstbote vorgekommen, einer von der diskreten Sorte«, gab Welling zurück. Mit seiner früheren Aufsässigkeit fügte er hinzu: »Ich sage Ihnen nichts über irgendeinen von uns. Anarchisten sind keine Verräter.«

»Das sehe ich«, sagte Pitt mit Bewunderung in der Stimme. »Es hat ganz den Anschein, als wären Sie bereit, sich einer für den anderen hängen zu lassen.« Er sah, wie alle Farbe aus Wellings Gesicht wich. Entweder war seine Angst größer als die Carmodys, oder Carmody hatte sie besser verbergen können als er. Pitt fuhr fort: »Sie müssen sich ja sehr sicher sein, dass alle von Ihnen den gleichen Idealen anhängen. Da frage ich mich natürlich, warum einer Ihrer eigenen Leute Magnus getötet hat, noch dazu aus dem Hinterhalt.«

Auf Wellings Lippen trat ein verächtliches Lächeln. »Man kann mich für den Mord an Magnus nicht an den Galgen bringen. Nicht mal Sie können die Sache so hindrehen, dass man sie mir anhängt. Ich war in dem Zimmer, als Sie reinkamen, und weit von der Tür, hinter der der Schuss abgefeuert wurde. Alle haben gehört, wie jemand weggerannt ist. Ihre eigenen Leute haben ihn auf der Hintertreppe gehört und ihn laufen lassen.« Seine Stimme zitterte, als ihm aufging, dass die Polizisten die Unwahrheit sagen könnten, und sei es nur, um ihren eigenen Schnitzer zu vertuschen. Er schluckte. Seinen Augen war anzusehen, dass er überzeugt war, Pitt und die anderen würden vor einem solchen Verhalten nicht zurückschrecken. »Ich hätte das nie getan! Das wissen Sie!«

»Das weiß ich«, gab Pitt zu. »Zumindest nicht mit eigener Hand. Aber es kann sein, dass Sie in dem Komplott mit drinstecken. Immerhin decken Sie den Täter, also muss man vernünftigerweise annehmen, dass Sie miteinander im Bunde stehen. Vielleicht haben Sie ihn sogar bezahlt …« Als er das Entsetzen in Wellings Augen sah, ging ihm auf, dass der Mann tatsächlich unschuldig war. »Ich meinte das mit der Strafe vorhin wegen des Polizeibeamten auf der Straße, auf den geschossen worden ist«, schloss er.

»Er war aber … doch … nicht tot …« Wellings Gesicht war anzusehen, dass er seiner Sache nicht sicher war.

Pitt widerstand der Versuchung, die Unwahrheit zu sagen. »Nein, aber das war nicht Ihr Verdienst, sondern Glück. Sie haben versucht, ihn zu töten.«

»Ich … ich …« Wellings Stimme versagte. Es gab nichts zu sagen, das von Bedeutung gewesen wäre.

Pitt wartete und überlegte.

»Sind Sie religiös?«, fragte er plötzlich.

Welling war verblüfft. »Was?«

»Ob Sie religiös sind«, wiederholte Pitt.

Das verächtliche Lächeln trat wieder auf Wellings Züge. »Man muss nicht an Gott glauben, um eine Moral zu haben«, sagte er bitter. »In der Kirche findet man die größten Heuchler! Haben Sie eine Ahnung, was für Reichtümer die besitzen? Wie viele von denen das eine predigen und das genaue Gegenteil davon tun? Sie verurteilen Menschen, über deren Leben sie nicht das Geringste wissen und ...«

»Ich dachte nicht so sehr an Moral«, fiel ihm Pitt ins Wort. »Für Heuchler habe ich ebenso wenig übrig wie Sie. Ich habe mich nur gefragt, ob es für Sie eine Hoffnung auf etwas nach dem Tode gibt.«

Welling wurde so weiß wie ein Laken. Mit einem Mal fiel ihm das Atmen schwer.

»Sie sind noch jung«, fuhr Pitt freundlicher fort. »Sofern Sie mir helfen festzustellen, wer Magnus Landsborough umgebracht hat, und das zu beweisen, brauchen Sie nicht Ihr Leben und all das aufzugeben, was Sie künftig noch tun können. Die Tat lässt sich weder nach Ihren noch nach meinen moralischen Maßstäben rechtfertigen. Ich habe die Möglichkeit, Ihnen für die Schüsse auf den Polizeibeamten oder auch alles andere Straffreiheit zuzusichern, wenn Sie mithelfen.«

Welling fuhr sich mit der Zunge über die Lippen. »Woher weiß ich, dass Sie nicht lügen? Vielleicht ist der Polizist tot!«

»Er lebt. In einigen Wochen wird er wieder Dienst tun. Die Kugel ist in seiner Schulter stecken geblieben und hat die Schlagader nicht getroffen.« Er nahm das Blatt Papier mit Narraways Zusage aus der Tasche und gab es Welling. Dieser nahm es und las es mit leicht zitternden Händen.

»Und was ist mit Carmody?«, fragte er schließlich. »Ich...« Er musste sich räuspern. »Ich bin nicht bereit, meine eigene Haut zu retten, wenn er gehängt wird.«

Pitt konnte nur vermuten, was es den jungen Mann gekostet

hatte, das zu sagen, und bewunderte ihn dafür. »Das brauchen Sie auch nicht«, versprach er. »Das Angebot gilt auch für ihn, wenn er sich ebenfalls zur Mitarbeit bereit erklärt. Jetzt sagen Sie mir alles, was Sie über Magnus Landsborough wissen, wer für die Position des Anführers – oder wie Sie ihn nennen – vorgesehen ist, und über den alten Herrn, der mit ihm gesprochen hat. Wie oft war das, wo, zu welchen Tageszeiten, und wie hat Magnus darauf reagiert?«

Welling gab ihm alle Informationen, wägte aber jedes Wort sorgsam ab, denn er wollte sich nicht dazu verlocken lassen, etwas zu verraten, was er nicht zu sagen bereit war. Er kannte den Namen des Mannes nicht, von dem er annahm, dass er als neuer Führer an die Spitze der Gruppe treten würde, doch war deutlich, dass er Achtung vor ihm hatte. Ganz wie Magnus sprach er sich leidenschaftlich dagegen aus, dass Menschen andere beherrschten, und bezeichnete es als ungerecht. Er war voll Wut darüber, dass arme, gesundheitlich oder geistig benachteiligte Menschen nichts gegen ihr Schicksal unternehmen konnten, weil ausschließlich Geburt und gesellschaftliche Stellung darüber bestimmten, wer Anspruch auf Bildung hatte und wer nicht. Macht ohne Verantwortung war für ihn das höchste aller Übel, der Ausgangspunkt von Grausamkeit, Ungerechtigkeit und jeder Art von Schimpf, den Menschen einander antun können.

Pitt sprach mit ihm lediglich darüber, mit welchen Mitteln er sich dagegen anzugehen bemühte. Möglicherweise spürte Welling, dass er es gut mit ihm meinte, denn er sprach allmählich mit weniger Verachtung und drückte seine Hoffnung aus, ein größeres Maß an Gleichheit erreichen zu können.

Pitt widersprach ihm nicht, als er seine Überzeugung vortrug, die menschliche Natur habe ebenso großen Einfluss auf die Gesellschaft wie jedes beliebige politische System. Einen Augenblick lang war er versucht gewesen zu argumentieren, doch dann erinnerten ihn die Kälte der Zelle und der Geruch der Luft an die dringliche Aufgabe, erst einmal gegen die Korruption und danach gegen Wetrons Machtbegierde zu kämpfen.

Welling berichtete ihm auch von den Begegnungen Magnus' mit dem älteren Herrn. Sie hätten einander etwa ein halbes Dutzend Mal getroffen. Das habe Magnus allem Anschein nach jedes Mal sehr aufgewühlt, doch sei er nicht bereit gewesen zu sagen, wer der Mann war oder was er wollte. Er habe nicht zugelassen, dass die anderen etwas Negatives über ihn sagten, mit ihm sprachen oder ihn aufforderten, nicht wiederzukommen. Bei den wenigen Gesprächen, deren Zeuge er von ferne geworden war, hätten sie sich offenkundig gestritten. Der alte Mann sei unübersehbar aufgebracht gewesen, aber niemand wisse genug, um zu sagen, worum es dabei gegangen sei, und Magnus habe es immer abgelehnt, mit ihnen darüber zu reden.

Dann kam Pitt auf die Frage der Geldquelle für die Gruppe zu sprechen. Auf den ersten Versuch, etwas zu erfahren, reagierte Welling nicht, sondern verfiel in seine frühere Abwehrhaltung.

»Es gibt keinen Grund, den Mann zu decken«, sagte Pitt beiläufig. »Wir wissen, wer er ist, und die Polizei weiß es ebenfalls.«

Welling lächelte. »In dem Fall brauchen wir es Ihnen ja nicht zu sagen«, erklärte er.

»Nein. Ich hätte den Punkt auch gar nicht angesprochen, wenn Sie nur die geringste Möglichkeit hätten, ihn zu warnen.«

»Ach ja?« In Wellings Stimme lag wieder der frühere Zweifel.

»Es ist Piers Denoon«, teilte ihm Pitt mit und sah die Betrübnis in Wellings Augen. Er brauchte keine weitere Bestätigung. Er erwog, ihn zu fragen, ob Magnus und Piers miteinander gestritten hatten. Unter Umständen hatte Magnus das doppelte Spiel seines Vetters durchschaut, der sowohl für die Anarchisten als auch für die Polizei arbeitete, und ihm sogar gedroht, die Polizei über sein Treiben aufzuklären. Im letzten Augenblick aber überlegte Pitt es sich anders, denn ihm fiel ein, dass das für Tellman gefährlich werden konnte. Wenn Welling über diese Dinge vor Gericht aussagte, um sich selbst zu entlasten, bestand die Möglichkeit, dass die Polizei davon erfuhr. Aber grundsätzlich war es natürlich denkbar, dass Piers Denoon seinen Vetter getötet hatte, um zu verhindern, dass ihm dieser gefährlich wurde.

Schließlich hatte Pitt von Welling alles erfahren, was er sich erhofft hatte. Nach einer kurzen Befragung Carmodys, bei der nichts herauskam, was er nicht ohnehin schon wusste, ging er, den Kopf voller Gedanken.

Am nächsten Tag trat Pitt kurz nach Mittag anstelle von Taschen-Jones seine Runde durch die Wirtshäuser an. Nur selten hatte er etwas getan, was er mehr verabscheute. Er zog alte Kleider an, die sich so sehr von seinen üblichen unterschieden, wie das nur möglich war, als wolle er sich auf diese Weise von seinem Tun distanzieren. Das Tweedjackett mit den aufgesetzten Flicken hätte er unter normalen Umständen nie angezogen, denn nicht nur kratzte der Stoff auf der Haut, es war in der Nachmittagssonne auch zu warm.

Überall, wohin er kam, musste er erklären, dass Jones zur Zeit unabkömmlich sei und er einstweilen seine Stelle einnehme.

»Isser krank?«, fragte ein Wirt mit hoffnungsvollem Unterton. »Schwer krank?«

»Wahrscheinlich«, gab Pitt zur Antwort. »Und wenn er sich eine Weile in Coldbath Fields aufhält, verschlimmert sich das Leiden noch.« Er bezog sich damit auf das Gefängnis Londons, das den übelsten Ruf von allen hatte.

»'ne wahre Schande«, sagte der Wirt mit breitem Grinsen, das gleich darauf verschwand. Mit einem funkelnden Blick auf Pitt fügte er hinzu: »Ich hoff, dass das ansteckend is.«

»Kann gut sein.« Pitt hatte sich bereits entschlossen, auf welche Weise er vorgehen wollte. »Aber so schlimm wie er kriege ich das nicht.«

»Wieso nicht? Für mich sin' Se genauso wie der!«

»Ich bin dafür nicht anfällig«, sagte Pitt. »Jones war zu scharf. Ich möchte, dass Sie Ihr Lokal weiterführen können, und begnüge mich mit der Hälfte von dem, was Sie ihm gegeben haben. Das genügt. Sorgen Sie einfach dafür, dass es regelmäßig kommt.«

Der Mann sah verblüfft drein, war dann aber mit einem Mal

voll Argwohn. »Ich will nich, dass der verdammte Grover herkommt un mein'n Lad'n zu Kleinholz schlag'n lässt«, sagte er.

»Glauben Sie nicht, dass Jones einen Teil für sich selbst behalten hat?« Pitt hob die Brauen.

»Ach ja? Un Sie tun das für umsons'? Seh ich aus wie einer, der von gestern is?«

»Ich habe meine Gründe«, sagte Pitt. »Geben Sie mir die Hälfte, und bedienen Sie Ihre Gäste weiter. Je länger Sie hier herumstehen und mit mir reden, desto mehr vernachlässigen Sie Ihr Geschäft.«

Im nächsten Wirtshaus verlief das Gespräch ähnlich und auch bei den folgenden. Schließlich hatte Pitt fast sechzehn Pfund in der Tasche – drei Monatslöhne eines gewöhnlichen Streifenbeamten.

Er konnte das Geld weder behalten, noch durfte er sich der Gefahr aussetzen, es zu verlieren. Es gab nur eine Stelle, an der es sicher war und die ihn davor bewahrte, wegen Schutzgelderpressung unter Anklage gestellt zu werden. Das zu versuchen würde Wetron ein wahres Vergnügen bereiten. Eine ironischere Wendung könnte es gar nicht geben.

»Sechzehn Pfund!«, sagte Narraway und ließ das Geld mit so angewiderter Miene auf seinen Schreibtisch fallen, als könne es ihn durch seine Herkunft beflecken. »Das macht überschlägig knapp siebzig Pfund im Monat, nur von diesen paar armen Teufeln.«

»Ich weiß«, sagte Pitt. »Und ich habe nur halb so viel wie Jones.«

»Jones hat doppelt so viel eingenommen? Warum waren Sie nicht bei allen?«

»War ich. Ich habe mich einfach mit der Hälfte begnügt.«

Narraway verdrehte die Augen. Es war deutlich, was er damit sagen wollte.

»Heben Sie das Geld gut auf«, bat ihn Pitt.

»Und wie soll das jetzt weitergehen?«, fragte Narraway, die Stirn in Falten gelegt, mit einem Mal ernst. »Irgendjemand erwartet, dass ihm das hier gebracht wird. Sie treiben da ein verdammt gefährliches Spiel, Pitt. Was könnte die Leute daran hindern, Ihnen zur Warnung für andere die Kehle durchzuschneiden? Vor allem, wenn Sie das Geld nicht haben.«

»Ihre Habgier«, gab Pitt zur Antwort. »Wer auch immer sich bei mir meldet, will sicher selbst einen Teil des Geldes einstreichen. Die Leute werden es also haben wollen, und ich werde ihnen sogar noch mehr als das anbieten, was sie sonst bekommen haben. Als Toter bin ich für die völlig wertlos.«

»Sie haben aber nicht mehr, sondern weniger!«, gab Narraway zu bedenken.

»Da ich es nicht bei mir habe, werden sie das nicht wissen.«

»Vielleicht nehmen sie dann an, dass Sie gar nichts haben, Sie Narr!«, sagte Narraway, mit einem Mal wütend. »Meinen Sie, dass ich Männer erübrigen kann, die Ihnen durch ganz London nachlaufen, bis Sie jemand wegen dieser Sache anspricht?«

»Es dauert bestimmt nicht lange«, sagte Pitt. Ihm war klar, dass er eine Gefahr auf sich nahm. Er hoffte, Narraway mit der Annahme, dieser werde ihn jetzt unterstützen, richtig eingeschätzt zu haben. »Ich bin da ein bisschen früher aufgetaucht als Jones normalerweise, und bei zweien war ich noch nicht. Wenn ich die in ein, zwei Stunden aufsuche, wartet da bestimmt jemand auf mich. Nur für diesen Zeitraum brauche ich ein paar Leute. Bitte ... bitte geben Sie mir jemanden mit, der nicht zögert einzuschreiten, wenn es nötig ist.«

Narraway fluchte ausführlich. »Sie überstrapazieren meine Geduld, Pitt. Aber ich gebe Ihnen jemanden mit, und zwar jemanden mit Schusswaffen, der notfalls auch bereit ist, sie einzusetzen. Das verspreche ich Ihnen.«

»Vielen Dank, Sir.«

Narraway funkelte ihn wortlos an.

In der Abenddämmerung näherte sich Pitt langsam über die gepflasterte Straße dem letzten Wirtshaus, in dem er das Geld eintreiben wollte. Er gab sich Mühe, seine Rolle richtig zu spielen. Wenn er den Eindruck gänzlicher Furchtlosigkeit machte, konnte das Misstrauen erwecken. Immerhin hatte er eine Verbrecherorganisation um einen ansehnlichen Geldbetrag gebracht. Wenn er jetzt keinerlei Angst zeigte, konnte das nur bedeuten, dass er sich für stärker hielt als sie. Sofern sie das begriffen, war sein ganzes Unternehmen sinnlos, und einen zweiten Versuch gab es nicht, weil die Sache dann nicht funktionieren würde.

Er hörte keine Schritte hinter sich. Die einzigen Lebewesen, die es in der Nähe zu geben schien, waren dösende Bettler in Hauseingängen und Ratten, die durch eine Seitengasse huschten. Das einzige Geräusch, das er wahrnahm, waren Wassertropfen, die aus undichten Außenrohren auf das Pflaster fielen. Dann lachte jemand etwa fünfzig Schritt weiter vorn. Es klang, als sei er betrunken. Hoffentlich war Narraways Mann nahe genug und hatte ihn im Auge, damit er eingreifen konnte, wenn es so weit war. Narraway konnte es sich nicht leisten, Pitt zu verlieren; er war in seinem Feldzug gegen Wetron auf ihn angewiesen. Sofern Wetron an die Spitze der Polizei gelangte, würde vom Staatsschutz nichts übrig bleiben.

Pitt stolperte über einen hochstehenden Pflasterstein und wäre fast gestürzt. Narraway konnte unmöglich dem Inneren Kreis angehören – oder doch? Doppelter Bluff!

Ein stämmiger Mann mit breiten Schultern kam über die Straße auf Pitt zu. Die Laternen brannten noch nicht, doch genügte das verbleibende Tageslicht, um sein flächiges Gesicht zu erkennen. Neben der Knollennase lief eine lange Narbe über eine Wange, und das linke Ohr sah aus wie zerfetzt.

Er blieb vor Pitt stehen und sagte mit gesenkter Stimme: »Se brauch'n gar nich groß danach frag'n – ich hab's.« Er war ebenso groß wie Pitt. Sie standen einander im Abstand von einem guten halben Meter auf dem schmalen Gehweg gegenüber. Pitt spürte, wie ihm der Schweiß ausbrach und ihn ein Schauer überlief. Er hoffte, dass seine Stimme ruhig blieb, damit der andere die Angst nicht merkte, die er empfand.

»Haben Sie den üblichen Betrag eingenommen?«, fragte er höflich.

»Na klar! Was is mit Mr Jones?«

»Wissen Sie das nicht?« Pitt tat überrascht. »Er war unvorsichtig. Hat sich Blüten andrehen lassen und ist damit gefasst worden.«

Der Breitschultrige schürzte die Lippen. »Dafür is er zu geriss'n. Was is wirklich passiert?«

»Es war eine gute Fälschung. Er war leichtsinnig.«

»Ham Sie das eingefädelt?«

Pitt beschloss, sich dazu zu bekennen. »Ich habe meine Pläne«, sagte er. »Ich kann mehr aus der Sache machen als er. Ich habe Kontakte. Ihnen ist es doch sicher recht, dass auch Sie dabei besser abschneiden können. Immer vorausgesetzt, Sie wollen.«

»Ach ja? Un wie soll das geh'n?«, fragte der Mann voll Argwohn. »Sag'n Se mir doch, warum ich Se nich einfach abmurks'n un alles nehm'n soll.«

»Weil ich es selbstverständlich nicht bei mir habe«, gab Pitt zurück. »Wenn Sie das tun, werden Sie nie erfahren, was ich plane, und, was schlimmer ist, kein Geld bekommen, das Sie Ihrem ... Auftraggeber aushändigen können.« Er spie das Wort ›Auftraggeber‹ förmlich aus.

»Ich hab kein'n Auftraggeber«, knurrte der andere.

»Hat Taschen-Jones etwa für Sie gearbeitet?« Durch das Lachen in seiner Stimme gab Pitt zu erkennen, dass er das auf keinen Fall ernst nahm. »Sie sind nichts weiter als ein Laufbursche, jemand, der für andere Aufträge erledigt. Aber das muss nicht so bleiben ... Mr ...?«

»Yancy.« Der Mann schien trotz allem interessiert, behielt aber die rechte Hand in der Tasche, wo sie, wie Pitt vermutete, das Heft eines Messers hielt.

»Sind Sie mit Ihrer Rolle als Laufbursche zufrieden, Mr Yancy?« Pitt zitterte leicht, und sein Herz schlug heftiger. »Eine sichere Sache, was?«

»Was woll'n Se?«, erkundigte sich Yancy misstrauisch.

»Wem geben Sie das Geld?«

»Wenn ich das sag, nehm' Se mir 'n Platz weg!«, stieß Yancy hervor. »Halt'n Se mich für dämlich?«

»Es geht mir nicht um Ihren Platz, Mr Yancy. Ich will viel mehr – seinen Platz!« Pitt erkannte den Zweifel in den Augen des Mannes. Er war nicht weit genug gegangen. Wie viel wusste Yancy? Alles kam jetzt darauf an, ihn zu überreden. Ein Wort zu viel, ein Wort zu wenig, und die Sache würde ihm entgleiten. »Manche Leute nehmen sich zu viel heraus«, sagte er. Er merkte, dass ihm seine Stimme nicht gehorchte. Er hatte das Bedürfnis zu husten oder sich zu räuspern. Das aber würde seine Nervosität verraten. Außer zwei Straßenmädchen, die zwanzig Schritt entfernt flanierten, war niemand sonst auf dem Gehweg. Wenn Yancy jetzt das Messer zog, würden sie beiseite sehen und später von nichts wissen. »Ich kann Ihnen einen größeren Anteil anbieten, weil ich den Mittelsmann ausschalte«, sagte Pitt tollkühn. »Ich stehe mit ganz oben in Verbindung. Machen Sie mit oder nicht?«

»Gott im Himmel!« Yancy stieß gedehnt die Luft aus. »Mit Mr Simbister persönlich? Grover würde mich umbringen.«

»Noch höher«, gab Pitt mit einem Lächeln zurück. »Wie ist es, machen Sie mit?«

Gerade als Yancy den Mund zu einer Antwort öffnete, hörte man ein hallendes Dröhnen. Es schien aus der übernächsten Straße zu kommen. Der Boden schwankte unter Pitts Füßen, Ziegel lösten sich vom Dach über ihm, glitten herab und zerschellten auf dem Pflaster. Wieder ertönte ein ohrenbetäubendes Dröhnen, Flammen schossen empor. Jemand schrie unaufhörlich. Dann überdeckte das Krachen einstürzenden Mauerwerks alle menschlichen Stimmen, und der Geruch und die Hitze von Feuer erfüllten die Dämmerung.

KAPITEL 8

Ohne weiter auf Yancy zu achten, machte Pitt auf dem Absatz kehrt und eilte ans Ende der Straße, dem Feuerschein entgegen. Aus den wüst aufgerissenen Dächern stiegen Flammensäulen zum Himmel empor. Als er näher kam, biss ihn der Rauch in die Lunge. Menschen schrien und weinten. Manche standen da wie erstarrt, als seien sie so benommen oder verwirrt, dass sie nicht wussten, was sie tun sollten. Andere rannten ziellos umher oder stolperten hierhin und dorthin. Immer noch stürzte Schutt auf den Gehweg, fielen um die Menschen herum brennende oder verkohlte Holzstücke sowie Glassplitter zu Boden, scharf wie Dolche.

Als Pitt das Ende der Scarborough Street erreichte, würgte ihn der Rauch im Hals, und die Hitze brannte in seinem Gesicht. Auf der Straße lagen Verletzte, in sich zusammengekrümmt wie ein Haufen Lumpen, die Glieder sonderbar verdreht. Manche regten sich nicht, sodass unklar war, ob sie noch lebten. Überall um sich herum sah Pitt Blut, Staub und Gesteinstrümmer, rauchendes Holz, Ziegel und Scherben. Menschen riefen, weinten, jemand schrie. Ein Hund bellte unaufhörlich. All das wurde übertönt vom Prasseln der Flammen, die aus den Resten der drei letzten Häuser schlugen. Die große Hitze ließ Holz zerbersten, und wie aus der Hand eines Messerwerfers geschleudert flogen Dachziegel durch die Luft, ihre Kanten scharf wie Klingen.

Pitt blieb stehen und versuchte, das Entsetzen zu unterdrücken, das in ihm aufstieg, und Herr seiner Sinne zu bleiben.

Hatte schon jemand die Feuerwehr alarmiert? Brennende Holzstücke fielen bereits auf die Dächer der Häuser in der nächsten Straße. Was war mit Ärzten? War jemand in der Nähe, der Hilfe leisten konnte? Er eilte weiter, bemüht, festzustellen, ob es irgendeine Art von Ordnung in all dem Tohuwabohu und Entsetzen gab, das vom grellen Feuerschein hell beleuchtet wurde.

»Hat jemand die Feuerwehr gerufen?«, überschrie er das Dröhnen und Krachen, mit dem eine weitere Mauer nachgab. »Die Leute müssen da raus!« Er nahm eine alte Frau am Arm und wies sie an: »Gehen Sie ans Ende der Straße, fort von der Hitze. Wenn Sie hier stehen bleiben, fallen Ihnen noch Trümmer auf den Kopf.«

»Mein Mann is noch im Bett«, sagte sie mit ausdruckslosen Augen. »Er is betrunk'n nach Hause gekomm'n. Ich muss 'n da raushol'n. Sons' verbrennt er.«

»Sie können jetzt nichts für ihn tun.« Er ließ sie nicht los. Ein junger Mann stand mit bloßen Füßen wenige Schritte entfernt und zitterte am ganzen Leibe. »He!«, rief Pitt ihm zu. Er wandte sich langsam um. »Bringen Sie sie außer Gefahr«, forderte er ihn auf. »Die anderen auch. Helfen Sie mir.«

Langsam öffnete und schloss der junge Mann die Augen. Er schien allmählich wieder in die Wirklichkeit zurückzukehren und führte Pitts Anweisung aus. Auch andere fingen an zu reagieren, machten sich daran, Verletzte zu bergen, und brachten Kinder aus der unmittelbaren Gefahrenzone.

Pitt trat zu der nächsten Gestalt am Boden und beugte sich über sie. Es war eine junge Frau mit von Blut verklebten Haaren, die halb auf dem Rücken lag, die Beine an den Knien eingeknickt. Ein einziger Blick auf ihr Gesicht genügte – hier kam jede Hilfe zu spät. Ihre Augen waren gebrochen. Während er neben ihr kniete, mischte sich in ihm ein Gefühl der Übelkeit mit unendlicher Wut. Die Leute müssten vom Staatsschutz erwarten können, dass er solche Tragödien verhinderte. Das hier hatte weder mit Idealismus noch dem Wunsch nach Reformen zu tun, war unverhüllter Wahnsinn, eine Unmenschlichkeit, die auf nichts als Dummheit und Hass zurückging.

Einige Schritte weiter hörte er ein Stöhnen. Es war nicht der richtige Zeitpunkt, sich seinen Gefühlen hinzugeben; damit würde er niemandem beistehen. Er erhob sich und ging zu der Frau hinüber, die gestöhnt hatte. Um sich vor der herüberwehenden glühenden Asche zu schützen, musste er die Augen schließen und den Kopf beiseite drehen. Wieder glitten Ziegel von den Dächern und prallten auf Gehweg und Straßenpflaster. Jetzt war er bei der Frau angelangt. Sie hatte ein gebrochenes Bein und eine blutende Armwunde. Vermutlich litt sie große Schmerzen, doch schien ihr vor allem das unaufhörlich fließende Blut Angst zu machen.

»Das wird schon wieder«, sagte er mit Zuversicht in der Stimme. Mit einem Stück Stoff, das er aus ihrem Unterrock riss, legte er ihr einen Notverband an. Womöglich saß der zu fest, aber er musste unbedingt die Blutung zum Stillstand bringen. Sicherlich war inzwischen jemand unterwegs, um einen Arzt zu holen.

»So.« Er erhob sich, bückte sich dann und half ihr, sich auf das unverletzte Bein zu stellen. Sie war schwer und nicht besonders beweglich; offensichtlich war sie nicht mehr die Jüngste. Es kostete ihn seine ganze Kraft, ihr Gewicht aufzufangen, und fast hätte er dabei das Gleichgewicht verloren. »Stützen Sie sich auf mich. Ich bringe Sie zur nächsten großen Straße«, sagte er.

Sie dankte ihm, und sie machten sich auf den Weg. Als er sich abermals dem Ort des Unheils zuwandte, nachdem er die Frau in der Obhut einer Nachbarin gelassen hatte, erkannte er im Schein der Flammen Victor Narraways schlanke Gestalt. Die Haare standen ihm wild vom Kopf ab, sein von Ruß bedecktes Gesicht leuchtete im Feuerschein rot. Er wirkte mitgenommen.

Pitt traute seinen Augen nicht. »Wie sind Sie denn so schnell hierher gekommen?« Er musste schreien, um den Lärm zu übertönen. »Wussten Sie etwa davon?«

»Natürlich nicht, Sie Narr«, fuhr ihn Narraway an und kam näher auf ihn zu. »Ich bin Ihnen gefolgt.«

»Wirklich?« Pitt konnte es kaum fassen. »Warum?«

Ein weiteres Haus sank in sich zusammen, und mit lautem

Dröhnen schossen Flammen empor wie aus einem Vulkankrater. Beide wichen vor der Hitze zurück, die ihnen Haare und Gesichter versengte. Dabei stolperte Pitt über einen Balken und die Leiche eines Mannes. Hätte ihn Narraway nicht kräftig am Arm gefasst, er wäre zu Boden gestürzt. Nur mit Mühe kam er wieder auf die Beine.

Die erste Feuerspritze traf ein. Die vorgespannten Pferde keuchten, und es kostete den Kutscher Mühe, sie zu bändigen. Ihr folgte sogleich eine zweite, doch erkannten die Feuerwehrmänner auf den ersten Blick, dass es sinnlos war, einen dieser Brände löschen zu wollen. Ihnen blieb lediglich die Möglichkeit, dafür zu sorgen, dass das Feuer nicht auf die Gebäude in den benachbarten Straßen übergriff.

Ein jüngerer Mann mit einer Tasche in der Hand bahnte sich seinen Weg durch die Trümmer, wobei er sich von Zeit zu Zeit bückte.

Narraway rief etwas, was Pitt aber nicht hören konnte. Den Kopf schüttelnd ging er dorthin, wo sich der Mann, vermutlich ein Arzt, bemühte, jemandem auf die Beine zu helfen, der sehr schwer zu sein schien.

Mehrere Male durchsuchten Pitt und Narraway gemeinsam die Trümmer nach Lebenden und zerrten dabei Balken und Teile des Mauerwerks auseinander. Narraway war kräftiger, als sein Körperbau vermuten ließ, und beide setzten ihre Tätigkeit fort, bis sie sicher waren, dass sie nichts mehr zu tun vermochten.

Schließlich sanken die Flammen in sich zusammen, das Bersten und Klirren ertönte seltener. Inzwischen waren auch mehr Helfer eingetroffen, Fahrzeuge gekommen, um erst die Verletzten und dann die Toten abzutransportieren. Immer wieder sah Pitt, wie sich der Feuerschein auf blank polierten Uniformknöpfen oder in einem Polizeihelm spiegelte. Erst als er ein Stück beiseite getreten war und die Trümmerlandschaft musterte, fiel ihm auf, dass diese Insignien staatlicher Gewalt nicht mehr den beruhigenden Anblick boten wie noch vor wenigen Wochen.

Er stand neben einem bis oben hin mit Trümmern beladenen

Fuhrwerk. Narraway, einige Schritte weiter auf der anderen Seite, hielt ihm wortlos einen Blechbecher mit Wasser hin. Pitt wollte etwas sagen, doch kamen keine Laute aus seiner Kehle. Er nahm den Becher und trank. Dann brachte er ein »Danke« heraus.

Inzwischen war es vollständig dunkel geworden. Nur noch in zweien der Häuser sah man den roten Widerschein der niedergebrannten Feuer. Die Feuerwehr hatte die Dächer der umliegenden Gebäude mit reichlich Wasser getränkt, damit die Flammen dort keine Nahrung fanden.

Narraway nahm den Becher wieder an sich und hob ihn an die Lippen. Verblüfft sah Pitt, dass seine mit Blut und Asche bedeckte Hand dabei zitterte. Zum ersten Mal erkannte er in Narraways Augen Angst, die aber nichts mit ihm selbst zu tun hatte. Auch wenn er kein tollkühner Draufgänger war, hatte er ohne das geringste Zögern in unmittelbarer Nähe der einstürzenden Mauern geholfen, Menschen zu retten. Angst und Sorge bereitete ihm nun außer der ausufernden Gewalttätigkeit vermutlich die Reaktion, die auf diesen zerstörerischen Akt folgen würde. Immerhin war dem Anschlag fast der ganze Straßenzug zum Opfer gefallen. Keins der Häuser war mehr bewohnbar oder würde sich instand setzen lassen. Hier gab es nur noch eines: die Trümmer beiseite räumen und alles neu aufbauen.

Weit schlimmer aber war, dass mindestens fünf Menschen ihr Leben eingebüßt hatten und weitere zwanzig verletzt worden waren, wenn nicht gar mehr, einige davon lebensgefährlich. Diesmal hatte es keine Warnung gegeben, und allem Anschein nach war mindestens dreimal so viel Dynamit eingesetzt worden wie in der Myrdle Street. Der Staatsschutz hatte nicht die geringste Vorstellung davon, wer die Täter sein konnten.

Pitt sah, dass der von Kopf bis Fuß mit Schmutz bedeckte Narraway erschöpft wirkte. Zweifellos war dessen Haut ebenso versengt wie seine eigene, schmerzte seine Lunge mit jedem Atemzug, dröhnte ihm der Kopf und brannten seine Glieder ebenso sehr wie die Pitts. Vor allem aber dürfte er wohl das allumfassende und quälende Bewusstsein empfinden, eine Niederlage erlitten zu haben. Ganz davon zu schweigen, dass es ihm nicht gelungen war, dies Vorkommnis zu verhindern, wie das vom Staatsschutz erwartet wurde, hatten sie weder einen der Täter zu fassen bekommen, noch besaßen sie Hinweise auf die Täter oder auch nur eine Fährte, der sie folgen könnten. Sie hatten nicht den geringsten Ansatzpunkt, nichts, worauf sich die hoffnungsvolle Aussage stützen ließe, so etwas werde sich nicht wiederholen. Es konnte ganz im Gegenteil jederzeit aufs Neue dazu kommen, sooft den Anarchisten der Sinn danach stand.

Narraway erwiderte seinen Blick. Beide hätten gern etwas gesagt, aber die Wahrheit brauchte keine Worte, und tröstliche Lügen waren ebenso sinnlos wie töricht.

Narraway nahm noch einen Schluck Wasser und gab Pitt den Becher erneut. Er leerte ihn.

»Gehen Sie nach Hause«, sagte er zu Pitt, nachdem er sich geräuspert hatte. »Hier kann heute Abend niemand mehr etwas tun.«

Pitt, der ebenso wenig gewusst hätte, was sich am nächsten Tag tun ließe, drängte es, in die Sicherheit der Keppel Street zurückzukehren. Mit einem Mal empfand er tiefes Mitgefühl für Narraway, der keinen solchen Hort häuslicher Behaglichkeit hatte, niemanden, der ihn bedingungslos liebte und ihm Sicherheit gab. Auf keinen Fall durfte er ihn spüren lassen, dass ihm das bewusst war. »Danke«, sagte er. »Gute Nacht.«

Ihm war gar nicht aufgefallen, dass es schon so spät war. Als er kurz vor Mitternacht die Haustür aufschloss, kam Charlotte sogleich vollständig angekleidet aus dem erleuchteten Wohnzimmer in den Flur.

»Mir fehlt nichts!«, sagte er ein wenig zu laut, als er das Entsetzen auf ihrem Gesicht erkannte. »Ich muss mich nur waschen, dann sind alle Spuren beseitigt.«

»Thomas! Was ...«, stieß sie mit vor Schreck geweiteten Augen hervor. Fast alles Blut war aus ihren Wangen gewichen. »Was ist passiert?«

»Wieder ein Sprengstoffanschlag«, gab er zur Antwort. Er

hätte sie gern in die Arme genommen, doch damit hätte er nicht nur ihr Kleid beschmutzt, sondern auch den durchdringenden Brandgeruch weitergegeben.

Ohne darauf zu achten, schlang sie die Arme um ihn, hielt ihn fest an sich gedrückt und küsste ihn. Dann legte sie den Kopf an seine Schulter und hielt ihn fest, als könne er ihr davonlaufen, sobald sie ihn losließ.

Unwillkürlich musste er lächeln. Er berührte sie sanft und freute sich, in der Sicherheit seines Hauses zu sein, sie in seinen Armen zu halten. Ihre Haare hatten sich gelöst. Er zog die wenigen Nadeln heraus, die noch an Ort und Stelle waren, und ließ sie achtlos fallen. Mit den Fingern strich er ihr über das jetzt schulterlange Haar und genoss dessen kühle Weichheit – wie lose fallende Seide. Es war so glatt, dass man an eine Flüssigkeit hätte denken können, und es roch angenehm. Fast war es, als habe er sich den Großbrand, die Trümmer und das viele Blut nur eingebildet.

Er bedauerte Narraway und hätte, wenn er an ihn gedacht hätte, sogar Voisey bedauert.

Am nächsten Morgen fuhr Pitt aus dem Schlaf hoch. Die Stille des Schlafzimmers dröhnte ihm förmlich in den Ohren. Unvermittelt und mit aller Macht kehrte die Erinnerung an die Ereignisse des Vorabends zurück. Charlotte war bereits aufgestanden. Am Licht, das durch einen kleinen Spalt zwischen den geschlossenen Vorhängen hereindrang, sah er, dass es schon vollständig hell sein musste, denn ein schmaler goldener Strich lief über den Fußboden. Von der Straße herauf hörte er Hufschlag und das Knarren von Wagenrädern.

Eilig stand er auf. Charlotte hatte ihm frische Kleidung herausgelegt. Vermutlich hatte sie die getragene gleich in die Waschküche gebracht, damit nicht das ganze Haus nach Rauch und Asche roch.

Er rasierte sich, zog sich an und war eine Viertelstunde später unten. Auch wenn sein Körper von den Anstrengungen des Vortages schmerzte und seine Haut mehr Abschürfungen aufwies, als er zählen konnte, fühlte er sich ausgeruht, zumal die befürchteten Albträume ausgeblieben waren. Jetzt hatte er vor allem Hunger.

Die Wanduhr in der Küche zeigte neun Uhr. Charlotte, die das Frühstücksgeschirr abwusch, drehte sich mit einem Lächeln zu ihm um.

Gracie kam mit Eiern aus der Speisekammer und wünschte ihm einen guten Morgen. Er ließ zu, dass sich die beiden um sein leibliches Wohl kümmerten, doch weil er auf dem Tisch keine Zeitung sah, fragte er, was es Neues gebe.

»Die Sache von gestern Abend sieht sehr übel aus«, sagte Charlotte schließlich, nachdem er seine dritte Scheibe Marmeladenbrot gegessen hatte, und goss ihm Tee nach. Sie ging in die Speisekammer und kam mit drei Zeitungen zurück, die sie ihm auf den Tisch legte.

Als er die Schlagzeilen sah, war er froh, dass sie ihm das bis nach dem Frühstück vorenthalten hatte. Am vernichtendsten äußerte sich Denoon. Er kritisierte die Polizei nicht etwa, sondern erklärte, sie sehe sich einer unmöglichen Aufgabe gegenüber. Nicht einmal dann, wenn sie über mehr Personal, mehr und bessere Schusswaffen und die Vollmacht verfüge, Menschen bei dringendem Tatverdacht festzunehmen, dürfe man erwarten, dass sie imstande sei, solche Gräueltaten zu verhindern. Dafür brauche sie zusätzlich die Möglichkeit, sich Informationen zu beschaffen, bevor sich die Gewalttätigkeit zu solchen Extremen steigere. Sie müsse wissen, was für Menschen Mord und Zerstörung dieses Ausmaßes planten, Vorstellungen nährten, aus denen ein solcher Feldzug gegen die einfachen Bewohner Londons und höchstwahrscheinlich des ganzen Landes erwuchs.

Der kunstlos aufgebaute Leitartikel war ein einziger Aufschrei leidenschaftlicher Empörung, der sein Echo sicherlich in der Hälfte aller englischen Haushalte finden würde. Polizei, Staatsschutz und nicht einmal die Regierung, hieß es, könnten voraussagen, wo oder wann es zu einem weiteren grauenvollen Verbrechen dieser Art kommen könne, welche Häuserzeile als nächste in Schutt und Asche gelegt würde, weit schlimmer als in der Myrdle Street.

Bei dem dortigen Anschlag war niemand ums Leben gekommen, weil die rechtzeitige Warnung es den Menschen ermöglicht hatte, ihre Häuser vorher zu verlassen. Diesmal hatte es solche Rücksicht nicht gegeben. Musste man als Nächstes mit noch Schlimmerem rechnen? Mit noch mehr Toten, einem Flächenbrand, der sich nicht eingrenzen ließ? Gegen sehr viel größere Brände sei die Feuerwehr mit ihren Mitteln machtlos. Sie habe weder genug Männer noch das nötige Material an Ort und Stelle, ja, nicht einmal genug Wasser. In einer solchen Situation könnten ganze Stadtviertel niederbrennen.

Um einer solchen entsetzlichen Verwüstung vorzubeugen, hieß es weiter, seien extreme Maßnahmen erforderlich. Man müsse der Regierung die Macht geben, die Bürger zu schützen, die sie gewählt hatten, denn darauf hätten diese einen Anspruch. Wenn dafür Gesetze erforderlich seien, müsse man diese erlassen, bevor es zu spät sei. Das sei nicht nur eine Frage von Ehre, Vaterlandsliebe und normalem menschlichen Anstand, das Überleben der Gesellschaft hänge davon ab.

Wohl hatte Pitt damit gerechnet, etwas in dieser Art zu lesen, doch als er es gedruckt vor sich sah, gewann es eine Wirklichkeit, der er sich, wie er sich eingestehen musste, nur ungern stellte.

Als er den Blick hob, merkte er, dass Charlotte ihn erwartungsvoll ansah.

»Das ist doch abstoßend, findest du nicht auch?«, fragte sie leise.

»Unbedingt.« In ihren Augen konnte er sehen, dass ihr das Ausmaß der Möglichkeiten ebenso bewusst war wie ihm.

»Was können wir tun?«

Er musste lächeln, weil sie sich mit eingeschlossen hatte. »Ich gehe noch einmal zu den festgenommenen Anarchisten, um ihnen ein paar Fragen zu stellen, obwohl ich nicht glaube, dass sie uns weiterhelfen können«, sagte er. »Eigentlich bin ich überzeugt, dass keiner aus ihrer Gruppe für diesen Anschlag verantwortlich ist. Vielleicht sind sie aber eher bereit zu reden, wenn sie erfahren, dass diesmal mindestens fünf Menschenleben zu beklagen sind. Du unternimmst bitte nichts, außer vielleicht Emily ein wenig beizustehen.« Er sah sie aufmerksam an. »Jack ist einer unserer wenigen zuverlässigen Verbündeten im Kampf gegen die umfassenden Polizeivollmachten. Es kann ihn teuer zu stehen kommen.«

»Meinst du, in Bezug auf seine Karriere?«, fragte sie.

»Möglich ist alles.«

Sie lächelte trübselig. »Danke, dass du es nicht herunterspielst. Ich hätte es ohnehin nicht geglaubt.«

Er stand auf, gab ihr einen flüchtigen Kuss und ging zur Haustür, um sich die Schuhe anzuziehen. Ihm war bewusst, dass sie in der Küche stand und ihm nachsah.

Als Ersten suchte er Carmody auf, der rastlos in seiner Zelle auf und ab ging. Allem Anschein nach war er innerlich so unruhig, dass er sich nicht setzen konnte. Als er hörte, wie sich der Schlüssel im Schloss der schweren Stahltür drehte, fuhr er herum, um zu sehen, wer da kam. Seine Haare waren verfilzt, und sein sommersprossiges bleiches Gesicht wirkte nahezu grau.

»Wer hat das getan?«, stieß er in anklagendem Ton hervor. »Das ist Mord! Warum sind Sie den Leuten nicht in den Arm gefallen? Was ist mit Ihnen los? Wer steckt hinter dem Anschlag? Die Iren, die Russen, die Polen oder die Spanier?«

»Vermutlich keiner von all denen«, sagte Pitt so gelassen er konnte. »Woher wissen Sie überhaupt, was passiert ist?«

»Hier reden alle darüber«, rief Carmody aus. »Die Wärter zählen die Stunden, bis mein Freund und ich verurteilt und gehängt werden. Mit uns hat das aber nichts zu tun. Wir haben es Ihnen doch gesagt: Wir wollten der Korruption bei der Polizei ein Ende bereiten, hatten es nur auf den verdammten Grover abgesehen, aber nicht im Traum die Absicht, die Bewohner eines ganzen Straßenzuges umzubringen.«

»Alles weist darauf hin, dass es sich nicht um ausländische Anarchisten handelt«, sagte Pitt.

»Wir ... waren ... es ... nicht!«, schrie ihm Carmody mit zitternder Stimme entgegen. »Hören Sie eigentlich nicht, was ich sage? So ein bestialisches Vorgehen, das der Freiheit, der Ehre und der Menschenwürde Hohn spricht, passt weder zu unseren Zielen noch zu unseren Methoden. Es ist blanker Mord – und wir sind keine Mörder.«

Zwar glaubte Pitt ihm, war aber noch nicht bereit, das zu sagen.

»Magnus Landsborough ist tot«, gab er zu bedenken und lehnte sich an die Mauer. »Sie und Welling befinden sich in Haft. Ist Ihnen je der Gedanke gekommen, dass der Zweck des Anschlags in der Myrdle Street darin bestanden haben könnte, Sie drei aus dem Weg zu schaffen?«

Carmody setzte zu sprechen an, sagte aber nichts. Der letzte Blutstropfen wich aus seinem Gesicht. »Großer Gott!«, entfuhr es ihm. »Sie meinen ... Nein!« Den Kopf schüttelnd wiederholte er das letzte Wort immer wieder, wohl, um sich selbst zu überzeugen. Er ließ Pitt keine Sekunde aus den Augen.

»Warum nicht?«, fragte ihn dieser. »Vielleicht hatte jemand in Ihrer Gruppe andere Pläne als Sie, gewalttätigere. Es scheint ja unübersehbar jemanden zu geben, der auf Biegen und Brechen eine Entscheidung sucht!«

»Nein!« Doch das war nichts als ein leeres Wort. Carmody begriff, und während die Sekunden verstrichen, ging ihm immer mehr auf, dass Pitts Theorie einen Sinn ergab. Unvermittelt setzte er sich auf seine Pritsche, als hätten die Beine unter ihm nachgegeben.

»Jemand, den Sie kennen, hat Magnus erschossen«, fuhr Pitt leise, aber mit Nachdruck fort. »Wer auch immer das war, wusste, wohin Sie sich nach der Detonation des Sprengsatzes in der Myrdle Street flüchten würden. Dort hat er auf Sie gewartet, Magnus getötet und ist dann durch die Hintertür entkommen, vorbei an den Polizeibeamten, die vermuteten, es sei einer unserer Männer, der einen von Ihnen verfolgte. Ein solches Vorgehen setzt nicht nur Intelligenz, gründliche Planung und eine sorgfältige Ausführung voraus, sondern auch die Kenntnis der Absichten Ihrer Gruppe. Welchen anderen Grund hätte einer von Ihnen haben können, Magnus' Tod zu wünschen, als den, an dessen Stelle selbst Anführer zu werden?«

Carmody fuhr sich mit beiden Händen heftig durch die Haare. Mit verzerrtem Gesicht stieß er hervor: »Das ist ein Albtraum!«

»In keiner Weise«, sagte Pitt nüchtern. »Rechnen Sie nicht damit, dass Sie daraus aufwachen – es ist die Wirklichkeit. Ihnen bleibt nur eins, nämlich uns jetzt die Wahrheit zu sagen. Wer sollte an Magnus' Stelle treten, falls diesem etwas zustieß? Und kommen Sie mir nicht damit, Sie hätten noch nie über diese Möglichkeit nachgedacht. Ein solches Verhalten wäre mehr als töricht. Sie mussten jederzeit damit rechnen, dass einer von Ihnen gefasst oder getötet wurde.«

»Kydd«, sagte Carmody flüsternd. »Zachary Kydd. Aber ich hätte geschworen, dass er jede einzelne unserer Überzeugungen teilt. Darauf hätte ich mein Leben verwettet.«

»Sieht ganz so aus, als hätten Sie ebenso verloren wie gestern Abend die Leute in der Scarborough Street.«

Carmody sagte nichts.

»Wo wird er sich Ihrer Ansicht nach jetzt aufhalten? Wenn Sie nicht wollen, dass es so weitergeht wie gestern, müssen wir ihn fassen.«

Carmody sah ihn mit kläglichem Blick an. »Sie verlangen von mir, dass ich einen Freund ans Messer liefere.«

»Sie müssen sich entscheiden. Sie können nicht gleichzeitig Ihrem Freund und Ihren Grundsätzen treu bleiben. Selbst wenn Sie nichts sagen, ist das eine Entscheidung.«

Carmody schloss die Augen. »Er wohnt in Shadwell, in der Nähe der Hafenanlagen, ungefähr in der Mitte der Garth Street. Die Nummer weiß ich nicht, aber das Haus steht auf der Südseite der Straße. Es hat eine braune Tür.«

»Danke. Eins noch. Könnten Sie mir den alten Mann beschreiben, der des Öfteren mit Magnus Landsborough gesprochen hat? Sagen Sie mir alles, was Sie über ihn wissen.«

Zögernd und ohne seine innere Bewegung vollständig verbergen zu können, beschrieb Carmody die heftigen Auseinandersetzungen, die Magnus bei seinen Begegnungen mit dem Herrn gehabt hatte. Immer mehr wuchs Pitts Überzeugung, dass es sich um Magnus' Vater gehandelt haben musste. Der Herr habe etwas von Magnus gewollt, dem sich dieser stets widersetzt habe. Zweimal hatte Carmody während dieser Unterredungen auch einen jüngeren Mann in größerer Entfernung gesehen. Man hätte annehmen können, er sei dem alten Mann gefolgt; er habe sich aber stets so unauffällig im Hintergrund gehalten, dass Carmody seiner Sache nicht sicher war. Unübersehbar bedrückte Carmody die Erinnerung, und er schien von quälenden Bildern heimgesucht zu werden, als Pitt ging.

Voisey hatte angeregt, dass sie sich bei ihrer nächsten Begegnung am Denkmal Turners treffen sollten, und zwar wie zuvor um zwölf Uhr mittags. Vermutlich würde er nach dem Anschlag vom Vortag jetzt dort sein.

Pitt verspätete sich um fünf Minuten. Als er Voisey sah, der sich ganz gegen seine Art immer wieder umdrehte und auf dem schwarz-weißen Marmorboden unruhig von einem Bein aufs andere trat, ärgerte er sich über die große Erleichterung, die ihn überkam, empfand sie zugleich aber auch als ein wenig belustigend.

Voisey, der ihn aus der Gegenrichtung erwartet zu haben schien, drehte sich erst im letzten Augenblick um. Auch er schien erleichtert. »Ist es so schlimm, wie es die Zeitungen hinstellen?«, erkundigte er sich.

»Ja. Es wird sogar noch schlimmer.«

»Wirklich?« Bitterkeit schwang in Voiseys Stimme mit. »Wie soll das aussehen?«, fragte er sarkastisch. »Zwei zerstörte Straßenzüge? Drei? Vielleicht wieder ein Flächenbrand, der ganz London in Schutt und Asche legt? Offenbar hatten wir gestern Abend verdammtes Glück, dass es nicht schlimmer gekommen ist. Wenn man bedenkt, dass Ebbe herrschte und den ganzen Sommer über kaum Regen gefallen ist, hätte ohne weiteres die Hälfte von Goodman's Fields abbrennen können.«

»Warten Sie, bis Ihr Unterhaus heute Nachmittag zusammentritt«, erwiderte ihm Pitt. »Bestimmt wird man auch ohne weitere Anschläge verlangen, dass Tanquerays Gesetzesantrag sofort gebilligt wird, einschließlich der Vollmacht für die Polizei, Dienstboten zu befragen. Haben Sie den Leitartikel Denoons gelesen?«

Voisey wandte sich ab und begann auszuschreiten, als sei ihm das Stillstehen unerträglich. »Selbstverständlich. Das ist seine große Stunde, nicht wahr? Sie haben völlig Recht – die Befürworter des Antrags werden den Vorfall dazu benutzen, das Gesetz durchzupeitschen!«, sagte er mit Nachdruck.

Pitt musste große Schritte machen, um ihn einzuholen.

»Meinen Sie, dass wir noch einmal ein so bedeutendes Genie wie Sir Christopher Wren hervorbringen würden, um London wieder aufzubauen, falls die Stadt erneut halb niederbrennt?«, fragte Voisey finster. »Sie wissen ja, hiermit hat man 1675 angefangen.« Er wies auf die gewaltige Rotunde der Kathedrale, in der sie sich befanden. »Nur neun Jahre nach dem großen Brand. Vollendet wurde sie 1711.«

Pitt sagte nichts. Er konnte sich London nicht ohne St. Paul's vorstellen.

Sie standen jetzt vor der zur Erinnerung an den Baumeister der Kathedrale angebrachten Gedenktafel. Voisey las vor: »Lector, si monumentum requiris, circumspice.« Er fuhr fort: »Ich nehme nicht an, dass Sie wissen, was das heißt.« Mit einer Flüsterstimme, in der sich Bewunderung und Bitterkeit mischten, sagte er: »Leser, wenn du ein Denkmal suchst – schau dich um.« Auf seinen Zügen lagen Schmerz und Ehrfurcht; seine Augen leuchteten.

Mit einem Mal sah Pitt zu seiner Verblüffung einen gänzlich anderen Voisey, einen, der sich danach sehnte, der Geschichte seinen Stempel aufzudrücken, etwas Einzigartiges zu hinterlassen. Er selbst hatte geerbt, würde aber, da er keine Kinder hatte, an niemanden etwas weitergeben. War es möglich, dass sein Hass zum Teil auf Neid beruhte? Wenn er starb, wäre es so, als habe er nie existiert. Pitt betrachtete das nach oben gewandte Gesicht des Mannes und erkannte darauf einige Augenblicke lang eine unverhüllte Sehnsucht.

Im Bewusstsein, damit tief in dessen Privatsphäre eingedrungen zu sein, sah er rasch beiseite.

Voisey nahm diese Bewegung wahr. Im selben Augenblick legte sich die Maske wieder auf seine Züge. »Vermutlich haben Sie keine Vorstellung, wer den Sprengsatz gezündet hat?«, fragte er.

»Vielleicht doch«, gab Pitt zur Antwort. Er konnte Voiseys Hass, der ihm stärker zu sein schien als zuvor, fast körperlich spüren. Niemand sonst befand sich in der Nähe, und das Geräusch von Schritten in der Ferne war so leise, dass es mit der Stille des Hintergrundes verschmolz. Sie waren so gut wie allein. »Der Mann, der für den Fall, dass Magnus Landsborough etwas widerfuhr, die Leitung der Anarchistengruppe übernehmen sollte, heißt Zachary Kydd. Möglicherweise hat er Landsborough auf dem Gewissen.«

»Sie glauben an eine interne Rivalität?« Die Verachtung auf Voiseys Gesicht war eindeutig.

Pitt spürte, wie ihm die Zornesader schwoll. »Der Täter muss jemand gewesen sein, der ihn kannte, einer der Anarchisten.«

»Warum?«, fragte Voisey ungläubig. »Um Scarborough Street in die Luft jagen zu können, brauchte doch niemand den jungen Landsborough aus dem Weg zu räumen!«

»Woher wollen Sie das wissen?«, fragte Pitt.

»Warum zum Teufel sollte das nötig gewesen sein? Wäre ihm Landsborough etwa in den Arm gefallen?« Herablassung mischte sich in seine Ungläubigkeit. »Auf welche Weise denn? Indem er die Polizei informierte, damit die mit einem großen Trupp anrückte? Soll das etwa heißen, jemand in der Gruppe hätte der Polizei vertraut?«

Mit betont übertriebener Geduld sagte Pitt: »Um solche Sprengsätze zu zünden, muss man sehr sorgfältig planen und braucht neben einer ganzen Menge Dynamit auch Menschen, die bereit sind, das eigene Leben aufs Spiel zu setzen. Vielleicht ist Kydd das erst aufgegangen, nachdem er Magnus' Stelle eingenommen hatte.«

Voisey wollte dagegen aufbegehren, merkte dann aber, dass Pitt Recht haben konnte, und so gab er rasch nach. »Kydd also«, sagte er. »Was ist sein Motiv? Was will er erreichen?«

»Ich weiß nicht«, räumte Pitt mit einem schmalen Lächeln ein.

Ein Schatten trat in Voiseys Augen.

Pitt wartete.

»Für Wetron jedenfalls ist der Anschlag in der Scarborough Street Wasser auf seine Mühle«, sagte Voisey. »Nichts könnte seinen Zwecken mehr dienen. Halten Sie das wirklich für Zufall?«

Obwohl Pitt einen Mantel trug und es in der Kathedrale nicht kalt war, überlief ihn ein Schauder. Am liebsten hätte er sich dieser Schlussfolgerung entzogen, zumindest aber gern einen überzeugenden Grund gefunden, der dagegen sprach, doch fiel ihm keiner ein. »Glauben Sie, dass er dahintersteckt?«, sagte er leise.

Jetzt war Voisey mit Lächeln an der Reihe. »Ihre Fähigkeit, das Gute im Menschen zu sehen, verblüfft mich immer aufs Neue, Pitt. Trotz allem, was Ihnen und davor Ihrem Vater widerfahren ist, trotz der vielen Mordfälle, die Sie im Laufe der Jahre aufgeklärt haben, und obwohl Sie sich jetzt politischen Fanatikern gegenübersehen, sind Sie nach wie vor von einer erstaunlichen Gutgläubigkeit. Offenbar weigern Sie sich einfach, die Menschennatur zur Kenntnis zu nehmen, wie sie ist.« Sein Gesicht verfinsterte sich. »Natürlich steckt Wetron dahinter, Sie Einfaltspinsel«, sagte er aufgebracht. »Er hat den vertrauensseligen Idealisten Magnus Landsborough dazu veranlasst, die erste Sprengladung hochgehen zu lassen, und der Gruppe versichert, dass niemand dabei verletzt würde. Idiotische junge Anarchisten, die keine Ahnung von dem haben, was sie tun, außer dass sie damit gegen die Korruption protestieren, lassen sich leicht zu so etwas hinreißen. Dass der Staatsschutz einige von ihnen gefasst hat, entsprach zweifellos Wetrons Plan. Danach konnte es richtig losgehen. Beim zweiten Mal sieht die Sache ähnlich aus, ist aber weit folgenreicher. Natürlich nimmt alle Welt an, dass es sich dabei um eine Steigerung des ersten Vorfalls handelt, und sucht die Schuld bei denselben Leuten. Was kommt als Nächstes? Alle haben Angst, und Denoon schürt sie eifrig. Falls Wetron wirklich nicht dahinter stehen sollte, wäre er der unfähigste Mensch auf Gottes Erdboden und zugleich der größte Glückspilz, den man sich denken kann. Was meinen Sie, Pitt? Was sagt Ihre polizeilich geschulte Intelligenz dazu, Ihr im Dienst des Staatsschutzes trainiertes Gehirn?«

»Ich denke, Sie haben Recht«, gab Pitt zur Antwort, »aber solange wir eine Verbindung zu Wetron nachweisen können, die ausreicht, ihm das Handwerk zu legen, ist eigentlich unerheblich, wie groß sein eigener Anteil ist und inwieweit er andere benutzt hat.«

»Gott sei Dank. Endlich gehen Sie pragmatisch an die Sache heran. Und wie sollen wir Ihrer Ansicht nach vorgehen?« Voisey zögerte kaum merklich. »Natürlich haben wir mit Tellman jemanden im Inneren von Wetrons Machtapparat.«

Pitt sah auf Voiseys Gesicht sowohl die Erwartung, er werde sagen, dass er das nicht tun könne, wie auch dessen Bereitschaft, ihn dafür zutiefst zu verachten. Der Mann hatte ihn in jeder Beziehung in der Hand, und das Bewusstsein seiner Macht leuchtete ihm aus den Augen.

Pitt bemühte sich, eine andere, ebenso gute Lösung zu finden, die ihm einen Ausweg gestattete. Doch es gab keine.

»Ich werde Tellman bitten festzustellen, ob sich der Weg des Geldes zu Wetron zurückverfolgen lässt«, sagte er zögernd.

»Geld!«, schnaubte Voisey verächtlich. »Dass er Gelder erpresst, wissen wir. Ohnehin wird es Ihnen nicht gelingen, die Spur weiter zu verfolgen als bis zu Simbister. Wir müssen wissen, woher das Dynamit kommt, müssen die Verbindungen kennen, die nicht nur beweisen, dass Wetron in die Sache verwickelt ist, sondern auch gewusst hat, wozu das Dynamit dienen sollte.«

»Zuerst das Geld«, sagte Pitt geduldig. »Wir verfolgen die Spur bis zu Wetron und kümmern uns dann um die Frage, wer das Dynamit gekauft hat. Sofern sich eine Verbindung zu Simbister herstellen lässt, genügt das völlig, solange wir die Beziehung zwischen Simbister und Wetron nachweisen können. Ich kann nachweisen, dass das Geld bei einem Mann gelandet ist, der als Simbisters rechte Hand fungiert.«

»Tatsächlich?« Voiseys Augenbrauen hoben sich. »Davon haben Sie mir noch nichts gesagt.«

»Das ist auch eine ganz neue Erkenntnis. Gerade als ich dabei war, darüber etwas herauszufinden, ist die Sprengladung in der Scarborough Street hochgegangen. Ich war nur wenige hundert Meter davon entfernt.«

Voisey erstarrte. »Sie waren an Ort und Stelle und haben es miterlebt?« Er sah Pitt aufmerksam an und erkannte die Abschürfungen in seinem Gesicht und die Stellen, an denen seine Haare versengt waren. »Ja, Sie waren da«, sagte er mit widerwilligem Respekt. »Ich war der Ansicht, man habe Sie erst später hinzugezogen.«

»Ich habe die halbe Nacht lang versucht, Verletzte und Obdachlose aus der Gefahrenzone zu bringen«, sagte Pitt, bemüht, sich nicht von der Erinnerung überwältigen zu lassen. »Vermutlich sucht man immer noch nach Toten. Glauben Sie mir, Ihre Wut auf Wetron ist nicht größer als meine.«

Voisey stieß die Luft ganz langsam aus. »Vermutlich nicht. Wenn es etwas gibt, was Ihrer äußerst strapazierfähigen Duldsamkeit ein Ende bereitet, dann ein solcher Vorfall. Gut. Weisen Sie die Verbindung zwischen Wetron und dem Dynamit nach, damit er an den Galgen kommt!« Er sprach das Wort ›Galgen‹ mit leidenschaftlicher Tücke aus. Pitt wusste, dass er dabei mehr an die Mitglieder des Inneren Kreises dachte als an die Opfer in der Scarborough Street.

»Das ist meine feste Absicht«, sagte er. »Allerdings erfordert das Umsicht. Was werden Sie unternehmen?«

Voisey lächelte; es sah aus wie plötzlicher Sonnenschein. »Ich werde mich auf die Suche nach weiteren Ehrenwerten Mitgliedern des Unterhauses machen, die der Ansicht sind, sie hätten nichts dagegen, dass man ihre Dienstboten in ihrer Abwesenheit aushorcht, und ihnen die damit verbundenen Gefahren aufzeigen.«

Er deutete mit gehobener Hand einen Gruß an und ging.

Tellman schien nicht im Geringsten überrascht, als er Pitt sah, der auf der Straße vor seinem Hause auf ihn wartete. Abgesehen von der Wache in der Bow Street war das die einzige Stelle, an der er sicher sein durfte, ihn zu finden. Nur würde man Pitt in der Bow Street zweifellos erkennen, und schon wenige Minuten später hätte Wetron Kenntnis von seiner Anwesenheit. Also blieb ihm jeweils nichts anderes übrig, als zu warten, und das zuweilen recht lange, denn Tellman kehrte abends zu unterschiedlichen Zeiten nach Hause zurück, je nachdem, wie er mit seiner Arbeit vorankam.

Offenkundig war Wetron überzeugt, dass Tellman und Pitt miteinander in Verbindung standen – das hatte er im Gespräch mit Tellman über Piers Denoon deutlich genug durchblicken lassen. Trotzdem war es besser, nicht aufzufallen, und so hielt sich Pitt in der zunehmenden Dämmerung im Schatten der Gasse, bis Tellman an der Haustür auftauchte.

Schweigend folgte er ihm ins Haus und nach oben zu dessen Zimmer. Dort zog Tellman die Vorhänge vor, bevor er die Gaslampe entzündete. Rasch machte er Feuer im Kamin, und schon bald wurde es im Zimmer angenehm warm. Die Vermieterin brachte beiden Brot und heiße Suppe, ohne ein Wort zu verlieren.

Mit zunehmendem Entsetzen hörte sich Tellman die Einzelheiten an, die Pitt über den Anschlag in der Scarborough Street berichtete. Selbstverständlich hatte er davon gehört, doch war es etwas völlig anderes, wenn ein Augenzeuge die Ereignisse schilderte. Sie bekamen ein Gesicht, man wurde sozusagen Zeuge der Gewalttätigkeit, sah gleichsam das Blut fließen, hörte den Lärm und die Schmerzensschreie, roch den Rauch und das verbrannte Fleisch, spürte die Hitze, die die Haut versengte.

»Voisey ist überzeugt, dass Wetron dahinter steckt«, sagte Pitt mit tonloser Stimme.

Es würgte Tellman im Hals. Er konnte sich ein solches Ausmaß an kaltblütiger Bosheit nicht vorstellen. Zwar hatte er schon früher gesehen, wie sehr der Ehrgeiz einen Menschen deformieren kann, doch wollte ihm nicht in den Kopf, dass ihn Machthunger zu einem solchen Gemetzel veranlassen konnte. Selbst wenn er sich Wetrons ausdrucksloses Gesicht und seine kalten Augen vorstellte, erschien ihm das unfassbar.

Pitt allerdings war bereit, es zu glauben. »Wir müssen zeigen, dass es eine Verbindung, und zwar möglicherweise finanzieller Art, zwischen Wetron und dem Dynamit gibt«, sagte er ruhig. »Ohne einen solchen Beweis haben wir keine Handhabe.«

»Ich versuche es bei Taschen-Jones«, sagte Tellman nach kurzem Nachdenken. »In der Tat könnte es möglich sein, eine solche Beziehung über den Weg des Geldes aufzuzeigen. Etwas anderes fällt mir auch nicht ein.«

Sie sprachen noch eine Weile miteinander, dann ging Pitt. Mit einem Funkenregen sank das Feuer in sich zusammen, und Tellman legte einige Kohlen nach. Draußen war es dunkel. Regentropfen prallten an die Fensterscheiben. Er überlegte, in welcher Weise er Jones auf das Thema ansprechen konnte. Wie sehr sich doch in der kurzen Zeit, seit Pitt der Wache in der Bow Street nicht mehr vorstand, die Dinge gewandelt hatten! Zwar waren inzwischen einige neue Gesichter aufgetaucht, doch die meisten der Männer arbeiteten schon seit Jahren dort. Wie viele von ihnen mochten bestechlich sein? Ob sie dafür schon immer anfällig gewesen waren, ohne dass er etwas davon gemerkt hatte? Sollte er ein so schlechter Menschenkenner sein? Hatte er sie einfach deshalb für anständig gehalten, weil sie Polizeibeamte waren, während sie sich in Wahrheit kaum von den schwachen, habgierigen, tückischen und käuflichen Menschen unterschieden, auf die sie Jagd machten?

Oder waren sie lediglich ebenso blind, wie er es ursprünglich gewesen war? Hielten sie ihren Vorgesetzten Wetron für integer, weil er eine hohe Position bei der Polizei bekleidete? Hinderten ihr Anstand und ihre Loyalität sie daran, die Dinge zu sehen, wie sie waren, sodass sie nie auf den Gedanken gekommen wären, er könne bis ins Mark verdorben sein? Falls Tellman etwas gegen ihn sagte, würden sie ihn als Verräter ansehen.

Darin zeigte sich Wetrons wahres Genie. Er arbeitete nicht mit verwickelten Intrigen, sondern setzte die Ängste von Schwachen, die Gier von Habsüchtigen und sogar die Aufrichtigkeit von Anständigen gegen andere ein. Wer die Wahrheit liebt, vermutet nicht, dass andere Menschen lügen. Wer nie stiehlt, verdächtigt seine Bekannten nicht, fremdes Eigentum an sich zu bringen. Wer nicht an Verrat denkt, vermutet nicht, dass man ihn hintergeht.

Tellman empfand einen ebenso tiefsitzenden und eiskalten Abscheu wie Pitt, und er verstand sehr gut, warum dieser Wetron so unerbittlich verfolgte. Ganz gleich, was es ihn kostete, auf keinen Fall durfte er zulassen, dass dieser Mann weiter sein Unwesen trieb. Gewiss, er hatte Angst vor dem, was ihm Wetron antun konnte. Doch ohne dessen Intelligenz und Willenskraft auch nur eine Sekunde zu unterschätzen, wurde er in seiner Entschlossenheit nicht wankend.

Am nächsten Morgen suchte Tellman gleich als Erstes Jones im Gefängnis auf. Besitz und Weitergabe von Falschgeld galten, vorausgesetzt, sie ließen sich beweisen, als schwere Straftat. Letzteres aber war nicht immer einfach.

»Was woll'n Se?«, knurrte Jones übellaunig, als die Zellentür hinter Tellman geschlossen wurde. So aufgebracht er Tellman gegenüber war, wollte er es sich nicht mit einem Polizeibeamten verderben, solange er nicht genau wusste, wie sich die Dinge weiterentwickelten.

Tellman musterte ihn von Kopf bis Fuß. Ohne den weiten Mantel wirkte der Mann mit seiner schmalen Gestalt und dem Ansatz eines Bierbauchs deutlich weniger imposant, doch lag auf seinem harten, finsteren Gesicht der Ausdruck von Heimtücke.

Er mochte Grovers Werkzeug sein, war aber alles andere als dumm oder willenlos.

Zwar bemühte sich Tellman, grundsätzlich Pitts Gelassenheit nachzuahmen, doch hielt er es angesichts seines großen Grimms für besser, sich verdrießlich zu geben, wie das seiner Natur entsprach. »Etwas, was Ihnen gut tun würde und mir auch«, gab er zur Antwort.

»Ach ja? Ich glaub nich, dass Se gekomm'n sind, um mir was Gutes zu tun«, sagte Jones in sarkastischem Ton. Trotz seiner Herkunft aus Wales lag in seiner Stimme nichts von der sprichwörtlichen Musikalität der Waliser.

»Sie sitzen ganz schön in der Tinte«, sagte Tellman. »Sich mit einem gefälschten Fünf-Pfund-Schein erwischen zu lassen ist ziemlich übel.«

»Das is kein Geldschein«, widersprach Jones. »Das is Spielgeld – ganz harmlos. Se ham sich geirrt. Ihr Polizist'n irrt Euch dauernd.«

»Es ist kein Spielgeld«, gab Tellman zurück. »Wer sich nicht gut auskennt, hält den Schein für echt. Nur das Papier stimmt nicht.«

Jones sah bekümmert drein. »Und woher sollte ich das wiss'n, falls das stimmt? Man hat mich reingelegt! Se müsst'n Mitleid mit mir ham. Man hat mich bestohl'n.«

Betont unschuldig fragte Tellman: »Was hat man Ihnen gestohlen, Mr Jones?«

Empört stieß dieser hervor: »Natürlich 'nen Fünfer. Se ham's geseh'n! Ihr Kollege hat 'n mir weggenomm'n. Ich war sicher, dass er echt war. Ich bin 'n Opfer!«

»Sieht ganz so aus«, gab ihm Tellman Recht. »Ich frage mich nur, wessen Opfer. Wissen Sie, woher Sie den Schein haben? Vielleicht sollte ich mich da mal näher umsehen.«

»Tun Se das! Unbedingt!«, stimmte Jones zu. »Der Halunke von Wirt im *Triple Plea*! Da hab ich den Schein gekriegt, kurz bevor Se mich hochgenomm'n ham. Ich hatte keine Zeit, mir den genau anzuseh'n, sons' hätt' ich das gleich gemerkt.«

»Und dann hätten Sie uns den Schein gebracht«, ging Tellman darauf ein. »Damit wir uns den Wirt hätten vornehmen und feststellen können, woher er ihn hatte und ob er wusste, dass er gefälscht war.«

Jones verzog gequält das Gesicht. »Sag'n Se doch nich immer ›gefälscht‹, Mr Tellman. Das is nich schön. Ich hab schon gehört, dass man Leute desweg'n gehängt hat.«

»Keine Sorge«, beruhigte ihn Tellman. »So schnell geht das heutzutage nicht mehr. Wir hängen meistens nur noch Mörder. Oder ist in dem Zusammenhang jemand umgebracht worden? Dann droht natürlich der Galgen.«

»Natürlich nich!«, stieß Jones hitzig hervor. »Ich hatte den verdammt'n Schein noch nich mal 'ne Stunde.«

»Und bekommen haben Sie ihn vom Wirt im *Triple Plea*.«

»Ja.«

»Können Sie das beweisen?«

»Nu ...« Mit einem Mal sah Jones eine weit offene Falle vor sich.

»Wofür hat er Sie bezahlt?«, fragte ihn Tellman unschuldig.

Jones' Augen war deutlich anzusehen, dass sich seine Gedanken jagten.

Tellman wartete.

»Er war mir Geld schuldig«, brachte er schließlich im Ton der Verzweiflung heraus. »Das kann er Ihn' bestätig'n«, fügte er hinzu, bemüht, trotzig und herausfordernd zu wirken.

»Wofür?«, fragte Tellman.

»Das is privat un geht Se nix an.« Allmählich fühlte sich Jones sicherer. Er war der üblen Falle elegant ausgewichen. »Ich hab ihm 'n Gefall'n getan.«

»Das muss ja ein großer Gefallen gewesen sein. Sie hatten siebenundzwanzig Pfund bei sich. Oder hatten Sie auch anderen Leuten einen Gefallen getan, und die alle haben Ihnen das Geld zufällig am selben Tag zurückgezahlt?«

Jones sah, wie sich die Falle wieder weit öffnete, nur dass er diesmal keine Möglichkeit hatte, ihr auszuweichen.

»Oder sagen wir so«, fuhr Tellman erbarmungslos fort, »wenn ich den Wirt im *Triple Plea* frage, einen wie großen Gefallen Sie ihm getan haben, wird er dann sagen ›einen für fünf Pfund‹ oder ›einen für siebenundzwanzig Pfund‹?«

»Eh ... woher soll ich wissen, was der sagt? Da spricht er nich gern drüber!« Flüchtig blitzte Triumph in Jones' Augen auf. »Wahrscheinlich fühlt er sich nich wohl, wenn er zugeb'n muss, dass er sich von 'nem Gast Geld gelieh'n hat.«

»Sie haben ihm Geld geliehen?«

»Ja.«

»Wieso können Sie siebenundzwanzig Pfund erübrigen?«, fragte Tellman mit breitem Lächeln. »Oder haben Sie ihm fünf Pfund geliehen, und der Rest war Wucherzins? Keine Sorge, er sagt es mir bestimmt, und da Sie so gut zu ihm waren, kann er sich sicher auch an die genauen Umstände erinnern. Vermutlich haben Sie ihm seinen Schein zurückgegeben?«

Jones traten Schweißtropfen auf die Oberlippe. »Schein?«

»Na hören Sie, Mr Jones«, sagte Tellman herablassend. »Sie sind doch viel zu klug, als dass Sie jemandem Geld leihen, ohne sich von ihm einen Schuldschein unterschreiben zu lassen. Wie könnten Sie das sonst je wieder eintreiben? Ich frage ihn einfach, und dann muss er erklären, woher die Banknote kommt.« Er straffte sich, als wolle er gehen.

»Das war nich ...«, setzte Jones an.

Tellman blieb stehen und wandte sich wieder um. »Ja?« Er freute sich, dass es ihm gelungen war, das Wort bedrohlich klingen zu lassen. Er dachte an die Verwüstung in der Scarborough Street. Die Wut, die er dabei empfand, ließ sich wohl an seinem Gesicht ablesen.

Jones schluckte. »Es war ... eig'ntlich nich ... für mich selber«, sagte er kläglich. »Ich bring un hol Geld für ein'n, der ... ab un zu ... was ausleiht.«

Tellman kommentierte die Lüge einstweilen nicht. »Ich verstehe. Und wer ist dieser Jemand?«

»Das weiß ich nich ...« Jones hielt inne. Er sah Tellman aufmerksam an und erkannte die Wut und die Härte in ihm. »Mr Grover aus der Cannon Street«, sagte er rasch mit belegter Stimme. »Gott is mein Zeuge.«

»Ich hätte es an Ihrer Stelle nicht so eilig, Zeugen aufzurufen«, sagte Tellman, spürte aber zugleich eine Art Siegesgewissheit. »Angenommen, ich glaube Ihnen – wie bekomme ich dann einen irdischen Richter dazu, dass auch er das tut? Schließlich ist er nicht Gott und kennt die Zusammenhänge nicht.«

»Wieso Richter?« Jones schluckte erneut. »Ich hab nix Böses gemacht!« Zum ersten Mal gelang es ihm nicht, seine Angst zu verbergen. »Se mein'n so ein'n, der mit 'ner Perücke auf'm Kopp da ob'n sitzt?«

»Und Leute nach Coldbath Fields schickt – oder Schlimmeres. Ja, genau das meine ich. Eine ganze Menge Geld geht sonderbare Wege, Mr Jones.«

»Was mein'n Se mit ›sonderbare Wege‹ ...«

»Erledigen Sie für Mr Grover noch andere Aufträge? Wenn Sie mir das sagen, wird das Ihre Situation nicht verschlimmern. Er ist Polizeibeamter und arbeitet seinerseits für Mr Simbister, der ein hohes Tier ist. Niemand könnte es Ihnen übel nehmen, wenn Sie vermuteten, dass das alles seine Richtigkeit hat.«

»Nee, keiner«, stimmte ihm Jones aus vollem Herzen zu.

»Geht es bei irgendeiner dieser anderen Aufgaben darum, dass Menschen Geld bekommen? Für die Lieferung von Waren oder für andere Leistungen?«

Jones sah zweifelnd drein. Sollte er tatsächlich mit heiler Haut davonkommen, oder spielte Tellman Katz und Maus mit ihm? Er schwankte zwischen Hoffnung und Entsetzen.

Tellman bemühte sich um einen freundlicheren Ausdruck. »Entweder stehen Sie auf meiner Seite, oder Sie wenden sich gegen mich, Mr Jones. Es ist durchaus möglich, dass Ihnen jemand das Leben schwer macht. Ich war gerade in der Nähe der Scarborough Street.« Damit wich er zwar deutlich von der Wahrheit ab, doch war das jetzt unerheblich. »Man hat noch nicht alle Leichen herausgeholt. Sie hätten riechen sollen, wie es da nach

Verbranntem stank. Das würde Ihnen den Appetit auf den Sonntagsbraten für den Rest Ihres Lebens nehmen.«

Jones fluchte leise. Sein Gesicht war kalkweiß. »Se würd'n doch nich …?«

»Doch, ich würde.« Damit war es Tellman ernst. Die heiße Wut, die in ihm loderte, schmerzte zutiefst. »Mit dem Geld hat man Dynamit gekauft. Wem haben Sie es gebracht?«

»Se könn'n nich sag'n, dass ich …«, stotterte Jones. »Ich hab nich …«

»Gewusst, wofür es bestimmt war?«, beendete Tellman den Satz für ihn. »Möglich. Wenn Sie gegen solche Sprengstoffanschläge sind, sagen Sie mir jetzt, wohin Sie das Geld gebracht haben, wem Sie es gegeben haben und was Sie sonst noch wissen. Dann habe ich den Beweis, dass Sie mit der Sache nichts zu tun haben, sondern nur jemandem Botendienste geleistet haben, den Sie für einen anständigen Menschen hielten. Stimmt's?«

»Stimmt! Ich …« Er schluckte verzweifelt. »Ich …«

Tellman wartete.

Jones sah nacheinander auf das hohe, vergitterte Fenster, die Stahltür und Tellman.

Dieser tat wieder so, als wolle er gehen.

»Ich hab 'n ganz'n Hauf'n Geld nach Shadwell gebracht«, sagte Jones mit vor Angst zitternder Stimme. »In die New Gravel Lane.«

»Genauer?«

»Das zweite Haus von der Ecke aus! Das schwör ich …«

»… Gott ist mein Zeuge«, beendete Tellman seinen Satz. »Wem haben Sie es gegeben? Da es sich um große Beträge gehandelt hat, müssen Sie klare Anweisungen gehabt haben. Bestimmt haben Sie es nicht irgendeinem Beliebigen gegeben.«

»Skewer! So'n Stämmiger mit 'nem appen Ohr. Der Mann heißt Skewer.«

»Danke. Sie brauchen jetzt nicht mehr zu schwören. Sollten Sie mich belogen haben, prägen Sie sich den Namen des Scharfrichters schon einmal gut ein. Sie müssen dann freundlich zu ihm sein, damit er Ihnen das Sterben nicht unnötig schwer macht, wenn es so weit ist.«

Jones atmete schwer.

Tellman hatte kein Mitleid mit ihm; er dachte an die Scarborough Street.

Er verließ das Gefängnis und verbrachte die nächsten vier oder fünf Stunden damit, alle Angaben Jones' nachzuprüfen. Er konnte sich keinen Fehler leisten. Er suchte die Shadwell Docks auf und fand dort die New Gravel Lane. Die Gasse machte selbst im Schein der Sommersonne einen trostlosen Eindruck. Schneidend fuhr der Wind vom Fluss herüber, auf dem es von Lastkähnen, Leichtern, Fähren und Schleppern wimmelte. Frachtschiffe warteten vor Anker darauf, anlegen und ihre Ladung löschen zu können. An einer Stelle wie dieser mit dem ständigen Kommen und Gehen von Warenströmen fiel es sicherlich nicht schwer, unauffällig größere Mengen Dynamit zu lagern.

Noch wusste er nicht genug, um Pitt Bericht zu erstatten. Sie konnten sich nur eine einzige Durchsuchung erlauben, denn beim nächsten Mal wäre jede Spur des Dynamits beseitigt. Ihm blieb keine Wahl, als das Risiko einzugehen, das es bedeutete, sich bei den Kollegen von der Wasserschutzpolizei zu erkundigen. Er würde sie nicht offen fragen, sondern ein unverbindliches Gespräch anknüpfen.

Um die Mitte des Nachmittags wusste er, dass einer der alten Lastkähne, der in der Mitte des Anlegers von New Crane lag, Simbister gehörte und noch spät am selben Abend an einen anderen Liegeplatz verholt werden sollte. Das zu erfahren war weniger schwierig gewesen, als er befürchtet hatte. Steckte womöglich ein doppeltes Spiel dahinter? Oder vielleicht sogar ein dreifaches?

Er hatte keine Möglichkeit, das festzustellen, außerdem musste er möglichst schnell Pitt aufsuchen und ihm sagen, was er wusste. Er konnte es sich nicht leisten, bis zum Abend zu warten, ganz gleich, wer ihn jetzt sehen mochte.

»Die *Josephine* am Anleger von New Crane in Shadwell Docks«, sagte Tellman, als er Pitt schließlich inmitten der Ruinen der Scarborough Street gefunden hatte. Da ihm klar war, dass Pitt nicht zu Hause sein würde, er aber weder wusste, ob Narraway überhaupt ein Büro hatte, noch wo es sich befinden konnte, hatte er auf gut Glück die Long Spoon Lane aufgesucht. Nachdem er ihn dort nicht gefunden hatte, war er in die Scarborough Street gegangen, denn von einem anderen Fall, mit dem sich Pitt beschäftigte, war ihm nichts bekannt.

Pitt war müde und von Kopf bis Fuß schmutzig, weil er die Trümmer durchsucht hatte. Vieles war schon beiseite geschafft worden. Zwischen schwarzen Mauerresten, die zum Himmel emporragten, sah man einzelne Balkenenden, die das Feuer verschont hatte. Zersplitterte Schieferstücke und Glasscherben lagen auf den Pflastersteinen verstreut. Immer noch hing Brandgeruch schwer in der Luft.

»Wem gehört die *Josephine*?«, fragte Pitt und fuhr sich mit der Hand durch das Haar, womit er sich noch mehr Asche ins Gesicht strich.

»Simbister«, gab Tellman zurück. »Die Wasserschutzpolizei sagt, der Kahn soll heute Nacht weggeschafft werden. Wir haben keine Zeit zu verlieren. Was suchen Sie hier überhaupt noch?«

»Leichen von Leuten, die nicht hier gewohnt haben«, gab Pitt zurück. »Bisher haben wir die Überreste zweier Menschen gefunden, von denen niemand sagen kann, wer sie sind. Wer weiß, ob man nicht eine Verbindung zwischen ihnen und den Explosionen herstellen kann.« In seiner Stimme lag wenig Hoffnung.

»Anarchisten?«

»Vermutlich. Andererseits können es auch Leute gewesen sein, die jemanden besucht haben, der uns nichts über sie sagen kann, weil er nicht mehr lebt.« Er richtete sich auf. »Sollte ich den Lastkahn am angegebenen Platz finden und er noch Dynamit oder Spuren davon an Bord haben, lässt sich dann die Verbindung zu Simbister einwandfrei beweisen?«

»Ja.« Tellman berichtete ihm knapp, was er von Taschen-Jones erfahren hatte. »Sie dürfen da auf keinen Fall allein hin.«

Pitt dankte ihm mit einem Lächeln, das wegen des Schmutzes auf seinem Gesicht etwas schief ausfiel.

Kaum dass sie aus den Trümmern wieder auf die Straße traten, sahen sie Charles Voiseys elegante Gestalt. Er kam in Begleitung eines Polizeibeamten auf sie zu. Als er Pitt erkannte, beschleunigte er den Schritt, ohne Tellman weiter zu beachten.

»Wir dürfen nicht länger warten! Für morgen ist eine weitere Lesung des Gesetzentwurfs vorgesehen«, sagte er unvermittelt. In seiner Stimme schwang Verzweiflung. Sein Gesicht sah im Schein der Abendsonne müde aus. Unter seinen Augen lagen dunkle Schatten. Er wehrte sich gegen die unausweichlich scheinende Niederlage. »Großer Gott, ist das entsetzlich!« Er sah nicht zu den Ruinen hin, die ihn umgaben, den Kaminen, die aus dachlosen Hausstümpfen vor dem blassen Himmel aufragten, den Trümmern, die über das Pflaster verstreut lagen, den Resten von Möbeln und Hausrat, den Kleidungsstücken, von denen nur noch Fetzen übrig waren. Sein Ausdruck zeigte deutlich, dass er die Toten bereits gesehen hatte und sich den Anblick nicht noch tiefer einprägen wollte.

»Wir haben festgestellt, dass es eine Beziehung zwischen dem Dynamit und Simbister gibt«, sagte Pitt und merkte, wie Tellman zusammenzuckte. Vermutlich war er überrascht, dass Pitt Voisey so sehr traute. »Ich bin auf dem Weg nach Shadwell, um mir einen Lastkahn anzusehen, auf dem es sich befinden soll.«

»Wann?«, fragte Voisey.

»Jetzt gleich.«

»Sie können nicht allein dorthin gehen.«

»Das ist auch nicht meine Absicht. Tellman begleitet mich.«

Voisey sah Tellman zum ersten Mal an und musterte ihn mit unverhülltem Interesse. Nahezu im selben Augenblick bahnte sich jemand vom anderen Ende der Straße her seinen Weg durch die verstreuten Trümmer und kam, nachdem er wenige Worte mit dem Streifenbeamten gewechselt hatte, geradenwegs auf Tellman zu, der den Ankömmling offenkundig erkannte.

»Mr Tellman, Sir«, sagte dieser atemlos. »Se werd'n dring'nd auf der Wache erwartet. Es geht um 'nen Diebstahl. Mr Wetron hat mich geschickt, ich soll Se hol'n. Er sagt, die Sache is zu wichtig, un man könnt se nich Johnston überlass'n. Sieht so aus, wie wenn die den arm'n Kerl von Butler ziemlich übel zusamm'ngeschlag'n un der Hausfrau schrecklich Angst gemacht ham.«

»Stubbs, sagen Sie …«, begann Tellman, begriff dann aber, dass er in der Klemme steckte. Wetron hatte nach ihm geschickt, und Stubbs hatte ihn zusammen mit Pitt gesehen. Doch Pitt durfte auf keinen Fall allein nach Shadwell Docks gehen.

»Mr Tellman«, sagte Stubbs eindringlich. »Ich hab fast 'ne Stunde gebraucht, um Se zu find'n.«

Wie war er auf den Gedanken gekommen, wo man ihn finden könnte? War Wetron bereits so argwöhnisch? Höchstwahrscheinlich wusste er schon alles. Stubbs sah ihn geradezu flehentlich an. Tellman musste an die Familie des Mannes denken, die von ihm abhing. Er durfte nicht mit leeren Händen zurückkehren. So etwas würde sich Wetron zunutze machen.

»Sie sollten besser gleich gehen«, sagte Pitt entschieden. »Ich glaube nicht, dass ich hier noch etwas finde, was mit Ihrem Fälscher zu tun hat. Falls aber doch, werde ich Ihnen das mitteilen.«

Mit bleichem Gesicht machte sich Tellman mit Stubbs auf, eine steife Gestalt, die mit kaum verhülltem Ärger in den länger werdenden Schatten verschwand.

»Shadwell Docks«, sagte Voisey angewidert. Er sah auf seine eleganten Schuhe hinab. »Trotzdem, Tellman hat Recht: Es wäre äußerst unklug, allein dort hinzugehen. Das dürfte eine der Situationen sein, in denen ein Zusammenwirken unbedingt im beiderseitigen Interesse liegt. Es ist ja wohl nicht weit bis dorthin, oder?«

Pitt blieb keine Wahl. Ganz gleich, was Voisey von ihm halten mochte, es konnte für den Mann nicht von Vorteil sein, wenn er sich schützend vor Simbister und das Dynamit stellte. Und über den Gesetzentwurf sollte am folgenden Tag abgestimmt werden.

»Kommen Sie«, sagte er. Er flehte zum Himmel, dass die Entscheidung nicht falsch war.

Er kannte den Weg zur New Gravel Lane und zu den Shadwell Docks. In der Luftlinie waren es etwas über drei Kilometer, aber weil sich die schmalen Straßen hin und her wanden, würde es zu Fuß fast eine Stunde dauern, bis sie dort eintrafen. Er wusste nicht, ob Voisey solche körperlichen Anstrengungen gewohnt war.

»Wenn wir die Commercial Road entlanggehen, stoßen wir vielleicht auf eine Droschke«, sagte er zweifelnd.

Voisey senkte den Blick auf das von Schlamm bedeckte Pflaster und sah dann zum sich verdunkelnden Himmel empor. »Gut!« Er begann auszuschreiten, ohne abzuwarten, ob Pitt noch etwas sagen würde.

Nach einer Weile stießen sie in der Tat auf eine Droschke und gelangten auf diese Weise in weniger als zwanzig Minuten an ihr Ziel. Sie stiegen etwa hundert Meter von der New Gravel Lane entfernt aus. Voisey entlohnte den Kutscher.

»Und jetzt?«, fragte er mit einem Blick auf die riesigen Lagerhäuser und die Kaianlagen. Schwarz zeichneten sich die Verladekräne vor dem Himmel ab. Dort, wohin der schweflig gelbe Schein vereinzelter Straßenlaternen nicht drang, war es vollständig dunkel. In der Brise, die vom Fluss herüberwehte, lag Salzgeruch, und die Feuchtigkeit in der Luft legte sich auf ihre Haut. Sie hörten, wie festgemachte Lastkähne und Boote mit ihren Fendern gegen die Ufermauer schlugen, das Wasser leise gegen Dückdalben und Anleger prallte und mit einem saugenden Geräusch über die Steine in die Themse zurückrollte.

»Dann wollen wir doch einmal sehen, ob wir die *Josephine* finden«, sagte Pitt betont munter. »Hier entlang.«

»Aber wie denn, in dieser Finsternis?« Voisey folgte ihm zögernd. Es war schwer, mehr als bloße Umrisse wahrzunehmen. Im Schatten der Gebäude ließ sich nichts unterscheiden. Alles schien in leichter Bewegung zu sein, doch war das eine vom Lichtschein, der auf dem Wasser tanzte, hervorgerufene Sinnestäuschung, die durch das allgegenwärtige Knarren und Wassertropfen noch verstärkt wurde.

»Mit Streichhölzern«, sagte Pitt, während sie sich den Stufen des alten Anlegers näherten.

»Um Gottes willen, wir suchen nach Dynamit!«, zischte Voisey.

»Da müssen wir eben besonders vorsichtig sein«, versetzte Pitt.

Leise fluchend folgte ihm Voisey.

»Wir haben Glück«, sagte Pitt nach einer guten Minute. »Das Wasser läuft auf.«

»Was für einen Unterschied macht das denn?« Voisey war dicht hinter ihm.

»Dann sind die Stufen trocken«, gab Pitt zur Antwort. Er suchte in seiner Tasche, holte eine Schachtel Streichhölzer heraus und riss eins davon an, wobei er die Hand um die Flamme hielt. Der schwache Lichtschein genügte gerade, dass er den Namen am Heck des nächstliegenden Lastkahns lesen konnte. »*Blue Betsy*«, sagte er leise. »Da sind noch drei andere. Kommen Sie.«

»Ich nehme an, Sie wissen, ob die *Josephine* hier liegt?«, fragte Voisey.

»Nein, aber in fünf Minuten kann ich es Ihnen sagen.« Pitt ging weiter nach unten. Der Wasserspiegel lag nur noch einen guten halben Meter unter seinen Füßen und sah metallisch aus. Man hätte ihn für eine feste Masse halten können, über die man zu den etwa zehn Meter entfernt festgemachten Booten gehen konnte, deren Positionslichter sachte auf und ab tanzten.

Auch der zweite Lastkahn war nicht der gesuchte. Sie mussten an Bord gehen, sich äußerst vorsichtig über das Deck tasten und sich mit einem weiteren kurz aufflammenden Streichholz bücken, um einen Blick auf den dritten zu werfen.

»Die *Josephine*!«, sagte Pitt mit tiefer Befriedigung.

Voisey schwieg.

Pitt ging voraus, wobei er für den Fall, dass das Deck glatt war, äußerst achtsam Schritt vor Schritt setzte. Wenn er fiel, konnte er sich verletzen oder gar ins Wasser stürzen. Schlimmer aber war die Möglichkeit, dass dann jemand auf einem der größeren Lastkähne, die sicherlich Wachen an Bord hatten, Alarm schlug.

Die *Josephine* lag ziemlich tief im Wasser, doch ließ sich der Abstand dorthin mit einem Sprung überwinden. Pitt schob sich auf Händen und Füßen über das Deck, einerseits, damit man ihn nicht sah, andererseits, um sein Gleichgewicht besser halten zu können, denn der Lastkahn hatte angefangen zu schaukeln.

Voisey tat es ihm nach.

Schweigend tasteten sie nach einer Ladeluke und suchten dann nach einer Möglichkeit, sie zu öffnen. Die Decksplanken rochen vermodert, und einige von ihnen fühlten sich viel zu weich an. Der Lastkahn musste ziemlich alt sein. Mit Sicherheit konnte man damit nicht einmal mehr auf der Themse herumfahren; er diente lediglich als schwimmender Lagerbehälter.

Die Ladeluke war nicht verschlossen und ließ sich mit dem daran befindlichen Griff leicht öffnen. Das beunruhigte Pitt ein wenig. Hatte man das Dynamit womöglich schon fortgeschafft? Oder war es auf irgendeine andere Weise gesichert?

»Worauf warten Sie?«, flüsterte Voisey.

Pitt wünschte, Tellman wäre bei ihm. Zwar sagte ihm sein Verstand, dass Voisey es sich nicht leisten konnte, ihm jetzt in den Rücken zu fallen, doch sein Instinkt lehnte sich gegen das Argument auf.

Sollte er sich in den Laderaum wagen oder lieber nicht? Mit einem Mal kamen ihm die schimmernden Lichter über der Themse, die Weite, der Geruch nach Salz und Fischen, den die Flut mit sich brachte, und sogar der Gestank des Schlamms wie das Versprechen von Freiheit vor. Mit der abgestandenen Luft des Laderaums schien ein leichter Geruch nach Chemikalien aufzusteigen.

Im Schutz des Lukensülls riss Pitt ein weiteres Zündholz an und hielt es mit größter Vorsicht nach unten. Auf keinen Fall durfte er es fallen lassen, und wenn es ihm die Fingerkuppen verbrannte. Er spürte, dass Voisey nur wenige Zentimeter hinter ihm war.

Der Laderaum war so gut wie leer. Es dauerte eine Weile, bis Pitt im entferntesten Winkel einige aufgestapelte Pakete sah. Es war denkbar, dass sie Dynamit enthielten, doch konnte es ebenso gut alles Mögliche andere sein, zum Beispiel einige Stapel alter Zeitungen.

»Ich gehe nach unten«, sagte er leise. »Sie auch«, fügte er hinzu.

»Soll ich nicht hier bleiben und aufpassen?«, fragte Voisey mit leichter Belustigung in der Stimme.

»Nein!«, fuhr ihn Pitt an. »Jemand muss das Streichholz halten.«

Voisey stieß ein leises nervöses Lachen aus. »Ich dachte nur, dass Sie mir vielleicht nicht trauen.«

»Das tue ich auch nicht.«

»Wir können uns nicht gleichzeitig durch die Luke hinunterlassen«, sagte Voisey. »Einer von uns muss den Anfang machen. Eine Münze zu werfen hat keinen Sinn – wir würden nicht sehen, auf welcher Seite sie landet. Da ich Ihnen traue, gehe ich als Erster.« Er schob sich an Pitt vorbei. Nach kurzem Überlegen ergriff er die Ränder der Luke, ließ sich hinab und stand gleich darauf auf dem Boden des Laderaums.

Pitt folgte ihm, dann gingen sie gemeinsam dorthin, wo die Päckchen lagen. Voisey riss ein Zündholz an und hielt es, während Pitt eins der Päckchen untersuchte. Er brauchte nur wenige Sekunden, um festzustellen, dass es sich um Dynamit handelte.

»Simbister«, sagte Voisey mit tiefer Befriedigung und einem Anflug von Überraschung. Die Flamme erlosch. Im Lagerraum war es vollständig finster. Man konnte nichts sehen, nicht einmal das blasse Viereck des Himmels durch die offene Luke.

Dann begriff Pitt, dass sie nicht mehr offen stand. Aber er hatte sie nicht zufallen hören!

Dass Voisey neben ihm stand, merkte er ausschließlich an dessen Atemzügen. Er konnte nichts sehen.

»Ist sie zugefallen?«, flüsterte Voisey, obwohl ihm die Antwort klar war. Es kostete ihn größte Mühe, mit ruhiger Stimme zu sprechen und seine Angst nicht zu zeigen. »Gibt es einen anderen Weg nach draußen?«

Pitts Gedanken jagten sich. Er bemühte sich, nicht in Panik zu verfallen. Da Voisey bei ihm war, konnte es dessen Werk nicht sein, und so kam nur Grover infrage, wenn nicht gar Simbister selbst. »Nein«, sagte er und holte tief Luft. »Es sei denn, wir schaffen uns einen.«

Sie spürten einen Ruck, auf den ein zweiter folgte. Dann hörten sie ein Wassergeräusch, das anders war als der Wellenschlag. Es schien eher aus einem zweiten Laderaum als von den Rümpfen der beiden Boote neben der *Josephine* zu kommen. Pitt begriff sofort, was das bedeutete. Der Lastkahn wurde geflutet. Die Leute waren bereit, das Dynamit zu opfern, um ihre beiden gefährlichsten Feinde aus dem Weg zu räumen. Er hätte das voraussehen müssen. Er hörte, wie Voisey die Luft scharf durch die Zähne sog. Auch er hatte verstanden. Der Boden unter ihren Füßen begann sich zu neigen.

»Wir haben nur das Dynamit«, sagte Pitt laut. »Zum Glück sind Zünder dabei. Wir müssen die Luke wegsprengen, und zwar so schnell es geht.«

Voisey keuchte. »Wie viele Streichhölzer haben Sie noch?«

»Ein halbes Dutzend«, sagte Pitt. »Bedauerlicherweise habe ich das nicht vorausgesehen.«

»Ich habe ungefähr drei.«

»Gut. Zünden Sie sie nacheinander an, und halten Sie sie, damit ich etwas sehen kann.«

Voisey gehorchte, und im flackernden Schein machte sich Pitt an die Arbeit, öffnete eins der Dynamitpakete, nahm einen Zünder und formte die leicht klebrige Masse zu einem Streifen, der an der Kante der Luke haften würde. Nachdem Voisey seine Streichhölzer verbraucht hatte, nahm er die Pitts.

Pitt brachte Sprengstoff rund um den Lukenrand an, legte die Lunte an den Zünder und entfernte sich dann, wobei er Voisey mit sich zog. Der Lastkahn hatte inzwischen schwere Schlagseite, und man konnte deutlich hören, wie das Wasser gurgelnd den anderen Laderaum füllte.

Nichts geschah.

»Wie lange dauert das?«, fragte Voisey leise. »Wir gehen unter.«
»Ich weiß. Das Dynamit hätte schon hochgehen müssen.«
Voisey bewegte sich. Pitt fasste nach seinem Arm und hielt ihn zurück. »Nicht! Es kann immer noch detonieren.«
»Wenn das nicht in den nächsten drei bis vier Minuten passiert, nützt uns das nicht viel«, gab Voisey zu bedenken.
»Es sind noch mehr Zünder da«, sagte Pitt. »Wir müssen irgendwo anders eine Öffnung schaffen.« Seine Gedanken jagten sich. Der Lastkahn sank mit dem Heck voraus. Die einzige Möglichkeit bestand darin, den Bug aufzusprengen, weil der noch aus dem Wasser ragen würde. An jeder anderen Stelle würde es schlagartig einströmen, sie mit sich reißen und ihnen den Ausweg versperren.
»Am Bug«, sagte er und erhob sich. »Zünden Sie ein Streichholz an. Ich muss sehen, was ich tue.«
»Wir haben nur noch drei«, sagte Voisey. »Es könnte nicht schaden, wenn es diesmal funktioniert.« In seiner Stimme lag keine Kritik, lediglich messerscharfe Ironie und Angst.
Pitt gab keine Antwort. Die Situation war ihm auch ohne Voiseys Worte klar, und es war besser, an die Aufgabe zu denken, die er vor sich hatte, als an Charlotte, sein Heim, seine Kinder oder das kalte, schmutzige Wasser der Themse, das nur durch eine Schicht Holz von ihm getrennt unmittelbar nebenan gurgelte. Er arbeitete so rasch er konnte, im vollen Bewusstsein dessen, dass Übereilung wie auch der kleinste Fehler ihnen diesen letzten Ausweg versperren würde.
Er drückte das Dynamit gegen die Bugplanken und machte sich daran, den Zünder anzubringen.
Voisey riss das letzte Streichholz an und entzündete damit eine Zigarette, deren Rauch er einsog. Im Laderaum war es wieder dunkel.
Pitt sah nur das glimmende Ende der Zigarette. Er brachte kein Wort heraus.
»Sie hält länger als ein Streichholz«, sagte Voisey ruhig. »Bringen Sie den Zünder an, und dann los.«

Mit zitternden Händen gehorchte Pitt.

Voisey tat einen Zug nach dem anderen an der Zigarette. Pitt kontrollierte den Sitz des Zünders ein letztes Mal. »Fertig.«

Voisey hielt das glimmende Ende der Zigarette an die Lunte. Dann traten sie so weit wie möglich zurück. Inzwischen hatte der Lastkahn so schwere Schlagseite, dass sie sich kaum auf den Beinen halten konnten. Die Lunte knisterte. Es schien endlos lange zu dauern. Pitt hörte schwere Atemzüge. Er nahm an, dass sie von Voisey kamen, merkte dann aber, dass es seine eigenen waren. Draußen in der Dunkelheit schlug das Wasser der Themse gegen den Rumpf.

Ein gewaltiges Krachen ertönte, und eine Druckwelle schleuderte sie nach hinten. Dann wurden sie vom eiskalten Wasser erfasst, und der Lastkahn begann rascher zu sinken.

Pitt stieß sich voran, dem riesigen Loch im Bug entgegen. Er musste es erreichen, bevor der Lastkahn vollständig unterging und er vom Gewicht des Wassers mit in die Tiefe gerissen wurde. Er bekam die gezackte Kante zu fassen und hielt sich daran fest. Sie ragte kaum einen halben Meter über das Wasser hinaus. Jeden Augenblick konnte es zu spät sein.

Er ließ nicht los, spürte die Luft auf seinem Gesicht, sah die Lichter über dem Fluss und am Himmel. Er drehte sich um, ergriff Voiseys Hand und zog mit aller Kraft.

Voiseys Kopf tauchte in dem Augenblick aus dem Wasser auf, als die *Josephine* endgültig verschwand. Jetzt mussten sie noch die Anlegertreppe erreichen, durchgefroren, aber frei.

KAPITEL 9

Charlotte sah ihren Mann sorgenvoll an, der am ganzen Leibe zitternd in Nachthemd und Morgenmantel vor dem Küchenherd saß und heißen Tee trank. Wie gut das tat! Die Droschkenfahrt in nassen Kleidern war ihm endlos vorgekommen, als seien es bis zur Keppel Street nicht acht, sondern dreißig Kilometer.

Voisey und er hatten nicht viel miteinander geredet, nachdem sie über die Anlegertreppe den Kai erreicht hatten. Was hätten sie auch sagen sollen? Alles war klar. Ganz gleich, ob das Dynamit nun Simbister oder einem anderen gehörte, der für ihn arbeitete – auf jeden Fall hatte jemand sie aus dem Weg räumen wollen, was beinahe auch gelungen wäre.

Pitt war vor seinem Haus in der Keppel Street ausgestiegen und Voisey zur Curzon Street weitergefahren, wo er wohnte. Charlotte, die Pitts Rückkehr voll Unruhe erwartet hatte, war bei seinem Anblick aschfahl geworden. Er hatte ihr den Vorfall in groben Zügen berichtet. Das Geschehene vor ihr geheim zu halten wäre völlig unmöglich gewesen, ganz davon abgesehen, dass er das auch nicht gewollt hätte. Bis in seine Träume würde ihn die Finsternis im Laderaum verfolgen, das Gefühl der Hilflosigkeit, das ihn befallen hatte, als der Lastkahn zu sinken begann. Nie im Leben würde er das Geräusch des Wassers vergessen, das sie auf allen Seiten zu umschließen schien. Er würde nachts aufwachen und dankbar sein, einen noch so winzigen Lichtschimmer zu sehen, den Schein der Straßenlaterne durch die Vorhänge, was auch immer. Jetzt hatte er eine völlig neue und entsetzliche Vorstellung davon, wie sich ein Blinder fühlen musste oder ein Mensch, der angegriffen wurde, ohne zu ahnen, aus welcher Richtung die Attacke kam.

»Bist du sicher, dass Voisey nichts mit der Sache zu tun hat?«, fragte Charlotte zum dritten Mal.

»Niemand ist ihm so wichtig, dass er bereit wäre, für ihn zu sterben«, sagte Pitt voll Überzeugung.

Sie erhob keine Einwände. »Schön«, räumte sie ein. »Diesmal war er es nicht. Aber wie soll das weitergehen? Ihr habt keine Beweise für die Existenz des Dynamits, denn das liegt auf dem Grund der Themse.«

Er lächelte. »Da scheint es mir auch durchaus sicher zu sein. Findest du nicht?«

»Ja, aber was ist mit dem Beweis?«, beharrte sie.

»Sir Charles Voisey ist Unterhausabgeordneter und allgemein als Held bekannt. Ich denke, man wird seiner Aussage Glauben schenken. Und die Unterlagen, aus denen hervorgeht, dass Simbister Eigner der *Josephine* ist, existieren nach wie vor.«

»Kannst du denn damit etwas beweisen, was dazu beitragen könnte, das Gesetz zu verhindern?«, fragte sie. »Eine weitere Ladung Sprengstoff verweist doch wieder nur auf die Anarchisten, womit Tanqueray noch mehr Wasser auf seine Mühlen bekommt.«

»Wenn ich mit dem Beweis, dass Simbister Eigner des Lastkahns ist, zu Somerset Carlisle gehe und ihm die Zusammenhänge zwischen dem Dynamit, Grover und Taschen-Jones erzähle, genügt das möglicherweise, um den einen oder anderen Abgeordneten in seiner Haltung schwankend werden zu lassen«, sagte Pitt nachdenklich. In der Wärme der Küche spürte er mit einem Mal, wie ihn eine große Müdigkeit überfiel. Die Erschöpfung schien seinen ganzen Körper zu erfassen, und er konnte nicht mehr klar denken.

»Jedenfalls solltest du Voisey auf keinen Fall trauen«, sagte sie eindringlich. »Er kann dich immer noch hintergehen.« Sie beugte sich vor und legte ihre Hände auf die seinen.

»Es ist gar nicht nötig, dass ich ihm traue«, erklärte er. »Wir beide arbeiten auf dasselbe Ziel hin: das Gesetz zu verhindern, das der Polizei zusätzliche Vollmachten gibt. Dass wir dafür unterschiedliche Gründe haben, ist unerheblich.« Er gähnte ausgiebig. »Entschuldigung.«

Sie kniete sich vor ihn und sah ihm ins Gesicht. »Du musst zu Bett, du brauchst Wärme.« In ihrer Stimme lag tiefe Rührung. »Ich kann Gott nicht genug dafür danken, dass du in Sicherheit bist. Ich mag mir gar nicht vorstellen, wie knapp du dem Tod entgangen bist. Hast du eigentlich immer noch den Beweis für die Beteiligung von Voiseys Schwester an der Ermordung von Reverend Wray? Könntest du die Frau, wenn es nötig wäre, dafür vor Gericht bringen?«

»Nein.« Es kostete ihn große Mühe, klare Gedanken zu fassen. Er sah auf ihr besorgtes Gesicht, so dicht vor dem seinen, ihr weiches Haar, ihre Augen. Er spürte die Wärme ihrer Haut und nahm einen leichten Duft nach Lavendel und Seife wahr, merkte, wie ihn seine Empfindungen überwältigten. All das hätte er um ein Haar verloren. Dieser Raum, in dem es nach frischem Leinen und Essen roch, das vertraute Geschirr auf der Anrichte, der blank gescheuerte Tisch, war sein Heim. Vor allem aber hätte er *sie* verloren.

»Warum nicht?«, fragte Charlotte. Er hörte die Angst in ihrer Stimme. »Stimmt mit den Beweisen etwas nicht? Damals hast du gesagt, alles sei hieb- und stichfest.«

»Das ist es auch.« Die Augen fielen ihm zu. Er konnte sie kaum noch offen halten, es kostete ihn größte Mühe, wach zu bleiben. »Trotzdem gäbe es keine Möglichkeit, sie vor Gericht zu bringen, denn ich bin nicht überzeugt, dass ihr bewusst war, was sie tat. Vermutlich wusste sie nicht, dass der alte Mann mit den Himbeertörtchen vergiftet werden sollte, die sie ihm gebracht hatte.«

»Das heißt, du würdest sie nicht vor Gericht bringen, könntest es aber!« Sie bemühte sich, die Beherrschung nicht zu verlieren. »Das Beweismaterial ist ausreichend. Immerhin hat sie ihm das Gift verabreicht.«

»Ich glaube nicht, dass ihr das bewusst war.« Die Augen wollten ihm immer wieder zufallen.

Sie richtete sich auf. »Das ist belanglos. Wo ist es?«

»Was? Wo ist ... ach so.« Er begriff, dass sie das Beweismaterial meinte. »In der Schlafzimmerkommode. Da ist es absolut sicher. Du brauchst keine Angst zu haben. Ich werde Voisey weder sagen, wo es sich befindet, noch, dass ich davon keinen Gebrauch zu machen beabsichtige.« Wenn er es sich recht überlegte, musste ihm klar sein, dass sich Voisey das denken konnte – aber sicher durfte er sich dessen nicht sein.

»Geh jetzt zu Bett«, sagte sie liebevoll. »Es ist heute Abend nicht wichtig. Komm.« Sie hielt ihm die Hände hin, als wolle sie ihn hochziehen.

Mit großer Mühe stand er auf. Jetzt war ihm wieder warm, und die Vorstellung, zu Bett zu gehen, schien ihm ausgesprochen verlockend.

Am nächsten Morgen verließ Pitt das Haus deutlich später als sonst. Erst gegen halb zehn war er aufgewacht. Nachdem er sich gewaschen und angezogen und in größter Eile gefrühstückt hatte, machte er sich um zehn Minuten nach zehn auf den Weg. Er wollte den Beweis dafür in die Hände bekommen, dass die *Josephine* Simbister gehörte.

Kaum war er gegangen, als auch Charlotte das Haus verließ, allerdings in die Gegenrichtung. Sie nahm eine Droschke und nannte dem Kutscher Voiseys Adresse in der Curzon Street. Hoffentlich war er noch nicht ins Unterhaus gegangen. Da sie wusste, dass das Parlament erst am Nachmittag zusammentreten würde, sprach eine gewisse Wahrscheinlichkeit dafür, dass er noch zu Hause war, zumal sie annahm, dass auch ihn die Ereignisse des Vorabends so erschöpft hatten wie Pitt und sie. Natürlich war es trotzdem möglich, dass er schon aufgebrochen war, in der Hoffnung, noch vor der Unterhaussitzung mit einigen Abgeordneten reden zu können, doch auch die dürften eher später kommen. Es war erst Viertel vor elf, und früher hatte sie nicht aus dem Haus gehen können.

Als ihr der Diener öffnete, bemühte sie sich um Gefasstheit.

Sie wollte Voisey unbedingt scheinbar gelassen gegenübertreten, doch schlug ihr das Herz bis zum Hals.

»Guten Morgen, meine Dame«, sagte der Mann höflich. Er ließ sich nicht anmerken, wie sehr ihn ihr unangemeldetes Erscheinen überraschte.

»Guten Morgen«, gab sie zurück. »Ich bin Mrs Pitt. Sir Charles kennt meinen Mann ziemlich gut. Beide waren gestern Abend mit einer äußerst wichtigen Angelegenheit beschäftigt, die sich zum Schluss sogar als höchst gefährlich herausgestellt hat. Sicher ist auch Sir Charles ziemlich erschöpft und durchgefroren nach Hause gekommen.« Sie sagte das, um dem Diener zu zeigen, dass sie die Wahrheit sagte. »Die Dinge haben sich so entwickelt, dass ich, sofern das möglich ist, unbedingt mit ihm sprechen muss, bevor er ins Unterhaus geht. Ich hoffe, ich bin nicht zu spät gekommen.«

Auf den Zügen des Mannes lag jetzt nicht mehr die geringste Spur von Misstrauen; er machte sogar einen recht freundlichen Eindruck. »Sie haben Recht, Mrs Pitt«, sagte er. »Ein überaus schrecklicher Vorfall. Ich hoffe, Mr Pitt hat sich gut davon erholt.«

»Ja, vielen Dank.«

»Wenn Sie bitte eintreten wollen. Sir Charles nimmt gerade sein Frühstück ein. Ich werde ihn von Ihrer Anwesenheit in Kenntnis setzen.« Er trat zurück und öffnete die Tür weit, damit sie eintreten konnte.

Sie dankte und folgte ihm durch das Vestibül in einen trotz seiner nüchternen Einrichtung sehr angenehm wirkenden Empfangsraum.

Neugierig sah sie sich um. Alles, was sich über Voisey in Erfahrung bringen ließ, konnte eines Tages wichtig sein. Auf einem Mahagonitischchen in der Ecke standen Fotos: An der Seite eines gut aussehenden Herrn in Offiziersuniform befand sich eine Dame – der Haltung nach seine Frau. Sie schienen um die Mitte fünfzig zu sein, und dem Kleid nach zu urteilen, musste das Bild aus den sechziger Jahren stammen. Seine Eltern?

Sie warf einen raschen Blick auf den Inhalt des Bücherschranks. Hinter den Glastüren standen alte Einzelbände und Reihen. Manche der Einbände waren abgegriffen. Sie vermutete, dass Voisey die Bücher einzeln gekauft hatte, um sie zu lesen, und nicht alle auf einmal, um die Einrichtung des Raumes zu vervollständigen, wie das manche taten. Es handelte sich in erster Linie um historische Werke, die sich überwiegend mit dem Mittleren Osten und Nordafrika beschäftigten, doch gab es auch manche, in denen es um den Aufstieg der alten Kulturen ging: Ägypten, Phönizien, Persien und die Frühzeit im Zweistromland.

Der nächste Bücherschrank enthielt zu ihrer Überraschung Lyrikbände und mehrere Romane, darunter Übersetzungen aus dem Russischen und Italienischen, aber auch Werke deutscher Dichter und Philosophen. Ob das Voiseys eigene Bücher waren, oder hatte er sie von seinem Vater übernommen?

Wie viel wusste sie über den Mann? Welche Leere verbarg sich hinter seinem Machthunger?

Letzten Endes war ihr das nicht wichtig. Nichts von alldem entschuldigte, dass seine bloße Existenz eine Bedrohung für Pitt bedeutete. Es war durchaus vorstellbar, dass sie unter gewissen Umständen Mitleid mit ihm empfinden könnte, und trotzdem würde sie alles in ihren Kräften Stehende tun, um die Menschen zu schützen, die sie liebte.

Die Tür öffnete sich, und Voisey trat ein. Er wirkte bleich und erschöpft. Er war glatt rasiert und elegant gekleidet, schien aber weniger gefasst als sonst.

»Guten Morgen, Mrs Pitt«, sagte er und schloss die Tür hinter sich. Auf seinem Gesicht schien ein Anflug von Besorgnis zu liegen, als er sie fragend ansah. Sie nahm an, er befürchtete, Pitt, den er für seine Pläne noch brauchte, könne etwas zugestoßen sein.

»Guten Morgen, Sir Charles«, gab sie zur Antwort. »Ich hoffe, Sie haben nach dem entsetzlichen Vorfall von gestern schlafen können.«

Er entspannte sich ein wenig. Zwar kannte er den Grund ihrer Anwesenheit nicht, doch war sie offenkundig nicht gekommen, um eine weitere Hiobsbotschaft zu überbringen. »Ja, vielen Dank. Wie geht es Ihrem Gatten?«

Dieser Austausch von Höflichkeiten erschien ihr absurd. Zwar waren die beiden Männer gegenwärtig eine Art Verbündete, weil es ihnen um dieselbe Sache ging, letztlich aber doch erbitterte Feinde. Es würde Pitt nichts ausmachen, Voisey zu vernichten, er würde sich freuen, wenn es ihm gelänge, ihn für den Rest seines Lebens hinter Gitter zu bringen, wenn nicht gar an den Galgen. Voisey wiederum würde nicht im Geringsten zögern, Pitt eigenhändig zu töten, sofern ihm das möglich war und wenn er wüsste, auf welche Weise er sich der Strafe dafür entziehen konnte. Schließlich hatte er bereits früher einen Anschlag auf Charlottes Leben und das ihrer Kinder wie auch Gracies verübt.

»Er ist ziemlich erschöpft, sonst aber wohlauf«, sagte sie. »Allerdings kann ich mir vorstellen, dass er nie vergessen wird, wie es war, dort auf dem Lastkahn in der Falle zu sitzen, während das Wasser hereinströmte, und Sie werden wohl auch immer daran denken.«

»Unbedingt.« Trotz seiner bemühten Gelassenheit überlief ihn ein leichter Schauder. Dann trat ein Anflug von Verärgerung auf sein Gesicht, als ihm aufging, dass sie das gemerkt haben musste. »Was kann ich für Sie tun, Mrs Pitt?«

Sie war gewillt, ohne Umschweife auf ihr Ziel loszugehen. »Wie geht es Ihrer Schwester, Sir Charles? Ich habe sie als reizende und ausgesprochen selbstständige Persönlichkeit in Erinnerung.«

Auf seinen Zügen lag eine ungewohnte Herzlichkeit. Trotz seiner Müdigkeit und obwohl er nach wie vor den Grund von Charlottes Besuch nicht kannte, schien er nachgiebig. »Es geht ihr gut, vielen Dank. Warum fragen Sie, Mrs Pitt? Sie sind doch bestimmt nicht ausgerechnet jetzt gekommen, um sich nach meinem oder ihrem Befinden zu erkundigen?«

Sie lächelte. Offenbar war es ihr gelungen, ihn ein ganz klein wenig aus der Reserve zu locken.

»Mittelbar vielleicht schon«, sagte sie. »Ich habe mich nicht ganz grundlos nach ihr erkundigt.«

»Ach wirklich?« Er wirkte skeptisch.

»Es freut mich sehr, dass es ihr gut geht«, fuhr sie fort. »Hoffentlich ist sie glücklich?«

Seine Verärgerung nahm zu.

Ihr Lächeln verschwand. »Der Zweck meines Kommens, Sir Charles, besteht darin, Ihnen klar zu machen, dass das Wohlergehen Ihrer Schwester unlösbar mit dem meines Mannes verknüpft ist. Gewiss ist es nicht unbedingt vornehm, Ihnen das so deutlich zu sagen, aber ich habe den Eindruck, dass Sie allmählich ungeduldig werden.« Sie sah die Überraschung auf seinem Gesicht, merkte, dass er noch nicht verstanden hatte. »Sicherlich haben Sie den armen Reverend Wray nicht vergessen? Ein wirklich guter Mensch, den viele geliebt haben.« Sie sah ihm fest in die Augen. Sie machten einander jetzt nichts mehr vor. »Sein Tod war eine Tragödie«, fuhr sie fort. »Was Mrs Cavendish angeht, kann ich mir vorstellen, dass sie den Vermerk ›Unfall‹ auf dem Totenschein für zutreffend hält, und zumindest moralisch ist er das auch. Sie hatte nicht die Absicht, ihn zu vergiften. Dennoch gibt es Beweise dafür, dass sie *de jure* wie *de facto* die Täterin war, von denen selbstredend Kopien existieren. Es wäre äußerst unklug, wenn es von diesen Dokumenten nur ein Exemplar gäbe. Sie alle bleiben unter Verschluss, solange meinem Mann und natürlich auch allen anderen Angehörigen meiner Familie nichts geschieht. Dazu zähle ich auch unser Hausmädchen Gracie. Sollte einem von ihnen etwas zustoßen, wird das Beweismaterial in die Hände der zuständigen Stellen gelangen, auch wenn die Sache so aussieht, als handele es sich dabei um einen Unfall. Diese Stellen werden mit Sicherheit dafür sorgen, das dem Gesetz Genüge getan wird.«

Er sah sie verblüfft an.

»Glauben Sie nur nicht, dass ich keinen Gebrauch davon

machen würde. Ich hege Mrs Cavendish gegenüber keinerlei Rachegefühle und halte es sogar für mehr als wahrscheinlich, dass sie Mr Wray nicht absichtlich vergiftet hat. Doch es dürfte schwierig, wenn nicht gar unmöglich sein, das in einer Gerichtsverhandlung zu beweisen. Als Ergebnis käme sie dann natürlich an den Galgen.« Sie benutzte das Wort mit voller Absicht, und sie sah, dass sein Gesicht jede Farbe verlor.

»Das Wohl meiner Angehörigen liegt mir ebenso am Herzen wie Ihnen das der Ihren, Sir Charles. Ich würde das Material ohne das geringste Zögern verwenden, wenn durch Sie oder auf Ihre Veranlassung meinem Mann oder einem anderen Familienmitglied etwas zustoßen sollte.« Sie hielt seinem Blick ohne das leiseste Wimpernzucken stand.

Lange lastete Schweigen zwischen ihnen; es wirkte gefährlich. Sie sah nicht beiseite.

»Das glaube ich nicht, Mrs Pitt«, sagte er schließlich.

»Sie irren sich!« Sie legte all ihre Leidenschaft und Gewissheit in ihre Stimme. »Ich werde es tun.«

Sein Lächeln war kaum wahrnehmbar, wie der Schimmer eines Sonnenaufgangs auf einem Gletscher. »Sofern ich Ihrem Gatten etwas antäte und Sie meine Schwester vernichteten – was könnte dann Sie und Ihre Kinder noch schützen? Sie werden sich aber auf jeden Fall schützen wollen, weil die Kinder auf Sie angewiesen sind.«

Alles in ihr erstarrte. Sie war wie gelähmt.

»Möglich, dass Sie übereilt gesprochen haben, Mrs Pitt«, sagte er leise. »Aber Sie sind nicht dumm. Sie werden tun, was Sie tun müssen, um Ihre Kinder zu schützen. Ebenso wenig wie an Ihrem Mut oder Ihrer Entschlossenheit zweifle ich keine Sekunde lang an Ihrem Realitätssinn. Sie werden meiner Schwester auf keinen Fall etwas antun, solange es jemanden gibt, den Sie schützen müssen.« Er neigte den Kopf ganz leicht. »Darf ich Sie zur Tür bringen? Vielleicht kann Ihnen mein Diener eine Droschke rufen?«

Alles verschwamm in ihrem Kopf. Er hatte Recht, und beide

wussten das. Es wäre töricht gewesen, gegen seine Worte zu argumentieren. Doch sie musste ihm antworten, musste etwas sagen. Ganz davon abgesehen hatte sie das Bedürfnis, sich zu bewegen.

»Nein, vielen Dank. Ich kann das selbst tun, wenn ich eine möchte.« Sollte sie hinzufügen, dass es Abstufungen bei den Möglichkeiten gab, einem Menschen zu schaden? Gerüchte, die schmerzen konnten, ohne zu töten? Oder würde er sich daraufhin seinerseits etwas überlegen, womit er Pitt, Daniel oder Jemima schaden könnte. Oder gar Tellman?

Er wartete.

Nein. Es war besser, nichts zu sagen. Sie wandte sich um und verließ den Raum. Er folgte ihr in zwei Schritten Abstand. Es wäre lächerlich gewesen, einander Auf Wiedersehen zu sagen.

An der Haustür trat sie auf die im Sonnenschein liegende Straße, ohne sich umzusehen, und ging rasch davon.

Zehn Minuten später sah sie eine Droschke und ließ sich zu Tante Vespasia fahren. Sie zitterte, wenn sie an ihren Besuch bei Voisey dachte, von dem sie Pitt nie etwas sagen würde. Es gab ganz wenige Dinge, die man mit Rücksicht auf den anderen besser für sich behielt. Das zu lernen war Teil des Erwachsenwerdens.

Vor Vespasias Haus stieg sie aus und entlohnte den Kutscher. Falls Vespasia nicht da war, würde sie auf ihre Rückkehr warten.

Sie hatte Glück. Nicht nur war sie im Hause, sie war auch entzückt, sie zu sehen. Als sie einander im Salon, der auf den Garten ging, gegenübersaßen und das Mädchen hinausgegangen war, sah Vespasia sie besorgt an.

»Du bist ja ganz blass, meine Liebe. Ist etwas geschehen?«

Charlotte war nicht bereit, ihr etwas über den Besuch bei Voisey zu sagen. Sie hatte Angst. Der Mann hatte ihr den Schutzschild, auf den sie sich verlassen hatte, in der Hand zerschlagen. Sie fühlte sich jetzt nicht nur verletzlich, sondern kam sich auch töricht vor. Weder hatte sie das Entsetzen verarbeitet, noch hatte sie sich überlegt, wie sie damit fertig werden sollte. Es würde genügen, Vespasia über Pitts Abenteuer auf der *Josephine* zu berichten, und das tat sie so ausführlich, wie sie konnte.

»Und Thomas geht es gut?«, erkundigte sich Vespasia besorgt.

»Vielleicht bekommt er eine Erkältung«, gab Charlotte zur Antwort, »und bestimmt wird ihm die Sache eine Zeit lang Albträume bereiten, aber wenigstens ist er mit heiler Haut davongekommen. Übrigens zum Glück auch Voisey, denn wir brauchen ihn nach wie vor.« Sie hoffte, dass ihre Stimme nicht zitterte, als sie den Namen sagte. »Soweit ich weiß, ist für heute Nachmittag im Unterhaus eine weitere Lesung des Gesetzentwurfs vorgesehen. Nach dem Anschlag in der Scarborough Street darf er sicherlich mit breiter Unterstützung rechnen.«

»Ich fürchte, damit hast du Recht«, sagte Vespasia finster. »Das Günstigste, was wir annehmen können, ist, dass die Umstände Mr Wetron in außergewöhnlicher Weise favorisieren.«

»Das Günstigste? Die Dinge stehen meiner Ansicht nach ziemlich schlimm.«

Vespasia sah sie unverwandt an. »Meine Liebe, das Schlimme an der Sache ist, dass all diese Dinge auf sein Betreiben geschehen sind. Daher ist er jemand, den man sehr fürchten muss. Von einem Mann, der nicht davor zurückschreckt, einen ganzen Straßenzug mitsamt den darin lebenden Menschen in die Luft zu sprengen, muss man annehmen, dass er keinerlei Hemmungen kennt. Er ist bereit, bedenkenlos zu töten – nicht nur seine Gegner, sondern auch gewöhnliche Männer und Frauen, deren einzige Verbindung zu seinem Ehrgeiz darin besteht, dass ihr Tod seinen Zielen dienlich ist. Der Himmel gebe, dass Thomas die Beziehung zwischen Wetron und dem Lastkahn mit dem darauf befindlichen Dynamit nachweisen kann.« Ihrer Stimme war anzuhören, dass ihr die Sache nahe ging. Zwar saß sie wie immer sehr aufrecht, war aber erkennbar angespannt.

»Ich habe in den vergangenen ein, zwei Tagen nicht mit Thomas gesprochen«, fuhr sie fort. »Hat er schon eine Spur, die zum Mörder von Magnus Landsborough führen könnte?« Sie fragte das, als sei es nur am Rande von Bedeutung, doch sah Charlotte, dass sie die Hände in ihrem Schoß zu Fäusten geballt hatte.

Mitleid und Schuldgefühl erfassten sie, als sie begriff, dass Vespasia diese Sache sehr nahe ging. Beinahe hatte sie vergessen, dass Magnus der einzige Sohn eines ihrer guten Freunde war, eines Mannes, der ihr in jungen und vielleicht auch in späteren, weniger glücklichen Jahren sehr nahe gestanden hatte.

»Nein«, sagte sie leise. »Allerdings hat ihn die Beweislage zu der Überzeugung gebracht, dass es jemand gewesen sein muss, der Magnus gut gekannt hat – vermutlich also einer der anderen Anarchisten. Mir scheint unverständlich, wie Menschen, die im Grunde für dieselbe Sache kämpfen, so etwas tun können.«

Vespasia schwieg.

Charlotte sah auf das feine Gesicht mit den hohen Wangenknochen und erkannte die Angst in ihren Augen. Wäre es zudringlich, sie zu fragen, oder herzlos, es nicht zu tun? Wenn sie schon etwas Falsches tat, dann lieber aus Mitgefühl als aus Feigheit.

»Fürchtest du, es könnte jemand aus seiner Familie gewesen sein?«, fragte sie.

Vespasia sah sie aufmerksam an. Sie schien noch bleicher als zuvor. »Denkt Thomas das?«

Es war sinnlos, falschen Trost zu spenden. Hier half nur Ehrlichkeit. »Gesagt hat er das nicht. Aber es muss jemand gewesen sein, dem bekannt war, dass die Leute das Haus in der Long Spoon Lane benutzten, weil er dort gewartet hat. Außerdem hat er nur Magnus erschossen, obwohl er ohne Weiteres alle drei Anarchisten hätte töten können.«

Vespasia sah beiseite. »Genau das ist meine Sorge: dass es nicht um einen Machtkampf innerhalb der Anarchistengruppe ging, sondern ein persönliches Motiv dahinter stand, kein politisches.«

Eine Annahme drängte sich auf. Es wäre unredlich gewesen, sie nicht anzusprechen. »Hätte es sein Vater sein können?«, fragte Charlotte fast im Flüsterton. Beide verstanden, was einen Mann dazu veranlassen konnte, so etwas zu tun: Angst vor dem Makel auf der Familienehre und das Bewusstsein, dass die Gewalttätigkeit beim nächsten und übernächsten Mal nur noch schlimmere Ausmaße annehmen würde.

»Ich weiß nicht recht«, gab Vespasia zu. »Es ist … ein grauenvoller Gedanke. Doch wenn ich ein Mann wäre und mein Sohn plante, Häuser mitsamt ihren Bewohnern mit Dynamit in die Luft zu sprengen, würde ich es für meine Pflicht halten, ihm in den Arm zu fallen. Ich weiß nicht, was ich tun würde. Das Bewusstsein dessen, was man zu tun hat, und eine solche entsetzliche Tat sind zweierlei, und es ist ein weiter Weg vom einen zum anderen.« Ein Schatten legte sich auf ihre Züge. »Meine Kinder haben sich wiederholt gegen mich gestellt, und auch ich war nicht immer ihrer Meinung und habe so manches missbilligt, wovon sie überzeugt waren. Doch auch wenn wir oft unterschiedlicher Ansicht waren, musste ich nie befürchten, dass sie Mordgedanken hegten. Ich weiß nicht, was ich in einem solchen Fall getan hätte, vorausgesetzt, es hätte nicht der geringste Zweifel an der Ernsthaftigkeit ihrer Absicht bestanden.«

»Wer aber könnte es gewesen sein, wenn nicht er?« Charlotte wusste, dass es nichts nutzen würde, dem Thema auszuweichen. Sie musste sich ihm stellen.

Vespasia runzelte die Brauen. »Mir ist aufgefallen, dass Sheridans Schwester Enid tief aufgewühlt ist. Man könnte glauben, ihr liege etwas weit Tragischeres als Magnus' Tod auf der Seele.«

»Enid?«, fragte Charlotte verwirrt. »Wie hätte sie dort hingelangen und ihn erschießen können? Das ist doch sicher unmöglich.«

»Ich ahne es nicht«, gab Vespasia zu. »Von Cordelia anzunehmen, dass sie einer solchen Tat fähig wäre, würde mir am wenigsten schwer fallen, aber ich kann mir nicht denken, auf welche Weise sie das hätte tun können, selbst wenn ihr Magnus' Vorhaben bekannt gewesen wäre. Und bestimmt hätte er ihr nichts davon gesagt.«

»Es tut mir so Leid«, sagte Charlotte aufrichtig. Sie versuchte gar nicht erst, sich dafür zu entschuldigen, dass Pitt die Wahrheit ermitteln und den Spuren folgen musste, ganz gleich, wohin sie ihn führten oder welche weitere Tragödie dabei enthüllt werden mochte. Beide wussten das so genau, dass es beleidigend von ihr gewesen wäre, darüber zu sprechen.

»Cordelia hat mich vor einigen Tagen erneut aufgefordert, sie doch einmal zu besuchen«, sagte Vespasia nach einer Weile. »Ich glaube, ich fahre heute Nachmittag gleich nach dem Essen hin.«

Charlotte war überrascht. »Tatsächlich? Glaubst du, dass sie dich doch gut leiden kann?«

In Vespasias Augen trat leichter Spott. »Nein, meine Liebe, das glaube ich nicht. Die Sache hat einen Hintergrund. Lady Albemerle gibt am Dienstag eine Abendgesellschaft. Zwar bin ich eingeladen, doch erwartet sie im Grunde, dass ich nicht komme. Cordelia hat vermutlich keine Einladung bekommen und würde es sicher gern sehen, wenn ich hingehe und den geringen Einfluss, den ich habe, zu Gunsten des Gesetzentwurfs geltend mache. Ihr Stolz lässt nicht zu, dass sie mich darum bittet, und so wird sie wohl eine gewaltige Kröte schlucken müssen, um es doch zu tun. Sie dabei zu beobachten wird sicher sehr amüsant sein.« Sie sagte das leichthin, doch lag auf ihrem Gesicht nicht die geringste Freude. Während sie mit ihren Worten bei Cordelia war, galten ihre Gedanken Sheridan, das war Charlotte klar.

»Möchtest du zum Mittagessen bleiben?«, fragte sie Charlotte.

»Danke, sehr gern«, nahm sie die Einladung ohne das geringste Zögern an.

Vespasia trug ein weich fallendes Kleid in Tönen von Grau und Dunkellila, Farben, die an den Saum eines späten Abendhimmels erinnerten. Es stand ihr ausnehmend gut. Das war ihr selbstverständlich bewusst, doch hatte das keinesfalls etwas mit Eitelkeit zu tun. Je schwieriger die vor ihr liegende Aufgabe war, desto mehr kam es darauf an, so gut wie möglich auszusehen.

Obwohl sie unangekündigt kam, ließ sie der Lakai der Familie Landsborough sogleich ein. Zweifellos hatte er entsprechende Anweisungen. Für Höflichkeitsbesuche war es ein wenig zu früh am Nachmittag, doch gute Bekannte durften um diese Zeit kommen.

Man hatte sich kurz zuvor vom Esstisch erhoben, und jetzt befanden sich alle im kleinen Salon. Es überraschte Vespasia nicht, auch Enid und Denoon vorzufinden. Angesichts der Umstände hatte sie mit deren Anwesenheit sogar mehr oder weniger gerechnet. Sheridan Landsborough stand zu ihrer Begrüßung auf; die anderen murmelten höfliche Worte.

Zwar erkundigte er sich voll Wärme nach ihrem Ergehen, doch sah sie auf seinen Zügen Besorgnis. Nach wie vor wirkte er abgespannt, und ein Blick auf sein Gesicht ließ sie vermuten, dass er nur wenig schlief. Es war eindeutig, dass er von Cordelias Einladung an sie nichts wusste.

»Recht gut, danke«, sagte sie und nahm sich die Freiheit, ihm mit ihren Blicken zu zeigen, dass sie sich Sorgen um ihn machte. Ihn zu fragen, wie es ihm gehe, hätte bedeutet, dass sie seiner offensichtlichen Qual gegenüber blind war.

Denoon erhob sich nur so weit von seinem Sitz, wie es die Höflichkeit verlangte.

Cordelia kam auf sie zu, das Kinn hoch emporgereckt. »Wie schön, dass Sie gekommen sind«, sagte sie. Der Versuch, Wärme in ihre Stimme zu legen, misslang. Sie war untadelig in schwarze Seide gekleidet und trug so schlichte Gagat-Perlen, dass man zweimal hinsehen musste, um sie zu bemerken. Ihr an den Schläfen von auffälligen weißen Strähnen durchzogenes Haar war bestens frisiert, doch ihre Haut wirkte wie abgeschabtes schmutziges Papier, an dem jemand an den falschen Stellen herumgezerrt hatte. »Ich muss Sie um einen Gefallen bitten.«

Vespasia lächelte. Ihr war klar, dass sie das im Hinblick auf Denoon gesagt hatte, dessen angewiderter Blick angesichts Vespasias erneuten Auftauchens außergewöhnlich taktlos wirkte, wenn nicht gar ausgesprochen ungezogen.

»Gern«, sagte Vespasia freundlich. Sie neigte den Kopf zu Enid, die mit einem angedeuteten Lächeln darauf antwortete, und nahm dann in dem schweren Sessel Platz, auf den Cordelia wies, wobei sie ihre Röcke mit natürlicher Anmut ordnete. »Was kann ich für Sie tun?«

»Wir brauchen jede Hilfe, die wir finden können«, kam Cordelia ohne Umschweife auf ihr Anliegen zu sprechen. »Auf Lord Albemerle würde man mit großem Respekt hören.«

Sheridan, dem ein wenig unbehaglich zu Mute zu sein schien, setzte sich ein bisschen anders in seinem Sessel hin.

Cordelia verzog missbilligend das Gesicht, ohne aber zu ihm hinzusehen. Vespasia vermutete, dass sie ihn bereits gebeten hatte, das ungewöhnliche Ausmaß an Achtung, das ihm seine Aufrichtigkeit und sein Charme im Laufe der Jahre eingetragen hatten, zu nutzen und im Oberhaus seine Stimme zu erheben. Sofern er infolge seines tragischen Verlustes jetzt von den liberalen Ansichten abwich, die er bisher stets vertreten hatte, konnte er Dutzende Mitglieder des Oberhauses auf seine Seite ziehen, wenn nicht gar die Mehrheit.

Doch es war klar, dass er das nie und nimmer tun würde. Dazu brauchte man weder sein halb abgewandtes Gesicht zu sehen noch den leichten Schauer des Widerwillens, der ihn überlief, noch Cordelias nur mühsam verborgenen Zorn, die ihn gewiss für feige hielt und deswegen verachtete. Er blieb seinen Überzeugungen treu, ohne auf das zu achten, was ihm andere einreden wollten. Kein noch so schwerer Verlust und keine noch so große Empörung über Ungerechtigkeiten welcher Art auch immer brachten ihn dazu, sich für etwas auszusprechen, was ihm nicht richtig erschien.

Vespasia hätte gern ihren eigenen Empfindungen Worte verliehen, doch wie die Dinge lagen, würde sie dieser Luxus zu teuer zu stehen kommen. Daher musste sie das Spiel wohl oder übel so spielen, wie ihr die Karten zugeteilt wurden.

»Das würde man in der Tat«, gab sie zur Antwort, als hätte sie weder etwas von der Spannung mitbekommen, die zwischen den Anwesenden herrschte, noch gesehen, dass Denoon die Zornesader schwoll und in Enid eine ihr gänzlich unverständliche Wut aufzusteigen begann. Das verwirrte sie am meisten. Sie sah Cordelia in die Augen. »Ich bin für Dienstagabend bei Lady Albemerle zu einer Abendgesellschaft eingeladen. Mir ist bewusst, dass Sie nicht gut dort hingehen können, weil Sie in Trauer sind.« Damit schmeichelte sie Cordelias Eitelkeit. Noch vor einem Monat hätte sie sich dazu nicht herabgelassen. Beiden war klar, dass Cordelia mit einer solchen Einladung unter keinen Umständen rechnen konnte. »Meinen Sie, es könnte Ihnen helfen, wenn ich annähme? Natürlich ist die Einladung schon vor längerer Zeit gekommen, und ich hatte ursprünglich abgesagt, doch kann ich leicht eine Begründung dafür finden, das zurückzunehmen. Sicher wird mir Lady Albemerle das nicht übel nehmen, denn wir sind seit vielen Jahren gut miteinander bekannt. Sie wird mir zwar nicht glauben, aber das macht nichts.«

»Meinen Sie?«, sagte Denoon kalt. »Ist das nicht ein wenig anmaßend? Ich jedenfalls wäre beleidigt, wenn Sie eine solche Einladung erst ablehnten und dann im letzten Augenblick, weil es Ihnen gerade so passt, darum bitten würden, doch kommen zu dürfen. Wir können es uns nicht leisten, Lady Albemerle zu kränken.«

Enid, der seine Worte sichtlich peinlich waren, wurde über und über rot.

Mit leicht gehobenen Brauen sah ihn Vespasia an. »Ach wirklich? Dann ist es vielleicht ganz gut, dass der Kontakt nicht sonderlich eng ist zwischen Ihnen und mir, von dem zwischen Ihnen und Lady Albemerle ganz zu schweigen.«

Enid drehte sich um und nieste – zumindest klang es so.

Denoon war aufgebracht. »Ich glaube nicht, dass Sie den Ernst der Lage richtig einschätzen, Lady Vespasia! Hier geht es nicht um ein Gesellschaftsspiel in höheren Kreisen, sondern um Menschenleben. Immerhin sind in der Scarborough Street mehr als sechs Personen umgekommen.«

»Genau gesagt acht«, erwiderte sie. »Wie schön, dass Sie das Thema ansprechen, Mr Denoon. Natürlich sind noch weit mehr Menschen obdachlos. Ich glaube, die neuesten Meldungen sprechen von siebenundsechzig, ohne die dreiundzwanzig aus der

Myrdle Street zu zählen. Daher habe ich einen Hilfsfonds ins Leben gerufen, von dessen Geldern ein großer Teil bereits ausgegeben wurde, um den Leuten ein Dach über dem Kopf zu verschaffen und sie zu ernähren, bis sie wieder selbst für sich sorgen können. Sicher ist es auch Ihr Wunsch, dazu beizutragen, sowohl persönlich als auch mithilfe Ihrer Zeitung.« Sie stellte das als Aussage hin, ohne den geringsten Frageton.

Denoon hielt den Atem an.

»Selbstverständlich möchten wir das«, sagte Enid, bevor er den Mund auftun konnte. »Ich wünsche, ich wäre selbst auf den Gedanken gekommen. Gleich morgen früh werde ich den Lakaien mit meinem Beitrag schicken.«

»Danke«, sagte Vespasia aufrichtig. Hätten die Dinge früher anders gelegen, wäre sie mit Enid wohl gut ausgekommen. Sie hatte immer die Ansicht vertreten, Enid stehe ihr ablehnend gegenüber und bemerke ihre Einsamkeit nicht. Jetzt begriff sie, wie töricht diese Annahme gewesen war, wie selbstsüchtig ihre Überzeugung, sie sei allein, weil ihre Träume zuschanden geworden waren und das Leben ihr sowohl körperlich als auch auf der Gefühlsebene Grenzen zu setzen begann. Enid musste etwas Ähnliches erlebt haben, wenn nicht gar Schlimmeres, und befand sich nach wie vor in dieser Situation. Auch wenn sie sich daran gewöhnt haben mochte, gleichsam eine Gefangene zu sein, dürfte sie das dennoch schmerzen.

Vespasia merkte, dass sie Enid zulächelte, weil wegen der Worte, die sie gewechselt hatten, ein Einvernehmen zwischen ihnen bestand, zu dem Denoon keinen Zugang hatte. Doch obwohl er kaum begriffen haben dürfte, was ihm da verwehrt wurde, brach er sogleich in dies Einvernehmen ein, da es ihn störte, dass er davon ausgeschlossen war.

»Was werden Sie Lord Albemerle sagen, sofern Sie Gelegenheit haben sollten, mit ihm zu sprechen? Ich hoffe, Sie werden ihn nicht ebenfalls um Geld bitten?«

Sheridan stand auf. »Edward, du benimmst dich unmöglich. Was du in deinen eigenen vier Wänden sagst oder tust, geht nur dich etwas an, aber in meinem Hause wirst du dich meinen Gästen gegenüber höflich verhalten, ganz gleich, ob du sie als deine Freunde ansiehst oder nicht.« Seine Stimme klang müde. Seinen Worten, in denen eine unsagbare Verachtung mitschwang, war anzumerken, dass er sich verletzt fühlte.

Mit hochrotem Gesicht wandte sich Denoon ihm zu. »Die Sache ist zu wichtig, als dass man mit aristokratischem Feingefühl darüber hinweggehen könnte, Sheridan. Wir können es uns nicht erlauben, auf Eitelkeiten und Launen oder darauf Rücksicht zu nehmen, dass jemand als Menschenfreund angesehen werden möchte. Geldspenden sind schön und gut. Sie sorgen dafür, dass wir uns großartig vorkommen und von der Öffentlichkeit bewundert werden. Aber sie lösen das Problem nicht. Weder verhindern sie, dass ein einziger Sprengsatz weniger gezündet wird, noch erreicht man durch sie, dass ein Anarchist gefasst wird. Wir brauchen Unterstützung im Unterhaus, schärfere Gesetze sowie mutige und entscheidungsfreudige Männer in wichtigen Positionen, in denen sie Gutes bewirken können.« Er sah so beiläufig zu Vespasia hin, als sei sie ein Dienstmädchen mit einem Tablett in den Händen. »Es war nicht meine Absicht, Lady Vespasia zu kränken, aber hier geht es um eine ernsthafte Angelegenheit, die keine Einmischung von Dilettanten duldet. Zu viel steht auf dem Spiel. Wir brauchen Albemerle, und dafür sind wir auf Sie angewiesen! Geben Sie Ihre Überempfindlichkeit auf, und schließen Sie sich uns an!« Möglicherweise ohne es zu merken, tat er einen Schritt auf Cordelia zu, als teile er ihre Empfindungen, die sie seit Vespasias Eintreten zwar nicht geäußert hatte, die aber auf ihrem Gesicht erkennbar waren.

Ohne auf die drei Frauen zu achten, sah ihn Sheridan an.

»Du bist ein Dummkopf, Edward«, sagte er betrübt. »Ein Narr aber, in dessen Händen so viel Macht liegt wie in deinen, ist so gefährlich, dass es dabei jedem Weisen bange wird. Du scheinst keine Vorstellung davon zu haben, auf welche Weise politische Entscheidungen entstehen. Ein Wort aus Lady Vespasias Mund, und Londons Türen öffnen oder schließen sich vor dir. Eine gedankenlose Kränkung, eine herzlose Geste, und du läufst mit all deinen Bemühungen ins Leere, ganz gleich, wie reich du bist. Die Menschen müssen dich mögen, das aber kannst du weder erzwingen noch erkaufen.«

Denoons Gesicht war puterrot, doch er fand keine Worte zu seiner Verteidigung. Sheridans Offenheit hatte ihn so verblüfft, dass er schwieg. Augenscheinlich hatte er nicht damit gerechnet, dass sein Schwager zurückschlagen könnte.

Cordelia war fassungslos. Der Zorn verfinsterte ihr Gesicht, doch da es ihr in erster Linie um die Sache ging, sagte sie zu Vespasia gewandt: »Ich bitte für meinen Schwager um Vergebung. Sein Wunsch zu verhindern, dass es zu noch schlimmeren Gewalttaten kommt, ist der Grund dafür, dass er seine Zunge nicht im Zaum zu halten vermag – was ihn natürlich nicht entschuldigt.«

Vespasia erwog, schweigend darauf zu warten, dass Denoon selbst um Verzeihung bat. Mit Sheridans Verständnis durfte sie rechnen. Dennoch würde er sie möglicherweise nicht dafür bewundern, wenn sie darauf bestand, so sehr ihre Haltung gerechtfertigt wäre. Wichtiger aber als die alte Zuneigung war ihr, dass sie ein solches Verhalten selbst nicht bewundernswert fände. Die Triebfeder dafür wäre nichts als Selbstgerechtigkeit und Eitelkeit. Ihr lag mehr an der Sache, für die sie kämpfte, an ihrem Wunsch, den Gesetzesantrag scheitern zu sehen – und vielleicht auch an der inneren Würde, die darüber erhaben war, Schulden solcher Art einzutreiben.

»Die Notwendigkeit, in dieser Sache den gewünschten Erfolg zu erzielen, ist weit größer als unsere persönlichen Empfindungen«, sagte sie daher milde. »Wir müssen unsere Differenzen überwinden und nur Dinge tun, die uns weiterbringen. Ich bin überzeugt, dass ein kurzes Gespräch mit Lord Albemerle unter vier Augen Früchte tragen wird, denn sein Einfluss reicht sehr viel weiter, als allgemein bekannt ist. Ich bin bereit, mit ihm zu sprechen, wenn das Ihr Wunsch ist, kann es aber ebenso auch unterlassen, wenn Sie das für richtig halten.«

Enid sah sie verwirrt und unsicher an.

»Danke«, sagte Cordelia mit unverhüllter Erleichterung.

Sheridan entspannte sich.

Alle warteten darauf, dass Denoon etwas sagte.

»Natürlich«, stimmte er widerwillig zu. »Allerdings dürfte es nicht ausreichen, sich damit zu begnügen. Für heute Nachmittag ist im Unterhaus die zweite Lesung des Entwurfs vorgesehen. Die Anarchisten laufen nach wie vor frei herum und werden von Tag zu Tag dreister. Die Polizei kann nichts gegen sie unternehmen, weil ihr die nötigen Vollmachten fehlen. Womöglich kommt es zu einer neuen Gewalttat, bevor Lord Albemerle seinen Einfluss geltend gemacht hat. Wie viele Menschen werden dabei umkommen, wie viele weitere Straßenzüge niedergebrannt? Und was ist, wenn die Feuerwehr beim nächsten Mal das Feuer nicht eindämmen kann und es sich unkontrolliert ausbreitet? Haben Sie das bedacht? Der Staatsschutz ist nutzlos. Was haben die Leute schon erreicht? Einige unbedeutende Mitläufer sitzen im Gefängnis, und ein junger Mann ist ermordet worden! Gott allein weiß, warum und von wem.«

Unwillkürlich warf Vespasia einen Blick auf Sheridan. Im selben Augenblick wünschte sie, sie hätte es nicht getan. Was sie auf seinem Gesicht sah, war nicht etwa plötzliches Schuldbewusstsein, sondern der Ausdruck von Kummer und Elend. Das mochte darauf zurückzuführen sein, dass er nicht vermocht hatte, seinen Sohn vom Weg der Gewalttätigkeit abzubringen, auf dem er sich verrannt hatte.

Trotz ihres dringenden Wunsches, die Frage aus ihren Gedanken zu verscheuchen, kehrte sie wieder. War es möglich, dass er seinen Sohn lieber getötet hatte, als mit ansehen zu müssen, dass er diesen Weg immer weiter verfolgte? Oder hatte er gar dem Henker vorgreifen und ihm die unendlich viel größere Qual ersparen wollen, die mit einer Verhaftung und einem Gerichtsverfahren verbunden gewesen wäre, die Tage und Nächte des Entsetzens, in denen er auf das unvermeidliche Morgengrauen hätten warten müssen, da man ihn holen würde, die Schlinge, den Sack über dem Kopf, das Knacken des Hebels und dann den tiefen Fall in die Vergessenheit?

Verglichen damit war ein Schuss in den Hinterkopf unendlich viel gnädiger. Hatte Sheridan das getan? Er hatte seinen Sohn geliebt, ganz gleich, was sich dieser möglicherweise hatte zuschulden kommen lassen. Der Schmerz darüber war auf alle Zeiten in sein Gesicht eingegraben.

»Wir wissen weder, wer diese Anarchisten sind und welche Verbindungen sie haben, noch, auf welche ausländischen Verbündeten sie unter Umständen zählen können«, sagte Denoon, der entweder den Kummer seines Schwagers nicht wahrnahm oder sich nichts daraus machte. »Die Gefahren sind gewaltig. Wir dürfen sie nicht unterschätzen. Unser Weg ist deutlich vorgezeichnet, ganz gleich, wie unangenehm er für uns selbst sein mag.«

»Du sprichst, als ob sich diese Leute einig wären«, unterbrach ihn Cordelia. »Ich glaube nicht, dass das der Fall ist.«

Denoon sah sie verärgert an. »Ich weiß nicht, was du damit meinst. Ich habe keine Ahnung, ob sie sich einig sind oder nicht, und es ist mir gleichgültig. Mir geht es ausschließlich darum, sie loszuwerden.«

»Mein Sohn gehörte zu ihnen. Mag sein, dass er falsche Ziele verfolgt hat.« Cordelias Stimme klang angespannt, war voller Gemütsbewegung. »Man hat ihn getötet. Ich möchte nicht nur wissen, wer das war, sondern auch, dass er dafür an den Galgen kommt.«

Erneut flammte die Angst in Vespasia auf, dass Sheridan selbst ihn getötet hatte. Es war nicht nur vorstellbar, es schien ihr auch ohne weiteres möglich. Wie konnte sie ihn nur schützen? Welche Möglichkeit hatte sie, zu verhindern, dass jemand davon erfuhr – sogar Pitt?

Sie merkte, wie ihn auch Enid ansah, als habe derselbe furchtbare Gedanke von ihr Besitz ergriffen. Was wusste sie? Und wie wäre das möglich, wenn er es ihr nicht selbst gesagt hatte? Würde er ihr eine solche Last aufbürden? Oder hatte sie es erraten?

Kannte sie ihn so gut, dass er unmöglich ein solches Geheimnis vor ihr bewahren konnte?

Er dürfte inzwischen ein gänzlich anderer Mann sein als der, den Vespasia einst gekannt, mit dem sie über unbedeutende Dinge geredet, gescherzt, dem sie lustige Geschichten erzählt oder sonderbare Einzelheiten berichtet hatte, der Mann, mit dem sie kleine Freuden des Alltags geteilt hatte, wie beispielsweise einen Regenspaziergang oder eine einfache Mahlzeit am Kaminfeuer. Nichts von alldem war jetzt von Bedeutung; es gab ihr lediglich eine Möglichkeit, die Anfälle von Einsamkeit von sich fern zu halten, oberflächliche Dinge mit ihm zu teilen, damit das Unausgesprochene erträglich wurde, das alles Überwältigende. Es ging um Freundschaft, die ohne Worte verstand.

Hatte dieser Mann aus irgendeinem Grund einen Menschen getötet? Vespasia wusste es nicht. Zeit, Schmerz und Liebe verändern die Dinge, doch war sie nach wie vor überzeugt, dass Cordelia auf jeden Fall bereit gewesen wäre zu töten, um sich, ihre Ehre, ihr Ansehen zu bewahren. Sie hatte ein Herz aus Stahl. Doch wessen hätte sie sich bedienen können, um den Abzug der Waffe zu betätigen? Wer war ihr so viel schuldig oder hatte so viel Angst vor ihr, dass er es tun würde?

Was wusste Enid oder der Lakai, dem sie so sehr zu vertrauen schien?

»Wir alle möchten die Anarchisten am Galgen sehen«, sagte Denoon ungerührt. »Mir persönlich ist es dabei völlig gleich, für welche Tat im Einzelnen.« Dabei sah er Cordelia und nicht Sheridan an. »Das Wissen, wer an welcher Tat die Schuld trägt, ist ein Luxus, den wir uns möglicherweise nicht leisten können, so befriedigend das auch wäre.«

»Möglicherweise nicht«, bestätigte sie kalt. »Aber ich werde es trotzdem versuchen.«

Sein Gesicht war ausdruckslos. »Ich rate davon ab. Es könnte sich zeigen, dass es im Zusammenhang mit Magnus Dinge gibt, die du lieber nicht wissen und schon gar nicht im Gerichtssaal öffentlich breitgetreten sehen möchtest. Du solltest lange und gründlich nachdenken, bevor du Dinge zur Sprache bringen lässt, deren Art und Umfang du nicht kennst.«

Sie sah ihn an. In ihrem Blick lag Ekel, ihr Gesicht wirkte versteinert. »Weißt du etwas über den Tod meines Sohnes, was mir nicht bekannt ist, Edward?«

»Natürlich weiß er nichts!«, gab Enid verzweifelt zur Antwort, wobei sie beinahe aufsprang. Sie sah bewusst nicht zu Sheridan hin. »Das ist doch widersinnig! Dein Kummer ist offenbar so groß, dass du dich vergisst, Cordelia.«

»Im Gegenteil!«, gab Cordelia zurück. »Er hat mir vieles in Erinnerung gerufen, was ich nie hätte vergessen dürfen!«

»Wir alle wissen so manches.« Enid wandte den Blick nicht ab. Hoch aufgerichtet sah sie der Schwägerin fest in die Augen. »Es dürfte das Beste sein, es für uns zu behalten, wenn wir in einer Art Frieden leben wollen. Ich bin sicher, dass du mir Recht gibst, wenn du darüber nachdenkst.«

Tiefe Röte überzog Cordelias Gesicht, das gleich darauf wieder bleich wurde. Sie wandte sich Sheridan zu, doch ließ sich ihrem Ausdruck nicht entnehmen, ob Hilfe suchend oder aus irgendeinem anderen Grund.

Er wirkte müde, fast gleichgültig. Man hätte annehmen können, dass ihn all das unberührt ließ.

Vespasia fühlte sich von einem Schmerz und Zorn umgeben, den sie nicht begriff. Vielleicht würde sie mehr erfahren, wenn sie länger bliebe, doch da sie das Bedürfnis hatte, der Sache ein Ende zu bereiten, stand sie auf.

»Ich bin ganz Ihrer Ansicht«, sagte sie fest. »Bisweilen ist es das Vernünftigste zu vergessen, weil wir sonst Gefangene der Vergangenheit werden und uns damit die Zukunft verbauen.« Sie sah Cordelia an. »Ich werde Lady Albemerles Einladung annehmen und alles tun, um so viel Unterstützung wie möglich zu bekommen.« Rasch strich sie ihre Röcke glatt. »Danke für Ihre Gastfreundschaft. Sobald ich mehr erfahre, werde ich Sie unverzüglich davon in Kenntnis setzen. Allseits einen guten Tag.«

Sheridan erhob sich ebenfalls und geleitete sie zur Haustür.

Unmittelbar davor blieb er stehen und legte selbst die Hand auf die Klinke, damit der Lakai fortging.

»Vespasia?« Seine Stimme klang sanft.

Eigentlich hatte sie ihn nicht ansehen wollen, doch wäre es jetzt unhöflich gewesen, es nicht zu tun.

»Enid befürchtet, ich könnte Magnus getötet haben«, sagte er leise. »Sie hat mir ihren Lakaien nachgeschickt. Er ist ihr treu ergeben und verabscheut Edward. Er würde mich auf keinen Fall ans Messer liefern, solange sie das nicht wünscht. Ich nehme an, dass du vielleicht dieselbe Vermutung hast. Ich sehe es deinem Gesicht an.«

Es gab keine Möglichkeit mehr, dem Thema auszuweichen. »Und hast du es getan?«, fragte sie.

Seine Mundwinkel krümmten sich kaum wahrnehmbar zur Andeutung eines Lächelns. »Danke, dass du es nicht leugnest. Deine Ehrlichkeit hat immer zu den Dingen gehört, die ich an dir am meisten geschätzt habe. Nein, ich war es nicht. Immer wieder habe ich mich bemüht, ihn von seinem Weg abzubringen, aber er wollte nicht auf mich hören. Seiner festen Überzeugung nach reichte die Korruption bei der Polizei so tief, dass sich nur mit Gewalt etwas dagegen ausrichten ließ. Aber ich habe ihn nicht getötet, und ich weiß auch nicht, wer es gewesen sein könnte. Ich hoffe, dass dein Mr Pitt das herausbekommt.«

»Enid?«, flüsterte sie.

»Ich glaube nicht. Aber es ist denkbar, dass sie dem Lakaien den Auftrag gegeben hat, es an meiner Stelle zu tun. Sie ist sehr viel … leidenschaftlicher, als Denoon – oder Cordelia – weiß. Ich bete, dass es sich nicht so verhält. Es wäre ein entsetzliches Unrecht, wenn sie den jungen Mann in eine solche Sache verwickelt hätte, aus welchen Gründen auch immer.«

»Wenn sie befürchtet, dass du es warst, kann sie nicht wissen, dass er es getan hat«, gab sie zu bedenken.

»Das ist mir klar«, sagte er mit einem gequälten, trübseligen Lächeln. »Vielleicht sehe ich vor Angst schon Gespenster. Du hattest wohl nie Angst.« Es war keine Frage.

»O doch!«, sagte sie. »Auch heute noch. Ich kümmere mich nur nicht darum, weil ich sonst womöglich nicht die Kraft hätte, sie zu ertragen.«

Er beugte sich plötzlich vor und küsste sie sanft auf den Mund. Dann öffnete er die Tür, und sie ging auf ihre wartende Kutsche zu.

Charlotte war zu Hause, als es am Nachmittag an der Tür klingelte. Gracie öffnete und kam gleich darauf ganz aufgeregt mit der Mitteilung in die Küche, Mr Victor Narraway wolle mit ihr sprechen.

Charlotte war verblüfft. »Hier?«

»Ich hab ihn ins Wohnzimmer geführt«, sagte Gracie entschuldigend. »Er sieht schrecklich wütend aus.«

Charlotte stellte das Bügeleisen hin, strich sich den Rock glatt, fasste sich mechanisch an die Haare, um den Sitz ihrer Frisur zu überprüfen, und ging dann ins Wohnzimmer.

Narraway stand sehr aufrecht mit dem Rücken zum Kamin in der Mitte des Raumes. Er war tadellos gekleidet, und sein dichtes Haar war glatt gekämmt. Als er sich ihr zuwandte, wirkte sein Gesicht angespannt.

»Sie haben heute Morgen Sir Charles Voisey in seinem Haus aufgesucht«, sagte er mit Schärfe in der Stimme. »Bitte ersparen Sie sich und mir die Peinlichkeit, das zu bestreiten.«

Seine Überheblichkeit machte sie plötzlich wütend. »Warum um Himmels willen sollte ich, Mr Narraway?«, sagte sie hitzig. Lediglich weil er Pitts Vorgesetzter war, versagte sie es sich, hinzuzufügen, dass ihn das nichts angehe und sie sein Auftreten für unverschämt hielt. »Andererseits wüsste ich keinen Grund, warum ich Ihnen Rechenschaft ablegen müsste.«

»Haben Sie vergessen, wer der Mann ist?«, stieß er förmlich zwischen den Zähnen hervor. »Wissen Sie nicht mehr, dass er sowohl Mario Corena als auch Reverend Wray auf dem Gewissen hat und mit großer Wahrscheinlichkeit versucht hat, auch Sie, Ihre Kinder und Ihr Mädchen aus dem Weg zu räumen?«

»Natürlich ist mir das bewusst«, sagte sie aufgebracht. »Selbst wenn ich meine eigene Angst vergessen sollte, werde ich Mario Corena allein schon um Lady Vespasias willen nicht vergessen.« Über Mr Wray sagte sie nichts, denn ihr ging es in diesem Augenblick ausschließlich um Corena.

»Was wollten Sie dort, Mrs Pitt?«, fragte er.

Einen Augenblick lang überlegte sie, ob sie es ihm sagen sollte. Dann gewann ihre Unbeherrschtheit die Oberhand. »Ich dachte, Sie sind gegen den Gesetzentwurf, der der Polizei die Vollmacht geben soll, Bürger grundlos zu verhören oder Dienstboten ohne das Wissen ihrer Herrschaften zu befragen, Mr Narraway.«

Er sah überrascht drein und war einen Augenblick lang unsicher. »Das bin ich auch.«

»Gut.« Sie sah ihn unverwandt an. »Sir Charles vertritt den gleichen Standpunkt wie Sie.«

»Das ist kein Grund für Sie, ihn aufzusuchen, Mrs Pitt! Er ist ein äußerst gefährlicher Gegner ...« Er hob die Stimme, sprach mit mehr Nachdruck und größerem Zorn. »Halten Sie sich künftig fern von ihm. Haben Sie das verstanden?«

»Alles, was Sie sagen, ist mir wohlbekannt, Mr Narraway«, sagte sie eisig, ohne einen Gedanken daran zu verschwenden, dass er Recht hatte. Voiseys Gegnerschaft, was den Gesetzentwurf betraf, gab ihr keinen Grund, ihn aufzusuchen. »Allerdings scheinen Sie vergessen zu haben, dass mein Mann für Sie arbeitet – und nicht ich.« Sie holte tief Luft. »Oder drohen Sie mir etwa damit, dass Sie ihn dafür bestrafen werden, wenn ich nicht tue, was Sie wollen?«

Er sah verblüfft drein. »Natürlich nicht!« Sein Gesicht verfinsterte sich. »Aber ich will nicht, dass er von seiner Arbeit abgelenkt wird, weil er sich Sorgen machen muss, dass seine verantwortungslose Frau sich in Gefahr bringt, indem sie sich in Angelegenheiten einmischt, die sie nichts angehen. Vermutlich liegt Ihnen seine Sicherheit am Herzen, und ich nehme auch an, dass Sie treu zu ihm stehen, wenn Sie ihm schon nicht gehorchen?«

Jetzt war sie so wütend, dass sie ihn am liebsten geohrfeigt hätte. Doch um Pitts willen zügelte sie sich. »Mr Narraway«, sagte sie und wäre fast an ihren Worten erstickt. »Ich würde Sie gern auffordern, sich um Ihre eigenen Angelegenheiten zu kümmern, und Sie fragen, wieso Sie es wagen, herzukommen und mir unverschämte Fragen zu stellen. Aber Sie sind nun einmal der Vorgesetzte meines Mannes, und ich möchte seine Stellung nicht mit einem solchen Verhalten gefährden. Mithin sind mir die Hände gebunden.«

Sein Gesicht wurde weiß, und seine Augen blitzten. »Mir geht es um Ihre Sicherheit, Sie törichte Frau! Wenn Ihr Mann nicht fähig ist, Ihnen Ihre Grenzen aufzuzeigen, muss das jemand anders tun.«

Der wahre Anlass für den Besuch bei Voisey lag ihr schon auf der Zungenspitze, doch wenn sie ihm den nannte, würde vielleicht auch er begreifen, dass sie die Beweismittel gegen Mrs Cavendish nie und nimmer verwenden konnte, ganz gleich, was mit Pitt geschah. Um sich und die Kinder zu schützen, musste sie es für sich behalten. Sie hatte mehr zu verlieren als Voisey, das hätte ihr von Anfang an klar sein müssen. Die Drohung, die sie Voisey gegenüber ausgestoßen hatte, mochte aus Pitts Mund funktionieren, um die Familie zu schützen, aus ihrem aber nicht. Sie wollte nicht, dass Narraway das begriff und auf diese Weise Zeuge ihrer Niederlage wurde. So sah sie ihn mit hilfloser Wut an.

»Ihre Äußerungen sind beleidigend, Mr Narraway. Es ist wohl besser, wenn Sie gehen.« Sie versuchte sich möglichst würdevoll zu geben. Dann kam ihr mit einem Mal der Gedanke, dass er wortwörtlich gemeint hatte, was er gesagt hatte. Er hatte Angst um sie. Auf seinem Gesicht lag ein sonderbar verletzlicher Ausdruck. Er wirkte so starr, weil ihm ihre Sicherheit am Herzen lag und er es nicht gewohnt war, Fürsorge für andere zu zeigen. Er fühlte sich nackt und bloß.

Sie merkte, wie ihr die Hitze ins Gesicht stieg, und sah beiseite.

»Ich versichere Ihnen, dass ich nicht die Absicht habe, Sir Charles noch einmal aufzusuchen«, sagte sie leise. »Es liegt weder in meiner Absicht, Ihre Nachforschungen zu behindern, noch möchte ich meinem Mann Anlass zur Sorge um meine Sicherheit geben. Aber ich bin fest überzeugt, dass der Gesetzentwurf gefährlich ist, und ich beabsichtige weiterhin, alles zu tun, was ich kann, um die zu unterstützen, die dagegen kämpfen. Auf Wiedersehen, Mr Narraway.«

»Auf Wiedersehen, Mrs Pitt«, sagte er ruhig. Sie begleitete ihn zur Haustür, vermied es aber, ihm in die Augen zu sehen, damit er nicht merkte, dass sie ihn verstand. Es war besser so.

Sie schloss die Tür hinter ihm und blieb eine Weile schwer atmend stehen.

KAPITEL 10

»Vermutlich sollte ich mich glücklich schätzen, dass Sie mit dem Leben davongekommen sind«, sagte Narraway bissig, als ihm Pitt am späten Nachmittag schilderte, was auf der *Josephine* geschehen war. Bei seinem Versuch, in der Zwischenzeit möglichst viel über die Verbindung zwischen Simbister und dem Lastkahn in Erfahrung zu bringen, war er zu seiner Freude auf schriftliches Beweismaterial gestoßen, aus dem hervorging, dass der Mann in der Tat dessen Eigner war.

»Ja«, gab ihm Pitt Recht, der sich nur allzu lebhaft an die eiskalte Dunkelheit und das Gurgeln des Wassers um ihn herum erinnerte, während die *Josephine* langsam zu sinken begann, an den flackernden Lichtschein der Streichhölzer, die Voisey eins nach dem anderen angerissen hatte. Er fragte sich, wie groß dessen Angst gewesen sein mochte. Sie hatten nicht darüber gesprochen. Hatte er keine, oder war sie so sehr mit seinem Leben verflochten, dass er sie gar nicht erst zu beschreiben versuchte? Wem sollte man eine solche Angst auch mitteilen? Wer sie erlebt hatte, kannte sie, und anderen würde eine noch so eindringliche Beschreibung nichts von dem Entsetzen vermitteln, das sie verbreitete. Pitt hatte nicht einmal den Versuch unternommen, sie Charlotte zu erklären. Was sie wusste, hatte sie an seinem Zittern erkannt, am Blick seiner Augen und daran, dass er gar nicht erst versucht hatte, ihr darüber etwas mitzuteilen.

»Dann wäre es wohl angebracht, dafür zu sorgen, dass jemand

den Kahn hebt«, sagte Narraway. Er wirkte bleich und angespannt, als falle es ihm schwer, seine Empfindungen zu beherrschen. Sollte er sich wirklich so große Sorgen um Pitts Sicherheit gemacht haben? »Wir würden ziemlich dumm dastehen, wenn wir ihn suchten und feststellen müssten, dass schon jemand vor uns da war und ihn unauffällig beiseite geschafft hat«, fügte er hinzu.

»Ja, Sir.« Pitt legte die Dokumente auf den Tisch. »Hier sind die Beweismittel gegen Simbister und Grover.«

»Wer hat versucht, Sie aus dem Weg zu räumen?«, fragte Narraway.

»Ich nehme an, Grover. Er war mit Sicherheit kurz vor uns dort. Dafür habe ich Zeugen. Die drei Aussagen liegen ebenfalls bei.« Er klopfte mit dem Finger auf die Blätter.

»Sie scheinen sehr tüchtig gewesen zu sein.« Narraway sah ihn düster an. »Vermutlich haben Sie halb tot ausgesehen, als Sie gestern Abend nach Hause gekommen sind.«

Pitt war verblüfft. »Ein bisschen nass«, sagte er.

»Ein bisschen nass«, wiederholte Narraway. »Und was haben Sie Ihrer Frau gesagt? Dass Sie in die Themse gefallen sind?«

»Dass ich mich in einem Lastkahn befunden hatte, der unterging, und mich im letzten Augenblick daraus retten konnte«, gab Pitt zur Antwort. Er wich der Wahrheit aus.

Narraways Stimme war kälter als das Wasser der Themse am Vortag. »Und was, glauben Sie, war der Grund dafür, dass sie heute Morgen Charles Voisey aufgesucht hat? War sie womöglich besorgt, er könnte sich erkältet haben?«

»Was sagen Sie da? Sie … sie war bei Voisey?« Pitt war zutiefst beunruhigt, Narraways Worte hatten ihn aus dem seelischen Gleichgewicht gebracht. »Im Unterhaus? So früh ist er nie dort …«

»Stimmt«, gab ihm Narraway mit schneidender Stimme Recht. »Sie hat ihn zu Hause in der Curzon Street aufgesucht. Man könnte glauben, dass ich mehr über das Kommen und Gehen Ihrer Frau weiß als Sie, Pitt! Ich schlage vor, dass Sie Ihre häuslichen Angelegenheiten ab sofort besser im Auge behalten. Ihre Frau scheint mir ziemlich eigenwillig zu sein. Sie dürfte eine deutlich festere Hand brauchen, als Sie bisher gezeigt haben. Offensichtlich berichten Sie ihr zu viel, und ihre Vorstellungskraft tut das Fehlende hinzu.« Er hatte die Schultern hochgezogen, als seien all seine Muskeln angespannt, und schien zutiefst verärgert. »Falls Sie zulassen, dass sie sich weiterhin in Dinge einmischt, von denen sie nichts versteht, und sich damit in Gefahren begibt, von denen sie nichts ahnt, wird es mit ihr eines Tages ein böses Ende nehmen. Mann Gottes, was ist denn mit Ihnen los? Können Sie eigentlich Ihre Privatangelegenheiten nicht ordnen?«

Pitt war wie vor den Kopf geschlagen. Ihm fiel kein Grund ein, warum Charlotte Voisey aufgesucht haben könnte. Es schien ihm unmöglich, dass sie vergessen hatte, wer für den Tod Mario Corenas und des Geistlichen, Mr Wray, verantwortlich war, und er war sicher, dass sie diesem Mann nie trauen würde, ganz gleich, was er sagen oder tun mochte. Also musste sie einen Grund gehabt haben. Da sie von ihm nichts in Erfahrung bringen konnte, was Pitt nicht bereits wusste, hatte sie ihn wohl aufgesucht, um ihm etwas zu sagen. Dann fiel ihm ein, dass sie ihn nach den Beweisen gegen Mrs Cavendish gefragt hatte, und er begriff. Unwillkürlich umspielte ein zittriges Lächeln seine Lippen, eine Mischung aus Angst, Stolz und einer sonderbaren Belustigung.

»Falls Sie der Sache eine humorvolle Seite abgewinnen können, Pitt, wüsste ich gern, was es ist!«, sagte Narraway trocken.

Pitt machte wieder ein ernstes Gesicht. Er verstand Charlotte und begriff verblüfft, warum Narraway so wütend war. Er fürchtete weder um Pitt noch um den Erfolg der Arbeit des Staatsschutzes, sondern um Charlotte. Er sah sich zu solch irrationalem Verhalten genötigt, weil er sich ernsthaft um sie sorgte.

Pitt vermied es, Narraway in die Augen zu sehen, damit dieser nicht merkte, dass er ihn durchschaut hatte. Ihm war sehr wohl bewusst, dass Verletzlichkeit der Preis war, den man zu zahlen hatte, wenn man sich mit einer Sache identifizierte. Es gab nur einen noch höheren Preis: Es nicht zu tun. Sich aus Feigheit nicht für eine Person oder Sache einzusetzen war die schlimmste Niederlage. Unwillkürlich musste er an seine eigene Verletzlichkeit denken.

Er wechselte das Thema. »Wir müssen nachweisen, dass eine Verbindung zwischen dem Sprengstoffanschlag und Wetron besteht«, sagte er. »Es genügt nicht, nur Simbister packen zu können. In dem Fall würde Wetron lauthals verkünden, wie entsetzt er sei, und umgehend jemanden finden, der Simbisters Platz einnimmt. Den würde er dann dazu vergattern, besser aufzupassen, um nicht gefasst zu werden.«

»Das ist mir klar«, sagte Narraway schroff. Er hielt den Blick auf das Fenster gerichtet, sodass Pitt sein Gesicht im Profil sah. »Wir müssen alle verfügbaren Mittel einsetzen. Weder können wir es uns erlauben, Menschen zu schützen, die uns sympathisch sind, noch dürfen wir zögern, solche zu benutzen, die wir nicht ausstehen können.«

»Ich weiß«, bestätigte Pitt. »Wenn mir eine Möglichkeit einfiele, wie sich das bewerkstelligen lässt, würde ich sie auch nutzen.«

»Wer hat Magnus Landsborough umgebracht, und was war der Grund dafür?«, fragte Narraway.

»Nach allem, was ich über den jungen Landsborough gehört habe, war er ein Idealist und alles andere als tückisch, aber auch kein Dummkopf. Wer immer der Täter war, er muss die Absichten der Anarchisten genau gekannt haben, denn er hat sie in der Long Spoon Lane erwartet«, antwortete Pitt.

»Ganz unübersehbar«, sagte Narraway erbittert. »Seien Sie vorsichtig, Pitt. Sie kennen doch das Sprichwort: ›Wer mit dem Teufel essen will, muss einen langen Löffel haben.‹ Bedienen Sie sich Voiseys, aber trauen Sie ihm nicht – in keiner Hinsicht.«

Pitt dachte an das Beweismaterial gegen Voiseys Schwester. Würde es ausreichen? War die Bruderliebe größer als das Bedürfnis des Mannes, wieder Macht in die Hände zu bekommen und sich an denen zu rächen, die sie ihm genommen hatten?

Pitt hatte schon früher den Fehler begangen, anzunehmen, Menschen seien bei ihrem Handeln stets darauf bedacht, sich nicht selbst zu schaden. Das aber war keineswegs der Fall. Leidenschaften, Angst und Wut waren der Antrieb für so manche törichte und selbstzerstörerische Tat, und wer so handelte, erkannte das gewöhnlich erst, wenn es zu spät war.

»Pitt«, unterbrach Narraway seine Gedanken.

»Ja, Sir. Ich werde Voisey gegenüber so vorsichtig sein, wie ich kann.«

»Gut. Jetzt machen Sie weiter. Und künftig keine Wasserspiele mehr. Ich kann es mir nicht leisten, dass Sie eine Lungenentzündung bekommen.«

»Danke für Ihre Besorgnis«, sagte Pitt sarkastisch und verließ den Raum, bevor Narraway antworten konnte.

Pitt kam an jenem Abend früh nach Hause, und obwohl er über eine Stunde lang darüber nachgedacht hatte, wie er das Thema Voisey Charlotte gegenüber ansprechen und wie viel er über Narraways Besuch sagen sollte, war er immer noch nicht zu einem befriedigenden Ergebnis gekommen, als er in die Küche trat.

Ihr breites, unschuldiges Lächeln zeigte ihm sofort ihr Schuldbewusstsein. Sie wusste genau, was sie getan hatte, und dachte nicht im Traum daran, es ihm zu sagen. Damit war die Sache erst einmal erledigt. Zumindest vorerst würde er sich nicht dazu äußern, weil die Situation ein neues Nachdenken erforderte, bevor er unter den geänderten Umständen etwas entscheiden konnte.

Sie hielt ihm einen Brief hin. »Das hat ein Bote vor etwa einer Stunde gebracht. Von Charles Voisey.«

»Woher weißt du das?«, fragte er und nahm den Brief entgegen.

Sie riss die Augen übertrieben weit auf. »Weil er das gesagt hat! Du glaubst doch nicht etwa, dass ich den Brief aufgemacht habe?«

»Entschuldigung«, sagte er und öffnete ihn. Er sah Narraways Gesicht mit dem Ausdruck unverhüllter Besorgnis darauf deutlich vor sich. »Natürlich nicht.« Er wusste, dass sie ihm zusah, während er las.

Pitt,
    ich hoffe, das Bad ist Ihnen nicht übermäßig schlecht bekommen. Ich weiß jetzt, wo der Beweis ist, den wir brauchen. Er befindet sich im Besitz des Mannes, um den es geht, doch müssen wir ihn sicherstellen, denn es hat keinen Sinn, sich nur den Hund vorzunehmen und seinen Herrn frei herumlaufen zu lassen. Er würde sozusagen ohne Schwierigkeiten wieder einen Hund finden.
    Natürlich ist die Sache mit Gefahren verbunden, vor allem für den einzigen Mann, der in der Lage ist, das Haus des Hundebesitzers zu durchsuchen! Aber ich sehe keine andere Wahl.
    Ich erwarte Ihre Antwort.
    Voisey

Charlotte mochte die Absicht gehabt haben, sich zu beherrschen, doch ging das augenscheinlich über ihre Kräfte. »Worum geht es?«, fragte sie mit Schärfe in der Stimme.

»Ich muss zu Tellman«, sagte er, ging zum Herd, zog mit dem Schürhaken den mittleren Ring auf und ließ den Brief auf die brennenden Kohlen fallen. »Voisey sagt, es gibt in der Geschichte mit dem Bombenanschlag Beweise für eine unmittelbare Verbindung zwischen Wetron und Simbister. Wir müssen sie herbeischaffen.«

»Das wird sehr gefährlich sein«, sagte sie mit belegter Stimme und zugleich leise, weil sie nicht wollte, dass Gracie sie hörte. Wenn sie davon wüsste, würde sie sich nur Sorgen machen. Charlotte kannte die Angst nur allzu gut, als dass sie sie einem anderen Menschen gewünscht hätte, und schon gar nicht einem, an dem ihr lag. »Um was für eine Art Beweis handelt es sich da?«

»Das weiß ich noch nicht.«

»Und wenn er lügt?«, gab sie zu bedenken. »Vielleicht gibt es da gar nichts, und er möchte nur, dass Tellman in eine Falle läuft. Das wäre für ihn eine erstklassige Rache, und du könntest nicht einmal beweisen, dass er die Schuld daran trägt. Es gibt ...« Sie fasste ihn am Ärmel, als er durch die Tür in den Flur hinaus wollte.

Er legte eine Hand auf die ihre. »Ich werde Voisey fragen, worum es geht, bevor ich mit Tellman spreche«, sagte er.

»Wenn er es dir aber nicht sagt?« Sie ließ nicht los.

»Dann kann ich Tellman nicht bitten, danach zu suchen.«

»Willst du ihn nicht wenigstens fragen ...«

»Nein.« Er lächelte. »Will ich nicht.«

Wie sich zeigte, war Voisey gern bereit, Einzelheiten zu nennen. Er hatte sie nur nicht dem Papier anvertrauen wollen, obwohl er den Umschlag verschlossen und einem Boten übergeben hatte.

»Ich hätte das schon früher sehen müssen«, sagte er, über sich selbst verärgert. Er und Pitt saßen im kleinen Besuchszimmer seines Hauses in der Curzon Street. Es war ein wunderbar geschnittener Raum, dessen Wände in dunklen Rottönen gehalten waren und über dessen weiß gestrichene Fensterbänke hinweg der Blick auf eine Terrasse fiel. Kletterpflanzen hingen von oben über zwei der Fenster herab, dämpften das Licht und fügten den warmen Farben der Wände einen Hauch Grün bei. Das Holz der schlichten Möbel war so kräftig poliert, dass die Maserung aussah, als bestehe sie aus Seide. Überrascht sah Pitt, dass die Bilder an den Wänden lavierte Federzeichnungen von kahlen Winterbäumen waren.

»Was hätten Sie sehen müssen?«, erkundigte er sich, während er sich in den angebotenen Sessel mit rotgoldenem Samtbezug sinken ließ.

Voisey blieb stehen. »Die Polizei hat mit Verbrechen zu tun. Die Lösung liegt auf der Hand.«

»Welche Lösung?«, fragte Pitt, dem es schwer fiel, seine Ungeduld zu zügeln.

Voisey lächelte und genoss die Ironie. »Die Polizei deckt Verbrechen aller Art auf, schwere und minder schwere. Wir nehmen an, dass die Täter dann vor Gericht kommen und verurteilt werden, sofern man sie für schuldig befindet.«

Pitt wartete.

Voisey beugte sich leicht vor. »Was aber ist, wenn die Polizei ein Verbrechen entdeckt, für das nur sie die Beweise kennt? Oder eines, dessen Opfer nicht aussagt? Hebt sie dann diesen Beweis auf, statt den Fall vor Gericht zu bringen, um den Täter zu erpressen? Ich bin überrascht, dass ich Ihnen das erklären muss.«

Die Erkenntnis durchfuhr Pitts Gehirn wie ein Messer.

»Sie haben das Beweismaterial gegen meine Schwester sorgfältig und an einem sicheren Ort aufbewahrt, damit ich tue, was Sie wollen«, fuhr Voisey fort. »Wieso ist Ihnen nicht der Gedanke gekommen, dass Wetron ebenso handeln würde? Ich an seiner Stelle hätte das getan. Was könnte nützlicher sein als ein Handlanger, der genau das tut, was man will? Er kauft das Dynamit, bringt es fachkundig an, zündet es im gegebenen Augenblick und tötet auch Magnus Landsborough, wenn sich das als unausweichlich herausstellt.«

Die Lösung war so unglaublich einfach, dass beide längst darauf hätten kommen müssen. Pitt selbst würde ein wirkliches Verbrechen nie ungeahndet lassen können. Er wusste ebenso gut wie Voisey, dass Mrs Cavendish dem Geistlichen Wray die vergifteten Himbeertörtchen arglos gegeben hatte und ohne zu wissen, was sie damit tat. Wäre Pitt eine Möglichkeit bekannt gewesen, Voisey für diese Tat zur Rechenschaft zu ziehen, er hätte es getan. Wie die Dinge lagen, hätte die Verwertung der Beweise aber dazu geführt, dass man ausschließlich seine Schwester verurteilt hätte, während sich Voisey darauf verlassen konnte, den Gerichtssaal als freier Mann zu verlassen – sicherlich betrübt, einsamer als vorher, möglicherweise sogar von Schuldbewusstsein niedergedrückt, aber dennoch frei.

Selbstverständlich befand sich Wetron in einer idealen Ausgangsposition, um Beweise für ein Verbrechen zu finden, das er sich auf diese Weise zunutze machen konnte. »Es könnte alles

Erdenkliche sein – Diebstahl, Brandstiftung, Mord, alles, was in den letzten …« Pitt zögerte.

»… zwei oder drei Jahren vorgefallen ist«, beendete Voisey den Satz für ihn.

»Warum nur eine so kurze Zeit?«, wollte Pitt wissen. »Er hat sein ganzes Erwachsenenleben bei der Polizei verbracht.«

»Überlegen Sie doch!«, sagte Voisey ungeduldig und trat so weit zurück, dass das Sonnenlicht durch das Fenster über den Teppich zwischen ihnen fiel. »In untergeordneter Position hatte er keine Möglichkeit, solche Geheimnisse für sich zu behalten. Das wäre viel zu gefährlich gewesen, denn er hätte sie mit anderen teilen müssen, auf deren Verhalten er keinen Einfluss hatte. Als er aber befördert wurde und diese Möglichkeit bekam, konnte er alles, was ihm in die Finger fiel, für den Inneren Kreis verwenden. Auf die Weise konnte er sich bei den anderen beliebt machen und zugleich Macht anhäufen. Nein, Pitt, das Verbrechen, um das es da geht, liegt erst ein oder zwei Jahre zurück, äußerstenfalls drei. Und der Täter muss jemand sein, der nicht den Mut hat, für die Folgen seiner Tat einzustehen, der in Ehrendingen verletzlich ist und keine Freunde hat, die sich vor ihn stellen oder für ihn eintreten. Das heißt, wir haben es hier nicht mit einem Berufsverbrecher zu tun, sondern mit jemandem, der eine einzige schwere Straftat begangen hat. Außerdem ist es jemand, den Wetron benutzen kann. Das engt den Kreis derer, die infrage kommen, stark ein.«

Pitt ärgerte sich, dass ihm das nicht selbst aufgegangen war. Aber so bitter es für ihn war, dass ausgerechnet Voisey ihn mit der Nase darauf stieß – er durfte sich der Erkenntnis nicht verschließen, dass der Mann Recht hatte.

»Wetron dürfte das Beweismaterial an einem sicheren Ort aufbewahren«, sagte Voisey mit finsterer Miene. »Sofern wir es in die Hand bekämen, könnten wir seine Beteiligung an dem Verbrechen beweisen. Also brauchen wir es um jeden Preis. Ganz gleich, wen wir dafür einspannen müssen.« Er sah Pitt aufmerksam an.

Dieser fühlte sich in einen übermächtigen Strudel hineingerissen, gegen den er nicht hätte ankämpfen können. Gegen die Sache aufzubegehren wäre unvernünftig gewesen. Hier hatte Voisey seine Finger auf keinen Fall mit im Spiel.

»Ich spreche mit Tellman.« Er erhob sich. Er wollte nicht länger bleiben. »Wir haben sonst niemanden, dem wir trauen können.«

Voisey tat einen Schritt zurück. »Gut«, sagte er. »Wir müssen rasch handeln. Im Unterhaus wird man das Gesetz so schnell wie möglich durchpeitschen wollen.«

Pitt unterließ jeden Hinweis darauf, dass sich Voisey großspurig mit eingeschlossen hatte, als er ›wir‹ sagte, obwohl er, Voisey, dabei nicht das geringste Risiko einging. Er überlegte bereits, wie er Tellman finden konnte und was er ihm sagen sollte.

Es zeigte sich, dass der erste Teil seines Vorhabens einfacher zu verwirklichen war, als er erwartet hatte, der zweite war dafür allerdings umso schwieriger. Tellman befand sich in seiner Wohnung, und die Vermieterin, die Pitts Besuche allmählich gewöhnt war, führte ihn sogleich nach oben. Ihr Angebot, Tee zu machen, lehnte er dankend ab, da er nicht wollte, dass man sie bei ihrer Besprechung unterbrach.

Tellman saß am Kamin, in dem nur ein kleines Feuer brannte, das wohl die abendliche Kühle vertreiben und eine heimelige Atmosphäre schaffen sollte. Er hatte die hohen Schnürschuhe ausgezogen und den steifen Kragen abgelegt und schien sich ausgesprochen wohl zu fühlen.

Pitt bekam ein schlechtes Gewissen, weil er in diese Idylle eindrang.

Tellman stand bei seinem Eintreten sofort auf.

»Was ist passiert?«, fragte er eindringlich und mit Anspannung in der Stimme.

In knappen Worten berichtete ihm Pitt über den Dynamitfund auf der *Josephine* und wie man ihn und Voisey dabei beinahe umgebracht hätte.

»Und dahinter steckt Grover?«, fragte Tellman gequält. Er

hatte sich wieder gesetzt, und Pitt nahm ihm gegenüber Platz. Auch wenn Tellman nicht viel für Grover übrig hatte, handelte es sich immerhin um einen Kollegen, und so schmerzte es ihn, dass er zum Verräter an der Polizei geworden war.

»Ja. Ich habe Zeugen dafür gefunden, dass er zu der bewussten Zeit dort war«, gab Pitt zur Antwort.

Tellman sah ihn im sanften, warmen Feuerschein finster an. »Ich kann ihn nicht festnehmen.«

»Das ist mir klar. Das ist auch nicht der Grund, warum ich hergekommen bin. Ich habe Ihnen das nur berichtet, weil es zu der Geschichte gehört. Ich war gerade bei Voisey.« Bei diesen Worten hätte er Tellman am liebsten nicht in die Augen gesehen, weil ihm klar war, was dieser fragen würde. Doch den Blick abzuwenden erschien ihm nicht nur feige, es erweckte seiner Ansicht nach auch den Eindruck, als halte er ihn nicht für bereit, in diesem Dilemma seinen Anteil auf sich zu nehmen oder die Situation zu verstehen. »Er sagt, dass Wetron Beweismaterial für frühere Verbrechen zurückgehalten hat. Zwar liegt auf der Hand, dass er sich in den Besitz solchen Materials bringt, denn das ist seine eigentliche Aufgabe. Aber das gibt ihm zugleich eine erstklassige Möglichkeit in die Hand, Leute mit zurückgehaltenem Material zu erpressen, damit sie beispielsweise Sprengsätze legen.«

Einen Augenblick lang lag auf Tellmans Gesicht Unverständnis. Genau wie Pitt ursprünglich war auch ihm nie der Gedanke gekommen, jemand könne Angaben, die der Polizei zur Verfügung standen, für solche Zwecke verwenden. Dann erfasste er die Bedeutung des Gesagten. Sein Gesichtsausdruck wurde kummervoll, und eine ganze Weile sagte er nichts.

Pitt brach das Schweigen. »Es könnte sich um jemanden handeln, der aus Verzweiflung oder im Affekt ein Verbrechen begangen hat«, sagte er in Erinnerung an das Gespräch mit Voisey. »Jemand, der viel zu verlieren hat. Erpressen kann man Menschen nur, wenn sie Angst haben.«

Tellman sah zu ihm auf. »Ich suche das Material«, sagte er entschlossen. »Und ich werde nicht ruhen, bis ich es gefunden habe. So viele Stellen kommen als Versteck nicht infrage. Sicher bewahrt er es irgendwo auf, damit er es dem Betreffenden notfalls unter die Nase halten und ihm klar machen kann, welche Macht er über ihn hat. Die Frage ist nur, wo? Wie könnten wir daran kommen, wenn er es bei sich zu Hause aufbewahrt? Von einem Einbruch halte ich nichts. Sobald er merkt, dass wir dahinter her sind, wird er es vernichten. Wenn er einen armen Teufel dazu gebracht hat, Sprengsätze zu zünden, braucht er das alte Material in Zukunft gar nicht mehr, um ihn weiter zu erpressen, da genügt der Hinweis auf die Folgen des verübten Anschlags.«

Pitt spürte, wie sich eine schwere Last auf ihn senkte. Was, wenn Wetron alle Beweise bereits beseitigt hatte? Bestimmt war ihm ebenfalls schon der Gedanke gekommen, dass es gefährlich war, so etwas zu behalten, zumal ihm klar sein musste, dass Voisey von seinem Wunsch nach Rache geradezu durchglüht war.

Tellman sah ihn mit gesammelter Aufmerksamkeit an.

Es konnte aber auch noch schlimmer sein. Der Gedanke, dass Wetron das Beweismaterial noch besaß und bewusst eine Fährte gelegt hatte, damit Voisey oder Pitt jemanden damit beauftragte, es zu beschaffen, war alles andere als abwegig. Diesen Mann hätte er dann in der Falle. Sicher war ihm klar, dass zumindest Pitt alles daran setzen würde, den Betreffenden aus dieser misslichen Lage zu befreien, und beim Versuch, das zu tun, konnte man ihn selbst ergreifen. Rasch hob er den Blick zu Tellman. »Die Sache ist zu gefährlich. Sicher ist der Gedanke auch Wetron schon gekommen, und er wartet nur darauf, dass einer von uns versucht, an die Unterlagen heranzukommen. Er wird ...«

»... uns besiegen, wenn wir ihn nicht besiegen«, fiel ihm Tellman ins Wort. »Lieber gehe ich bei dem Versuch unter, als mir den Vorwurf machen zu müssen, nichts unternommen zu haben.«

»Wenn wir uns aus der Sache heraushalten, bleiben wir auf jeden Fall am Leben und können weiterkämpfen«, bemerkte Pitt erzürnt. Sein Groll galt nicht Tellman, sondern Wetron sowie den Umständen, die sie in diese Situation gebracht hatten; er galt der Korruption, der Dummheit und der Tatsache, dass er nicht wusste, wem er trauen konnte.

»Für jemanden, der schon verloren hat, ist Weiterkämpfen nicht besonders sinnvoll«, sagte Tellman mit einem schiefen Lächeln, in dem sich Spott und Betrübnis mischten. Seinen Augen war anzusehen, dass auch er das Gefühl hatte, hilflos in einer Falle zu sitzen. Auch er hatte viel zu verlieren, sah er doch ein gänzlich neues und schönes Leben vor sich. »Glauben Sie wirklich, er rechnet damit, dass wir danach suchen?«, fragte er.

»Wir können uns die Annahme nicht leisten, dass er es nicht tut«, sagte Pitt. »Andererseits bedeutet das, dass es eine Art Fährte geben muss, die zu dem Material führt.«

»Wie ist Voisey darauf gekommen?«

»Ich weiß nicht. Eigentlich liegt der Gedanke auf der Hand, jedenfalls für einen Menschen ohne Bindungen, dem unsere Vorstellungen von menschlichem Anstand fremd sind – und das ist bei ihm ganz offensichtlich der Fall.«

»Und er hat diese Schlussfolgerung einfach so gezogen? Ist das wirklich alles?«

»Ich weiß es nicht.«

Tellman dachte eine Weile nach. Das Feuer sank in sich zusammen. Draußen war es inzwischen dunkel, kein Licht fiel durch den Vorhangspalt. »Sollte sich das Beweismaterial, ganz gleich, was es ist, in Wetrons Haus befinden, ist das ein Hinweis darauf, dass er es auf die eine oder andere Weise benutzt. Sofern er es in seinem Dienstzimmer in der Bow Street aufbewahrt, könnte er ganz unschuldig tun und sagen, er habe es gerade erst entdeckt und sei im Begriff, der Sache nachzugehen. Die Schuld dafür, dass das bis dahin noch nicht geschehen ist, könnte er jedem Beliebigen in die Schuhe schieben.«

»Aber es wäre sehr viel leichter zu finden«, fügte Pitt hinzu. »Er könnte es in seinem Schreibtisch haben, zu dem außer ihm niemand Zugang hat. Mit Sicherheit will er nicht, dass jemand es sieht und dafür sorgt, dass man dem oder den Betreffenden den Prozess macht. Keinesfalls darf er zulassen, dass man die Leute verhört, schon gar nicht vor Gericht.«

Pitts Gewissheit, dass Wetron das Beweisstück längst vernichtet hatte, nahm immer mehr zu. Dann würde man sie bei der Suche nach etwas überraschen, das zu finden von Anfang an aussichtslos gewesen war. Trotzdem würde es eine Niederlage bedeuten, wenn sie es vor lauter Angst nicht versuchten.

»Ich könnte mich in seinem Dienstzimmer umsehen«, sagte Tellman. »Das ist nicht übermäßig gefährlich. Die Existenz einer Verbindung zwischen den Anarchisten, der Polizei und den Anschlägen haben wir bereits bewiesen. Da liegt es doch nahe, dass ich festzustellen versuche, ob es noch weitere Namen, bisher möglicherweise unbewiesene Verdachtsmomente oder Tatvorwürfe gibt, die in dem Zusammenhang von Interesse sein könnten.«

»Da haben Sie Recht. Aber falls er ganz sicher gehen und das Material auch künftig noch benutzen will, hebt er es bestimmt nicht dort auf, wo es ein Beamter seiner Wache finden könnte«, mutmaßte Pitt.

Tellman dachte eine Weile darüber nach. »Nein. Trotzdem fange ich dort an.«

»Aber mehr nicht!«, mahnte Pitt. »Wenn Sie dort gesucht haben, geben Sie die Sache auf!«

»In Ordnung«, sagte Tellman. »Ich mache es morgen.«

Tellman dachte nicht daran, aufzuhören, falls er in der Bow Street nichts fand. Zwar rechnete er nicht damit, dort Beweismaterial für Verbrechen zu finden, das Wetron benutzen konnte, wohl aber hielt er es für möglich, dass dieser, ganz wie von Pitt vermutet, einen Hinweis hinterlassen hatte, der ihn zu dem oder den Menschen führen konnte, den oder die das Beweismaterial belastete. Sofern sich das so verhielt, würde jeder, der dieser Spur folgte, bei dem Versuch gefasst werden, es an sich zu bringen. Was Wetron betraf, könnte es gar nicht besser sein, als wenn Tellman selbst derjenige war.

Er lag wach im Bett und sah zu den wandernden Lichtmustern an der Decke empor, die dadurch entstanden, dass von Zeit zu Zeit eine Kutsche mit hellen Lampen vorüberkam oder der Wind die Zweige der Linde vor dem Fenster im Schein der Laterne auf der anderen Straßenseite hin und her tanzen ließ.

Er würde unter Umständen Hilfe brauchen. Einen Kollegen zu bitten hätte keinen Sinn. Davon abgesehen, dass sie ihm nicht glauben würden, wagte er nicht, sich ihnen anzuvertrauen. Das galt vor allem für Stubbs. Selbst die Anständigen unter ihnen könnten Angst haben oder ihre Treuepflicht dem Vorgesetzten gegenüber für wichtiger halten. Vor allem aber besaß keiner die Fähigkeiten, die voraussichtlich nötig waren. Ideal für die Aufgabe wäre ein erfahrener Einbrecher, der so in ein Haus eindringen und es verlassen konnte, dass dessen Bewohner das erst merkten, wenn es zu spät war, jemand, der ein Fenster geräuschlos öffnen, einsteigen, unverzüglich das richtige Zimmer finden, sich mithilfe von Stethoskop und Nachschlüsseln Zugang zum Panzerschrank verschaffen konnte – und all das, ohne dass ein Hund im Hause anschlug oder ein Dienstbote davon wach wurde, selbst wenn er einen leichten Schlaf hatte.

Auf einen solchen Mann zu kommen würde ihm nicht schwer fallen; schließlich kannte er eine ganze Reihe von ihnen. Allerdings musste es einer sein, der zu einem solchen Vorhaben nicht nur fähig, sondern auch bereit war und dessen Verschwiegenheit sich entweder mit Geld oder auf andere Weise erkaufen ließ. Auf Einschüchterung mochte er nicht setzen, so etwas rief früher oder später Rachegefühle hervor.

Er schlief wenig und unruhig. Um sechs Uhr weckte ihn das Tageslicht, und er stand auf. Sofern er jemanden für die Aufgabe finden wollte, musste er das bis zum Abend erledigt haben, genau genommen sogar schon, bevor er seinen Dienst antrat.

Er dachte an zwei Einbrecher, die er kannte. Beide würden im ungünstigsten Falle unterwegs sein, und ganz sicher würde es sehr schwierig sein, sie zu überreden. Er zog seine ältesten Kleidungsstücke an, um in dem Gassengewirr, das er aufsuchen wollte, nicht aufzufallen, und machte sich auf den Weg in den Osten der Stadt.

An einem Stand in der Hackney Road kaufte er ein Schinkenbrot und ging dann weiter südwärts in Richtung Shipton Street. Er wusste, wo er Pricey – wenn überhaupt – finden konnte, der diesen Spitznamen schon trug, bevor Tellman ihn kennen gelernt hatte. Ob er sich aus seinem wirklichen Namen herleitete oder ein Hinweis auf die überhöhten Beträge war, die er seinen Auftraggebern für gesetzwidrige Dienstleistungen abknöpfte? Tellman hatte ihn jedenfalls nie festgenommen; das war eine günstige Ausgangsbasis für sein jetziges Vorhaben.

Pricey, der wohl die ganze Nacht unterwegs gewesen war, schlief noch, als er an dessen Tür klopfte. Er wohnte im obersten Stockwerk am hinteren Ende eines stillen Hofes, der mit unregelmäßigen Steinen gepflastert war. Hätte Tellman weniger dringend Hilfe benötigt, die Umgebung hätte ihn möglicherweise beunruhigt, obwohl es inzwischen vollständig hell war.

Nach wenigen Minuten verlangte eine missmutige Stimme zu wissen, wer da sei.

»Oberwachtmeister Tellman«, gab er zur Antwort. »Ich brauche jemanden, der mir einen Gefallen tut, und bin auch bereit, dafür zu zahlen.« Es empfahl sich nicht, um den heißen Brei herumzureden, ganz davon abgesehen, dass dafür nicht genug Zeit war.

Ein Riegel wurde zurückgeschoben, dann noch einer, und langsam öffnete sich die gut geölte Tür lautlos. Pricey stand barfuß in einem blau-weiß gestreiften Nachthemd auf dem Dielenboden vor ihm. Eine Nachtmütze bedeckte den größten Teil seiner glatten schwarzen Haare. Sein Gesicht wirkte nicht nur verdrießlich, sondern zugleich sonderbar traurig. Als er sah, dass Tellman nicht wie sonst einen ordentlichen Anzug und ein weißes Hemd trug, sondern in unauffälliges Grau gekleidet war, kam der Ausdruck von Neugier hinzu.

Tellman trat ein und schloss die Tür hinter sich. Da er schon einmal dort gewesen war, wusste er, wo die Küche lag, der einzige

Raum, in dem Stühle standen, sodass man sich setzen konnte. Wenn er Glück hatte, würde ihm Pricey vielleicht sogar eine Tasse Tee anbieten. Das salzige Schinkenbrot hatte ihn durstig gemacht.

»Da brat mir doch einer 'nen Storch«, sagte Pricey. »Was woll'n Se denn so früh hier, Mr Tellman? Das muss ja was ganz Wichtiges sein.«

»Ist es auch«, gab Tellman zurück und setzte sich vorsichtig auf einen Stuhl, der auf dem unebenen Boden sogleich zu wackeln begann. »Ich brauche jemanden, der belastendes Material findet und an sich nimmt. Ich nehme an, dass es sich in einem bestimmten Haus befindet, wahrscheinlich in einem Panzerschrank oder einer abgeschlossenen Tischschublade.«

»Und woran erkenn ich das, wenn's da is?«, fragte Pricey und verzog zweifelnd das Gesicht.

»Da liegt der Hase im Pfeffer«, sagte Tellman. »Ich muss im Laufe des Tages mehr darüber herausbekommen und sage Ihnen Bescheid, bevor Sie sich aufmachen. Ich muss Sie an einer Stelle treffen, wo uns niemand sieht.«

Pricey dachte über den Vorschlag nach und sah Tellman aufmerksam an. »Um was für Material geht's denn da? Wieso mach'n Se das auf de heimliche Tour, statt sich's einfach zu hol'n? Se sin' doch bei der Polizei. Wer hat das, un was woll'n Se damit? Wenn Se mich frag'n, stinkt die Sache, sons' würd'n Se das einfach so mach'n, käm Se ja auch billiger. Umsons' arbeit ich nämlich nich. Wer zahlt? Sie oder de Polizei?«

Es war Tellman klar, dass er sich aus der Sache nicht mit einer Lüge herauswinden konnte. Damit würde er Pricey, der sehr auf seinen Stolz bedacht war, nur kränken.

»Ja, das Unternehmen ist sehr gefährlich«, gab Tellman offen zu. »Ich möchte nicht, dass jemand davon erfährt, und schon gar nicht die Polizei.«

Pricey war unübersehbar verblüfft. »Ich hatt' Se immer für 'n ehrlich'n Polyp'n gehalt'n. Da schlag einer lang hin! Das hätt' ich nie geglaubt. Se enttäusch'n mich.«

»Sie sind auf der falschen Fährte!«, fuhr ihn Tellman an. »Das Material, das Sie an sich bringen sollen, befindet sich im Haus eines korrupten Polizeibeamten. Es handelt sich um Beweise für ein Verbrechen, mit denen er jemanden erpresst. Zumindest vermute ich das.«

»Tatsächlich?« Pricey zweifelte. »Das is ja schlimmer wie Wucher. Ich würd sag'n, 'ne richtiggehende Schweinerei.«

»Das denke ich auch«, gab ihm Tellman Recht. Er hoffte, dass Priceys Entrüstung dazu beitragen würde, ihn für sein Vorhaben zu gewinnen. »Wenn meine Vermutung stimmt, besteht ein Zusammenhang mit den Sprengstoffanschlägen in der Myrdle Street und der Scarborough Street.«

Pricey pfiff gedehnt durch die Zähne und fluchte ausführlich, wobei er jede einzelne Silbe betonte. »Das kost' Se trotzdem was!«, fügte er hinzu.

»Warten Sie heute Abend um sieben im *Dog and Duck* auf mich, ganz gleich, wie lange es dauert«, sagte Tellman. »Bis dahin habe ich alle Angaben, die Sie brauchen. Den Hausbesitzer werde ich anderweitig beschäftigen.«

»Wozu das? Mich hat noch keiner gekriegt, jedenfalls hat man noch nie was beweisen könn'n, Mr Tellman! Das wiss'n Se doch!« Mit breitem Lächeln fügte er hinzu: »Dabei ham Se sich wirklich große Mühe gegeb'n.«

»*Dog and Duck*, um sieben«, wiederholte Tellman und stand auf. Es war schon ziemlich spät und Zeit, den Dienst anzutreten.

Für Tellman war es einer der schlimmsten Tage seiner über zwanzigjährigen Laufbahn bei der Polizei. Den ganzen Vormittag hindurch überlegte er fieberhaft, unter welchem Vorwand, und sei er noch so weit hergeholt, er Wetron an jenem Abend von dessen Hause fern halten könnte.

Doch zuvor musste er Wetrons Büro durchsuchen und feststellen, ob sich das Beweismaterial dort befand, denn dann wäre Priceys Eingreifen überflüssig.

Das Glück war ihm insofern hold, als Wetron über Mittag ausging und er zufällig hörte, wie er sagte, dass mit seiner Rückkehr nicht vor Ablauf von zwei Stunden zu rechnen sei. Wie es aussah, hatte er sich mit einem Unterhausabgeordneten verabredet, der seine Meinung zum Gesetzentwurf über die Bewaffnung der Polizei hören wollte.

Sobald Wetron fort war, legte sich Tellman für den Fall, dass ihn jemand fragte, was er in dessen Dienstzimmer trieb, eine Geschichte zurecht. Dann ging er hinein und begann seine Suche. Sollte ihn jemand ansprechen, wollte er auf den Falschgeldfall und die Verbindung verweisen, die vermutlich zwischen Taschen-Jones und dem Anschlag in der Scarborough Street bestand. Man erwartete von der Polizei, dass sie sich darum kümmerte, da der Staatsschutz der Aufgabe augenscheinlich nicht gewachsen war. Letzten Endes fragte nur einer ihn und quittierte seine Erklärung mit breitem verständnisinnigen Lächeln.

»Jemand muss die Burschen schnappen!«, sagte er. »Kann ich Ihnen helfen?«

»Wenn ich nur wüsste, was ich suche«, sagte Tellman, dessen Herz laut klopfte. »Ich hoffe, dass ich es erkenne, wenn ich es finde.«

»Haben Sie denn eine Vorstellung?«, fragte der Mann, der unter dem Bild der Königin im Türrahmen von Wetrons tadellos aufgeräumtem Zimmer stand und ihm neugierig zusah.

»Nicht die blasseste Ahnung«, sagte Tellman mehr oder weniger aufrichtig. »Aber falls ich mich irre, komme ich in Teufels Küche. Lassen Sie mich also besser weitermachen, bevor der Chef zurück ist.«

»Schon gut.« Der Mann verschwand; er wollte kein unnötiges Risiko eingehen.

Tellman durchsuchte unter nach wie vor heftigem Herzklopfen weiter die Papiere.

Zehn Minuten später hielt er ein Blatt in Händen und las es mit zitternden Fingern. Erst nachdem er es ein zweites Mal gründlich gelesen hatte, war er seiner Sache sicher. Es handelte sich um einen mittelbaren Hinweis auf ein Verbrechen, das etwa drei Jahre zurücklag. Angegeben war die Adresse einer Pension nahe der Marylebone Road. Jetzt hatte er Anhaltspunkte, die er an Pricey weitergeben konnte. Auf dem Blatt war vermerkt, der Fall ruhe und ohne Wetrons ausdrückliche Anweisung dürfe nichts in der Sache unternommen werden. Etwas genau in dieser Art hatte er gesucht, und Wetron hatte es an einer Stelle liegen lassen, wo man es finden konnte, nicht zu einfach, sondern so, dass es eine Weile dauerte und man nicht auf den Gedanken kam, es könne sich dabei um eine bewusst gelegte Fährte handeln. Das eigentliche Beweisstück würde sich in Wetrons Haus befinden, ganz wie von Pitt vermutet.

Als Nächstes musste er auf eine Möglichkeit verfallen, Wetron von seinem Haus fern zu halten.

Er verließ den Raum und schloss die Tür hinter sich. Überrascht sah er, dass seine Hände von Schweiß bedeckt waren. Er konnte seinen Puls in den Ohren hören. Rasch ging er durch den Korridor zur Treppe und suchte sein eigenes kleines Dienstzimmer auf. Nach wie vor zitternd, setzte er sich und dachte nach.

Worauf würde Wetron anbeißen? Er musste dafür sorgen, dass der Mann seinem Haus am besten die ganze Nacht fern blieb, zumindest aber bis drei oder vier Uhr morgens, damit Pricey Gelegenheit hatte, das Beweismaterial zu finden. Mit aller Macht setzte sich Wetron dafür ein, dass Tanquerays Entwurf Gesetzeskraft erlangte. Darum drehte sich für ihn zur Zeit alles. Ob es eine Möglichkeit gab, sich das zunutze zu machen? Wilde und unzusammenhängende Gedanken jagten sich in Tellmans Kopf, Bruchstücke von Einfällen, aber nichts, was sich verwerten ließ. Womit konnte er Wetron locken oder Angst einjagen? Wo bestand die Möglichkeit eines so schwerwiegenden Scheiterns, dass er sich gezwungen sah, selbst einzugreifen? Wer war dabei wichtig?

Wetron musste den Eindruck haben, dass jemand in Gefahr war, auf den er nicht verzichten konnte, weil er unersetzlich war. Tanqueray kam nicht infrage. Statt seiner ließ sich ohne weiteres ein anderer Unterhausabgeordneter zum Fürsprecher des Gesetzentwurfs machen, und Tanqueray stünde als Märtyrer da, was der Sache sogar nützlich sein konnte.

Bei Edward Denoon aber sah das anders aus. Er war mächtig und zugleich unersetzlich. Mit seiner Zeitung, die von den meisten einflussreichen Männern in England gelesen wurde, unterstützte er die Forderung nach dem Gesetz in der Öffentlichkeit am nachhaltigsten.

Von wo konnte Denoon Gefahr drohen? Von Gegnern des Gesetzentwurfs. Da kam offenkundig Voisey infrage. Und was würde Wetron mehr freuen, als seinen Intimfeind bei gesetzwidrigem Tun überführen zu können?

Tellman stand auf. Er musste zu Pitt oder Narraway. Jemand musste ihm helfen, die Sache glaubhaft zu gestalten. Wetron musste den von ihm entwickelten Plan nicht nur billigen, sondern sich auch verpflichtet fühlen, selbst bei seiner Ausführung mitzuwirken.

Alles schien gut zu gehen. Es war kurz nach Mitternacht. Die Luft war lind, und ein leichter Wind, der durch das Laub der Bäume fuhr, trug den Geruch des Rauchs der Kamine herüber. Tellman stand neben einer Droschke, zwanzig Meter von Denoons Haus entfernt. Ein flüchtiger Beobachter würde ihn für einen Kutscher halten, der auf einen Fahrgast wartete. Wetron sprach auf dem Gehweg mit einem seiner Männer – zwei Herren, die am späten Abend bei einem Spaziergang miteinander plauderten. Sie warteten schon seit über einer Stunde und wurden allmählich unruhig.

Immer wieder warf Tellman einen Blick hinüber zu Denoons Haus und hoffte auf einen Hinweis darauf, dass Pitt sein Wort hielt. Lange würde Wetron nicht mehr bleiben, wenn nichts geschah, und der Versuch, die Sache am nächsten Morgen zu erklären, konnte sich als unbehaglich erweisen – gelinde gesagt.

Ein Hund begann zu bellen. Wetron erstarrte. Tellman hoffte aus tiefster Seele, dass es so weit war.

Sekunden verstrichen. Der Droschkengaul stampfte und stieß schnaubend den Atem aus.

Wetron fuhr herum, als lautlos wie ein Schatten auf der gegenüberliegenden Straßenseite eine Gestalt auftauchte und die Stufen hinab verschwand, die zum Seiteneingang von Denoons Haus führten. Fünf Sekunden, zehn, dann gab Wetron das Zeichen einzugreifen.

»Noch nicht!«, sagte Tellman scharf, wobei sich seine Stimme fast überschlug. Hatte er mit der Behauptung, Voisey wolle Denoon umbringen lassen, den Bogen überspannt? Er fürchtete, dass sich Pitt dort irgendwo in den Schatten verborgen hielt und Wetron ihn festnehmen würde.

»Wir können nicht länger warten«, stieß sein Vorgesetzter wütend hervor. »Der Mann könnte ins Haus eindringen und dort eine Bombe legen. Uns bleiben nur wenige Minuten, wenn überhaupt so lange. Vorwärts!« Er eilte mit großen Schritten über die Straße, von einem Beamten in Zivil gefolgt.

Tellman überließ den Droschkengaul sich selbst, rannte hinterher und erreichte den Beamten in Zivil mit vier langen Schritten. »Dahin!«, zischte er und wies auf die andere Seite von Denoons Haus. »Wenn er hinten herum gelaufen ist, kommt er da wieder heraus.«

Im geisterhaften Schein der Straßenlaterne war zu sehen, dass sein Kollege unentschlossen zögerte.

»Wir müssen ihn unbedingt fassen!«, sagte Tellman eindringlich. »Falls er da eine Bombe gelegt hat, müssen wir wissen, wo sie ist.«

»Das sagt er uns bestimmt nicht.«

»Natürlich tut er das – wenn wir ihn mit ins Haus nehmen!«, drängte Tellman. »Los jetzt!« Er gab dem Mann einen leichten Stoß. Auf dessen Gesicht blitzte mit einem Mal Verstehen auf, und er rannte den Gehweg entlang ans andere Ende von Denoons Haus.

Tellman erreichte Wetron, als dieser die Stufen zum Lieferanteneingang hinabeilte, und folgte ihm.

»Hier ist niemand«, sagte Wetron enttäuscht. »Er muss schon drin sein und die Tür hinter sich zugemacht haben. Wir waren zu langsam.«

Unmöglich konnte Pitt in der kurzen Zeit das Schloss mit einem Nachschlüssel geöffnet haben. Also war er mit Sicherheit nicht im Haus, sondern um das Haus herumgelaufen.

»Dann fassen wir ihn drinnen«, sagte Tellman. »Er kann die Bombe noch nicht gelegt haben; wir würden ihn also auf frischer Tat erwischen. Ein besseres Argument für das Gesetz kann es gar nicht geben. Die Sache ist noch schlimmer als der Anschlag in der Scarborough Street.«

Auf Wetrons Gesicht war Vorfreude zu erkennen, doch dann wirkte es wieder angespannt. Sie standen weniger als einen Meter voneinander entfernt. Das Licht der Straßenlaterne spiegelte sich in den Scheiben der Spülküche. Tellman, der am ganzen Leibe zitterte, musste heftig schlucken. Hatte Wetron ihn durchschaut? Ließ er womöglich gerade jetzt in seinem eigenen Haus Pricey festnehmen?

Hatte er Tellman erlaubt, an dieser Aktion teilzunehmen, um ihn in Sicherheit zu wiegen?

»Wollen Sie von hier aus hinein oder durch die Haustür?«, fragte er mit belegter Stimme.

»Durch die Haustür«, sagte Wetron. »Es würde die ganze Nacht dauern, bis uns hier jemand hört.« Mit diesen Worten schob er Tellman der Treppe zum Gehweg entgegen und stieg sie empor, wobei er in den dunklen Schatten fast über eine Stufe gestolpert wäre.

Der Kollege befand sich am anderen Ende des Hauses und war fast nicht zu sehen. Für den Fall, dass Pitt dort auftauchte, war es möglich, dass er ihn zu fassen bekam, doch konnte Tellman ihn nicht warnen. Sein ganzer Leib schmerzte vor Anspannung, und die Angst, die ihm die Kehle zuschnürte, ließ ihn nach Luft ringen.

Wetron erreichte die Haustür und riss wild am Klingelzug. Nach einigen Augenblicken des Wartens wiederholte er das.

Als nach mehreren Minuten endlich ein Lakai kam, war Wetron bleich vor Zorn.

»Ja, Sir?«, fragte der Lakai distanziert.

»Ich bin Hauptkommissar Wetron. In Ihrem Haus befindet sich ein Eindringling, der möglicherweise eine Bombe legen möchte. Rufen Sie sofort das ganze Gesinde zusammen, verschließen Sie sämtliche Türen, und sagen Sie den Frauen, sie sollen das Zimmer der Haushälterin aufsuchen. Los, Mann! Stehen Sie nicht herum wie ein Ölgötze! Sie könnten alle in Stücke gerissen werden.«

Der Lakai wurde weiß wie ein Laken und sah Wetron an, als habe er die Bedeutung des Gesagten kaum verstanden.

Wetron schob sich an ihm vorüber, dicht von Tellman gefolgt. Bis auf eine waren alle Gaslampen im großen Vestibül gelöscht. Vermutlich hatte der Lakai die eine angezündet, um den Weg zur Tür zu finden. Tellman konnte kaum etwas sehen und stieß mit dem Schienbein gegen ein niedriges Tischchen, als er die Flamme der Lampe hochdrehen wollte.

Wetron wandte sich langsam um und suchte nach Hinweisen auf das Treiben eines Eindringlings. Im Vestibül war alles genau so, wie man es erwarten würde – ein chinesischer Paravent mit einer Seidenstickerei, ein Kübel mit einem Zierbambus, eine Standuhr, Stühle. Niemand schien etwas verrückt zu haben. Man hörte kein Geräusch, nicht einmal das leise Knacken von arbeitendem Holz. Tellman schickte ein Stoßgebet zum Himmel, dass Pitt es über die Mauer im hinteren Teil des Gartens geschafft hatte und sich in Sicherheit befand.

»Wecken Sie alle Hausbewohner!«, gebot Wetron dem Lakaien mit leiser Stimme, in der seine innere Anspannung zu hören war. »Aber schließen Sie zuvor die Haustür ab. Falls der Betreffende eine Bombe gelegt hat, soll er zusammen mit uns hier im Hause bleiben!«

»Ja, Sir«, stotterte der Lakai und machte sich mit fahrigen Bewegungen daran, der Anordnung zu folgen.

Wetron wandte sich an Tellman. »Sie bleiben da!« Damit wies

er auf eine der hohen Mahagonitüren, deren Zarge mit einer Schnitzarbeit verziert war. »Entzünden Sie alle Lampen. Wir treiben den Kerl aus seinem Versteck.«

»Gas, Sir«, sagte Tellman und gab sich große Mühe, seine Stimme ängstlich klingen zu lassen. »Wenn es wirklich eine Explosion gibt ...« Er ließ den entsetzlichen Gedanken ungesagt.

»Wenn es eine Explosion gibt, genügt das Gas, das sich in den Leitungen befindet, um uns alle in die Luft zu jagen«, gab Wetron zurück. »Gehen Sie rein, und suchen Sie den Kerl, bevor er eine Lunte anzünden kann.«

Die nächsten beiden Stunden gehörten zu den besten und zugleich schlimmsten, die Tellman je durchlebt hatte. Nach und nach tauchten alle Dienstboten und natürlich auch Edward und Enid Denoon auf. Ihr Sohn Piers kam ebenfalls schlaftrunken aus seinem Zimmer, verwirrt und offensichtlich alles andere als nüchtern. Er schien nichts zu verstehen, als Wetron ihnen mitteilte, jemand sei ins Haus eingedrungen, um dort eine Sprengladung zu legen.

Alle hatten Angst. Einige der jungen Dienstmädchen brachen in Tränen aus, die Köchin war außer sich, und sogar die männlichen Dienstboten waren sichtlich beunruhigt. Der Butler war so zittrig, dass er eine Blumenvase umwarf. Als das Porzellan am Boden zerschellte, klang das wie ein Schuss. Das allem Anschein nach erst zwölf- oder dreizehnjährige Mädchen, dessen Aufgabe es war, sowohl der Köchin als auch dem Stubenmädchen zu helfen, schrie vor Entsetzen laut auf.

Weder fand man einen Eindringling noch einen Sprengsatz welcher Art auch immer. Um drei Uhr nachts zog sich Wetron, dem die Sache entsetzlich peinlich war, weiß vor Wut und vollständig geschlagen aus dem Hause zurück und gab Tellman und dem Beamten in Zivil den Auftrag, noch eine Weile Wache davor zu stehen. Als er in die Droschke stieg, begann es zu regnen, und er sah voll Befriedigung, wie die beiden vor Kälte und Erschöpfung zitterten.

Es war schon fast heller Tag, als Tellman schließlich das Haus erreichte, in dem er wohnte. Er war so durchgefroren, dass er weder Hände noch Füße spürte. Der Nieselregen hatte die Gehwege rutschig werden lassen, und die Rinnsteine glänzten nass und schwarz. Pricey wartete schon auf ihn, wie es aussah, hochzufrieden. Offensichtlich fror er nicht. Lediglich seine Schultern und sein Hut waren etwas feucht.

»Sie sehen nicht besonders glücklich aus, Mr Tellman«, sagte er, den Blick auf dessen mürrisches Gesicht gerichtet. »Ham Se kein'n gefasst?«

»Ich habe dafür gesorgt, dass man *Sie* nicht fasst«, sagte Tellman scharf. »Haben Sie etwas gefunden?«

»Aber ja.« Pricey rieb sich die Hände. »'n sehr wertvolles Beweisstück. Schönes Haus, aber für mein'n Geschmack zu neu. Ich hab's lieber 'n bisschen älter, was, wo 'ne Geschichte dranhängt.«

»Was haben Sie gefunden?«

»'n Geständnis, Mr Tellman. Da hat einer 'ne junge Frau vergewaltigt. Keine aus guter Familie, aber auch keine Schlampe. Is wohl alles 'n bisschen schief gelauf'n. Alle Zeug'n ham dasselbe gesagt. Hätte 'nen üblen Skandal gegeb'n. Aber keiner hat was gemacht. Is vertuscht word'n.«

»Von wem?«

»Wenn Se wiss'n woll'n, wer das war un wer davon weiß un es für sich behalt'n hat, kost Se das, Mr Tellman.«

»Kommen Sie mit«, sagte Tellman und wandte sich der Haustür zu. In seinem Zimmer trat er an die Schublade, in der er sämtliche Ersparnisse aufbewahrte. »Hier, Pricey.« Er hielt ihm zehn Goldmünzen hin. Es brach ihm das Herz, das Geld auf diese Weise auszugeben, aber ihm blieb nichts anderes übrig. Falls das Material, das Pricey gefunden hatte, Wetron unschädlich machen konnte, war das Opfer nicht zu groß. »Jetzt lassen Sie es mich aber sehen.«

»Zehn Pfund, was?« Pricey warf einen begeisterten Blick auf die Münzen. »Is das etwa Ihr eig'nes Geld, Mr Tellman? Dann müss'n Se ja dringend dahinter her sein.«

»Sie werden eines Tages einen Freund brauchen können, Pricey, und wenn es nur darum geht, dass ich Sie nicht festnehme, wenn ich ziemlich genau weiß, wer hinter einer bestimmten Sache steckt. Ich kann Ihnen versprechen, dass Ihnen mein Wohlwollen mehr nützt als meine Feindschaft.«

»Woll'n Se mir etwa droh'n, Mr Tellman?«, fragte Pricey empört.

»Für Spielchen ist die Angelegenheit zu wichtig«, sagte Tellman mit Nachdruck. »Wir können das so oder so handhaben. Also, Pricey, Freundschaft oder Feindschaft?«

Der Mann zuckte die Achseln. »Zehn Pfund sauberes Geld sin' besser wie zwanzig, an den' Dreck hängt. Hier.« Er gab ihm die Papiere. »Wem gehört das Haus eig'ntlich? Sag'n Se mir das wenigstens?«

»Es ist besser für Sie, wenn Sie das nicht wissen, Pricey. Sie würden nur schlecht träumen.« Tellman sah auf die Blätter und entfaltete sie vorsichtig. Das oberste enthielt die Aussage eines Zeugen, der bestätigte, ein junger Mann habe eine junge Frau vergewaltigt, weil er so betrunken und hochnäsig gewesen sei, dass er nicht glauben mochte, sie könne ihn zurückweisen, nachdem sie ein wenig mit ihm getändelt hatte.

Das zweite Blatt enthielt das Geständnis des jungen Mannes in Einzelheiten, die deutlich machten, dass es sich um das auf dem ersten Blatt berichtete Verbrechen handelte. Unterschrieben war es von Piers Denoon, und die Richtigkeit der Unterschrift hatte Roger Simbister bestätigt, Oberinspektor auf der Wache in der Cannon Street.

»Danke, Pricey«, sagte Tellman aufrichtig. »Ich sage Ihnen in Ihrem eigenen Interesse: Es ist besser, wenn Sie zu niemandem darüber sprechen, ganz gleich, ob Sie betrunken oder nüchtern sind.«

»Ich kann schweig'n, Mr Tellman.«

»Das empfiehlt sich auch, Pricey. Sie haben diese Blätter aus Hauptkommissar Wetrons Haus gestohlen. Vergessen Sie das nie, und denken Sie daran, was es Sie kosten würde, wenn er das erführe.«

»Großer Gott im Himmel! Wo ham Se mich da reingeritt'n, Mr Tellman?« Pricey war blass geworden.

»Zehn Pfund, Pricey, und meine Dankbarkeit. Jetzt gehen Sie und kümmern sich um Ihre Geschäfte. Sie haben die ganze letzte Nacht in Ihrem Bett gelegen und wissen von nichts.«

»Gott is mein Zeuge!«, bestätigte Pricey. »Nehm' Se's mir nich krumm, aber ich glaub, ich möcht Se nie wiederseh'n!«

Nach seiner Rückkehr vom Hause der Familie Denoon hatte Pitt unruhig und voll Sorge in der Küche auf Tellman gewartet. Als er nun das Dokument gelesen hatte, wurden ihm die Zusammenhänge mit einem Schlag klar.

»Piers Denoon also«, sagte er langsam. »Höchstwahrscheinlich hat Wetron die Gelder für die Anarchisten von ihm erpresst und verlangt, dass er ihm alle ihre Pläne berichtete. Da Magnus Landsborough nicht bereit war, Sprengstoffanschläge zu verüben, bei denen Menschenleben in Gefahr waren, hat Wetron Piers Denoon dazu veranlasst, ihn zu töten, damit ein anderer die Sache fortführte, jemand, der sich nicht gegen seine Pläne auflehnte. Danke, Tellman. Sie haben glänzende Arbeit geleistet.«

Tellman merkte, dass er errötete. Solches Lob hörte man aus Pitts Mund nicht oft. Trotz seines Bestrebens, stets bescheiden zu sein, sagte sich Tellman, dass er es verdient hatte. Er hatte bei dem Unternehmen eine Heidenangst ausgestanden, und der Gedanke daran, dass Wetron fast die ganze Nacht hindurch einem Phantom nachgejagt war und dabei Edward Denoon und dessen gesamten Haushalt grundlos aus dem Schlaf gerissen hatte, bereitete ihm nach wie vor Unbehagen. Möglicherweise würde er teuer dafür bezahlen müssen. Er hatte Pitt noch nicht berichtet, wie die Sache abgelaufen war. Vielleicht sollte er das tun, solange seine Freude darüber noch unvergällt war?

Pitt sah ihn lächeln. »Was freut Sie so?«, fragte er leise, doch verriet sein Blick, dass er es ahnte.

Schließlich beschrieb Tellman mit wenigen Worten den Ablauf der Unternehmung.

Pitt lachte, anfänglich ein wenig verkrampft und nervös, später aber, als Tellman, unter dessen Augen tiefe Ringe lagen, mit sparsamen Worten den Aufschrei des jungen Mädchens, die Wut der Köchin und die zittrige Unbeholfenheit des Butlers beschrieb, aus vollem Herzen. So hemmungslos gab er sich seinem Gelächter hin, dass keiner der beiden hörte, dass Gracie, die den Ofen ausräumen wollte, zur Küchentür hereingekommen war. Weil sie dabei Asche aufwirbeln musste, hatte sie ihre Haare hochgesteckt, eine Haube aufgesetzt und eine Schürze umgebunden.

Beide entschuldigten sich wie kleine Jungen, die man beim Naschen ertappt hat, für ihre Lautstärke und nahmen gehorsam am Tisch Platz, während sie Feuer im Herd machte und Teewasser aufsetzte.

Es war fast halb neun, als Tellman mit einem guten Frühstück im Magen aufbrach, um seinen Dienst anzutreten. Pitt überlegte, wie viel er Charlotte anvertrauen und was er als Nächstes unternehmen sollte. Über eins war er sich bereits klar geworden: Er musste das Beweismaterial unverzüglich zu Narraway bringen. Er wollte es keine Stunde länger als nötig in dem Hause haben, wo seine Frau und seine Kinder lebten. Anschließend würde er Vespasia aufsuchen. Es gab vieles, wonach er sie fragen musste, und manches davon würde sehr schmerzlich sein.

»Ausgezeichnet«, sagte Narraway mit tiefer Befriedigung, als er den Blick hob, nachdem er die Blätter gelesen hatte. Sein Gesicht war bleich. »Ein Meisterstreich. Allerdings dürfte Wetron jetzt gefährlicher sein denn je. Zum einen ist ihm vermutlich klar, dass hinter diesem Diebstahl nur Tellman stecken kann, und zum anderen findet er seine Blamage von gestern Nacht bestimmt nicht amüsant. Er wird das keinem von Ihnen beiden je verzeihen.«

»Das ist mir bewusst«, sagte Pitt. Er fürchtete jetzt um Charlottes Sicherheit, weil er annahm, dass ihr nun von Wetron Gefahr drohte. Noch mehr Angst hatte er um Tellman, der die

Ursache dafür gewesen war, dass sich Wetron im Hause Denoon zum Narren gemacht hatte. Dass Tellman zu allem Überfluss Zeuge dieser Niederlage geworden war, würde nur noch mehr Öl in die Flammen seines Zornes gießen. »Wir müssen ihn rasch unschädlich machen ...« Er spürte den Drang dazu geradezu körperlich. »Können wir ihn nicht gleich heute festnehmen lassen?«

Auf Narraways Zügen spiegelten sich seine Empfindungen. »Ich werde einen meiner Männer zur Bewachung Ihres Hauses abstellen, und zwar vorsichtshalber bewaffnet. Zu Tellmans Schutz kann ich nichts unternehmen. Ich vermute, dass Piers Denoon derjenige war, der Magnus Landsborough erschossen hat.« Seine Lippen wurden schmal. »Der eigene Vetter. Ich frage mich, ob er ihn ohnehin gehasst hat oder ob man ihn dazu erpressen musste. Das Geständnis der Vergewaltigung zeigt zwar, dass zwischen Piers und Simbister sowie diesem und Wetron eine Beziehung besteht; trotzdem müssen wir erst einwandfrei nachweisen, dass die beiden in die Anschläge verwickelt sind, bevor wir jemanden festnehmen lassen können.«

»Das Material, das wir haben, reicht aus«, beharrte Pitt. »Es belastet Piers Denoon und die beiden. Die Sache ist völlig klar.« Das Bewusstsein, dass Tellman Gefahr drohte, bedrückte ihn. Mit Sicherheit würde Wetron Blut sehen wollen! Mittlerweile dürfte er das Fehlen der Papiere bemerkt haben, und sicherlich war ihm klar, dass Tellman dahintersteckte, auch wenn dieser den Diebstahl nicht selbst begangen hatte. »Simbister ist Eigner der *Josephine*, auf der wir das Dynamit gefunden haben. Grover arbeitet für ihn. Damit schließt sich der Kreis der Beweise.«

Narraway sah ihn müde und ungeduldig an. »Das ist eine gefährliche Sache, Pitt!«, sagte er mit Schärfe in der Stimme. »Waren Sie schon einmal auf Großwildjagd?«

»Natürlich nicht.«

Narraway lächelte säuerlich. »Auf bestimmte Tiere kann man nur einen einzigen Schuss abgeben, der absolut tödlich sein muss. Werden sie lediglich verwundet, greifen sie den Jäger an und zerfleischen oder zertrampeln ihn, bevor sie verenden. So müssen Sie sich Wetron vorstellen.«

»Haben Sie denn schon einmal Großwild gejagt?«

Ihre Blicke trafen sich. »Nur das gefährlichste aller Geschöpfe – Menschen. Ich habe nichts gegen Tiere und empfinde nicht das Bedürfnis, mir ihre Köpfe an die Wände zu hängen.«

Das machte ihn Pitt sympathischer.

»Gewiss, Sir.«

Er machte einen kurzen Besuch bei Vespasia, gerade lang genug, um ihr die Vorfälle der Nacht zu berichten. Sie reagierte darauf mit einem Gemisch aus Lachen und Kummer. Vor allem aber war sie voll tiefer Unruhe und Besorgnis, dass noch weitere tragische Ereignisse bevorstanden. Zwar war er sicher, dass sie eine Vorstellung davon hatte, wie diese aussehen und wen sie betreffen würden, doch war sie nicht bereit, ihm etwas darüber zu sagen.

Von ihrem Haus begab er sich zur St.-Paul's-Kathedrale, wo er um die Mittagszeit Voisey am Grabmal John Donnes traf. Dieser Abenteurer und bedeutende Geistliche, Jurist, Philosoph und Dichter hatte zur Zeit Königin Elisabeths und König Jakobs gelebt und war Dekan eben jener Kathedrale gewesen. Über ihn sagte Voisey ausnahmsweise nur wenig. Die Eile, mit der Pitt herbeikam, obwohl es erst zehn Minuten vor zwölf war, und ein Blick auf sein erschöpftes Gesicht nahmen ihm wohl alle Lust, mehr zu sagen als einen einleitenden Satz.

»Er hat mit elf Jahren angefangen, in Oxford zu studieren, wussten Sie das?«, sagte er knapp. »Sie sehen fürchterlich aus«, fügte er sogleich hinzu. »Waren Sie wieder am Ort des Bombenanschlags?«

»Nein«, sagte Pitt bewusst leise, um zu verhindern, dass ihn ein älteres Paar, das offenbar John Donne seine Ehrerbietung erweisen wollte, hören konnte. »Ich war fast die ganze Nacht auf, um eine falsche Spur zu legen, während ein Einbrecher aus Wetrons Haus wichtiges Beweismaterial entwendet hat, so, wie Sie es angeregt haben.«

Voiseys Gesicht leuchtete auf. Seine Augen glänzten. »Was ist es?«

Er hatte das so aufgeregt hervorgestoßen, dass sich die beiden älteren Leute erstaunt umwandten. Der Mann war gerade dabei, Donnes vermutlich berühmtestes Gedicht zu zitieren: »Begehre daher nie zu wissen, wem die Stunde schlägt; ...«

»Sie schlägt dir«, beendete Pitt den Vers in Gedanken. »Genau das, womit Sie gerechnet haben«, sagte er fast flüsternd.

»Um Gottes willen!«, stieß Voisey hervor. »Und wer?«

»Piers Denoon. Eine Anklage wegen Vergewaltigung, die einige Jahre zurückliegt.«

Voisey stieß den Atem in einem Seufzer aus, als hätte sich in ihm etwas lange Aufgestautes gelöst. »Genügt das?«

»Fast. Wir müssen alle Verbindungen beweisen können. Bisher haben wir die zwischen dem Dynamit und Simbister sowie die zwischen Grover und Simbister. Durch Denoons Geständnis kommt die zwischen Simbister und Wetron hinzu. Trotzdem könnte Wetron immer noch leugnen und behaupten, er sei erst kürzlich auf das Geständnis gestoßen und habe beabsichtigt, der Sache nachzugehen, sobald er die Gewissheit hatte, dass etwas daran war. Das würde zwar das Ende Simbisters bedeuten, doch könnte ihn Wetron einfach durch einen anderen ersetzen.«

»Ich verstehe«, sagte Voisey ungeduldig. »Wir müssen unbedingt beweisen, dass er Piers Denoon benutzt hat, dann kann er uns nicht mehr entkommen. Sofern der junge Denoon Magnus Landsborough erschossen hat, können Sie ihn unter Mordanklage stellen lassen. Er wäre sicher gern bereit zu schwören, dass man ihn dazu erpresst hat. Sind die Papiere in Sicherheit? Doch nicht etwa in Ihrem Haus?«

»Nein, sie sind in Sicherheit«, teilte ihm Pitt müde mit.

Der Anflug eines Lächelns trat auf Voiseys Gesicht. Er hatte nicht wirklich damit gerechnet, dass Pitt ihm mehr sagen würde.

»Nutzen Sie Ihre alten Beziehungen zum Inneren Kreis«, fuhr Pitt fort. »Wir brauchen das fehlende Bindeglied rasch. Wetron weiß, dass wir die Papiere haben.«

Das Lächeln wurde breiter. »Ach ja? Da hätte ich gern sein Gesicht gesehen.« Voiseys Stimme klang bedauernd. Das Bestreben, sich zu rächen, war überdeutlich. Er genoss die Worte, während er sie sagte.

Ein leichtes Unbehagen überkam Pitt. Er spürte, wie ihn ein Schauder erfasste, aber es gab keine andere Möglichkeit, als mit Voisey zusammenzuarbeiten. Es war sinnlos, sich zu überlegen, wie er sich dem entziehen konnte. »Tun Sie das gleich heute«, sagte er. »Finden Sie den Beweis dafür, dass Wetron von der Sache mit der Vergewaltigung wusste und mithilfe dieses Wissens den jungen Denoon dazu gebracht hat, die Anarchisten zu finanzieren und Magnus Landsborough zu ermorden.«

Voisey leckte sich genüsslich die Lippen, offenkundig, ohne es selbst zu merken. »Ja«, sagte er, den Blick auf Pitt gerichtet. »Ja, ich weiß genau, wer dafür infrage kommt. Es gibt noch einige alte Schulden einzutreiben. Sie haben doch ein Telefon? Halten Sie sich ab vier Uhr in seiner Nähe auf. Es stimmt, wir haben keine Zeit zu verlieren.« Er zuckte kaum wahrnehmbar mit den Achseln. »Um Tellmans willen!«

Pitt gab ihm seine Nummer, wandte sich dann um und ging rasch fort, aus Furcht, er könnte dem Impuls nachgeben, Voisey ins widerlich lächelnde Gesicht zu schlagen. Seine Schritte hallten auf den Steinen. Zwar standen sie unmittelbar vor dem Erfolg, doch konnte er ihm noch im letzten Augenblick entgleiten. Es war ohne weiteres vorstellbar, dass ihn Voisey hinterging, Wetron und Simbister mit dem Beweismaterial zugrunde richtete, mit seinem Wissen über dessen eigenen Sohn Schande über Edward Denoon brachte und selbst wieder an die Spitze des Inneren Kreises trat. Es war sogar denkbar, dass er den Gesetzentwurf im Unterhaus für seine eigenen Zwecke nutzte – und es gab nichts, was Pitt tun könnte, um ihm in den Arm zu fallen. Er hatte in Voiseys Augen gesehen, dass das auch diesem bewusst war – und er es genoss, so wie man bei einem hundert Jahre alten Kognak den Duft einsaugt, bis dieser die Sinne benebelt.

Pitt wartete schon vor vier Uhr zu Hause, ging unruhig auf und ab und schrak bei jedem Geräusch zusammen. Charlotte beobachtete ihn aufmerksam. Gracie wischte den Boden und brabbelte Unverständliches vor sich hin. Sie wusste, dass Gefahr drohte, doch hatte ihr niemand gesagt, worin sie bestand. Seit zwei Tagen hatte sie Tellman keinen Augenblick unter vier Augen gesprochen. Pitt hatte ihr gesagt, er habe ein außerordentliches Maß an Mut und Klugheit bewiesen, war aber nicht bereit, ihr mehr mitzuteilen, und auch seiner Frau nicht.

Um fünf Uhr tranken sie Tee und verbrannten sich dabei den Mund, weil sie nicht lange genug gewartet hatten, sagten, dass sie Kuchen wollten, aßen ihn aber nicht.

Um Viertel vor sechs klingelte endlich das Telefon. Pitt stürmte in die Diele und nahm ab.

»Ja?«

»Wir haben es!«, sagte Voisey jubelnd. »Aber jemand muss Denoon etwas gesagt haben. Er ist bereits am Kai. Kommen Sie, so schnell Sie können. Zum Anleger beim *King's Arms* auf der Isle of Dogs. Limehouse Reach ...«

»Ich weiß, wo es ist!«, stieß Pitt hervor.

»Kommen Sie gleich!«, drängte Voisey. »So schnell Sie können! Ich fahre schon einmal hin. Wenn er uns entwischt, ist alles verloren.«

»Ich komme.« Pitt hängte den Hörer auf den Haken und drehte sich zu Charlotte und Gracie um, die ihn ansahen. »Ich muss auf die Isle of Dogs, um Piers Denoon zu fassen, bevor er entkommt. Wetron muss ihn gewarnt haben.« Er machte sich auf den Weg zur Tür.

»Du kannst ihn nicht festnehmen!«, rief ihm Charlotte nach. »Du bist nicht mehr bei der Polizei. Lass mich ...«

»Nein!«, entgegnete er und wandte sich ihr wieder zu. »Sag niemandem etwas! Du weißt nicht, wem du trauen kannst. Gib Narraway Bescheid, wenn du ihn findest, sonst zu niemandem ein Wort!«

Sie nickte. Auf keinen Fall durfte sie versuchen, mit Tellman

Verbindung aufzunehmen. Er sah ihrem Gesicht an, dass ihr das klar war. Er küsste sie so flüchtig, dass er sie kaum berührte, und eilte dann aus dem Haus. Er rannte bis ans Ende der Straße, wo er die erste Droschke anhielt, die vorüberkam. »Millwall Dock!«, rief er dem Kutscher zu. »Dann weiter zum Anleger beim *King's Arms*. Wissen Sie, wo das ist?«

»Ja, Sir.«

»So schnell Sie können! Ich zahle auch einen Zuschlag.«

»Halten Sie sich gut fest.«

Das Pferd zog an, und die Fahrt wurde immer schneller. Da der Kutscher auch in Kurven das Tempo nicht verminderte, musste sich Pitt mehr als gut festhalten. Allmählich wurde es dunkel. Durch die Oxford Street und High Holborn ging es nach Osten, weiter über Holborn Viaduct, Newgate Street und Cheapside. An der Einmündung von Mansion House mussten sie anhalten. Die Räder zweier Kutschen hatten sich ineinander verhakt.

Pitt barst vor Ungeduld. Um sie herum ertönten Rufe und Geschrei, knarrten Räder, als Fahrzeuge gewendet wurden.

Auch die Droschke machte kehrt, dann ging es durch die King William Street zur Themse hinab.

»Dort kommen Sie nicht durch!«, rief Pitt aufgeregt. »Da landen Sie am Tower.«

Der Kutscher rief etwas über die Schulter, was er nicht verstand. Nieselregen hatte eingesetzt. Die Fahrt wurde wieder schneller, aber es würde nichts nützen, denn sie würden den bereits unter William dem Eroberer im 11. Jahrhundert erbauten massiven Tower von London nicht umrunden können.

Kurz davor bog der Kutscher nach Norden ab. Natürlich, Gracechurch Street, Leadenhall Street, Aldgate und wieder nach Osten. Pitt lehnte sich zurück, holte tief Luft und versuchte sich zu beruhigen. Bis zum Ziel war es noch weit. Inzwischen war es dunkel, es regnete, und die Straße glänzte nass im Licht der Kutschen- und Straßenlaternen. Das Zischen, mit dem die Räder das Wasser teilten, wurde durch den Hufschlag weitgehend übertönt.

Schließlich kam die Droschke in beinahe völliger Dunkelheit am Anleger nahe dem Gasthaus *King's Arms* zum Stehen. Fast im selben Augenblick löste sich Voiseys hohe Gestalt aus dem Schatten und zeichnete sich schwarz vor dem unruhigen Muster der Themse ab, auf der die Positionslichter von der Flut stromaufwärts geschobener Schiffe tanzten.

Pitt sprang ab, dankte dem Kutscher und warf ihm einige Münzen zu – wahrscheinlich doppelt so viel, wie er ihm schuldete. Dann folgte er Voisey zur Kaimauer.

»Er hält sich auf dem Schleppkahn da versteckt«, sagte Voisey mit belegter Stimme. »Bei ablaufendem Wasser wollen sie ihn wegschaffen. Bis dahin sind es noch etwa zwanzig Minuten.« Er wies auf den Fluss. »Ich habe von einem der Fährleute ein Ruderboot gemietet. Ein ziemlich klappriger Kahn, aber es bringt uns, wohin wir wollen.« Er ging die dunklen Stufen hinab und stützte sich mit einer Hand an der Kaimauer ab.

Pitt konnte den schwarzen Rumpf eines auf dem Wasser tanzenden Bootes und das tropfende Tau sehen, mit dem es an einem eisernen Ring in der Mauer festgemacht war. Die Riemen lagen bereit.

Voisey stieg ein und setzte sich auf die Ruderbank. Pitt löste das Tau, legte es über dem Arm zusammen und sprang ins Heck. Voisey setzte die Riemen in die Dollen und fing mit aller Kraft an zu rudern.

Die Strömung erfasste sie, ließ das Boot einen Augenblick unruhig schwanken, doch dann hatte Voisey seinen Rhythmus gefunden, und es ging rasch vorwärts.

Kurz bevor sie den Lastkahn erreichten, verlangsamte er die Fahrt und holte die Riemen wieder ein. Vorsichtig stand Pitt auf und machte sich bereit. Auf keinen Fall durfte das Boot gegen den Rumpf des Lastkahns stoßen, damit niemand auf sie aufmerksam wurde. Sicherlich war Piers Denoon nicht allein. Er fasste nach der Bordwand und hielt sie fest. Leichtfüßig sprang er hinüber und ließ sich sogleich auf die Knie sinken, für den Fall, dass jemand vom Ufer aus herübersah. Er hatte einen kurzen

Knüppel in der Tasche, hätte aber lieber eine Pistole gehabt. Nur gut, dass Voisey bei ihm war, dem ebenso daran gelegen war wie ihm, Denoon zu fassen. Nicht nur war der Mann ziemlich kräftig, er kannte auch keine Skrupel.

Pitt schob sich voran und sah die erhellte Luke. Ein schlanker Mann stand dort, der etwa zwanzig Jahre alt zu sein schien. Hinter ihm sah man den Schatten eines zweiten, der zwar kräftiger gebaut war, sich aber ein wenig gebeugt hielt. Soweit Pitt sehen konnte, war er nicht bewaffnet. Da er den jungen Mann nicht niederschlagen wollte, legte er ihm den Arm um die Gurgel und zog ihn nach hinten. Der andere Mann fuhr hoch.

An Deck entstand eine Bewegung. Pitt sah sich nach Voisey um, doch statt seiner kam ein kräftiger Mann mit einer Wollmütze auf ihn zu. Hinter ihm sah er, wie Voisey das Boot fortruderte, der Treppe am Ufer entgegen. Jetzt hatte er ihn doch hintergangen, beim ersten Mal, als er nicht damit gerechnet hatte.

KAPITEL 11

Mit einer Wut, die ihn fast erstickte, sah Pitt dem sich über die glitzernde Wasserfläche entfernenden Boot nach. Wie unglaublich dumm von ihm! Welche Hinweise mochte er übersehen haben? Voisey lag ebenso viel wie Pitt daran, dass man Piers Denoon fasste und vor Gericht stellte. Mit ihm als Zeugen ließ sich die Korruption der Polizei unwiderleglich nachweisen, denn er war das letzte fehlende Glied in der Beweiskette, die von den Sprengstoffanschlägen zu Wetron führte.

Leicht vorgebeugt, bereit, sich auf ihn zu stürzen, näherte sich der stämmige Mann Pitt. »Duck dich, Mike!«, rief er dem jungen Mann zu, der sich unter Pitts Griff wand.

Warum nur hatte er Voisey geglaubt, dass sich Piers Denoon hier befand? Die Antwort war einfach: Weil er sich allmählich daran gewöhnt hatte, dass er ihm trauen durfte. Die Verfolgungsjagd und die Erwartung des unmittelbar bevorstehenden Sieges hatten ihn mitgerissen, und so hatte er vergessen, was für ein Mensch Voisey stets gewesen und immer noch war. Vielleicht wusste er sogar tatsächlich, wo sich Piers Denoons aufhielt!

Der Stämmige blieb zögernd stehen. Wie es aussah, schien er nicht recht zu wissen, was er tun sollte, weil Pitt seinen Gefährten nach wie vor an der Gurgel hielt. Doch jetzt kam der Dritte aus der Kajüte empor, eine Eisenstange in der Hand.

Pitts einzige Aussicht zu entkommen bestand darin, dass er vorsichtig zurückwich, um nicht über eine der Spieren oder

Kisten an Deck zu stolpern, und über die Bordwand ins Wasser sprang. Und dann war es noch ohne weiteres möglich, dass er ertrank. Bis zum rettenden Ufer waren es etwa dreißig Meter, und der kräftige Sog der Ebbe, die jeden Augenblick einsetzen musste, würde ihn dem Meer entgegentreiben. Nicht nur war das Wasser kalt, er hatte auch einen Mantel und hohe Schnürschuhe an. Nur mit viel Glück könnte er das Ufer erreichen, immer vorausgesetzt, dass ihn keiner der Leichter in voller Fahrt rammte, sodass er das Bewusstsein verlor. Wenn er dann noch mit einem Kleidungsstück irgendwo hängen blieb, wäre sein Geschick besiegelt.

Während er sich vorsichtig rückwärts schob, hielt er den jungen Mann nach wie vor gepackt, obwohl dieser jetzt um sich schlug, nach ihm trat und ihn mit den Händen zu fassen versuchte. Jetzt musste Pitt den Preis für seine Dummheit bezahlen. Nicht nur Narraway hatte ihn gewarnt, auch Charlotte und selbst Vespasia. Warum ließ Voisey es offensichtlich darauf ankommen, dass Charlotte das Material verwendete, das Mrs Cavendish als Mörderin erscheinen ließ? Falls sie das tat, bliebe ihr nichts, womit sie sich selbst und die Kinder verteidigen konnte! Der Gedanke quälte ihn, bereitete ihm Magenschmerzen.

»Springen Sie!«

Der Zuruf ließ ihn zusammenfahren, sodass er auf den Decksplanken ausglitt, stolperte und rücklings zu Boden fiel. Dabei wurde der junge Mann, den er immer noch festhielt, mit von den Füßen gerissen und konnte sich befreien. Im selben Augenblick schlug der Stämmige zu, traf aber das gereffte Segel und stieß einen Schmerzensschrei aus.

»Springen Sie!«, ertönte der Zuruf erneut.

Mühselig kam Pitt auf die Beine und sprang über die Bordwand. Er landete auf Händen und Knien in einem kleinen Ruderboot, das er damit so heftig zum Schaukeln brachte, dass es Wasser übernahm. Mit viel Glück und Geschick sowie beträchtlicher Anstrengung gelang es dem Mann, der darin saß, es wieder auf ebenen Kiel zu bringen.

»Tölpel«, sagte er. Es klang nicht so, als ob er es böse meinte. »Halten Sie den Kopf unten für den Fall, dass einer von denen eine Schusswaffe hat.« Er legte sich mit aller Kraft in die Riemen und trieb das Boot weiter in die Mitte des Stromes, fort von den Lichtern. Er steuerte es zwischen den festgemachten Schiffen in die Strömung und strebte dem anderen Ufer entgegen.

Als sie aus der Reichweite der Lichter heraus waren, richtete sich Pitt auf und setzte sich auf die Bank im Spiegel des Bootes. »Danke«, sagte er aufrichtig. Dabei wusste er nicht einmal, ob sich seine Situation wirklich gebessert hatte.

»Sie können es später wieder gutmachen«, sagte der Mann. »Ohnehin hätte ich Sie Ihrem Schicksal überlassen, wenn ich nicht gewusst hätte, dass Sie der Einzige sind, der wirklich eine Möglichkeit hat, der Korruption bei der Polizei ein Ende zu bereiten.«

Zwar schmerzten Pitt alle Knochen, doch war er zutiefst dankbar, sich jetzt nicht durch das Wasser der Themse dem Ufer entgegenkämpfen zu müssen. »Wer sind Sie?«

»Kydd«, antwortete der Mann und legte sich stöhnend in die Riemen.

»Da hatte ich aber großes Glück, dass Sie gerade vorbeikamen.« Pitt versuchte, ruhiger zu atmen, und hoffte, dass auch sein Herz bald wieder langsamer schlagen würde.

»Ich bin alles andere als zufällig vorbeigekommen«, gab Kydd mit spöttischer Stimme zur Antwort. Pitt konnte sein Gesicht im Dunkeln nicht sehen. »Ich bin Anarchist. Es ist meine Aufgabe zu wissen, was passiert. Wären Sie nicht dabei, der Korruption der Polizei einen Riegel vorzuschieben, ich hätte keinen Finger krumm gemacht, als die Leute versucht haben, Sie umzubringen. Aber die Politik bewirkt die sonderbarsten Bündnisse. Noch sonderbarere als das zwischen Ihnen und Charles Voisey! Das war ein Fehler! Aber vermutlich sind Sie inzwischen selbst dahinter gekommen.«

Sie waren dem Ufer jetzt so nahe, dass Kydd das Boot drehte, damit es mit dem Spiegel voran an die Stufen stieß. Pitt konnte kaum etwas erkennen, da Kaianlagen und Lagerhäuser im Dunkeln lagen.

»Wo sind wir?«

»Am St.-George's-Anleger«, sagte Kydd. »Nicht weit vom Güterbahnhof. Sie müssen ein Stückchen laufen und kriegen einen Schluck Kognak, damit Sie sich von dem Schreck erholen. Dann können Sie sich auf den Rückweg machen. Ich an Ihrer Stelle würde mich auf keinen Fall weiter flussabwärts in der Nähe des Wassers zeigen, sondern nach Rotherhithe gehen und von da eine Fähre nach Wapping nehmen.«

Pitt hörte sich den Rat schweigend an und dachte über Kydds Worte nach. Das Boot wurde an einem Eisenring festgemacht, und sie gingen die glatten Stufen hinauf. Da noch der höchste Wasserstand der Flut herrschte, befanden sie sich ohnehin fast ganz oben. Pitt folgte der dunklen Gestalt über den offenen Kai. Der Wind war jetzt kalt, und leichter Nebel begann sie einzuhüllen, sodass die Lichter undeutlicher wurden und die feuchte Luft zu Tröpfchen kondensierte. Von weiter flussabwärts hörte man dumpf Nebelhörner.

Nach etwa zehn Minuten blieb Kydd in einer engen Gasse nahe den Kaianlagen stehen und öffnete eine schmale Tür. Gleich dahinter lag ein Flur, in dem es angenehm warm war. Er schloss die Tür und legte einen hölzernen Riegel vor. Die nächste Tür führte in einen erstaunlich behaglichen und ordentlichen Raum mit einem Stuhl und zwei Sesseln darin. Auf dem größeren der beiden schien ein Hut oder ein zusammengerolltes Paar Fellhandschuhe zu liegen. Beim Geräusch von Kydds Schritten bewegte sich das Bündel, zeigte vier Beine und einen Schwanz, gähnte ausgiebig, öffnete und schloss mehrfach die Augen und begann zu schnurren. Pitt nahm an, dass das Kätzchen etwa zwölf bis vierzehn Wochen alt war.

Kydd nahm es mit einer Hand auf und liebkoste es geistesabwesend. »Der Kognak ist da drüben.« Er wies auf einen Schrank an der Wand. »Jetzt kriegt erst mal Mite was zu essen. Sie war den ganzen Tag allein.« Er nahm ein kleines Stück Fleisch aus der

Tasche und schnitt es in Stücke. Die Katze entriss sie ihm fast, bevor er damit fertig war, und schnurrte so laut, dass es wie eine Rassel klang.

Pitt öffnete den Schrank. Außer dem Kognak sah er darin mehrere Gläser und Becher. Er nahm zwei und goss kleine Portionen ein, weil nicht viel in der Flasche war. Er leerte sein Glas mit einem Schluck und stellte das andere für seinen Retter auf das Tischchen.

»Wer war das?«, fragte er.

»Die Leute auf dem Kahn?« Kydd legte das Kätzchen zurück auf den Sessel und nahm sein Kognakglas. »Vermutlich Flussräuber. Was wollten Sie da überhaupt in drei Teufels Namen?«

»Woher wussten Sie, dass ich da sein würde?«, fragte Pitt zurück.

Mite wetzte ihre Krallen, kletterte langsam an Kydds Bein und Rücken empor und legte sich ihm auf die Schulter. Er zuckte zusammen, ließ sie aber gewähren.

»Ich hab das nicht gewusst. Aber ich habe gesehen, dass Voisey auf jemanden wartete. Sagen wir, intelligent geraten«, gab er zur Antwort.

»Sie sind mir gefolgt?« Pitt sah den Mann mit den blauen Augen und den hohen Wangenknochen aufmerksam an.

Kydds Miene wurde ernst. »Mir geht es darum zu erfahren, wer Magnus umgebracht hat. Ich muss wissen, dass es keiner von uns war. Falls doch, mache ich den mit eigenen Händen kalt.«

Die Dinge wurden allmählich klarer. »Sie sind also tatsächlich der Mann aus Landsboroughs Gruppe, der nach Magnus' Tod die Führung übernommen hat«, sagte Pitt, der sich an das Gespräch erinnerte, in dem Carmody den Namen Kydd genannt hatte.

Unbeeindruckt wiederholte Kydd: »Wer hat Magnus getötet? Haben Sie das noch nicht rausgekriegt? Jemand hat ihn verraten. War es sein Vater?«

»Sein Vater?«

»Er war mehrfach da, um mit ihm zu sprechen. Wollte ihn überreden, seine Überzeugungen über Bord zu werfen und in den Schoß der Gesellschaft zurückzukehren.« Auf Kydds Gesicht lag unverkennbar Belustigung. In seiner Stimme mischte sich Schmerz mit Zorn. Geistesabwesend hob er die Hand und liebkoste das Kätzchen, das nach wie vor auf seiner Schulter lag. »Mite hat Magnus gehört«, sagte er zusammenhanglos. »Er hat sie gerettet ... oder ihn. Ich weiß es ehrlich gesagt nicht genau. Bei so jungen Tieren lässt sich das schwer sagen.«

Diese mitfühlende menschliche Handlungsweise ließ den jungen Landsborough mit einem Mal in einem anderen Licht erscheinen. Es zeigte eine Dimension, die weit über den namenlosen Idealismus hinausging. Mit plötzlicher Wut musste Pitt daran denken, dass man ihn einfach deshalb getötet hatte, weil jemand die öffentliche Meinung beeinflussen und ein Klima schaffen wollte, das einer ungeheuerlichen Gesetzgebung günstig war und ihr Vorschub leistete.

»Nein, das war nicht sein Vater«, sagte er mit belegter Stimme. »Dessen einziges Bestreben war es, Magnus zur Umkehr zu bewegen. Getötet hat ihn sein Vetter Piers Denoon. Da man mir gesagt hatte, er halte sich auf dem Lastkahn verborgen, um das Land bei einsetzender Ebbe auf dem Wasserwege zu verlassen, wollte ich ihn festnehmen, bevor ihm die Flucht gelang. Immerhin ist es sehr einfach, von hier flussab zu fahren und den Kanal zu überqueren.«

»Piers?«, fragte Kydd ungläubig. »Wieso hätte er das tun sollen? Das ergibt keinen Sinn. Ich kann es nicht glauben.« Der Blick seiner leuchtenden Augen war hart.

»Weil er Ihre Gruppe mit Geld versorgt hat?«, fragte Pitt.

»Wenn Sie das wissen, ist Ihnen auch klar, warum ich es nicht glauben kann«, hielt ihm Kydd entgegen. »Welchen Grund hätte er haben sollen, Magnus zu töten?« Er löste Mite von seiner Schulter und setzte sich auf den Stuhl.

»Denselben, aus dem er alles andere getan hat, was mit der Anarchie zusammenhängt«, sagte Pitt. »Man hat ihn erpresst. Er konnte es sich nicht erlauben, Nein zu sagen, sonst wäre er ins Gefängnis gekommen. Ich bezweifle, dass er dort lange überlebt hätte.«

»Wir hätten ihm geholfen. Wie Sie schon gesagt haben, es ist nicht schwer, über den Kanal nach Frankreich und von da weiter nach Portugal zu kommen.«

»Vielleicht, wenn es um Anarchie geht. Und was ist mit Vergewaltigung?«

Kydd war wie vor den Kopf geschlagen. »Vergewaltigung!«, wiederholte er. »Vergewaltigung?«

»Vor etwa drei Jahren. Ein Mädchen aus dem Volk. Ich nehme an, er hat sie falsch eingeschätzt. Dennoch war es eine üble Gewalttat, und sie ließe sich noch schlimmer darstellen. Eine junge Frau, die ohne weiteres die Schwester oder Tochter der Art Mann gewesen sein konnte, mit der er es im Gefängnis zu tun bekommen hätte.«

Auf Kydds Gesicht war deutlich zu sehen, dass er nicht verstand, was das zu bedeuten hatte, und flüchtig trat sogar eine Art Mitleid auf seine Züge. »Was werden Sie jetzt tun? Ich nehme an, Sie wissen mit Bestimmtheit, dass er Magnus getötet hat …?«

»Sind Sie nicht selbst davon überzeugt, wenn Sie darüber nachdenken?«, fragte Pitt. »Es musste jemand sein, dem bekannt war, dass Sie das Haus in der Long Spoon Lane aufsuchen würden, denn dort hat er Sie erwartet. Er kannte Magnus und hat keinen einzigen Schuss auf Welling oder Carmody abgegeben. Außerdem hat er sorgfältig darauf geachtet, dass man ihn nicht sehen konnte.«

Kydds Gesicht wurde plötzlich verschlossen. »Also war es Piers. Das ist die einzige Lösung, die einen Sinn ergibt. Der arme Kerl. Ich wollte den Täter unbedingt baumeln sehen, aber jetzt bin ich nicht mehr so sicher.« Erneut legte er die Hand auf das Kätzchen und liebkoste es, was mit einem sofortigen Schnurren belohnt wurde. »Gehen Sie und tun Sie, was Sie zu tun haben. Wenn Sie rauskommen, gleich links, dann entlang der London Road zur Onega-Werft, vorbei am Norway-Dock, bis dahin, wo es in die Brickley Road geht. Damit kommen Sie genau zur Fähre am Anleger von Rotherhithe.« Er stand nicht auf.

Pitt nickte. »Danke.«

»Es ist der Mühe nicht wert, mich hier wieder zu suchen.«

»Ich hatte nicht die Absicht. Wie Sie schon gesagt haben, ich habe etwas wieder gutzumachen.« Er blieb in der Tür stehen. »Vermutlich hatten Sie mit der Sache in der Scarborough Street nichts zu tun?«

Die Verachtung, die Kydd empfand, war nicht zu erkennen, aber er sagte: »Das ist noch einer, den ich gern am Galgen sehen möchte, falls Sie ihn zu fassen kriegen. Deswegen hab ich Sie vor dem Ertrinken bewahrt – ich vermute, Sie sind der Einzige, der einen ernsthaften Versuch in diese Richtung unternimmt.«

Vespasia wollte gerade zu einer späten Abendgesellschaft aufbrechen, als der Butler ihr mitteilte, dass Mr Pitt im Vestibül sei.

»Lassen Sie die Kutsche warten, und führen Sie ihn herein«, gebot sie ohne zu zögern und ging in ihren Salon. Die Vorhänge waren zugezogen, weil es regnete und sie es nicht gern sah, wie sich der Lichtschein in den Tropfen spiegelte, die von den Bäumen herabfielen. Sie war kaum eingetreten, als sie hörte, wie Pitt dem Butler dankte. Im nächsten Augenblick war er da und schloss die Tür hinter sich. Er wirkte bleich und durchgefroren. Sein Haar war vom Regen durchnässt und stand in alle Richtungen ab. Gesicht und Kleidung waren stark verschmutzt.

»Du wolltest gerade ausgehen«, sagte er mit einem Blick auf das herrliche Abendkleid mit den hoch angesetzten Ärmeln und dem taubengrauen Schimmer von Satin unter elfenbeinfarbener Spitze. »Entschuldige bitte.« In seiner Stimme wie auch in seiner Körperhaltung lag eine Entschlossenheit, die ihr klar machte, dass sie unmöglich gehen konnte.

»Das ist jetzt nicht wichtig.« Sie tat die Angelegenheit mit einer winzigen Handbewegung ab, bei der die Diamanten ihrer Ringe aufblitzten. »Soll ich die Köchin bitten, uns etwas zu machen? Du siehst ein bisschen aus wie ... ein Pferd nach einem schweren Rennen ... das es verloren hat.«

Er lächelte. »Ich habe Grund zu der Annahme, dass ich

gewonnen haben könnte. Ja. Es ist mehr die Kälte als Hunger. Ich ...« Er hielt inne. Er zitterte.

»Setz dich«, gebot sie. »Und zieh um Gottes willen den Mantel aus!« Sie griff nach der Klingel. Als der Butler kam, trug sie ihm auf, er solle den Kutscher mit einer Entschuldigung schicken, dass sie leider nicht kommen könne. Die Köchin solle eine Mahlzeit für zwei Personen zubereiten und er selbst unverzüglich einen heißen Grog bringen, anschließend Pitts Mantel mit einem feuchten Schwamm säubern und danach zum Trocknen aufhängen.

»So«, sagte sie und setzte sich ihm gegenüber. »Was gibt es, Thomas?«

Er fasste seine Erlebnisse in wenigen Worten zusammen, stellte aber ausführlich dar, was er über Magnus Landsboroughs Tod wusste und was Kydd ihm gesagt hatte. »Es tut mir sehr Leid«, sagte er leise. »Das wird für die Landsboroughs bitter werden, aber ich kann die Sache nicht auf sich beruhen lassen.«

»Natürlich nicht«, stimmte sie zu. Ihre Kehle war wie zugeschnürt, sodass sie kaum schlucken konnte. Sie dachte an Sheridan und gleich darauf an Enid. Die beiden Geschwister waren einander so nahe, und dennoch hatte ihr Sohn den seinen getötet. Wie würden sie darüber hinwegkommen? »Vermutlich hättest du mir nichts davon gesagt, wenn es den geringsten Zweifel gäbe?« Sie meinte das nicht wirklich als Frage, denn ihr war klar, dass all das durchaus einen Sinn ergab, so schrecklich dieser auch war. Wenigstens war Pitt in Sicherheit, auch wenn Voisey nach wie vor lebte und daher eine fortwährende Gefahr bedeutete. »Und dieser Kydd hat also gesagt, dass Magnus' Vater dort war und versucht hat, ihn von seinen anarchistischen Überzeugungen abzubringen?«

»Ja. Das ist auch ganz natürlich. Bei meinem Sohn hätte ich genauso gehandelt. Kydd hat sich über Magnus achtungsvoll, und ich denke auch, mit Wärme geäußert. Er hat sogar dessen Kätzchen sozusagen adoptiert.«

»Magnus hatte ein Kätzchen?«, fragte Vespasia erstaunt. »Hat er nicht auf Katzenhaare ebenso empfindlich reagiert wie die übrigen Landsboroughs? Da hätte er doch sicher keine Katze gehalten, weil er sonst ständig hätte niesen müssen und kaum Luft bekommen können.«

»Ja«, sagte Pitt. »Ein kleines schwarzes Knäuel. Sie heißt Mite. Sie kann nicht älter gewesen sein als ein paar Wochen.«

»Bestimmt hat dich der Mann belogen, Thomas. Alle Angehörigen der Familie Landsborough haben eine Katzenallergie.«

»Eine solche Lüge scheint keinen Sinn zu ergeben«, sagte Pitt nachdenklich. »Es würde doch keinen Unterschied machen. Bist du sicher?«

»Ich ...«, setzte sie an, um zu sagen, dass sie sicher war, dann ging ihr auf, dass es sich um eine bloße Vermutung handelte. Ihr war bekannt, dass Sheridan und Enid keine Katzen in ihrer Nähe dulden konnten, wie auch Piers und, soweit sie wusste, Sheridans und Enids Vater. Vielleicht war Magnus das Leiden erspart geblieben. Er ähnelte seiner Mutter in vielen Dingen mehr als dem Vater – beispielsweise hatte er Cordelias dunkle Hautfarbe. Beim Körperbau konnte man nichts sagen, denn Sheridan wie auch Cordelia waren ziemlich groß. Während er schlank geblieben war, war sie etwas fülliger geworden. Als sie Magnus vor einigen Jahren zuletzt gesehen hatte, schien er den Landsboroughs weder in seiner Hauttönung noch in seinem Gesicht besonders ähnlich zu sein. Sie erinnerte sich lediglich an sein Lächeln und seine kräftigen Zähne.

Dann fiel ihr ein, wo sie einmal sehr flüchtig ein Lächeln ähnlich dem von Magnus gesehen hatte, und ein Dutzend Eindrücke gingen ihr wild durch den Kopf. Dann tauchte ein neuer auf, ein bezeichnender, der an die Stelle der Empfindungen trat, die sie bei jeder Begegnung im Hause Landsborough unter der Oberfläche gespürt hatte: Enids Hass, Cordelias Wut und Sheridans Gleichgültigkeit seiner Frau gegenüber. Sofern sie Recht hatte, ergab das Ganze einen fürchterlichen Sinn, und sogar die Katze passte dazu.

Pitt sah sie abwartend an.

Ihr verschwamm alles im Kopf, und zugleich fühlte sie sich

von einem Kummer überwältigt, in den sich deutlich ein Schuldgefühl mischte. Sie war Sheridan mit so viel Zuneigung begegnet, hatte in ihm einen angenehmen Gefährten gefunden, mit ihm lachen können, es war eine Freundschaft gewesen, die in keiner Weise von Pflichten diktiert wurde, bei der keiner etwas erwartete oder einen Vorteil suchte. Beide waren einsam gewesen, hatten sich nach Schönheit gesehnt, nach kleinen Freuden, die man allein nicht wirklich auskosten konnte.

»Was hast du?«, fragte Pitt. Möglicherweise ging es um etwas, das seine Aufmerksamkeit erforderte.

Sie sah ihn an. Überrascht merkte sie, wie leicht es ihr fiel, ihm anzuvertrauen, was sie zu sagen hatte.

»Ich glaube, Cordelia hatte eine Affäre«, teilte sie ihm mit. »Magnus litt nicht an einer Katzenallergie, weil Edward Denoon sein Vater war – und nicht Sheridan Landsborough. Das ist der Grund für den Hass Enids auf ihren Mann und ihre Schwägerin wie auch dafür, dass Sheridan nichts für seine Frau empfindet. Diese Gleichgültigkeit ist die tiefste Kränkung, die sie sich vorstellen kann. Das erklärt alles, was ich schon zuvor halb geahnt und halb verstanden habe.«

Er sagte nichts. Sie sah seinem Gesicht an, dass er überlegte, was diese Enthüllung zu bedeuten hatte, dass er allen Verwicklungen nachging und festzustellen versuchte, ob und inwieweit das den Mordfall in einem anderen Licht erscheinen ließ. War sich Piers Denoon im Klaren darüber gewesen, dass der Mann, den zu erschießen man ihn gezwungen hatte, nicht sein Vetter, sondern sein Halbbruder war? Wenn Wetron das gewusst hatte, war es ihm vermutlich gleichgültig gewesen. Es war lediglich eine weitere parallel verlaufende Tragödie.

»Was wirst du tun?«, fragte sie.

Er wirkte müde. »Das weiß ich noch nicht. Piers Denoon muss festgenommen und unter Anklage gestellt werden, aber vorher müssen wir etwas gegen Tanquerays Gesetzentwurf unternehmen. Das hat im Augenblick Vorrang.« Sein Gesicht war angespannt, seine Haut bleich, und um seine Augen lagen tiefe

Schatten. »Es sieht ganz so aus, als ob Voisey gegenwärtig die Oberhand hätte. Er besitzt nach wie vor den Beweis dafür, dass Simbister für den Anschlag in der Scarborough Street verantwortlich ist und zwischen ihm und Wetron eine Beziehung besteht – immer vorausgesetzt, er hat mir die Wahrheit gesagt. Ich wage nicht anzunehmen, dass sich das nicht so verhält.«

»Nein.« Vespasia fühlte sich sonderbar leer. Sie hatte von Anfang an damit gerechnet, dass Voisey Pitt in den Rücken fallen würde, sobald er eine Gelegenheit dazu sah. Wer mit dem Teufel essen wollte, brauchte in der Tat einen sehr langen Löffel. Trotz der reichlichen Erfahrung, die Pitt mit Tragödien und aller Art menschlicher Selbstsucht, Überheblichkeit und Hass hatte, überraschte ihn Bosheit stets aufs Neue. Er sah den Menschen, wo andere, weniger großmütige Naturen nichts als das Verbrechen gesehen hätten. Es war sinnlos, ihm zu sagen, er hätte nicht so vertrauensselig sein dürfen. Wahrscheinlich wusste er das selbst. Und außerdem wollte sie nicht, dass er diesen ganz besonderen Wesenszug einbüßte, der zugleich seine Stärke und seine Schwäche war. »Vielleicht wird es später eine Gelegenheit geben, an ihn zu denken.« Sie lächelte trübselig, aber unendlich sanftmütig. »Doch ich fürchte, dass wir dafür all unsere Vorstellungskraft und Intelligenz zusammennehmen müssen. Bisher weiß Voisey nicht, dass du noch lebst, und er könnte daher morgen so handeln, als wärest du tot.«

»Du meinst den Gesetzentwurf?« Seine Stimme klang etwas gequetscht. »Du meinst, er wechselt ins andere Lager und unterstützt ihn jetzt?«

»Ich an seiner Stelle«, sagte sie langsam, »würde Simbisters Beteiligung am Anschlag in der Scarborough Street öffentlich machen und diesen unübersehbaren Beweis für Korruption dazu benutzen, mich gegen den Gesetzentwurf zu stellen, jedenfalls vorläufig.«

»Und danach?« Sie sah seinen Augen an, dass er die Antwort kannte.

»Wetron ebenso vernichten«, sagte sie. »Dann seine Stelle einnehmen, den alten Inneren Kreis wieder zusammenführen und beherrschen wie zuvor. Wie ich Voisey kenne, wird er grausige Rache an denen üben, die ihn verraten haben.«

Pitt saß reglos da und dachte nach. »Ja.« Auf seinem Gesicht lag eine tiefe Mattigkeit.

Sie schwieg eine Weile. »Er wird dir nie im Leben verzeihen, Thomas«, sagte sie schließlich.

Er hob den Blick. »Das ist mir klar. Ich besitze immer noch das Beweismaterial für die Beteiligung seiner Schwester an der Ermordung des Geistlichen Wray. Ob ich das verwenden soll? In dem Fall bliebe mir aber nichts mehr, womit ich Charlotte schützen könnte. Und das weiß er.«

»Natürlich weiß er das«, bestätigte sie. »Das ist der Haken dabei, wenn man seine letzte Karte ausspielt. Was würde dir danach bleiben?«

Er sah sie mit dem Ausdruck unverhüllter Besorgnis an. Ein kaum wahrnehmbares Lächeln, das seiner eigenen Verletzlichkeit galt, umspielte seine Lippen. »Ich nehme an, dass auch Charlotte es nicht verwenden würde, selbst wenn ich tot auf dem Grund der Themse läge. Sie würde es zurückbehalten, um Daniel und Jemima zu schützen, und auch das ist ihm klar. Ich hatte mich gefragt, warum er keine Angst hatte, mich umbringen zu lassen. Ich hätte daran denken müssen.«

»Es hat keinen Sinn zu überlegen, was man hätte tun sollen und was nicht, mein Bester«, sagte sie. »Wir wollen die Ereignisse des heutigen Abends überschlafen und sehen, was der neue Tag bringt. Ich komme um neun Uhr zu euch, sobald ich die Morgenzeitungen gelesen habe. Jetzt musst du mir gestatten, dass ich dich von meinem Kutscher nach Hause bringen lasse. Bitte widersprich mir da nicht.«

Das tat er allerdings nicht, sondern war dankbar und sagte ihr das auch.

Pitt schlief besser, als er erwartet hatte. Ursprünglich hatte er Charlotte nicht in Einzelheiten berichten wollen, was geschehen war. Nicht nur, weil er sie nicht unnötig ängstigen wollte, sondern auch, weil es ihm peinlich war, dass er Voiseys Worte für bare Münze genommen hatte. Das war töricht gewesen, ganz gleich, wie wahrscheinlich sie geklungen oder wie sehr die Umstände gedrängt haben mochten.

Allerdings erriet sie so viel, dass er ihr die Sache nicht vorenthalten konnte, ohne sie zu belügen. Es erwies sich, dass sie weit mehr Verständnis aufbrachte, als er angenommen hatte. Zu seiner großen Erleichterung kritisierte sie ihn nicht, sondern gab sogar zu, dass sie das Beweismaterial gegen Mrs Cavendish aus genau den von ihm vermuteten Gründen nicht verwendet hätte.

Als er am nächsten Morgen nach unten ging, beschäftigten ihn Familienangelegenheiten, bis die Kinder zur Schule mussten. Dann schlugen er, Charlotte und Gracie die Zeitungen auf. Sie hatten kaum mehr als die Schlagzeilen gelesen, als Vespasia eintraf, bald darauf gefolgt von Tellman und etwas später von Victor Narraway, den Vespasia hinzugebeten hatte. Sie alle machten bedenkliche Gesichter.

Die *Times* lag aufgeschlagen auf dem Küchentisch, um den sie alle herumsaßen. Auch die übrigen Blätter brachten die Geschichte; sie unterschieden sich lediglich darin, dass sie jeweils andere Aspekte hervorhoben.

Alles war am Vorabend geschehen, rechtzeitig für die Morgenausgabe. Natürlich, dachte Pitt geknickt. Bestimmt hatte Voisey das im Hinblick darauf genauestens geplant. Er konnte nicht zulassen, dass Narraway Zeit für eine Reaktion oder für die Annahme blieb, dass Pitt tot war und daher nicht tätig werden konnte.

Wie es aussah, war Voisey mit dem Beweis für Simbisters Korruption zum Innenminister gegangen. Offenbar hatte er sich entschieden, die Ermordung Magnus Landsboroughs durch Piers Denoon zu verschweigen und die systematische Erpressung kleiner Geschäftsleute, die mit Kleinbeträgen umgingen, wie Wirte, Ladeninhaber und dergleichen, in den Vordergrund gestellt –

gewöhnliche Menschen, die den größten Teil der Bevölkerung ausmachten.

Dann war er auf den Sprengstoff im Laderaum der *Josephine* zu sprechen gekommen und hatte Beweise dafür vorgelegt, dass er von Grover stammte und zwischen diesem und Simbister eine enge Beziehung bestand. Ergänzt hatte er den Bericht um eine dramatische Schilderung des Mordversuchs, den Grover an ihm selbst, Voisey, und einem Beamten des Staatsschutzes verübt hatte, dessen Namen er aus Geheimhaltungsgründen nicht nennen dürfe.

All das las sich sehr spannend. Nicht nur wurde die Empörung über den weitgehenden Machtmissbrauch deutlich, das Ganze war auch mit menschlichen Empfindungen verbrämt. Offensichtlich sollte die Sache an den kommenden Tagen, wenn nicht gar über mehrere Wochen hinweg, weiter ausgesponnen werden. Die Leser würden den Verkäufern die Blätter aus den Händen reißen, um auf keinen Fall etwas zu verpassen.

Auch Denoon brachte die Geschichte in seiner Zeitung, stellte sie aber zurückhaltender dar. Im Vordergrund stand dabei die Frage, wie es zu einer solchen Tragödie hatte kommen können. Dann drückte er seine Vermutung aus, man werde die Erklärung sicherlich bald nachliefern und diesem Treiben ein Ende bereiten, sowie die Überzeugung, dass es sich um einen Einzelfall handele.

Mit alldem aber würde er nicht verhindern können, dass man Tanquerays Gesetzentwurf auf Eis legen würde. Die Vorstellung, ein Mann wie Simbister könne über eine Art bewaffneter Privattruppe mit weitgehenden Vollmachten gebieten, war unerträglich.

»Das wird aber nur ein kurzer Aufschub sein«, sagte Narraway mit finsterer Miene. »Solange niemand einen Beweis dafür liefert, dass auch Wetron in diese Sache verwickelt ist, lässt sie sich als Versagen eines einzelnen korrupten höheren Beamten darstellen, der seine Männer auf einen falschen Weg geführt hat.«

Gracie hatte den Kessel aufgesetzt und stand jetzt mit dem Rücken zum Herd. Sie hatte Tellman einen kurzen Blick zugeworfen und ihm verständnisinnig zugenickt. Die Tassen standen auf dem Küchentisch, daneben ein Krug Milch aus der Speisekammer und die Zuckerschale. Als Dampf aus dem Kessel zu steigen begann, nahm Gracie rasch die Teedose vom Regal.

»Es sieht ganz so aus, als sei Sir Charles wieder ein Held«, sagte Vespasia trocken.

Charlotte, die neben der Anrichte mit dem blau-weißen Porzellan stand, weil sie vor Aufgeregtheit nicht hätte ruhig sitzen bleiben können, stieß ein kurzes Lachen aus. »Ich wünschte, uns würde eine Möglichkeit einfallen, auch diese Sache gegen ihn zu wenden!« Damit bezog sie sich darauf, dass es ihnen seinerzeit gelungen war, Voisey im Zusammenhang mit Mario Corenas Tod zu überlisten.

Narraway sah mit sonderbarem Gesichtsausdruck zu ihr hin. Sein Mienenspiel ließ sich nicht recht deuten. »Ich glaube, diesmal war er gerissener als wir«, sagte er, erst zu ihr und dann zu den anderen gewandt. Sofern er der Ansicht war, Pitt habe Voisey die Gelegenheit dazu gegeben, ließ er sich das nicht anmerken, auch nicht am Ton seiner Stimme. »Ich glaube, er hat sich vom Staatsschutz das Eisen aus dem Feuer holen lassen und ihn dann, als er seinen Augenblick gekommen sah, sozusagen aus dem Rennen geworfen.«

»Aber es muss doch etwas geben, was wir tun können!«, begehrte Charlotte auf. Sie sah von einem zum anderen. »Wenn wir weder Macht noch Waffen haben, können wir die Leute dann nicht wenigstens mit ihren eigenen schlagen?«

Narraway sah sie aufmerksam an. Ein belustigtes Lächeln lag um seine Mundwinkel.

Charlotte sah an Vespasias Augen, dass diese verstand, was sie meinte. Sie war ebenfalls eine Frau und hatte ihren Gedankengang genau erfasst. Wer klug genug ist und den Gegner hinreichend gut kennt, kann seine eigene Schwäche in Stärke verwandeln.

»Wir wollen alles notieren, was wir über die Gegenseite wissen«, sagte sie. »Dabei fällt uns vielleicht die eine oder andere

Möglichkeit ein.« Sie sah auf Tellman. »Sie arbeiten doch für Wetron, seit Thomas nicht mehr in der Bow Street ist. Bestimmt ist Ihnen da dies und jenes aufgefallen, und sicherlich haben Sie sich Ihr Urteil über den Mann gebildet. Was ist sein Ziel? Wovor hat er unter Umständen Angst? Gibt es jemanden außer ihm selbst, an dem ihm liegt? Jemand, auf dessen gute Meinung er Wert legt oder sogar angewiesen ist?«

Nachdem sich Tellman von seinem Erstaunen darüber erholt hatte, dass Lady Vespasia ihn um seine Ansicht bat, überlegte er gründlich. Analytisches Vorgehen war nicht die Art, wie er normalerweise Probleme behandelte, und so musste er sich erst ein wenig darauf einstimmen.

Alle warteten. Das Wasser im Kessel begann zu sieden, Gracie goss den Tee auf und stellte die Kanne auf den Tisch, wo er noch eine Weile ziehen musste.

»Macht«, sagte Tellman, unsicher, ob es das war, worauf sie hinauswollte.

»Ist er ruhmsüchtig?«, fragte sie.

Er wusste nicht, was er darauf sagen sollte.

Pitt erwog, für ihn einzuspringen, biss sich dann aber auf die Zunge.

»Möchte er bewundert oder geliebt werden?«, fuhr Vespasia fort.

»Das glaube ich nicht«, gab Tellman zur Antwort. »Ich denke, ihm ist es lieber, wenn die Leute Angst vor ihm haben. Sicherheit ist ihm sehr wichtig, deswegen geht er keine Risiken ein.«

»Ist er tapfer?«, fragte sie leise und mit einem Anflug von Sarkasmus in der Stimme.

Tellman lächelte kaum wahrnehmbar. »Nein, Lady Vespasia, das glaube ich nicht. Ich kann mir nicht vorstellen, dass er seinen Gegnern offen gegenübertreten möchte.«

Narraway nickte knapp, sagte aber nichts.

»Das könnte uns nützlich sein«, sagte Vespasia und schürzte die Lippen ein wenig. »Feiglinge kann man aus dem Konzept bringen und zu übereiltem Handeln veranlassen, wenn die Zeit knapp ist und sie sich bedroht fühlen.« Sie wandte sich an Pitt. »Ist Sir Charles ebenfalls feige, Thomas?«

Er brauchte nicht lange zu überlegen und sagte: »Nein, Tante Vespasia, er würde dir notfalls von Angesicht zu Angesicht gegenübertreten. Ehrlich gesagt habe ich den Eindruck, dass es ihm sogar Freude machen würde.«

»Weil er damit rechnet, dass er Sieger bleibt«, sagte Vespasia. »Aber er ist auf Rache aus?«

Alle wussten, dass es sich dabei um eine rhetorische Frage handelte, trotzdem sagte Pitt: »Ja.«

»Weiß Wetron das?«, wandte Vespasia sich erneut an Tellman.

»Ich glaube schon«, gab dieser zur Antwort.

»Falls nicht, könnten wir ihm das mitteilen«, warf Charlotte ein.

Narraway sah sie mit gefurchter Stirn scharf an.

»Wenn das unser Wunsch wäre«, fügte sie rasch hinzu.

Gracie vereinfachte das Ganze mit dem Satz: »Se mein'n, wir woll'n de beid'n auf'nander hetz'n?« Sie goss den Tee ein.

Vespasia lächelte ihr zu. »Bewundernswert knapp zusammengefasst«, sagte sie. »Da wir allem Anschein nach im Unterschied zu den anderen über keine Waffen verfügen, müssen wir uns der ihren bedienen oder ihnen den Sieg gönnen – was mir offen gestanden völlig gegen den Strich geht.«

Narraway sah zuerst auf Pitt, dann auf sie. »Wetron hat ein Netz von Korruption geschaffen, bei dem die Beamten mehrerer Reviere – wir wissen noch nicht genau, wie viele es sind – von einfachen Leuten Geld erpressen. Die Schmutzarbeit überlassen sie Kriminellen wie beispielsweise Taschen-Jones. Mit diesen Einnahmen finanziert Wetron sein Imperium. Unterstützt von Männern wie Edward Denoon und dessen Zeitung, hat er die Stimmung in der Öffentlichkeit so weit hochkochen lassen, dass die Bereitschaft besteht, ja, geradezu der Wunsch, die Polizei mit Schusswaffen auszurüsten und ihre Vollmachten zu erweitern, ohne dass die Möglichkeit eines Missbrauchs ernsthaft erwogen wird. Die Sprengstoffanschläge und Magnus Landsboroughs

Ermordung haben dafür gesorgt, dass die Zeit für eine solche Gesetzgebung jetzt reif zu sein scheint.«

Pitt begriff, und er sah, dass Charlotte sowie Vespasia ebenfalls verstanden hatten. Tellman machte ein finsteres Gesicht.

Narraway fuhr fort, wobei er betont nicht zu Charlotte hinsah, als fürchte er, ihr in die Augen zu blicken. »Allem Anschein nach verfügt Voisey über unwiderlegliches Material, mit dessen Hilfe er Wetron vernichten kann, indem er dessen Verbindung mit Simbister und dem Anschlag in der Scarborough Street sowie die Beziehung beweist, die zwischen Piers Denoon und dem Mord an Magnus Landsborough besteht.« Er sah Pitt an. »Das Material besitzt Voisey noch?«

»Ja«, sagte Pitt unglücklich. »Wir haben die Protokolle der Aussagen im Zusammenhang mit den Erpressungen, aber Voisey hat die Beweise für Wetrons Verwicklung in die Geschichte in der Scarborough Street. Zumindest sagt er das.«

»Glauben Sie ihm?«

Pitt zögerte. »Ja.«

Vespasia setzte ihre Tasse ab. »Die Frage ist doch gewiss, ob Wetron es sich leisten kann, ihm nicht zu glauben?«

Narraway nickte anerkennend. »Genau, Lady Vespasia. Falls Wetron das weiß, bleibt ihm keine Wahl, als etwas gegen Voisey zu unternehmen. Ihm ist klar, dass Voisey nicht nur danach lechzt, sich an dem Mann zu rächen, der ihn verdrängt hat, sondern erneut die Führung des Inneren Kreises übernehmen will. Er ist überzeugt, Pitt aus dem Weg geräumt zu haben, und wird sich jetzt Wetron vornehmen, ohne weitere Zeit zu verlieren.«

»Denkbar, dass Wetron das weiß, aber ebenso ist es möglich, dass er es nicht weiß«, gab Pitt zu bedenken. »Unter Umständen arbeitet er darauf hin, dass der Gesetzentwurf im Unterhaus durchkommt. Trotz all seiner gegenteiligen Behauptungen darf man die Möglichkeit nicht von der Hand weisen, dass Voisey das ebenfalls wünscht. Anschließend würde er unauffällig an Wetrons Stelle im Inneren Kreis treten und einen seiner Spießgesellen zu Wetrons Nachfolger in der Bow Street machen. Das gäbe diesem die Möglichkeit, weit unauffälliger mit der Erpressung fortzufahren. Die Anschläge würden aufhören, Anarchisten festgenommen, vor Gericht gestellt und hingerichtet – und das alles würde man in der Öffentlichkeit breittreten. Die Mächtigen wären zufrieden, Voisey würde nicht nur ernten, wo Wetron gesät hat, sondern auch als Held dastehen. Und eines Tages würde er dann das Amt des Premierministers anstreben.«

Tellman hatte bisher nur wenig gesagt. Vespasia sah ihn aufmerksam an, weil ihr bewusst war, dass er als Einziger Wetron die nötigen Hinweise geben und dafür sorgen konnte, dass dieser merkte, wie dringend er handeln musste. Sein angespanntes, eingesunkenes Gesicht zeigte ihr, dass ihm das sehr wohl bewusst war. Vielleicht war ihm auch die damit verbundene Gefahr klar – doch wie stand es um die moralische Seite? Wetron wie Voisey waren rücksichtslose Mörder. Inwieweit wäre jeder der hier in der Küche Anwesenden, der in diesen Rivalitätskampf eingriff, am Ergebnis mitschuldig?

Ein Blick auf Victor Narraways Gesicht zeigte ihr, dass in ihm widerstrebende Empfindungen miteinander kämpften. Der entschlossene Teil seines Wesens, der es gewohnt war, Entscheidungen zu treffen, auch wenn deren Auswirkungen noch so bitter waren, schien im Widerstreit mit etwas unendlich Verletzlichem zu liegen.

Ihr war klar, dass Pitt das ebenfalls merkte. Allerdings hatte sie nicht damit gerechnet, in seinen Augen Verständnis dafür zu sehen, Mitgefühl, als wären er und Narraway einander in gewisser Hinsicht gleich.

Gracie spürte das Unbehagen, das in der Luft lag, sah die Blicke, die getauscht wurden, und bekam Angst. Unwillkürlich wandte sie sich an Tellman. »Sags' du's dem, Samuel?« Ihre Stimme klang ein wenig zittrig und unsicher.

Er sah sie liebevoll an, doch lag in seinem Blick keinerlei Zaudern. »Außer mir kommt keiner dafür infrage«, sagte er. »Er wird uns nicht schaden. Ich habe ihm nichts getan – jedenfalls weiß er nichts davon«, fügte er kläglich hinzu.

»Sei nich dumm!«, fuhr sie ihn an. »Der weiß genau, auf welcher Seite du stehs'! Da is es dem egal, ob er 's beweis'n kann oder nich, der will sich einfach an jemand schadlos halt'n, un da komms' du ihm grade richtig.« Sie wandte sich an Pitt. »Mr Pitt, Sie müss'n ihm sag'n, dass er's nich tun soll. Das geht nich. Se könn'n nich ...«

»Die Sache ist für alle gefährlich«, unterbrach Narraway sie. »Er ist der Einzige, dem Wetron Glauben schenken wird. Wenn wir nichts unternehmen, würden wir Voisey den Sieg überlassen. Vergessen Sie nicht, dass er sich in dem Fall an dieser Familie rächen wird.« Die umfassende Handbewegung, die er machte, schloss sie mit ein. »Es wird nicht lange dauern, bis er erfährt, dass Pitt noch lebt. Dann wird ihm niemand mehr in den Arm fallen können.«

Gracie funkelte ihn an, doch erstarben ihr die aufbegehrenden Worte auf den Lippen.

»Das wird schon gut«, versicherte ihr Tellman. »Uns bleibt ohnehin keine Wahl. Mr Narraway hat Recht. Wenn wir Voisey so viel Macht überlassen, nimmt er sich als Nächstes uns vor.«

Sie lächelte ihm trübselig zu. In ihrem Blick mischten sich Stolz und Angst. Sie presste die Lippen so fest zusammen, dass man nicht sehen konnte, ob sie zitterten.

Narraway nickte Tellman zu. »Ich kann es Ihnen nicht befehlen, aber wie Sie selbst sagen, sind Sie der Einzige von uns, der es tun kann.«

»Ja, Sir«, bestätigte Tellman.

Vespasia sah zu Narraway hin. »Und wenn Wetron sich Voiseys auf welche Weise auch immer entledigt – oder im Gegenteil Voisey sich seiner entledigt –, was sollen wir dann Ihrer Ansicht nach mit dem tun, der übrig bleibt?«

»Das kommt darauf an, welcher der beiden es ist«, erwiderte er.

»Das ist keine Antwort, Mr Narraway.« Sie sagte das leichthin, aber ihr Blick war hart.

Er lächelte. »Ich weiß.«

Pitt rutschte ein wenig auf seinem Stuhl vor.

Vespasia wandte sich ihm zu. »Thomas?«

»Wetron kann Voisey unmöglich vor Gericht bringen«, sagte er zu ihr gewandt, doch war klar, dass er zu allen sprach. »Er wird einen Weg finden, sich Voisey vom Hals zu schaffen und dabei an seine eigene Sicherheit zu denken. Höchstwahrscheinlich wird das nicht ohne Gewalttätigkeit abgehen.«

Vespasia sah zu Charlotte hin, um die sie sich sorgte, und erkannte die Angst auf ihren Zügen. Dann blickte sie zu Narraway und begriff. Sofern er absichtlich nichts gesagt hatte, lag es an dem weicheren Teil seines Wesens, den sie einen flüchtigen Moment lang gesehen und nicht sofort erkannt hatte.

Narraway forderte Tellman auf, Pitt umgehend Bericht zu erstatten. »Halten Sie sich nicht zurück. Wenn das Mitgefühl Sie packen sollte, denken Sie einfach an die Toten in der Scarborough Street.«

Vespasia sah den Widerwillen auf Tellmans Zügen. »Denken Sie nicht an die Scarborough Street«, sagte sie. »Diesen Menschen kann man nicht mehr helfen; sie sind bereits tot oder verkrüppelt. Denken Sie lieber an die Straße, die als nächste und als übernächste an der Reihe wäre.«

Tellman nahm sich diese Worte zu Herzen, und bald darauf löste sich die kleine Runde auf. Er trat auf die Straße hinaus und ging rasch bis zur Tottenham Court Road. Dort hielt er die erste Droschke an, die er sah, und ließ sich zur Bow Street fahren. Falls er sich Zeit nahm, nachzudenken, würde er möglicherweise die Spontaneität einbüßen, das Hochgefühl, das ihm die Besprechung in der Küche des Hauses in der Keppel Street vermittelt hatte. Ganz davon abgesehen gab es, wie alle sehr richtig gesagt hatten, keine Zeit zu verlieren.

Auf der Wache suchte er nach einer flüchtigen Begrüßung des Diensthabenden Wetrons Zimmer auf. Da er noch unsicher war, ob er wollte, dass andere von seinem Vorhaben erfuhren, hatte er nicht gefragt, ob der Vorgesetzte im Hause sei.

Auf sein Klopfen ertönte ein ungeduldiges ›Herein‹.

Er trat ein. »Guten Morgen, Sir«, sagte er ohne zu zögern und schloss die Tür hinter sich. Seine Stimme war angespannt und eine Spur höher als sonst.

Wetron stand am Fenster. Er wandte sich um und sah Tellman verärgert an. Auf seinem Gesicht mischte sich Besorgnis mit einer Art Siegesgewissheit. »Guten Morgen. Tut mir Leid, was ich über Pitt gehört habe. Konnte den Mann nie ausstehen, aber ich weiß, dass Sie ihm verbunden waren.«

Tellmans Gedanken jagten sich. Offenbar hatte jemand Wetron mitgeteilt, dass Pitt nicht mehr lebte – jetzt schon! Er hatte drei Möglichkeiten: das zu bestreiten, so zu tun, als wisse er selbst schon davon, oder vollständige Unwissenheit zu heucheln. Ihm blieben nur wenige Sekunden, um zu entscheiden, welche davon die für ihn günstigste war. »Sir?« Er versuchte, Zeit zu gewinnen, denn er konnte sich nicht den geringsten Fehler leisten.

»Heute Morgen hat man ihn aus der Themse gezogen«, sagte Wetron und sah ihn mit boshafter Freude an. »Sieht ganz so aus, als ob ihn die Anarchisten erledigt hätten.«

»Ach, das meinen Sie.« Mit einem Mal sah Tellman eine Lösung vor sich. Er hatte die Möglichkeit, das als Waffe zu benutzen. »Sieht mir ganz so aus, als ob sich Mr Simbister wehren wollte. Finden Sie nicht auch? Sozusagen sein letztes Aufbäumen.«

Röte stieg Wetron ins Gesicht. Einen Augenblick lang schien er unsicher. Am liebsten hätte er Tellman angebrüllt, ihn in seinem Schmerz verhöhnt. Dann gewann sein Kalkül die Oberhand; er überlegte, was seinen Zwecken am ehesten dienlich war, und sagte gelassen: »Wollen Sie damit sagen, dass Ihnen Simbisters Korruption bekannt war?«

»Ich weiß, was heute Morgen in den Zeitungen stand, Sir«, gab er zurück. »Über Sir Charles Voisey kann ich mehr sagen.«

»Ach ja?« Wetron hob die Brauen. »Wie kommt das? Mir ist nicht bekannt, dass es zu Ihren Ermittlungsaufträgen gehört hätte, Erkundigungen über Unterhausabgeordnete einzuziehen.«

Ein Schauder überlief Tellman. Wie leicht konnte er jetzt zu viel oder das Falsche sagen, sich zu sicher fühlen. Das war der Augenblick der Wahrheit. »Nein, Sir«, sagte er mit gespielter Schüchternheit. »Ich mache dem Hausmädchen der Pitts den Hof, Sir, und war zufällig heute Morgen da.«

»Dann muss ich annehmen, dass Pitts Tod Sie ziemlich kalt lässt«, sagte Wetron verblüfft. »Sollten Sie Charakterzüge besitzen, die mir unbekannt sind?«

»Ich glaube nicht, Sir. Mr Pitt geht es gut. Ich weiß nicht, wen man aus dem Fluss gezogen hat. Vielleicht einen armen Kerl, der ihm ähnlich sieht. Wenn ich offen sprechen darf, habe ich den Eindruck, dass Sir Charles Ihnen ganz bewusst eine Lüge aufgetischt hat, Sir.« Er entspannte sich ein wenig. »Soweit ich von Mr Pitt und meinen eigenen Beobachtungen weiß, Sir, scheint er Sie nicht besonders gut leiden zu können. Er steckt auch sozusagen hinter der Sache mit Mr Simbister.«

Wetron regte sich nicht. »Wie kommen Sie darauf?«

Jetzt war der richtige Zeitpunkt gekommen, ihm zu sagen, was nötig war, damit Narraways Plan aufging. »Er hat dem Staatsschutz den Hinweis zugespielt, dass Mr Simbister mithilfe von Kriminellen Geld bei den Gastwirten eintreibt, und auch festgestellt, dass das von den Anarchisten verwendete Dynamit auf einem Boot in der Nähe von Shadwell gelagert wurde.«

In Wetrons Augen glitzerte Kälte. Sein Gesicht schien vollständig blutleer zu sein. »Und woher wissen Sie das, Tellman? Das klingt ganz so, als hätten Sie länger für den Staatsschutz gearbeitet als für die Polizei, die Sie bezahlt. Auf welcher Seite stehen Sie eigentlich? Ich hätte es mir doch denken können!«

»Wie ich schon gesagt habe, Sir, ich mache Mr Pitts Hausmädchen den Hof und war zufällig heute Morgen da. Da habe ich es von Mr Pitt selbst gehört. Sir Charles wollte ihn gestern Abend umbringen, hat es aber nicht geschafft.«

»Waren Sie dabei?«, wollte Wetron wissen. Tellman machte ein bekümmertes Gesicht. »Nein, Sir! Ich war hier, ich hatte Dienst!«

»Warum sind Sie zu mir gekommen?«, fragte Wetron. Seine Lippen waren so fest zusammengepresst, dass der Mund aussah wie mit einem Messer ins Gesicht geschnitten.

»Ich möchte, dass die Polizei im richtigen Licht erscheint und die Leute uns nicht für Verbrecher halten, Sir.« Das war glaubwürdig. Er hatte sein ganzes Arbeitsleben bei der Polizei verbracht, und das wusste Wetron. »Ich halte es für richtig, dass Mr Simbister aus dem Dienst entfernt wird. Es sieht ganz so aus, als sei er korrupt. Mr Pitt hat das eine oder andere fallen lassen, und das Übrige kann ich mir zusammenreimen. Sir Charles beabsichtigt auch, Sie aus dem Weg zu räumen, Sir. Danach will er einen seiner Männer hier einsetzen und die Sache auch auf die Bow Street ausdehnen. Das erpresste Geld soll in seine eigene Tasche fließen. Ich bin nicht bereit zuzulassen, dass das in dem Revier geschieht, in dem ich Dienst tue, Sir.«

Er holte tief Luft. »Ich will nicht behaupten, dass ich Sie so gut leiden kann wie Mr Pitt, aber ich will nicht, dass man Sie für etwas über die Klinge springen lässt, womit Sie nichts zu tun haben. So etwas gehört sich nicht. Auf keinen Fall möchte ich, dass ein Polizeibeamter von Sir Charles Voiseys Gnaden Leiter dieser Wache wird.«

»So, so«, sagte Wetron leise. »Und wofür glaubt mich Sir Charles Voisey ›über die Klinge springen‹ lassen zu können?«

»Das weiß ich nicht, Sir.« Jetzt zitterte Tellman, und er spürte einen dicken Kloß im Hals. »Es soll mit Erpressung und mit dem Mord an einem jungen Mann zu tun haben. Er behauptet, dass er ein Dokument hat, mit dem er diese Vorwürfe beweisen kann, die er Ihnen anhängen will.«

Das Schweigen im Raum wurde immer lastender, schien alles in sich aufzusaugen, sodass Tellman den Eindruck hatte, keine Luft mehr zu bekommen.

Wetron sah ihn an. Er bemühte sich, seine Wut zu beherrschen, versuchte, sich zum kühlen Nachdenken zu zwingen. Seine Reaktion auf Tellmans Worte machte deutlich, dass diese Vorwürfe auf Wahrheit beruhten.

Tellman spürte, wie sich sein Inneres immer mehr zusammenkrampfte.

»Das will er also tun?«, sagte Wetron ganz gelassen, aber mit rauer Stimme.

Stockend und seine Worte dehnend stieß Tellman hervor: »Ja-a, Sir. I-ich glaube, e-er hat das von langer Hand geplant. E-er ist schrecklich rachsüchtig. Deshalb hat er mit Mr Pitt zusammen so sehr gegen das Gesetz intrigiert – e-er wollte ihn in eine Falle locken.«

»Aber Sie haben doch gesagt, dass Pitt entkommen ist«, hielt ihm Wetron vor.

Tellman stieß die Luft aus. »Schon, Sir. Aber das war reines Glück. Jemand ist auf dem Fluss vorbeigekommen und hat ihn gerettet.«

»Ein Fehler«, sagte Wetron befriedigt. »Man sollte immer alles selber machen. Nun, wenn Sir Charles meine Position und die Früchte meiner Arbeit will … er kann sie haben! Vorzüglich, Tellman. Wirklich vorzüglich. Ich werde zusehen, dass er sie bekommt – und alles Negative, was damit zusammenhängt.«

Er sah zur Uhr auf dem Kaminsims, griff hastig zum Telefon und führte ein kurzes Gespräch. Dann wandte er sich wieder Tellman zu: »Er ist tatsächlich noch zu Hause. Ausgezeichnet. Genau da, wo er auch das Beweismaterial hat. Ich gehe hin und nehme ihn fest.«

Seine Stimme zitterte ein wenig vor plötzlicher Erregung. »Sagten Sie nicht, er hat Pitt zu ermorden versucht? Bei einem so gewalttätigen Menschen sollte ich dann wohl besser eine Schusswaffe mitnehmen. Womöglich leistet er Widerstand.« Das Lächeln auf seinem Gesicht zeigte eine wilde Freude. »Pitt ist ein Dummkopf, aber dass er bei dem Abenteuer gestern Abend entkommen ist, kann sich unter Umständen als nützlich erweisen. Bestimmt lügt er nicht. Wenn man ihn befragt, wird er sagen, dass Voisey versucht hat, ihn zu töten.« Er trat zu einem Schrank, nahm einen Schlüssel von der Uhrkette, schloss auf, nahm eine Pistole heraus, lud sie und steckte sie ein.

»Sie brauche ich nicht, Tellman«, sagte er und straffte sich. »Das ist eine Angelegenheit zwischen ihm und mir. Sie haben gute Arbeit geleistet.« Hoch aufgerichtet ging er an ihm vorüber zur Tür hinaus. Die Pistole in seiner Jackett-Tasche war nicht zu sehen.

Tellman wartete, bis er fort war, dann eilte er die Treppe hinab und zur Tür hinaus. Pitt wartete in einer Seitengasse einige hundert Meter entfernt. Sie mussten Wetron folgen und ihn genau im richtigen Augenblick packen, bevor er Voisey ermorden konnte. Dann hätten sie einen wie den anderen und obendrein alles Beweismaterial. In ihrem gegenseitigen Hass würden die beiden gegeneinander aussagen.

Er eilte die Straße entlang. Seine Schritte verhallten auf dem Pflaster.

KAPITEL 12

Unruhig auf und ab schreitend wartete Pitt in der Gasse. Von Zeit zu Zeit blieb er eine Weile stehen, spähte um die Ecke und ging dann wieder rastlos hin und her. Trotz der dichten Menschenmenge sah er Tellman schon, als dieser noch zwanzig Meter entfernt war, weil er rannte.

Pitt wollte ihm entgegeneilen, dann aber fiel ihm ein, dass sie einander im Gedränge verfehlen könnten, und so tat er wieder einen Schritt zurück. Im nächsten Augenblick wären sie fast zusammengestoßen.

»Wetron ist auf dem Weg zu Voiseys Haus«, keuchte Tellman. »Er hat eine Pistole mitgenommen. Ich vermute, dass er die Absicht hat, ihn zu erschießen und hinterher zu sagen, es sei in reiner Notwehr geschehen. Niemand würde etwas dagegen sagen können.«

»Er ist auf dem Weg zu Voisey? Dann schnell hinterher. Er kann uns nicht alle drei und die Dienstboten obendrein erschießen.« Mit großen Schritten eilte Pitt, von Tellman gefolgt, der nächsten größeren Straße entgegen, wo sie die erste freie Droschke anhielten. Pitt nannte Voiseys Adresse und forderte den Kutscher auf, sich zu beeilen. »Es geht um Leben und Tod!«, fügte Tellman mit so scharfer Stimme hinzu, dass andere Kutscher in der Nähe mit ungläubiger Miene herübersahen. Dann sprangen beide in die Droschke.

Die Droschke bahnte sich ihren Weg durch den dichten Verkehr. Keiner der beiden sprach. Sie bemühten sich, ihre Empfindungen zu beherrschen und ihre Fantasie daran zu hindern, sich auszumalen, was alles fehlschlagen konnte. Es wäre ein Albtraum, wenn Voisey Sieger bliebe und sich ein Racheakt an den anderen reihte, bis nichts und niemand mehr übrig wäre.

Aber auch die Hoffnung mussten sie unterdrücken. Sie würden Wetron wegen Mordversuchs an Voisey festnehmen. Der Beweis für Wetrons Schuld existierte, und Voisey hatte ihn im Besitz. Der Korruption wäre damit das Haupt abgeschlagen, und der Gesetzentwurf würde nicht durchkommen. Aber Voisey würde am Leben bleiben, mit allem, was das bedeutete.

Jetzt raste die Droschke durch eine halb leere Straße und bog so scharf um eine Ecke, dass der eine fast auf dem Schoß des anderen gelandet wäre. Der Kutscher trieb sein Pferd zu noch größerer Eile an.

Als die Droschke hielt, schien die Fahrt trotzdem eine Ewigkeit gedauert zu haben. Pitt gab dem Kutscher eine Hand voll Münzen, wobei er das, was er für den angemessenen Fahrpreis hielt, mit einem großzügigen Trinkgeld aufrundete. Dann stürmten er und Tellman über den Gehweg und die Stufen von Voiseys Haus empor. Pitt hämmerte gegen die Tür.

Der Butler öffnete mit hochnäsiger Miene. »Ja, Sir?« Der Ton, in dem er das sagte, zeigte deutlich, was er von Menschen hielt, die laute und ordinäre Geräusche machten, ganz gleich, aus welchem Grund. »Kann ich etwas für Sie tun?«

»Ich muss sofort mit Sir Charles sprechen!«, stieß Pitt atemlos hervor. »Sein Leben ist in Gefahr.«

»Sir Charles ist im Parlament. Tut mir Leid, Sir.«

»Aber vor vierzig Minuten war er noch hier«, begehrte Tellman auf, als sei das von Bedeutung.

»Nein, Sir«, sagte der Butler fest. »Sir Charles ist vor über einer Stunde gegangen.«

»Hauptkommissar Wetron hat gesagt …«, beharrte Tellman mit erhobener Stimme.

»Ich bedaure, Sir, Sie müssen sich irren«, erklärte der Butler.

Wilde Verschwörungstheorien jagten sich in Pitts Kopf, bis ihm die nahe liegende Lösung einfiel. »Er war gar nicht zu Hause«, sagte er. »Wetron hat uns in die Irre geführt. Wir müssen zum Unterhaus.«

»Dort kann er seinen Plan unmöglich ausführen!«, gab Tellman zu bedenken.

»Doch, ohne weiteres, in einem der Abgeordnetenbüros.« Pitt eilte wieder die Stufen hinab, gerade noch rechtzeitig, um dem Droschkenkutscher zuzurufen, dass er warten solle. Er hatte dem Pferd eine kleine Verschnaufpause gegönnt und dabei das Schauspiel am Eingang des vornehmen Hauses genossen. Gerade, als er abfahren wollte, rief Pitt ihn an, und so wartete er.

»Zum Unterhaus«, gebot Pitt.

»Wohl wieder so schnell, wie's geht?«, fragte der Kutscher belustigt. »Fahr'n Se eig'ntlich nie mit normaler Geschwindigkeit wie and're Leute? 's geht wohl wieder um Leb'n un Tod, was?«

»Ja. Los! Falls Ihr Pferd aber erschöpft ist, halten Sie bei der nächsten Droschke an, und wir steigen um«, sagte Pitt.

Der Fahrer warf ihm einen herablassenden Blick zu und ließ sein Pferd antraben.

»Wir kommen bestimmt zu spät«, knurrte Tellman mit zusammengebissenen Zähnen. »Bis dahin hat ihn der Mistkerl erschossen.«

Pitt sagte nichts. Er fürchtete, dass Tellman Recht hatte.

Weil die Straßen verstopft waren, schien sich die Fahrt endlos lange hinzuziehen. Weder die Ungeduld noch das Bewusstsein eines bevorstehenden Fehlschlags konnte sie verkürzen oder verhindern, was beide inzwischen für unvermeidlich hielten.

Endlich kamen sie vor dem Parlamentsgebäude an. Pitt gab dem Kutscher fast den ganzen Rest seines Geldes und forderte ihn auf, dem Pferd dafür etwas Gutes zukommen zu lassen, dann eilte er Tellman nach, der bereits zwanzig Meter Vorsprung hatte.

Nachdem sie sich ausgewiesen hatten, wurden sie eingelassen und zu Voiseys Büro geführt. Kaum waren sie um die Ecke des langen Korridors gebogen, als sie sahen, dass sie zu spät kamen.

Eine dichte Traube von Menschen mit bleichen und besorgten Gesichtern, die mit gesenkter Stimme sprachen, versperrte ihnen den Weg.

»Was gibt es?«, fragte Pitt, als er sie erreicht hatte. Er fürchtete, die Antwort bereits zu wissen.

»Fürchterlich«, sagte einer der Sekretäre, ein untadelig gekleideter bleicher junger Mann. Er zitterte so sehr, dass die Papiere, die er in den Händen hielt, ein raschelndes Geräusch von sich gaben. »Ganz und gar entsetzlich.«

»Was denn?«, fragte Pitt.

»Wissen Sie es nicht? Man hat Sir Charles Voisey erschossen. Einer von der Polizei ist da. Ein Mann aus der Bow Street. Ein Abgeordneter wird im Parlamentsgebäude erschossen! Wo soll das noch hinführen?«

Pitt drängte sich durch und schob Menschen beiseite, bis er die Tür erreichte. Dort stand Wetron einen Meter von ihm entfernt, bleich und allem Anschein nach tief erschüttert. Doch als sich ihre Blicke kreuzten, sah Pitt in den Augen des Mannes den Triumph, und ihm war klar, dass die Auseinandersetzung verloren war.

Wetron ließ sich nichts anmerken. Für die Umstehenden spielte er die Rolle eines Mannes, den ein widerwärtiges Ereignis in tiefster Seele erschüttert hatte.

»Ah, Oberinspektor Pitt«, sagte er, als habe dieser seinen einstigen Rang noch. »Wie gut, dass Sie da sind. Schreckliche Sache. Ich fürchte, es gibt unwiderlegliche Beweise für Sir Charles' Schuld. Tragisch. Ich wollte ihn deswegen befragen, hoffte gegen alle Vernunft, dass er eine andere Erklärung hatte. Das aber war nicht der Fall. Er hat mich mit einem Brieföffner angegriffen, deutlicher Hinweis auf sein Schuldbewusstsein.« Es klang, als müsse er sich zu diesen Worten zwingen, als empfinde er Entsetzen und Bedauern. In seinen Augen aber lagen Siegesgewissheit und die Befriedigung, seinen Machthunger gestillt zu haben. Die Umstehenden konnten das nicht erkennen, wohl aber Pitt.

»Beweise wofür, Hauptkommissar Wetron?«, fragte Pitt unschuldig, als sei er völlig ahnungslos.

Ohne seinen Ausdruck im Geringsten zu verändern, sagte Wetron: »Für Korruption, Mr Pitt. Sie scheint ein unglaubliches Ausmaß erreicht zu haben und beschränkt sich keineswegs auf aktive Polizeibeamte. Ich bedaure unendlich, sagen zu müssen, dass Sir Charles mit Oberinspektor Simbister aus der Cannon Street gemeinsame Sache gemacht hat. Noch schlimmer aber ist, dass unwiderlegliche Beweise für seine Verbindung zu den Anarchisten vorliegen, die den entsetzlichen Sprengstoffanschlag in der Scarborough Street verübt haben, denn das verwendete Dynamit ist über seine Kontakte beschafft worden. Es wäre mir lieber, wenn ich etwas anderes sagen könnte.« Im Hinblick auf die große Zahl der Zuschauer versagte er sich ein triumphierendes Lächeln, aber die Befriedigung über den Sieg leuchtete ihm aus den Augen.

Pitt spürte den Geschmack der Niederlage bitter wie Galle, doch fiel ihm nichts ein, womit er hätte zurückschlagen können. Es war sinnlos, Wetron zu fragen, ob Voisey irgendetwas davon gestanden hatte. Er würde einfach Ja sagen, und das Bewusstsein, dass es sich nicht so verhielt, würde Pitt nichts nützen.

»Ich werde Mr Narraway Bericht erstatten«, brachte er heraus. »Es wird ihn freuen, dass es im Fall des Anschlags in der Scarborough Street Beweise gibt.« Würde Wetron die Männer ans Messer liefern, die seine Befehle ausgeführt hatten? Möglich war es. Sofern sie weder wussten, woher die Befehle gekommen waren, noch Beweise dafür vorlegen konnten, dass sie auf Anweisung Wetrons gehandelt hatten, gab es für ihn nichts zu verlieren, wohl aber unter Umständen viel zu gewinnen. Die Vorstellung, dass sich Wetron in ungerechtfertigter Weise mit diesem Erfolg schmücken würde, wie auch das Bewusstsein seiner eigenen Hilflosigkeit machten Pitt wütend, doch gab es für ihn keinerlei Möglichkeit, etwas dagegen zu unternehmen.

»Selbstverständlich«, erklärte Wetron leicht von oben herab. »Ich werde ihm das Material gern übergeben, sobald meine Männer es gesichtet haben. Natürlich hat die Angelegenheit mit dem Tod von Sir Charles Vorrang.«

Einer der umstehenden Abgeordneten nickte. »Unbedingt. Grauenvolle Sache, das. Bemerkenswertes Vorgehen, wenn ich das sagen darf. Beachtlicher persönlicher Mut, sich ihm allein zu stellen. Gut, dass hier kein ganzer Trupp von Polizisten in Uniform herumtrampelt. Furchtbarer Skandal. Grässlich. Wer hätte das gedacht?«

»Jahrelange Erfahrung«, sagte Wetron mit gespielter Bescheidenheit. »Allerdings muss ich zugeben, dass es mich ebenfalls entsetzt hat. Es handelt sich hier um ... ein Verbrechen von einer unvorstellbaren Größenordnung. Eine Tragödie für das ganze Land. Ich ...« Er erschauerte theatralisch. »Sicher werden Sie verstehen, dass ich im Augenblick nichts weiter sagen möchte. Die ganze Sache ist auch mir sehr nahe gegangen.« Er sah zur geschlossenen Tür von Voiseys Büro hinüber.

»Selbstverständlich«, stimmte der Abgeordnete zu. Er wandte sich an die übrigen Umstehenden und sagte: »Meine Herren, da wir ohnehin keine Hilfe leisten können, sollten wir uns nicht länger hier aufhalten, sondern andere ihre traurige Pflicht tun lassen. Kehren wir an unsere Arbeit zurück.« Er machte eine Handbewegung, und die Menschenmenge löste sich auf.

Pitt blieb noch ein wenig stehen. Er empfand einen sonderbaren Widerwillen, den Raum zu betreten und sich Voiseys Leiche anzusehen. Gehörte das zu seinen Aufgaben?

Wetron fasste seinen Arm und hielt ihn zurück. »Das ist Sache der Polizei«, sagte er mit Nachdruck. »Sie sind beim Staatsschutz, nicht wahr?«

Im nächsten Augenblick war Pitt entschlossen. »Habe ich Sie falsch verstanden? Hatten Sie nicht gesagt, dass Sir Charles in den Anschlag in der Scarborough Street verwickelt war und mit dem von den kleinen Leuten im Revier der Cannon Street erpressten Geld die Anarchisten finanziert?«

Einen Moment lang schien Wetron unsicher. Offenkundig wusste er nicht, was er darauf sagen sollte. Zumindest einer der Abgeordneten war noch in Hörweite.

»Damit fällt die Sache in unseren Aufgabenbereich«, sagte Pitt mit bitterem Lächeln. »Für Anarchisten und Sprengstoffanschläge ist der Staatsschutz zuständig. Wir sind Ihnen zu großem Dank verpflichtet, weil Sie dem Mann auf die Schliche gekommen sind ... und natürlich auch, weil Sie versucht haben, uns Amtshilfe zu leisten und ihn festzunehmen.«

Wetron gewann sein Gleichgewicht wieder, jedenfalls nach außen. »Wirklich bedauerlich, dass ich ihn Ihnen nicht lebend übergeben konnte«, sagte er scheinbar betrübt. »Dann hätte er vielleicht gegen andere ausgesagt. Das kann er jetzt natürlich nicht mehr.«

»Zweifellos ist auch ihm der Gedanke gekommen«, sagte Pitt zweideutig. Er löste seinen Arm aus Wetrons festem Griff, öffnete die Tür und überließ Tellman die Entscheidung, ob er ihm folgen wollte oder nicht. Im Stillen hoffte er, er werde es nicht tun.

Er trat ein und schloss die Tür hinter sich.

Der Raum lag still in der Morgensonne. Da die Fenster geschlossen waren und das Zimmer in einem der höheren Stockwerke lag, drang weder Verkehrslärm herein, noch hörte man Stimmen von den Uferwegen entlang der Themse und auch nicht von den Korridoren.

Alles war geradezu vorbildlich aufgeräumt. Es gab keinerlei Hinweise auf einen Kampf, als habe die Auseinandersetzung ausschließlich mit Worten und nicht auf körperlicher Ebene stattgefunden.

Charles Voisey lag zwischen dem Schreibtisch und einem der Fenster auf dem Teppich, halb auf der Seite, eine Hand gekrümmt. In der Stirn befand sich ein Einschussloch. Es sah aus wie ein drittes Auge. Auf seinem Gesicht war keine Überraschung zu erkennen, wohl aber der Ausdruck von Ärger. Offenkundig hatte er seinen Fehler begriffen und vorausgesehen, was geschehen würde.

Pitt sah auf ihn hinab und überlegte, ob Voisey gewusst hatte, dass sein Bemühen vom Vorabend fehlgeschlagen war und Pitt noch lebte. Ob es so etwas wie eine Möglichkeit der Erkenntnis nach dem Tode gab, die es ihm gestattete, das jetzt zu erfahren? Oder kümmerte sich die Seele, wie auch immer sie beschaffen sein mochte, lediglich um das, was in der Zukunft lag?

Ob Mrs Cavendish vor Kummer außer sich sein würde? Wer konnte ihr die traurige Mitteilung machen? Angehörige, Bekannte? In keinem der Gespräche mit Pitt hatte sich Voisey je über Freunde oder private Bekanntschaften geäußert. Wohl gab es Verbündete, Menschen, über die er Macht hatte, aber wohl niemanden, der ihn einfach deshalb vermissen würde, weil er ihm nahe gestanden hatte.

Pitt hatte ihn beinahe gemocht. Ein kluger Mensch, der ihn bisweilen zum Lachen gebracht hatte, voller Leben, fähig, seine Leidenschaften, seine Wissbegier und seine Bedürfnisse zu artikulieren. Sein Tod hinterließ eine gewisse Leere.

»Dummkopf«, sagte Pitt laut. »Das wäre nicht nötig gewesen. Sie hätten ... eine ganze Reihe von Möglichkeiten gehabt, etwas ganz anderes zu werden.« Er sah auf die Leiche hinab. »Was zum Teufel haben Sie mit dem Beweismaterial angefangen ... wenn Sie es je hatten?«

Ob es sich lohnte, danach zu suchen? Würde nicht auch Wetron daran gedacht und alles getan haben, was er konnte, um es zu fälschen oder beiseite zu schaffen? Sicherlich hatte er nur solche Dinge an Ort und Stelle gelassen, die Voisey belasten konnten.

Das Bewusstsein der Niederlage bedrückte Pitt. Zugleich empfand er Wut und Trauer. Er hatte lange gegen Voisey gekämpft und dabei schwere Niederlagen erlitten. Dennoch hätte er nicht gewünscht, dass er so endete. Was hatte Voisey gewollt? Überrascht ging ihm auf: dass Pitt sich geändert hätte. Eine absurde Vorstellung, denn dazu wäre es wohl nie gekommen. Aus diesem Grund war er wütend auf ihn, so, wie er wütend auf Wetron war und auf sich selbst, weil er nicht scharfsinnig genug gewesen war, ihm zuvorzukommen.

Es klopfte an der Tür. Wahrscheinlich wollte man die Leiche abholen. Er konnte die Leute nicht warten lassen. Man würde über den Vorfall nicht weiter sprechen. Wetron hatte so viel von der Wahrheit preisgegeben, wie sich beweisen ließ, und so gab es für Pitt keinen Grund, die Leiche für weitere Ermittlungen zurückzubehalten.

»Herein«, sagte er.

Eine Stunde später verließ er das Parlamentsgebäude. Tellman war bereits mit Wetron aufgebrochen; ihm war nichts anderes übrig geblieben: Wetron als sein Vorgesetzter hatte ihm den dienstlichen Befehl dazu erteilt. Es war ein weiterer Hinweis auf seine und Pitts Niederlage. Pitt hatte nicht gewagt, Wetron daran zu hindern, weil ihm klar war, dass Tellman die Zeche dafür hätte zahlen müssen. So gut es ging, hatte er Voiseys Büro durchsucht, dabei aber nichts gefunden, was ihm hätte nützen können. Eine Reihe verschlossener Schubladen wollte man ihm nicht öffnen, da sie angeblich geheime Regierungsakten enthielten. Nur gut, dass sich alles Material, das Voisey zusammengetragen hatte, um Simbisters Verstrickung in die Sprengstoffanschläge nachweisen zu können, bereits in den Händen der zuständigen Behörden befand, wie auch die Papiere, aus denen die Beziehung zwischen Grover und Simbister hervorging und die Letzteren in Bezug auf das Dynamit im Laderaum der *Josephine* belasteten.

Auf dem Heimweg kam Pitt der Gedanke, Narraway könne nach wie vor in der Keppel Street auf seine Rückkehr warten. Charlotte und Vespasia würden bestimmt dort sein.

Kaum hatte er die Haustür geöffnet, als Narraway schon im Flur stand. Sogleich sah er auf Pitts Gesicht, dass er verloren hatte.

»Was ist geschehen?«

Pitt bückte sich und zog sich die Schuhe aus. »Eine üble Geschichte«, sagte er. »Er hat in Voiseys Haus angerufen und so getan, als wenn er mit ihm spräche. Dann hat er zu Tellman gesagt, er wolle ihn dort aufsuchen. Wir haben das geglaubt.«

»Und?«, fragte Narraway scharf.

Pitt stand in Strümpfen vor ihm. »Wahrscheinlich hat er mit

dem Butler telefoniert, wenn er nicht den Anruf von A bis Z vorgetäuscht hat. Jedenfalls war Voisey nicht zu Hause, sondern im Unterhaus. Bis wir unseren Fehler erkannt hatten und dort ankamen, war er bereits tot. Wetron berichtete gerade den Umstehenden, dass er gekommen sei, Voisey festzunehmen, dieser ihm Widerstand geleistet und ihn mit einem Brieföffner angegriffen habe. Daraufhin habe er ihn in Notwehr erschießen müssen.«

Narraway fluchte laut, ohne daran zu denken, dass Charlotte und Vespasia das in der Küche hören konnten.

»Was können wir jetzt noch tun?«, fragte Charlotte niedergeschlagen.

Narraway drehte sich zu ihr um und errötete tief. Er schien zu überlegen, ob er sich entschuldigen sollte. Er holte tief Luft.

Vespasia sagte rasch: »Sicher macht Gracie uns gleich Tee, dann können wir gemeinsam überlegen, welche Möglichkeiten uns bleiben.«

»Bleiben uns denn welche?«, fragte Charlotte, als sie alle um den Küchentisch saßen, auf dem außer Tee auch Brot und Butter standen. Auch Vespasia hatte sich zu ihnen gesetzt, ganz so, als gehöre es zu ihren Gewohnheiten, mit guten Freunden, einem Dienstmädchen und dem Leiter des Staatsschutzes in einer Küche zu essen.

»Die Nachmittagsausgabe von Denoons Zeitung wird Wetron als Helden feiern«, sagte Narraway finster. »Mit diesem Erfolg im Hintergrund kann er sich ausrechnen, dass er der nächste Polizeipräsident wird.«

»Vermutlich hat er von Anfang an darauf hingearbeitet«, sagte Vespasia. »Ich muss gestehen, dass es kaum etwas gibt, was mich so wütend macht wie dieser Gedanke. Der Mann ist ein Ausbund an Niedertracht und wird dem ganzen Land nicht wieder gutzumachenden Schaden zufügen.«

»Ganz davon abgesehen steht er nach wie vor an der Spitze des Inneren Kreises«, fügte Pitt hinzu. »Voisey, der ihm als Einziger hätte Widerpart bieten können, lebt nicht mehr. Ich denke, jetzt wird lange Zeit niemand wagen, sich ihm offen entgegenzustellen.«

Gracie verzog das Gesicht. »Der is nich anders wie wir auch un muss mit ein'm Bein nach'm ander'n in seine Hose steig'n. Irg'ndwo hat der bestimmt 'ne schwache Stelle. Es muss was geb'n, woran er nich denkt.«

»Es sieht aber ganz so aus, als habe er an alles gedacht«, erwiderte Narraway. Einen Augenblick lang überraschte es ihn, dass sich ein Dienstmädchen die Freiheit herausnahm, sich am Gespräch der Herrschaften zu beteiligen. »Alles Beweismaterial, das wir kennen, lässt sich ebenso gut auf Voisey wie auf ihn beziehen. Simbister ist ganz und gar unglaubwürdig, und ich nehme an, dass Wetron ohnehin so viel Belastungsmaterial gegen ihn besitzt, dass der Mann unter keinen Umständen gegen ihn aussagen wird. Davon abgesehen dürfte es kaum etwas geben, was Wetron belastet. Zwar hat Voisey gesagt, er habe solche Beweise, aber niemand hat sie gesehen. Sollten sie existiert haben, hat Wetron sie inzwischen mit Sicherheit vernichtet.«

»Nicht einmal Piers Denoons Geständnis würde uns weiterhelfen, da es ausschließlich Simbister belastet, dessen Fall so oder so aussichtslos ist«, fügte Pitt hinzu. »Wir haben zwar die Handhabe, Piers festzunehmen, aber von ihm führt keine Spur zu Wetron.«

»Was für 'n Geständnis is das?«, fragte Gracie neugierig.

»Piers Denoon hat eine junge Frau vergewaltigt. Simbister hat ihn damit erpresst und ihn auf diese Weise dazu gebracht, die Anarchisten zu unterstützen und Magnus Landsborough zu erschießen«, erklärte Pitt knapp. »Wetron hat das Geständnis in seinen Besitz gebracht. Das aber können wir nicht beweisen.«

Angewidert verzog Gracie die Nase.

»Wir ... haben es aus Wetrons Panzerschrank geholt«, sagte Pitt, »und das dürfen wir natürlich öffentlich nicht sagen.«

»Trotzdem«, ließ Gracie nicht locker, »es muss was geb'n, wovor er Angst hat oder was 'm schadet. Bei Mr Voisey war's die Schwester. Hat Mr Wetron denn niemand?« Sie stieß einen leisen

Laut der Verärgerung aus. »Wir könn'n den doch nich einfach lauf'n lass'n!«

»Er befindet sich in einer ausgesprochenen Machtposition!«, sagte Vespasia und sah auf Gracies schmale Gestalt ihr gegenüber. »Und den größten Teil seiner Macht übt er im Geheimen aus.«

»Es muss aber doch jemand geb'n, dem das egal is!«, beharrte Gracie trotzig. »Wenn er so gemein is, hat er bestimmt jemand zugrunde gerichtet. Den müss'n wir nur find'n.«

Langsam zeichnete sich in Pitts Gedanken etwas ab, doch gefiel ihm diese Vorstellung nicht. Die Sache würde nicht besonders hilfreich sein und könnte außerdem viel Zeit kosten.

Charlotte sah ihn aufmerksam an. »Woran denkst du?«, fragte sie.

Er rieb sich die Stirn. Mit einem Mal war er entsetzlich müde. Er schien seit Wochen keinen erholsamen Schlaf gehabt zu haben. Alles, woran er geglaubt hatte, brach um ihn herum zusammen; von dem Anstand, den er stets für selbstverständlich gehalten hatte, war keine Spur zu sehen. All das war Wetrons Werk, er verdarb die Guten und übte Verrat an denen, die ihm vertrauten.

»Ich gehe wohl am besten zu den Landsboroughs und gebe dort Bescheid, dass wir wissen, wer ihren Sohn auf dem Gewissen hat«, sagte er und erhob sich langsam. »Sie haben ein Recht darauf, das zu erfahren. Um Piers Denoon festnehmen zu lassen, muss ich erst einmal wissen, wo er sich aufhält.«

»Wenn du Lord Landsborough diese Mitteilung machst, gibt er das unter Umständen seiner Schwester weiter, und die kann Piers warnen«, sagte Vespasia zögernd. Auf ihrem Gesicht lag der Ausdruck tiefen Mitleids. »Oder ist das deine Absicht, Thomas?«

Charlotte ließ den Blick zwischen ihr und Pitt wandern.

»Ich kann das nicht einfach so durchgehen lassen, Tante Vespasia«, sagte er. Die ganze Sache verursachte ihm Qualen. »Piers Denoon hat nicht nur eine junge Frau vergewaltigt und Geld für die Anarchisten beschafft, die den Anschlag in der Myrdle Street und höchstwahrscheinlich auch den in der Scarborough Street verübt haben, er hat vor allem Magnus getötet. Wenn es überhaupt eine Möglichkeit gibt, Wetron endlich das Handwerk zu legen, dann die, dass ich Piers wegen dieses Mordes festnehme und sein Vater erfährt, auf welche Weise Wetron ihn benutzt hat.«

»Ja«, stimmte sie zu. »Ich sehe auch keinen anderen Ausweg.«

Mit einer Trauer in der Stimme, die ihn fast erstickte, sagte Pitt: »Anfangsfehler sind oft nicht besonders bedeutend und lassen sich meist wieder gutmachen, wenn man rechtzeitig dafür bezahlt. Piers aber hat immer noch mehr Fehler begangen, um nicht für den ersten zahlen zu müssen, bis sie so gewaltig wurden, dass er nicht mehr dafür bezahlen konnte. Es tut mir Leid.«

Charlotte beugte sich vor und legte spontan eine Hand auf die Vespasias. Wenn ihr die Geste bewusst geworden wäre, hätte sie das vielleicht nicht gewagt.

»Natürlich.« Vespasia nickte kaum wahrnehmbar. »Ich habe das wohl nicht richtig bedacht. Wie aber willst du ihn festnehmen? Hat nicht Voisey gesagt, dass er das Land auf dem Wasserweg verlassen wollte?«

»Wir wissen nicht, ob das stimmt«, sagte Pitt, dem seine Vertrauensseligkeit nach wie vor peinlich war. »Ich nehme an, dass uns Edward Denoons Verhalten einen Hinweis darauf liefern wird, ob sein Sohn noch im Lande ist. Ich vermute, dass er zumindest einen Teil des Geldes zur Verfügung gestellt hat, mit dem dieser die Anarchisten finanziert hat, sofern die erpressten Schutzgelder nicht reichten.«

»Ich verstehe. Möchtest du, dass sich Edward Denoon in Lord Landsboroughs Haus befindet, wenn du es ihm sagst?« Vespasias Frage klang fast wie ein Angebot.

Alles krampfte sich in Pitt zusammen. »Ja ... bitte.«

»Ich würde gern einmal telefonieren.«

Er bot ihr seine Hand.

Sie stand auf, ohne sie zu nehmen, und warf ihm einen abweisenden, zugleich aber belustigten Blick zu. »Ich bin zwar vom Kummer niedergedrückt, Thomas, aber durchaus imstande, allein aufzustehen!«

Pitt wandte sich an Gracie. »Danke«, sagte er aufrichtig. »Möglicherweise gibt es tatsächlich eine Stelle, an der Wetron ein wenig verletzlich ist.«

Gracie errötete vor Freude.

Pitt richtete den Blick auf Charlotte und sah ihr eine Weile wortlos in die Augen. Dann folgte er Vespasia in die Diele.

Vespasia brachte Pitt in ihrer Kutsche zum Haus der Familie Landsborough, bevor sie in ihr eigenes zurückkehrte. Auf der kurzen Fahrt saßen sie einander schweigend gegenüber, ohne das traurige Thema weiter anzusprechen. Pitt dachte daran, wie Voisey auf dem Boden seines Büros gelegen hatte, von einem Augenblick auf den nächsten all dessen beraubt, was ihn so lebendig hatte erscheinen lassen. All seine Wut und Habgier waren dahin, all sein Witz und sein Machthunger. Was Vespasia beschäftigte, wusste er nicht, doch vermutete er, dass sie an Sheridan Landsborough und seinen Kummer dachte, an Enid und den Schmerz, der ihr bevorstand.

»Danke, Tante Vespasia«, sagte er leise, als die Kutsche hielt.

Statt einer Antwort lächelte sie ihm leicht zu. Auf ihren Zügen lag tiefes Mitgefühl.

Gern hätte er gewusst, was er sagen oder tun konnte, und wäre es nur eine kleine Geste, aber ihm fiel nichts ein, und so verabschiedete er sich schließlich einfach, als er ausstieg und den Wagenschlag hinter sich schloss.

Der Lakai der Familie Landsborough empfing ihn ohne den geringsten Ausdruck von Überraschung und ohne nach seinem Namen zu fragen. Sheridan und Cordelia erwarteten ihn im Wohnzimmer. Auch das Ehepaar Denoon war anwesend. Alle wandten ihre bleichen Gesichter der Tür zu, als sie seine Schritte im Vestibül hörten.

Landsborough trat auf ihn zu. »Guten Tag, Mr Pitt. Es ist sehr freundlich von Ihnen, uns persönlich zu informieren.«

»Ich nahm an, dass Sie es wissen möchten«, gab Pitt zur Antwort. »Wir haben inzwischen genug Beweismaterial, um den Mann festzunehmen, der Ihren Sohn getötet hat.«

Landsborough wandte sich seiner Gattin zu, die einen Seufzer der Erleichterung ausstieß.

»Danke«, sagte sie mit unsicherer Stimme. »Das ... das Warten war sehr belastend.«

Landsborough wahrte seine Haltung mit Mühe. »Ich bin Ihnen sehr verpflichtet, Pitt. Mit dieser Mitteilung nehmen Sie mir eine große Last von den Schultern, und das zu einer Zeit, in der uns so viele schlechte Nachrichten erreichen.« Er verzog das Gesicht, als er fortfuhr: »In den Nachmittagszeitungen habe ich die näheren Umstände von Sir Charles Voiseys Tod gelesen.« Er sah zu Pitt hin, ersehnte sich offenbar verzweifelt einen Funken Hoffnung darauf, dass das Gesetz scheitern würde. Die Enttäuschung in seinen Augen war unübersehbar. Sein Sohn war tot, und die liberale, tolerante, aufgeklärte Welt, zu deren Verfechtern er selbst gehörte, schien im Begriff, in einer Woge korrupter Tyrannei unterzugehen. Er sah keine Möglichkeit, sie zu bekämpfen, und schon gar nicht hätte er hoffen dürfen, einen solchen Kampf zu gewinnen. Und jetzt würde der letzte schreckliche Schlag kommen, den ihm Pitt nicht ersparen konnte. Es war ihm nicht einmal möglich, ihn hinauszuzögern, denn Wetron war ein zu gerissener und zu gefährlicher Gegner. Er musste ihn in Denoons Gegenwart führen.

»Ja«, sagte Pitt. »Er scheint auf eine Weise korrupt gewesen zu sein, von der wir uns keine Vorstellung gemacht haben.«

»Die Zeitungen haben es ausführlich geschildert«, bestätigte Landsborough mit erkennbarem Widerwillen. »Hauptkommissar Wetron ist der Held des Tages.«

»Ein guter Mann«, sagte Denoon mit Nachdruck. »Er hat überaus mutig und entschlossen gehandelt, und wir verdanken ihm sehr viel. Ich bewundere jeden, der für seine Überzeugungen eintritt und sich seinem Gegner persönlich entgegenstellt, statt Untergebene vorzuschicken.« Er lächelte trübselig. »Nur gut, dass er selbst es getan hat. Ein minder fähiger Mann hätte Voisey womöglich einfach festgenommen. Das hätte allen möglichen Leuten geschadet und zu einer Gerichtsverhandlung geführt, in deren Verlauf ein ganzer Haufen schmutziger Wäsche gewaschen worden wäre. Mit diesem Vorgehen hat er Simbister demaskiert und Voisey auf einen Schlag unschädlich gemacht. Jetzt können wir uns dem Prozess der Gesundung zuwenden und daran gehen, Korruption und Anarchie mit der Wurzel auszureißen.«

Cordelia warf ihm einen eisigen Blick zu. »Mr Pitt ist gekommen, um uns zu sagen, wer Magnus ermordet hat, Edward, und nicht, um Wetron ein Loblied dafür zu singen, dass er Sir Charles Voisey erschossen hat. In diesem Zusammenhang ist es völlig unerheblich, dass wir eine andere politische Meinung vertreten haben als Voisey.«

»Ich nicht«, sagte Enid mit einem Blick auf ihre Schwägerin. »Zwar habe ich in ihm immer einen fürchterlichen Menschen gesehen, grausam, machtbesessen und ohne jede Rücksicht anderen gegenüber, aber mit seinen politischen Vorstellungen hatte er meiner Ansicht nach unbedingt Recht.«

»Um Himmels willen, Enid, du weißt ja nicht, was du redest!«, stieß Denoon hervor. »Er war ein Gegner des Gesetzentwurfs! Inzwischen wissen wir auch, warum: Er war bis ins Mark korrupt und hatte Simbister mit in diesen Sumpf hineingezogen.«

»Das ist kein Grund«, sagte sie.

Mit wutverzerrtem Gesicht sagte Denoon: »Und ob das einer ist! Er durfte auf keinen Fall zulassen, dass es zu einer polizeilichen Untersuchung kam, da er bis zur Halskrause in die Sache verwickelt war.« Zu Pitt gewandt, schloss er: »Gewiss sind Sie gekommen, um uns das zu sagen?«

»Haben Sie denn Ermittlungen im Zusammenhang mit der Korruption der Polizei geführt?«, fragte ihn Landsborough.

»Ja«, sagte Pitt. »Und es gab nicht die geringsten Hinweise auf eine mögliche Verwicklung von Sir Charles Voisey in diese Angelegenheit.«

»Dann müssen Sie unfähig sein«, fuhr ihn Denoon an. »Aus Hauptkommissar Wetrons Darstellung der Lage geht klipp und klar hervor, dass Voisey an der Sache nicht nur beteiligt, sondern genau genommen die treibende Kraft dahinter war. Wenn Sie Ihr

Handwerk beherrschten, hätten *Sie* das ermittelt und bewiesen, dann hätte Wetron das nicht für Sie tun müssen.«

Sheridan Landsborough erstarrte. »Edward, Mr Pitt ist ein Besucher meines Hauses«, sagte er kühl. »Als solchen wirst du ihn höflich oder, sofern du dich dazu nicht im Stande siehst, zumindest zivilisiert behandeln. Er ist gekommen, um mir zu berichten, dass er im Begriff steht, den Mann festzunehmen, der meinen Sohn ermordet hat. Willst du nicht wenigstens die Gefühle meiner Frau und meine eigenen respektieren, wenn es dir schon nicht möglich ist, daran zu denken, dass du ebenfalls als Besucher hier bist, wenn auch als einer, der zur Familie gehört?« Der abgrundtiefe Sarkasmus, mit dem er das Wort ›Familie‹ betonte, zeigte Pitt schlagartig, dass Landsborough durchaus wusste, wer der Erzeuger seines Sohnes war.

Denoon sah Pitt an und wurde puterrot. In seinen Augen lag jetzt nicht nur Wut, sondern auch Angst.

Cordelia warf ihrem Mann einen ärgerlichen Blick zu, schwieg aber ebenfalls.

Enid erhob sich, reckte den Kopf und sagte: »Bitte verzeihen Sie die schlechten Manieren meines Mannes. Ich würde Ihnen gern einen vernünftigen Grund dafür nennen, der das entschuldigen könnte, aber ich weiß keinen. Würden Sie trotzdem die Freundlichkeit besitzen, uns zu sagen, was Sie in Erfahrung gebracht haben? Zumindest Sheridan wüsste es gern. Er hat mit großer Liebe an Magnus gehangen und alles getan, was er nur konnte, um ihn von seinem anarchistischen Irrweg abzubringen.«

Pitt erschien ihr Mitgefühl fast unerträglich. Er überlegte sogar, ob es eine Möglichkeit gab, ihr die Festnahme des eigenen Sohnes und das Bewusstsein zu ersparen, dass ihm eine Gerichtsverhandlung bevorstand, an dessen Ende höchstwahrscheinlich das Todesurteil stand.

»Nun?«, brach Cordelia das Schweigen.

Es gab keine solche Möglichkeit. Es war nicht das erste Mal, dass er es aus tiefster Seele verabscheute, einen Täter festnehmen zu müssen, wobei er für viele von ihnen mehr Verständnis aufgebracht hatte als für Piers Denoon.

»Es ist einer der anderen Anarchisten«, sagte er. »Ich bin nicht sicher, ob ich eine Möglichkeit haben werde, ihn festzunehmen, werde aber alles tun, was ich kann. Es tut mir Leid. Ich wünschte, ich könnte der Sache ein Ende machen, indem ich sagte, es war Voisey, aber das geht einfach nicht.«

»Warum denn um Gottes willen?«, erwiderte Cordelia. »Wir wollen unbedingt, dass der Täter festgenommen wird, ganz gleich, wer es ist! Also stehen Sie nicht herum, sondern tun Sie Ihre Pflicht, und lassen Sie es uns wissen, wenn die Sache erledigt ist.«

Ihre Direktheit ärgerte Pitt, doch verflog das Gefühl rasch. »Mein Bedauern geht darauf zurück, dass der Täter jemand war, den Magnus kannte und dem er vertraute«, entgegnete er. »Vielleicht war er ihm sogar wichtig. Den Namen werde ich Ihnen erst nach der Festnahme sagen, weil ich Ihnen unnötige Schmerzen ersparen und keinesfalls jemanden belasten möchte, dessen Täterschaft ich nicht beweisen kann. Ich denke, dass die Sache so oder so morgen um diese Zeit erledigt ist. Auf Wiedersehen.«

Landsborough begleitete ihn zur Tür und blieb unmittelbar davor stehen.

»Stimmt es, Pitt, dass Sie wissen, wer der Mann ist?«, fragte er eindringlich.

»Es scheint nur eine mögliche Antwort zu geben«, sagte Pitt.

»Aber Sie wollten von uns etwas in Erfahrung bringen. Das war doch der Grund Ihres Besuchs?«

»Sie sind Magnus nachgegangen und haben versucht, ihm die Sache auszureden?« Pitt stellte die Frage, obwohl er die Antwort kannte.

Landsboroughs Züge verhärteten sich. Wie jemand, der vollständig besiegt ist, gab er es gequält zu.

Pitt kam sich vor, als seziere er brutal einen Menschen bei lebendigem Leibe. Wenn er sich allerdings für das entschuldigte, was er zu tun im Begriff stand, würde er die Sache nur verschlimmern.

»Haben Sie bei einer dieser Gelegenheiten zwei Männer gesehen, einen mit bleicher Haut und roten Haaren und einen anderen mit dichten, schwarzen Locken?«

»Ja. Wieso fragen Sie das?«, sagte Landsborough verwirrt.

»Man hat mir gesagt, es habe sich um Bekannte Ihres Sohnes gehandelt. Stimmt das?«

»Ja. Ich habe sie mehrfach bei ihm gesehen. Sie schienen ziemlich ... vertraut miteinander zu sein. Ist das jetzt noch wichtig?«

»Durchaus. Ich möchte mithilfe der beiden den Mörder zu fassen bekommen.« Pitt empfand tiefes Schuldbewusstsein, weil es keine Möglichkeit gab, Landsborough schonend auf den Schock vorzubereiten, der ihm bevorstand. Aber so nah, wie der Mann seiner Schwester stand, konnte er nicht ausschließen, dass er ihr die Wahrheit verriet – sei es unabsichtlich oder weil er ihr Kummer ersparen wollte, und sei es auch noch so wenig. »Danke«, sagte er. »Zwar habe ich vermutet, dass mir die beiden die Wahrheit gesagt haben, doch bestand die Möglichkeit, dass sie logen, falls sie mit in die Sache verwickelt waren.«

Landsborough runzelte die Stirn. »Sie haben aber doch gesagt, dass es jemand war, dem er vertraute«, sagte er.

»Damit hat es auch seine Richtigkeit. Aber von diesen beiden kann es eigentlich keiner gewesen sein. Wir wissen genau, wo sie sich zum Zeitpunkt der Tat befanden. Danke, Lord Landsborough. Jetzt muss ich gehen und meine Pflicht tun.« Da es ihm widersinnig schien, dem alten Herrn einen Guten Tag zu wünschen, begnügte er sich mit einem knappen Lächeln und ging.

Er suchte auf kürzestem Wege das Gefängnis auf, in dem sich Welling und Carmody in Haft befanden. Dort forderte er den Wärter auf, sie gemeinsam in eine Zelle zu führen, und ging dann selbst hinein.

Die beiden sahen ihn fragend an. Sie wussten nicht, was sie von der Neuerung halten sollten, und fürchteten sich vor den möglichen Folgen. Genau diese Unsicherheit hatte er beabsichtigt, auch wenn sie nur einer der Gründe für sein Handeln gewesen war. Es war seine Absicht, Piers Denoon aus seinem Versteck zu locken, damit er ihm das Angebot machen konnte, mit einer Aussage gegen Wetron seine Haut zu retten.

Wartend sahen ihn die beiden Anarchisten an.

»Ich möchte, dass Sie Piers Denoon eine Mitteilung zukommen lassen«, sagte er unvermittelt.

Höhnisch fragte Welling: »Sie meinen, wir sollen ihm einen Brief schicken? Das können Sie ebenso gut selber tun.«

»Nein – Sie sollen zu ihm gehen«, sagte Pitt.

»Ach ja? Und dann brav ins Gefängnis zurückkommen, damit Sie mich für den Rest meines Lebens einsperren können?« Er sah Pitt mit einem Blick an, der deutlich machte, dass er ihn in die finsterste Hölle wünschte. Nur wagte er das nicht zu sagen, denn er fürchtete, damit die wenigen Privilegien aufs Spiel zu setzen, die man ihm eingeräumt hatte – wenn nicht gar Pitt seine Zusage zurücknahm, ihm zu glauben, dass nicht er Magnus getötet hatte.

»Wenn Sie mich ausreden ließen«, sagte Pitt kühl, »könnte sich zeigen, dass das Angebot deutlich besser ist, als Sie es hinstellen.«

»Also halt den Schnabel!«, fuhr Carmody seinen Gefährten an. »Ja, Mr Pitt?«

Pitt sagte mit schmalem Lächeln: »Einer von Ihnen soll Piers Denoon aufsuchen und dazu bringen, dass er in sein Elternhaus zurückkehrt. Auf welche Weise Sie das erreichen, ist mir gleichgültig. Er hat Magnus Landsborough erschossen, und das kann ich nicht einfach durchgehen lassen.« Er sah die Gemütsbewegung auf den Gesichtern der beiden, die Wut und den Schmerz. »Falls Ihnen das noch nicht genügt«, fuhr er fort, »sollen Sie wissen, dass er auch das Geld für das Dynamit beschafft hat, mit dem die Häuser in der Scarborough Street in die Luft gesprengt worden sind. Bei diesem Anschlag, den nebenbei bemerkt die Öffentlichkeit ebenfalls den Anarchisten zuschreibt, sind, wie Sie wissen, acht Menschen ums Leben gekommen und viele weitere verletzt worden.«

»Welchen Grund hätte er haben sollen, Magnus zu töten?«, fragte Welling zweifelnd. »Die beiden waren doch Vettern!«

»Man hat ihn dazu erpresst«, teilte ihm Pitt mit. »Es ist ohne weiteres möglich, dass er eigentlich nichts mit den Anarchisten zu tun haben wollte, doch blieb ihm keine Wahl. Ich habe sein schriftliches Geständnis und die Aussagen von Zeugen gesehen, aus denen sich zweifelsfrei ergibt, dass er vor drei Jahren eine junge Frau vergewaltigt hat. Polizeibeamte haben ihn mithilfe dieser Unterlagen, die sie in Verwahrung hatten, gezwungen, zu tun, was sie von ihm wollten.«

Mit von Abscheu und Hass verzerrtem Gesicht gab Carmody einen obszönen Fluch gegen die Polizei von sich.

»Vergessen Sie nicht, dass er Magnus erschossen hat, statt sich den Folgen seiner Tat zu stellen und seine Strafe auf sich zu nehmen«, erinnerte ihn Pitt.

»Wir sollen also Verrat üben.« Carmody biss sich auf die Lippe.

»An wem?«, fragte Pitt. »An Piers oder an Magnus?«

»Und was ist, wenn derjenige von uns, der die Sache übernimmt, nicht zurückkommt?«, fragte Welling.

»Das verlange ich gar nicht«, gab Pitt mit einem angedeuteten Lächeln zurück. »Wenn Sie tun, worum ich Sie bitte, wird auch der andere freigelassen. Andernfalls bleibt er hier und muss sich der Anklage wegen des Anschlags in der Myrdle Street stellen. Angesichts der vielen Todesopfer in der Scarborough Street dürften Geschworene zur Zeit Sprengstoffattentätern alles andere als wohlgesonnen sein.« Diese kaum verhüllte Drohung fügte er hinzu, weil er es sich nicht leisten konnte, auch diesen letzten Kampf zu verlieren, ganz davon abgesehen, dass er den Anarchisten nicht enthüllen konnte, was auf dem Spiel stand.

»Ich übernehme den Auftrag«, sagte Welling entschlossen.

Pitt sah erst ihn und dann Carmody an. »Nein«, sagte er. »Carmody. Brechen Sie gleich auf. Wenn Sie es nicht schaffen, zahlt Welling den Preis dafür, und ich werde dafür sorgen, dass Kydd davon erfährt.«

Welling fuhr herum und sah ihn scharf an.

Pitt lächelte. »Waren Sie etwa der Ansicht, ich kenne ihn nicht?«

Welling stieß leise den Atem aus.

»Kommen Sie jetzt?«, sagte Pitt zu Carmody.

Dieser richtete sich auf. »Ja ... Sir, ja, ich komme.«

Das lange Warten begann unerträglich zu werden, und das keinesfalls nur wegen der Möglichkeit, dass Carmody sein Ziel nicht erreichte oder vielleicht gar nicht erst versuchte, seinen Auftrag zu erledigen. Zwar hatte Pitt gedroht, in dem Fall Welling die Folgen tragen zu lassen, doch war er nicht wirklich bereit, das zu tun. Einen Menschen für die Schwäche oder Feigheit eines anderen zu bestrafen erschien ihm nicht nur ungerecht, sondern geradezu abstoßend. Mehr noch aber setzte ihm das Bewusstsein dessen zu, was mit einem Erfolg des Unternehmens verbunden wäre: Piers Denoons Festnahme im Elternhaus vor den Augen des Vaters – um zu erreichen, dass sich Edward Denoon gegen Wetron stellte. Dabei waren Pitt Edward Denoons Empfindungen gleichgültig. Er war nicht stolz auf die Freude, die es ihm bereiten würde, einem so eingebildeten Menschen etwas heimzuzahlen, einem, der unter Umständen sogar an Wetrons Stelle die Leitung des Inneren Kreises übernehmen würde, wenn man ihn nicht daran hinderte. Doch bei dem Gedanken an Enid und Landsborough zog sich ihm das Herz zusammen, sogar schon jetzt, während er steifgefroren am Lieferanteneingang des gegenüberliegenden Hauses stand und wartete. Tellman, der dienstfrei hatte, war bei ihm, weil Pitt für eine Festnahme einen Polizeibeamten brauchte. Ganz davon abgesehen, hatte Tellman es auch verdient, die Früchte ihrer Arbeit zu ernten.

Narraway, der es sich nicht hatte nehmen lassen, ebenfalls zu kommen, wartete etwa dreißig Schritt entfernt.

Es war kurz nach sechs, ein heller, aber kühler Morgen. Gerade als Pitt zur Themse hinsah, von der ein kalter Wind herüberwehte, stieß ihn Tellman in die Seite.

»Da ist er!«, flüsterte er, als jemand mit einem Paket auf dem

Arm die Stufen zum Nebeneingang des Hauses der Familie Denoon hinabeilte, so, als wolle er etwas liefern. Statt an die Tür der Spülküche zu klopfen, schloss er sie auf.

Pitt eilte die Stufen empor und rief Narraway etwas zu. Dann lief er mit Tellman über die Straße und klopfte an die Tür des Denoon'schen Hauses.

Ein junges Mädchen, das eine Schürze trug, öffnete. Ihre Hände waren mit Asche bedeckt – vermutlich war sie gerade damit beschäftigt gewesen, den Küchenherd auszuräumen.

»Ja, Sir?«, sagte sie unsicher.

»Polizei«, knurrte Tellman und schob sich an ihr vorüber.

»Vielleicht sollten Sie besser den Hausherrn wecken«, fügte Pitt hinzu.

Tellman war bereits auf dem Weg in die Küche. Pitt folgte ihm, vorüber an einem benommen dreinblickenden Stiefelputzer und einer Küchenmagd, die einen Eimer Kohlen trug.

Sie fanden Piers in der Küche. Er war unrasiert, seine Wangen waren hohl, und die Augen lagen tief in ihren Höhlen.

»Es ist sinnlos, durch die Hintertür entwischen zu wollen«, sagte Pitt ganz ruhig. »Dort steht jemand und wartet auf Sie.«

Piers erstarrte. Entsetzen mischte sich mit einer Art sonderbarer und verzweifelter Erleichterung darüber, dass das Versteckspiel endlich vorüber war und er sich dem stellen konnte, was unvermeidlich auf ihn zukommen würde.

»Piers Denoon«, sagte Tellman förmlich. »Ich nehme Sie wegen Mordes an Magnus Landsborough fest. Im Interesse Ihrer Angehörigen empfehle ich Ihnen, keine Schwierigkeiten zu machen.«

Piers stand reglos, als könne er sich nicht bewegen. Tellman wusste nicht recht, ob er ihm Handschellen anlegen sollte oder nicht.

»Gehen Sie nach nebenan, Mr Denoon«, sagte Pitt. »Es ist nicht erforderlich, Sie vor den Dienstboten festzunehmen.«

Wie ein alter Mann machte sich Denoon daran, durch den Gang in den Wohntrakt des Hauses zu gehen. Tellman hielt sich einen halben Schritt hinter ihm.

Als sie durch die mit grünem Tuch bespannte Tür kamen, sahen sie, dass Enid Denoon, die einen Morgenrock übergeworfen hatte, am Fuß der Treppe stand. Ihr lose herabfallendes schimmerndes Haar bildete einen scharfen Kontrast zu ihrem verhärmten Gesicht.

»Was ist geschehen?«, fragte sie.

Pitt hatte den schrecklichen Verdacht, dass sie es ahnte.

»Es tut mir aufrichtig Leid, Mrs Denoon.« Mit diesen Worten war es ihm ernst. Er hätte viel darum gegeben, es ihr nicht sagen zu müssen. Es hätte ihn weit weniger geschmerzt, wenn Edward Denoon statt seines Sohnes dort gestanden hätte.

Piers sah seine Mutter an, doch war deutlich zu sehen, dass er das nicht tat, weil er sich von ihr Hilfe erhofft hätte. Ihm war klar, dass niemand etwas für ihn tun konnte. »Ich wusste nicht, wie ich mich der Sache stellen sollte, und dachte, ich könne mich ihr entziehen«, sagte er schlicht.

Enid sah an ihm vorüber auf Pitt.

Sie verdiente eine Erklärung. Er hielt sie so einfach, wie er konnte. »Vor drei Jahren hat er ein Verbrechen begangen«, sagte er. »Die Polizei hat sein Geständnis und die Aussagen der Zeugen zurückgehalten und sie dazu benutzt, ihn zu erpressen, damit er für die Anarchisten Geld beschaffte. Man wollte durch die Bombenanschläge die öffentliche Meinung so weit aufstacheln, dass sich die überwiegende Mehrheit dafür aussprach, die Polizei mit Schusswaffen auszurüsten und ihr größere Vollmachten zu geben.«

Ihr Gesicht war aschfahl. Sie verstand, was als Nächstes kommen würde. »Und Magnus wusste das?«

»Das entzieht sich meiner Kenntnis«, gab er zu. »Auf jeden Fall aber hat man ihn getötet, um die öffentliche Empörung zu schüren und zu erreichen, dass das Thema Anarchismus in allen Zeitungen behandelt wurde. Hätte das Opfer nicht einer bekannten Familie angehört, wäre die Sache wahrscheinlich nicht so hochgespielt worden.«

»Die Polizei hat das getan?«, fragt sie. »Wer steckt dahinter?

Dieser Simbister – oder Wetron, der gestern Voisey getötet hat? Nein, sagen Sie nichts. Er muss es sein, sonst wäre Ihnen die Sache nicht noch immer so wichtig. Ich sehe es Ihnen an.« Sie richtete den Blick auf ihren Sohn. »Ich werde es deinem Vater sagen. Ich zweifle, dass er eine Möglichkeit hat, dir zu helfen, aber bestimmt wird er es versuchen. Ich tue, was ich kann.« Zu Pitt sagte sie: »Meine Pflichten hier im Hause hindern mich daran, Sie hinauszubegleiten. Ich verstehe, dass Sie getan haben, was Sie tun mussten – und jetzt ist die Reihe an mir.« Sie wandte sich um und ging langsam die Treppe empor, die Hand auf das Geländer gelegt, als müsse sie sich daran festhalten.

Pitt folgte Tellman und Piers Denoon nach draußen, wo Narraway mit einer Droschke auf sie wartete. Tellman legte dem jungen Mann die Handschellen an, für den Fall, dass er plötzlich in Panik geriet und davonlief oder gar versuchte, sich aus der Droschke zu stürzen. Narraway stieg mit ein.

»Gut gemacht, Pitt«, sagte er freudlos. »Tut mir Leid, aber Sie werden sich eine andere Droschke suchen müssen.«

»Ja, Sir«, gab Pitt zurück. »Jetzt muss ich möglichst rasch zu Lady Vespasia. Ich denke, Mrs Denoon braucht jeden Trost, den man ihr geben kann.«

»Es ist noch nicht einmal sieben!«, gab Narraway zu bedenken.

Pitts Entschluss war unumstößlich. Sein eigener Kummer diktierte ihm die Notwendigkeit, nicht bis acht oder neun Uhr zu warten, um die Nachricht zu überbringen. »Ich weiß. Falls ich warten muss, werde ich mich dem fügen.« Ohne Narraways Antwort abzuwarten, wandte er sich um und schritt der nächsten Querstraße entgegen, wo er eine Droschke zu finden hoffte. Sofern er keine bekam, würde er zu Fuß gehen. Es waren nicht einmal drei Kilometer.

Als endlich eine Droschke kam, hatte er nur noch zehn Minuten zu gehen, und so ließ er sie vorüberfahren.

Natürlich war Vespasia noch nicht aufgestanden, aber ihr Dienstmädchen kam an die Tür und forderte Pitt auf, im Salon zu warten, während sie ihre Herrin weckte.

»Bitte sagen Sie ihr, dass Mrs Denoon ihren Trost so bald wie möglich braucht«, fügte Pitt hinzu.

»Gewiss, Sir. Soll ich dem Küchenmädchen sagen, dass es Ihnen Tee und Toast bringt?«

»Ach bitte, ja.« Mit einem Mal merkte Pitt, wie sehr er fror und wie unglücklich er war. Er empfand eine tiefe innere Leere. Zwar hatte er die Wahrheit ermittelt, doch war ihm bewusst, dass Piers Denoon nichts weiter als eine unbedeutende Schachfigur im Spiel anderer gewesen war. Wetron befand sich nach wie vor nicht nur auf freiem Fuß, sondern durfte sich auch als Gewinner der Partie fühlen. Es war mehr als unsicher, ob ihm Edward Denoon auf die eine oder andere Weise das Handwerk legen würde. Eher musste man damit rechnen, dass ihn Wetron auf seine Seite zog, indem er dafür sorgte, dass man Piers entweder begnadigte oder entkommen ließ. Vielleicht fände er sogar eine Möglichkeit, die Schuld an der Tat jemandem zuzuschieben, der nichts damit zu tun hatte – beispielsweise Simbister!

Der Tee und der Toast kamen, und Pitt genoss beides. Er war gerade fertig, als Vespasia eintrat. Obwohl seit seiner Ankunft kaum zwanzig Minuten vergangen waren, war sie schon ausgehfertig und offensichtlich bereit, das Haus zu verlassen.

»Was ist geschehen, Thomas?«, fragte sie. Ihrer Stimme war anzuhören, was sie befürchtete, so, als wisse sie bereits alles. Das aber war gänzlich unmöglich.

Er stand sofort auf.

»Ich habe heute Morgen Piers Denoon wegen Mordes an Magnus Landsborough festnehmen lassen«, sagte er. »Wetron hat ihn dazu erpresst, leider aber kann ich das nicht beweisen. Simbister hat mit den Erpressungen angefangen, deshalb steht sein Name auf den Dokumenten.«

Alle Farbe wich aus Vespasias Gesicht. »Und Enid weiß Bescheid?«

Sein Unbehagen wuchs. »Ich wollte, dass Denoon es zuerst erfuhr, und habe das Dienstmädchen geschickt, damit sie es ihm sagte. Sie hat aber Enid statt seiner geweckt.«

»Vermutlich hat sie Angst vor ihm«, sagte Vespasia, während sie zur Tür ging. »Meine Kutsche wartet.« Ihre Stimme war heiser vor tiefer Gemütsbewegung. »Piers ist ihr einziges Kind. Beeil dich, Thomas. Vielleicht kommen wir ohnehin schon zu spät.«

Er fragte nicht, was sie damit meinte. Ob sie fürchtete, dass sich Enid Denoon das Leben genommen hatte, weil sie die Schande und den Kummer nicht ertragen konnte? Er hätte sich vergewissern sollen, dass ihr Mann da war, damit sich jemand um sie kümmerte, oder zumindest ein zuverlässiger, fähiger Dienstbote – der Butler oder eine Zofe, die schon lange im Hause war. Er verwünschte sich wegen seiner törichten Handlungsweise. Aus lauter Hass auf Wetron hatte er es unterlassen, dafür zu sorgen, dass Enid Denoon eine Möglichkeit bekam, den Schock zu verarbeiten.

Staunend hörte er, dass Vespasia dem Kutscher Wetrons Adresse angab und nicht die der Familie Denoon. Sie stieg ein, ohne darauf zu warten, dass Pitt ihr helfend die Hand reichte.

»Wieso Wetron?«, rief er aus.

»Schnell!«, sagte sie, sonst nichts.

Der Kutscher gehorchte und trieb die Pferde an. Sie fuhren durch die Straßen, die um diese Stunde wie ausgestorben dalagen. Außer Lieferanten, die Waren zu den Häusern brachten, sah man kaum jemanden.

Es gab keinen Anlass, miteinander zu reden, und Pitt war froh darüber. Seine Gedanken jagten sich, waren aber zu wirr und ergaben keinen Sinn. Als die Kutsche anhielt, riss er den Schlag auf, um Vespasia hinauszuhelfen. In ihrer Eile wäre sie fast über ihn gefallen. Enids Kutsche stand auf der anderen Straßenseite.

Gemeinsam eilten sie über den Gehweg und die Treppe zum Eingang empor. Es war das zweite Mal an diesem Morgen, dass er an eine Haustür hämmerte und ein verblüffter Dienstbote öffnete.

Gerade als sie an ihm vorbeistürzten, fiel ein Schuss. Mit einem Aufschrei wandte sich Vespasia dem Empfangszimmer zu, in dessen Tür Wetron mit wirrem Haar und aschfahlem Gesicht erschien. Er hielt eine kleine Pistole in der Hand.

»Die Frau ist wahnsinnig!«, stieß er hervor und sah wild zuerst auf Vespasia, dann auf Pitt. »Sie hat sich auf mich gestürzt wie eine ... eine Furie! Mir blieb nichts anderes übrig. Es ist ...« Er sah auf die Waffe in seiner Hand, als überrasche es ihn, sie dort zu sehen. »Es ist ihre. Sie wollte mich erschießen! Man hat ihren Sohn festgenommen. Das ... das hat ihren Geist verwirrt ... das arme Geschöpf.«

Vespasia schob sich an ihm vorbei, als sei er ein Dienstbote, der ihr im Weg stand, und ging ins Empfangszimmer. Die Tür ließ sie hinter sich weit offen.

Sogar von dort aus, wo Pitt stand, konnte er Enid sehen, die auf dem Rücken lag. Blut strömte scharlachrot aus einer Wunde in ihrer Brust.

Vespasia beugte sich über sie und nahm sie in die Arme, ohne darauf zu achten, dass das Blut ihr Kleid befleckte.

Pitt nahm Wetron die Waffe ab. Sie war überraschend klein, eine Damenpistole.

Enids Leben war noch nicht ganz erloschen.

»Die Frau ist verrückt«, sagte Wetron erneut mit sonderbar schriller Stimme. »Mir blieb nichts anderes übrig!«

Vespasia hob den Blick. Sie kniete am Boden und hatte den Arm jetzt um Enids Schultern gelegt. »Unsinn«, sagte sie mit Triumph in den Augen. »Die Kugel steckt im Teppich unter ihr«, erklärte sie mit rauer Stimme. »Also haben Sie auf sie geschossen, als sie am Boden lag. Sie haben sie niedergeschlagen, und sie ist gestürzt. Dabei ist ihr die Pistole entfallen. Die haben Sie aufgehoben und kaltblütig damit auf die arme Frau geschossen. Der Gerichtsarzt wird in der Lage sein, das zu beweisen. Sie haben einen schweren Fehler begangen, Mr Wetron. Sie haben Mrs Denoons Neffen und ihren Sohn zugrunde gerichtet, jetzt aber hat sie Sie zugrunde gerichtet. Damit ist der Gesetzentwurf erledigt, und ich glaube, endlich auch der Innere Kreis. Voisey ist tot, und Denoon ist am Ende.«

Sie senkte den Blick auf Enid. Tränen traten ihr in die Augen. »Ich hoffe, sie hat noch mitbekommen, was sie erreicht hat«, flüsterte sie und ließ sie schließlich los. »Thomas, du solltest besser telefonieren, damit jemand kommt und diesen Verbrecher abholt. Du hast doch bestimmt Leute für solche Zwecke. Ich werde dann Lord Landsborough sagen, was verloren und was gewonnen ist.«

Ihm fiel ein, dass er unter all den vielen Dingen in seiner Tasche auch Handschellen hatte. Er nahm sie heraus und schloss Wetron damit an eine der Messingstangen des herrlichen Gitters um den Kamin herum an, sodass er genötigt war, nur einen Schritt von Enids Leiche entfernt auf dem Boden zu sitzen.

»Ja, natürlich«, sagte er. »Es tut mir Leid.«

Vespasia sah ihn an, ohne auf ihre Tränen zu achten. »Das muss es nicht, mein Lieber. So hat sie es gewollt, und ich denke, es hätte vielleicht auch gar keine andere Möglichkeit gegeben.«

»Danke, Tante Vespasia«, sagte er, schluckte und ging, um zu tun, was zu tun war.

Anne Perry

Die fesselnden Kriminalromane der Bestsellerautorin Anne Perry lassen das viktorianische Zeitalter lebendig werden. Ein Muss für jeden Liebhaber der englischen Krimi-Tradition!

»Sie hat ein scharfes Auge für Charakternuancen und riecht förmlich das Verbrechen.« **The New York Times**

»Faszinierende Mordgeschichten aus dem spätviktorianischen England.« **Süddeutsche Zeitung**

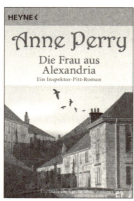

978-3-453-47025-5

Anne Perry bei Heyne – eine Auswahl:

Die Frau aus Alexandria
978-3-453-47025-5

Feinde der Krone
978-3-453-43106-5

Nebel über der Themse
978-3-453-87014-7

Belgrave Square
978-3-453-43023-5

Charles Todd

»Todd versteht es meisterhaft, einen einfachen Kriminalfall in eine groß angelegte griechische Tragödie zu verwandeln.«
The New York Times Book Review

978-3-453-43238-3

Auf dünnem Eis
978-3-453-43263-5

Seelen aus Stein
978-3-453-87399-5

Stumme Geister
978-3-453-43005-1

Dunkle Spuren
978-3-453-43136-2

Die zweite Stimme
978-3-453-43130-0

Kalte Hölle
978-3-453-43179-9

Jorge Molist

Die großen Sensationsbestseller aus Spanien erstmals in deutscher Sprache.

»Ein magischer Erzähler, der den Leser in eine faszinierende Welt entführt.« **El Mundo**

»Fesselnd bis zur letzten Seite.« **ABC**

 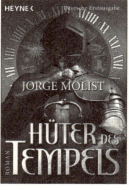

978-3-453-35108-0   978-3-453-81090-7